D1127410

12 règles pour une vie

JORDAN B. PETERSON

Préface de Norman Doidge

12 règles pour une vie

Un antidote au chaos

Traduit de l'anglais (États-Unis)
par Sébastien Baert

TITRE ORIGINAL

12 Rules for Life : An Antidote to Chaos

© 2018 Jordan B. Peterson
En accord avec Cooke McDermid Agency et Cooke Agency International,
en association avec Anna Parota Agency
Première publication en anglais par Random House Canada

Pour la traduction française
© Éditions Michel Lafon

SOMMAIRE

PRÉFACE

Des règles ? Encore des règles, vraiment ? Notre vie n'est-elle pas assez compliquée et contraignante, sans règlements abstraits qui ne tiennent jamais compte de nos situations particulières ? Notre cerveau est malléable, il se développe de manière différente selon notre expérience. Comment peut-on croire que quelques règles puissent être utiles à tous ?

Personne n'en réclame de nouvelles. Pas même dans la Bible, lorsque Moïse redescend de sa montagne après une longue absence, avec les tables des dix commandements, et qu'il retrouve les enfants d'Israël en pleines festivités. Durant quatre cents ans, ils avaient été esclaves du pharaon, subissant sa puissance tyrannique. Puis Moïse les avait soumis pendant quarante années supplémentaires à la rudesse du désert, pour les purifier de leur servilité. Enfin libres, déchaînés, ils n'ont plus aucune retenue et dansent frénétiquement autour d'une idole, un veau d'or, faisant étalage de toutes sortes de dépravations.

— J'ai une bonne et une mauvaise nouvelle ! leur crie le législateur. Laquelle souhaitez-vous entendre en premier ?

— La bonne ! répondent les hédonistes.

— Je L'ai convaincu de réduire le nombre des commandements de quinze à dix !

— Alléluia ! s'écrie la foule indisciplinée. Et la mauvaise ?

— L'adultère en fait toujours partie.

Donc des règles il y en aura, mais par pitié, pas trop non plus. Nous sommes partagés dans ce domaine, même quand nous savons qu'elles nous sont bénéfiques. Si nous sommes des esprits éclairés, des personnes de caractère, elles peuvent nous sembler contraignantes, un affront à notre sens des responsabilités et à notre volonté de mener notre vie comme bon nous semble. Pourquoi devrions-nous être jugés d'après les règles d'un autre ?

Mais nous sommes jugés. Après tout, Dieu n'a pas remis à Moïse les « dix suggestions », mais bien les dix commandements. En esprit libre, ma première réaction à un ordre est de me dire que personne, pas même Dieu, n'a à me dire ce que j'ai à faire, même si c'est pour mon bien. L'histoire du Veau d'or nous rappelle également que, sans règles, nous pouvons vite devenir esclaves de nos passions. Ce qui n'a rien de libérateur.

Et ce récit sous-entend autre chose : livrés à nous-mêmes et à notre propre jugement, nous avons vite tendance à nous satisfaire du minimum, à nous contenter de peu. En l'occurrence, d'un faux animal qui fait ressortir nos instincts les plus vils d'une façon totalement débridée. Grâce à cette vieille histoire hébraïque, nous comprenons mieux ce qu'éprouvaient les anciens à propos de notre volonté de mener une existence civilisée, en l'absence de prescriptions destinées à élever notre regard et à nous inciter à viser plus haut.

Ce qu'il y a de bien avec la Bible, c'est qu'elle ne se contente pas de dresser une liste de règles, comme auraient pu le faire des juristes, des législateurs ou des administrateurs. Elle les intègre à un récit spectaculaire qui met en valeur les raisons pour lesquelles nous en avons besoin, et par là même facilite leur compréhension. De la même façon, dans ce livre, le professeur Peterson ne se contente pas de proposer ses douze règles. Lui aussi raconte des histoires, puisant dans ses connaissances dans de nombreux domaines pour illustrer et expliquer les raisons pour lesquelles les meilleurs préceptes ne nous limitent pas, mais nous aident à atteindre nos objectifs et à mener une existence à la fois plus libre et plus riche.

J'ai fait la connaissance de Jordan Peterson le 12 septembre 2004 chez des amis, l'interniste Estera Bekier et le producteur télé Wodek Szemberg, lors de l'anniversaire de ce dernier. Wodek et Estera sont des immigrés polonais qui ont grandi à l'époque de l'Empire soviétique où, bien entendu, il était interdit d'aborder de nombreux sujets, car on risquait de gros ennuis si l'on osait remettre en cause certains concepts philosophiques et politiques sociales (sans parler du régime en soi).

Mais désormais ils prenaient grand plaisir à des discussions franches et décontractées, lors d'agréables soirées où tout le monde pouvait exprimer le fond de sa pensée au cours de conversations à bâtons rompus. Chez eux, la règle était : « Dites ce que vous pensez. » Quand la discussion prenait un tour politique, des personnes de sensibilités différentes échangeaient et n'attendaient que ça, d'une manière qui se fait de plus en plus rare. Il arrivait parfois que Wodek exprime des opinions – ou des vérités aussi explosives que ses éclats de rire. Ensuite, il étreignait celui ou celle qui l'avait fait rire ou qui l'avait poussé à révéler le fond de sa pensée avec passion. C'était le meilleur moment de ces soirées. Cette franchise, ces étreintes chaleureuses valaient la peine qu'on le titille un peu. Dans le même temps, la voix mélodieuse d'Estera traversait la pièce jusqu'à son auditeur. Pour autant, ces explosions de vérité ne rendaient pas l'ambiance moins conviviale pour les invités, elles en engendraient simplement d'autres ! Elles nous libéraient, provoquaient des éclats de rires et rendaient ces soirées d'autant plus agréables. Parce que avec ces Européens de l'Est qui avaient connu la répression, on savait toujours à qui on avait affaire, et cette sincérité était revitalisante. Honoré de Balzac décrivit un jour les bals et les fêtes de sa France natale. Il avait constaté qu'il y avait souvent deux soirées en une. Dans les premières heures, les convives tout en poses et postures s'y révélaient ennuyeux, souvent à la recherche de quelqu'un qui les conforterait dans leur beauté et leur statut. Puis, en fin de soirée seulement, après que la plupart des invités avaient pris congé, débutait une seconde fête, la vraie. Là, il n'y avait plus qu'une seule conversation à la fois, à laquelle participait tout le monde, et les airs guindés faisaient place aux rires sincères. Aux fêtes d'Estera et de Wodek, il était inutile d'attendre le petit matin pour profiter d'un tel sentiment d'intimité et de confidentialité, car on l'éprouvait d'entrée.

Wodek est un chasseur à la crinière argentée, constamment à l'affût d'intellectuels, sachant repérer ceux qui sont vraiment capables de s'exprimer devant une caméra de télévision et sont aussi authentiques qu'ils en ont l'air (parce que cela se voit tout de suite à l'écran). Il invite souvent ce genre de personnes à ses soirées. Ce jour-là, il avait convié un professeur de psychologie de ma propre université de Toronto, qui répondait à ces critères – un mélange d'esprit et d'émotion. Wodek était le premier à avoir placé Jordan Peterson devant une caméra. Il le considérait comme un enseignant en mal d'étudiants, car il était toujours prêt à expliquer des choses. Qu'il aime la caméra et que celle-ci le lui rende bien était appréciable.

Cet après-midi-là, les Szemberg-Bekier avaient installé une grande table dans leur jardin. S'y trouvaient les convives habituels, en plus de quelques virtuoses du verbe. Nous étions harcelés par des abeilles, mais le petit nouveau avec l'accent de l'Alberta et des bottes de cow-boy continuait à s'exprimer, totalement indifférent à leurs bourdonnements incessants. Nous jouions aux chaises musicales afin de rester le plus loin possible de ces indésirables sans pour autant quitter la table, tant ce nouveau venu était intéressant.

Curieusement, il n'hésitait pas à aborder avec les invités, pour la plupart de nouvelles connaissances, des questions existentielles comme s'il s'agissait de banalités. Il ne s'écoulait jamais plus de quelques nanosecondes entre « Comment avez-vous connu Wodek et Estera ? » ou « J'étais apiculteur jadis, alors je suis habitué », et des sujets plus sérieux.

Si ces sujets avaient leur place dans des soirées entre professeurs et autres professionnels, ces discussions, d'ordinaire, se déroulaient en aparté entre spécialistes ; ou, si elles étaient publiques, n'intéressaient pas grand monde. Mais Peterson, si érudit soit-il, n'avait rien d'un poseur. Il avait l'enthousiasme d'un gamin désireux de partager ce qu'on venait de lui enseigner. Comme un enfant avant d'apprendre combien les adultes pouvaient devenir ennuyeux, il semblait partir du principe que s'il trouvait un sujet intéressant, ce devait être le cas de tout le monde. Ce cow-boy avait un côté juvénile, se comportant comme si nous avions tous grandi ensemble dans le même village ou la même famille. Comme si nous réfléchissions tous aux mêmes problèmes existentiels depuis toujours.

Peterson n'était pas vraiment un « excentrique ». Il avait un parcours trop conventionnel. Il avait été professeur à Harvard, et même s'il lâchait de temps à autre un « zut » ou un « satané » comme on le faisait à la campagne dans les années 1950, c'était un gentleman. Enfin, autant qu'un cow-boy puisse l'être. Quoi qu'il en soit, tout le monde l'écoutait avec fascination, car il abordait des thèmes qui préoccupaient chacun des convives.

C'était très agréable de se trouver face à quelqu'un d'aussi érudit, même s'il s'exprimait avec aussi peu de retenue. Sa pensée semblait « motorisée » : il lui fallait réfléchir à voix haute, faire appel à son cortex moteur. Mais il fallait aussi que cette mécanique tourne vite pour fonctionner correctement, pour pouvoir prendre son essor – pas de manière frénétique, mais son ralenti tournait déjà à un régime élevé. Les esprits les plus éclairés étaient sous le charme. Mais contrairement à certains universitaires qui ne lâchaient plus la parole quand ils la prenaient, il paraissait aimer qu'on le contredise ou qu'on le corrige. Il ne se braquait jamais. Avec son accent de la campagne, il se contentait d'un « ouais », baissait involontairement la tête, la secouait lorsqu'il avait négligé un détail, se moquait de lui-même s'il s'était perdu dans des généralités. Il adorait qu'on lui montre un autre aspect d'un problème. Il était évident que, pour lui, la meilleure façon de réfléchir à un problème consistait à dialoguer.

Un autre détail chez lui était aussi frappant qu'inhabituel : pour un intellectuel, Peterson était extrêmement pragmatique. Ses exemples s'inspiraient du quotidien : la gestion d'entreprise, comment fabriquer un meuble (il avait construit la plupart des siens), concevoir une maison simple, décorer une pièce (c'est depuis devenu un mème sur Internet) ; ou, dans le domaine spécifique de l'éducation, comment créer un projet d'écriture en ligne pour empêcher des étudiants de décrocher en leur faisant passer une autoévaluation psychanalytique dans laquelle ils parlent librement de leur passé, de leur présent et de leur avenir. Ce projet est désormais connu sous le nom de *Self-Authoring Program*.

J'ai toujours aimé les individus originaires du Midwest rural, ceux qui ont grandi dans une ferme où ils ont tout appris sur la nature, ou dans un petit village, qui ont travaillé de leurs mains, passé du temps dehors malgré un climat hostile, qui sont souvent autodidactes et se retrouvent contre toute attente à l'université. Je les trouve assez différents de leurs homologues urbains, raffinés mais quelque peu dénaturés, destinés dès le plus jeune âge à faire des études. Raison pour laquelle ils pensent que ce doit être le cas de tout le monde et considèrent qu'il ne s'agit pas d'une fin en soi, mais d'une simple étape au service de leur carrière. Les gens de l'Ouest sont différents : ils se sont faits tout seuls, sans passe-droits. Ils sont manuels, serviables et moins précieux qu'un grand nombre de leurs pairs citadins, qui passent le plus clair de leur temps devant leurs ordinateurs. Ce psychologue aux airs de cow-boy semblait ne s'intéresser qu'aux idées susceptibles de servir aux autres, de quelque manière que ce soit.

Nous sommes devenus amis. Étant moi-même psychiatre et psychanalyste, féru de littérature, que ce clinicien ait profité d'une grande éducation littéraire m'a beaucoup séduit. En plus d'aimer les émouvants romans russes, la philosophie et la mythologie, il semblait considérer qu'il s'agissait de son patrimoine le plus précieux. Après des études de neurosciences, il faisait des recherches statistiques éclairées sur la personnalité et le tempérament. Malgré une formation de comportementaliste, il était fortement attiré par la psychanalyse et son intérêt pour les rêves, les archétypes, la persistance des conflits de l'enfance à l'âge adulte, le rôle des défenses et de la rationalisation dans la vie de tous les jours. Cas particulier, il était le seul membre du département de recherche en psychologie de l'université de Toronto à travailler en cabinet.

Quand je lui rendais visite, nos conversations débutaient par des plaisanteries et des éclats de rire. C'était le Peterson originaire du fin fond de l'Alberta, dont l'adolescence avait ressemblé à celle des héros de *Fubar* (2002), qui m'accueillait chez lui. Sa maison, qu'il avait entièrement décorée avec Tammy, son épouse, était sans doute la demeure bourgeoise la plus fascinante et la plus épouvantable que j'aie jamais vue. Elle était ornée d'œuvres d'art, de masques en bois sculpté et de tableaux abstraits, mais en même temps envahie par une impressionnante collection de toiles commanditées par l'URSS, représentant Lénine et les premiers communistes. Peu après la chute de l'Union soviétique, alors que tout le monde poussait un grand soupir de soulagement, Peterson avait acquis ces œuvres de propagande sur Internet pour une bouchée de pain. Des toiles célébrant la révolution soviétique recouvraient les murs, les plafonds et même les parois des salles de bains. Non que Jordan eût éprouvé la moindre sympathie pour les régimes totalitaires. Au contraire, il souhaitait se souvenir de ce que tout un chacun, lui-même y compris, était susceptible d'oublier : au nom d'une utopie, des centaines de millions de personnes avaient trouvé la mort.

Il fallut m'y habituer, à cette maison hantée « décorée » pour la dénonciation d'un mirage destructeur de l'humanité. Mais sa merveilleuse épouse, qui avait adopté ce besoin d'expression pour le moins inhabituel... et qui l'encourageait même, m'y aida ! Ces œuvres laissaient entrevoir l'inquiétude de Jordan quant à la capacité de l'homme à faire le mal au nom du bien : comment un individu peut-il se mentir à lui-même, c'est le mystère psychologique de l'aveuglement, des sujets qui nous passionnaient tous les deux. Nous passions aussi des heures à discuter de ce que je qualifierais de « problème secondaire », parce que plus rare, la volonté de faire le mal pour le mal, le plaisir que trouvent certains à anéantir leurs congénères, phénomène que le poète anglais du XVIIe siècle John Milton a parfaitement retranscrit dans *Le Paradis perdu*.

Ainsi discutions-nous en prenant le thé dans les entrailles de sa cuisine aux murs recouverts par cette curieuse collection, symbole de sa volonté sincère de dépasser les idéologies simplistes de droite ou de gauche et d'éviter les erreurs du passé. Au bout d'un moment, je ne trouvai plus rien d'anormal au fait de prendre le thé sous ces toiles inquiétantes en discutant de nos problèmes personnels ou de nos dernières lectures. J'avais simplement l'impression de vivre dans le monde tel qu'il était ou, en certains lieux, tel qu'il est.

Dans son premier livre, *Maps of Meaning*, Jordan donne sa vision détaillée des thèmes universels de la mythologie, expliquant comment les différentes cultures ont imaginé des histoires pour nous aider à maîtriser, et finalement à organiser le chaos dans lequel nous sommes précipités à notre naissance. Celui-ci est tout ce que nous ne connaissons pas, les territoires inexplorés que nous devons traverser, tant dans le monde extérieur qu'au plus profond de notre psychisme.

Publié il y a environ vingt ans et mêlant évolution, neurosciences des émotions, le meilleur de C. G. Jung, une pincée de Freud, une grande partie de l'œuvre de Nietzsche, Dostoïevski, Soljenitsyne, Mircea Eliade, Neumann, Piaget, Frye et Frankl, *Maps of Meaning* témoigne de la palette étendue dont se sert Jordan pour comprendre de quelle manière, au quotidien, les êtres humains et leur cerveau gèrent la situation face à l'inexplicable. Le génie de ce livre réside dans sa manière de démontrer que cette situation est enracinée dans notre évolution, dans notre ADN, nos cerveaux et nos légendes les plus anciennes. Il soutient que si ces histoires ont perduré c'est parce qu'elles indiquent encore aujourd'hui les moyens d'affronter le doute et l'inconnu.

L'une des nombreuses vertus du livre que vous avez en main est de donner certaines clés utiles à la compréhension de *Maps of Meaning*. Un ouvrage relativement complexe, car en l'écrivant Jordan travaillait également à son approche de la psychologie. Mais il était fondamental car, quels que soient nos gènes, notre vécu ou la façon dont le passé a influencé notre cerveau, nous sommes tous un jour ou l'autre confrontés à l'inconnu. Et nous nous efforçons de mettre un peu d'ordre dans le chaos. C'est pourquoi un grand nombre des règles de ce livre, inspirées par *Maps of Meaning*, ont un caractère universel.

Maps of Meaning est né de la douloureuse prise de conscience de Jordan, alors adolescent en pleine époque de la guerre froide, qu'une partie de l'humanité était sur le point de faire sauter la planète pour protéger son identité. Il souhaitait comprendre comment on pouvait tout sacrifier pour une identité quelle qu'elle soit. Il voulait en apprendre davantage sur ces idéologies poussant les régimes totalitaires à adopter une dérive de ce comportement, tuer ses propres citoyens. Dans *Maps of Meaning*, comme dans cet ouvrage-ci, il recommande à ses lecteurs de se méfier des idéologies. Quelle que soit l'identité de ceux qui les colportent, et à quelles fins.

Les idéologies sont de simples idées déguisées en vérités scientifiques ou philosophiques qui prétendent expliquer la complexité du monde et proposer des remèdes pour l'améliorer. Les idéologues affirment savoir comment parvenir à un « monde meilleur » avant même de pouvoir s'occuper du chaos qui règne en eux. Le statut de guerrier que leur confère leur idéologie masque ce chaos. C'est de l'orgueil démesuré, bien sûr. Et l'une des maximes les plus importantes de ce livre est « balayez d'abord devant votre porte ». Jordan donne des conseils pratiques pour y parvenir.

Les idéologies sont des substituts au véritable savoir, et les idéologues sont toujours dangereux lorsqu'ils accèdent au pouvoir, car une approche simpliste façon « Monsieur Je-sais-tout » n'est pas à la hauteur de la complexité de l'existence. Et quand ils sont confrontés à l'échec de leur « bidule social », ils ne se le reprochent pas à eux-mêmes, mais à tous ceux qui avaient compris l'inanité de leurs simplifications. Un autre grand professeur de l'université de Toronto, Lewis Feuer, dans son livre *Ideology and the Ideologists*, constate que les idéologies remanient les histoires religieuses qu'elles prétendaient avoir supplantées, en les débarrassant de toute richesse narrative et psychologique. Le communisme s'inspire des enfants d'Israël en Égypte, avec des esclaves et de riches oppresseurs. Un chef comme Lénine, parti vivre à l'étranger parmi les esclavagistes, avant de revenir guider les esclaves vers la Terre promise – l'utopie, la dictature du prolétariat.

Pour comprendre le concept d'idéologie, Jordan lit considérablement, non seulement sur les goulags soviétiques, mais aussi sur la Shoah et la montée du nazisme. C'était la première fois que je rencontrais un chrétien de ma génération aussi tourmenté par le sort des juifs en Europe, et qui avait autant travaillé pour tenter de comprendre comment on en était arrivé là. J'avais moi aussi étudié le sujet en détail. Mon père a survécu à Auschwitz. Ma grand-mère avait la cinquantaine lorsqu'elle s'est retrouvée face à Josef Mengele, ce médecin nazi qui a mené sur ses victimes d'atroces expériences. Contrevenant à ses ordres, elle a survécu à Auschwitz en se faufilant dans une file d'individus plus jeunes, plutôt que de rejoindre celle des personnes âgées et des plus faibles. La seconde fois qu'elle a évité les chambres à gaz, c'est en échangeant de la nourriture contre de la teinture pour cheveux, afin de paraître plus jeune. Son mari, mon grand-père, après avoir survécu au camp de Mauthausen, s'est étouffé avec la première nourriture solide qu'on lui a donnée juste avant la libération du camp. Si je raconte cela, c'est parce que Jordan, des années après que nous nous sommes liés d'amitié, a pris position, tel le libéral classique qu'il était, pour la liberté d'expression. Et que des militants d'extrême gauche l'ont accusé d'être un fanatique d'extrême droite.

Avec toute la modération possible, permettez-moi de dire que ces accusateurs, au mieux, ne savaient pas de quoi ils parlaient, contrairement à moi. Avec une histoire familiale comme la mienne, on développe un radar puissant à l'encontre des fanatiques d'extrême droite. Mais surtout on apprend à reconnaître ceux qui ont la compréhension, les outils, la volonté et le courage nécessaires pour les affronter. Et Jordan Peterson en fait partie.

Peu satisfait de la manière dont la science politique moderne appréhende la montée du nazisme, du totalitarisme et des préjugés, j'ai décidé de parachever mes études dans ce domaine avec un travail sur l'inconscient, la projection, la psychanalyse, le potentiel régressif de la psychologie de groupe, la psychiatrie et le cerveau. Jordan a renoncé aux sciences politiques pour des raisons similaires. Malgré ces convergences majeures, nous n'étions pas toujours d'accord sur les « réponses » (Dieu merci), mais nous nous accordions au moins sur les questions.

Notre amitié n'était pas faite que de passages sombres. Ayant l'habitude d'assister aux cours de mes collègues professeurs de notre université, j'ai participé aux siens, toujours bondés, et j'ai vu ce que des millions de personnes regardent aujourd'hui en ligne : un orateur remarquable improvisant comme un artiste de jazz. Il me faisait parfois penser à un prédicateur exalté. Non pour évangéliser, mais pour transmettre sa passion, ses histoires qu'il racontait avec talent, sur les conséquences qu'il y avait à croire ou à ne pas croire certaines idées. Puis il passait avec une simplicité incroyable à la synthèse méthodique d'une série d'études scientifiques. C'était un maître dans l'art d'aider les étudiants à réfléchir. Il les prenait très au sérieux, eux et leur avenir. Il leur inculquait le respect des plus grands livres jamais écrits. Donnant des exemples concrets de pratique clinique, il se mettait à nu (... dans les limites du convenable), révélant même ses propres faiblesses, établissant des liens fascinants entre l'évolution, le cerveau et les histoires religieuses. Dans un monde où l'on enseignait que l'évolution et la religion s'opposaient, comme le fait par exemple le penseur Richard Dawkins, Jordan montrait à ses étudiants de quelle manière l'évolution en particulier permettait d'expliquer le sérieux attrait psychologique et la sagesse de nombreux textes anciens, de Gilgamesh à la vie de Bouddha en passant par la mythologie égyptienne et la Bible. Il expliquait, par exemple, de quelle manière des récits de périples vers l'inconnu – la quête des héros – étaient le reflet de tâches universelles pour lesquelles le cerveau avait évolué. Il respectait ces textes, n'était pas réductionniste et ne niait jamais leur sagesse. Quand il abordait un sujet comme les préjugés, leurs proches parents émotionnels la peur et le dégoût, ou les différences entre les sexes, il était capable d'expliquer comment ces concepts avaient évolué et pourquoi ils avaient survécu.

Surtout, il mettait en garde ses étudiants contre certains sujets rarement évoqués à l'université, comme le simple fait que les anciens, de Bouddha aux auteurs bibliques, savaient ce que tout adulte un peu aguerri sait – que la vie est une souffrance. Si vous souffrez, ou si c'est le cas d'un de vos proches, c'est regrettable. Mais hélas cela n'a rien d'exceptionnel. On ne souffre pas uniquement parce que « les hommes politiques sont stupides », ni parce que « le système est corrompu », ni parce que vous et moi, comme presque tout le monde, pouvons d'une manière ou d'une autre nous considérer comme les victimes de quelque chose ou de quelqu'un. C'est uniquement parce que nous sommes humains qu'une bonne dose de souffrance nous est réservée. Et si vous ou vos proches ne souffrez pas dans l'immédiat, il y a fort à parier, sauf chance incroyable, que ce sera le cas dans les cinq années qui viennent. Élever des enfants est difficile, travailler est difficile, vieillir, tomber malade et mourir est difficile, et Jordan souligne que faire tout cela seul, sans l'oreille attentive d'un conjoint, ni la sagesse et les conseils des meilleurs psychologues rend les choses encore plus pénibles. Il ne cherchait pas à effrayer les étudiants. En fait, ceux-là trouvaient son franc-parler rassurant car, au fond, la plupart savaient qu'il disait vrai, même s'il n'y a jamais eu de forum consacré à cette question. Sans doute parce que les adultes sont devenus si naïvement protecteurs qu'ils s'imaginent que par on ne sait quelle magie, s'ils évitent de parler de souffrances à leurs enfants, ceux-ci en seront épargnés.

Il évoquait également le mythe du héros, un thème interculturel qu'Otto Rank avait exploré d'un point de vue psychanalytique, faisant remarquer que, d'après Freud, ces récits étaient similaires d'une culture à l'autre, idée reprise en particulier par Carl G. Jung, Joseph Campbell et Erich Neumann. Si Freud avait tenté d'expliquer certaines névroses par ce que nous pourrions qualifier de syndrome du « héros raté » (comme Œdipe, par exemple), Jordan se focalisait sur les héros triomphants. Dans toutes ces histoires, le héros doit se jeter dans l'inconnu, explorer de nouveaux horizons, relever de grands défis et prendre des risques inconsidérés. Durant son périple, une partie de lui doit mourir ou être abandonnée pour qu'il puisse renaître et surmonter les obstacles qui se présentent à lui. Cela requiert du courage, une qualité rarement évoquée en cours de psychologie et dans les manuels. Lors de sa récente conférence sur la liberté d'expression et contre ce que j'appelle la « parole forcée » (quand un État contraint ses citoyens à exprimer leurs opinions politiques), les enjeux étaient de taille. Il avait beaucoup à perdre, il en était conscient. Néanmoins, je l'ai vu (et Tammy aussi, d'ailleurs) non seulement faire preuve d'un grand courage, mais également continuer à suivre un grand nombre des règles présentées dans ce livre, dont certaines peuvent se révéler très exigeantes.

Au fur et à mesure qu'il suivait ces préceptes, l'homme remarquable qu'il était a évolué progressivement pour devenir plus doué et plus sûr de lui. C'est l'écriture de ce livre et l'élaboration de ces règles qui l'ont poussé à s'exprimer contre la parole contrainte. C'est durant cette période qu'il a commencé à mettre en ligne certaines de ses règles et de ses réflexions sur la vie. Aujourd'hui, avec plus de cent millions de vues sur YouTube, on peut affirmer sans se tromper qu'il a touché une corde sensible.

Étant donné notre aversion pour les règles, comment expliquer la formidable réaction à ses conférences au cours desquelles il en expose ? Dans le cas de Jordan, bien sûr, c'est d'abord son charisme et sa volonté rare de défendre des principes qui lui ont permis de toucher une pareille audience. Ses premières vidéos sur YouTube ont rapidement attiré des centaines de milliers de personnes. Si on continue à l'écouter, c'est parce que ce qu'il dit correspond à un besoin aussi profond qu'inexprimé. Parce que même si nous fuyons les règles, nous cherchons tous la stabilité.

Si de nombreux jeunes gens sont aujourd'hui en quête de lignes directrices, c'est pour une bonne raison. En Occident du moins, la Génération Y est dans une situation historique unique. C'est la première, il me semble, à qui des professeurs de ma propre génération ont simultanément enseigné à l'école et à l'université deux visions apparemment contradictoires de la morale. À cause de cette contradiction, livrés à eux-mêmes, ils ont parfois été désorientés, ont douté et, pire, ont été privés de richesses dont ils ignoraient jusqu'à l'existence.

Le premier enseignement, c'est que la morale est relative – au mieux un jugement de valeur personnel. Ce qui signifie qu'il n'existe ni bien ni mal absolu. La morale et les règles qui lui sont associées ne sont qu'une question d'opinion personnelle et de hasard, « relatifs à » un cadre particulier défini, par exemple, par des origines ethniques, une éducation, une culture et une histoire. Ce n'est rien d'autre qu'un hasard de naissance. En accord avec cet argument, désormais une philosophie, l'histoire nous enseigne que les religions, les tribus, les nations et les groupes ethniques ont – et ont toujours eu – tendance à ne pas être d'accord sur l'essentiel. Aujourd'hui, la gauche postmoderne prétend même que la morale d'un groupe est uniquement destinée à lui permettre d'exercer son pouvoir sur un autre groupe. Dès que l'on a compris combien ses valeurs morales et celles de sa société sont arbitraires, il devient évident qu'il faut faire preuve de tolérance envers ceux qui pensent différemment et qui sont d'une origine différente. L'accent mis sur la tolérance est si prépondérant que, pour de nombreux individus, l'un des pires défauts est de se montrer prompt à juger les autres*. Et, puisque nous sommes incapables de

----

* Certains affirment à tort que Freud (souvent cité dans ces pages) est à l'origine de notre désir actuel de culture, d'écoles et d'institutions « non moralisatrices ». Il est vrai qu'il recommandait que, lorsque des psychanalystes écoutent leurs patients, ils fassent preuve de tolérance, d'empathie et évitent les jugements critiques et moralisateurs. Mais c'était dans le but précis d'aider les patients à se sentir suffisamment à l'aise pour qu'ils puissent s'exprimer en toute franchise, sans tenter de minimiser leurs problèmes. Pour encourager l'introspection et leur permettre d'explorer des sentiments et des désirs refoulés, voire des pulsions antisociales honteuses. Et, cerise sur le gâteau, cela leur permettait même de découvrir leur propre inconscient (et ses jugements), la sévère autocritique de leurs « écarts » et la culpabilité inconsciente qu'ils se cachaient souvent, mais qui était généralement à l'origine de leur piètre estime d'eux-mêmes, de leur état dépressif et de leurs angoisses. Surtout, Freud a démontré que nous étions à la fois plus immoraux et plus moraux que nous n'en avions conscience. En thérapie, cette volonté de « non-jugement » est une technique – ou une tactique – à la fois puissante et libératrice, une pratique idéale lorsqu'on cherche à mieux se comprendre. Mais Freud n'a jamais prétendu (contrairement à ceux qui souhaitent que la culture se résume à une séance géante de thérapie de groupe) que l'on pouvait mener toute une existence sans jamais émettre la moindre critique, ni sans morale.

distinguer le bien du mal, la chose la plus malvenue qu'un adulte puisse faire est de donner des conseils pratiques à un jeune.

Ainsi, une génération a grandi sans qu'on lui enseigne ce que l'on appelait jadis à juste titre le « bon sens pratique » qui avait guidé les générations précédentes. La Génération Y, à qui l'on a souvent rabâché qu'elle avait reçu la meilleure éducation possible, a en réalité souffert d'une grave négligence intellectuelle et morale. Les relativistes de ma génération et de celle de Jordan, dont un grand nombre sont devenus leurs professeurs, ont fait le choix de renoncer à des milliers d'années de savoir sur la meilleure façon d'acquérir de la vertu, considérant qu'il s'agissait de méthodes du passé « dénuées de pertinence », voire « oppressives ». Ils étaient si doués que le simple terme de « vertu » semble aujourd'hui totalement démodé, et que ceux qui l'emploient passent pour des moralisateurs archaïques et suffisants.

L'étude de la vertu est fort différente de l'étude de la morale (le discernement entre le bien et le mal). Aristote définissait les vertus comme les comportements les plus propices au bonheur. Au contraire, il considérait les vices comme les attitudes les moins favorables au bonheur. Il avait constaté que les vertus permettaient toujours d'atteindre un certain équilibre et d'éviter l'extrémité des vices. Aristote a étudié les vertus et les vices dans son *Éthique à Nicomaque*. Ce livre s'inspire de son expérience et de son observation – et non de conjectures – à propos du style de bonheur que l'homme peut espérer atteindre. Il considère que le fait de rester critique sur la différence entre la vertu et le vice est le début de la sagesse, ce qui ne passera jamais de mode.

En fait, dans *Malaise dans la civilisation*, il soutient que la civilisation ne peut s'élever qu'à condition que des règles restrictives et une morale soient mises en place.

En revanche, notre relativisme moderne commence par affirmer qu'il est impossible de porter des jugements sur notre façon de vivre, parce que le bien n'existe pas vraiment, pas plus que la vertu absolue (ces concepts étant par trop relatifs). Ainsi, pour les relativistes, le terme qui se rapproche le plus de « vertu » est « tolérance ». Seule cette dernière permet d'obtenir une cohésion sociale suffisante entre les différents groupes, et nous évite de nous en prendre les uns aux autres. Par conséquent, sur Facebook et les autres réseaux sociaux, on manifeste sa prétendue vertu, ne manquant pas de signaler à tout le monde combien on est tolérant, ouvert et charitable, espérant un déluge de « likes ». Mis à part que le fait de crier sur tous les toits qu'on est vertueux n'a rien d'une vertu, puisqu'il s'agit uniquement d'autopromotion. L'étalage de vertu n'en est pas une. C'est, au mieux, un vice comme un autre.

L'intolérance vis-à-vis des opinions des autres (si stupides ou incohérentes soient-elles) n'est pas seulement condamnable ; dans un monde dépourvu de bien et de mal, c'est pire que cela, c'est le signe que vous êtes si fruste, voire dangereux que c'en est embarrassant.

Mais il se révèle qu'un grand nombre d'individus ont déjà du mal à supporter le vide, le chaos inhérent à la vie, phénomène amplifié par ce relativisme. Ils sont incapables de vivre sans boussole morale, sans idéal à atteindre. (Pour les relativistes, les idéaux aussi sont des valeurs et, en tant que telles, ils ne sont que relatifs et ne méritent guère qu'on se sacrifie pour eux.) Donc, aux côtés du relativisme se propagent le nihilisme et le désespoir, ainsi que l'opposé du relativisme moral, les certitudes absolues offertes par des idéologues qui prétendent avoir réponse à tout.

Nous arrivons ainsi au second enseignement seriné à la Génération Y. Quand ils s'inscrivent à un cours de sciences humaines pour travailler sur les plus grands livres jamais écrits, ce n'est pas une étude de ces ouvrages qu'on leur offre, mais une attaque idéologique en règle fondée sur une épouvantable simplification de leur contenu. Si le relativiste est en plein doute, l'idéologue est quant à lui bourré de certitudes. Il a des avis arrêtés sur tout et est très critique. Il sait toujours ce qui ne va pas chez les autres et comment y remédier. On a parfois le sentiment que les seuls disposés à nous guider et à nous conseiller dans cette société relativiste sont ceux qui ont le moins à offrir.

Le relativisme moral « moderne » a des origines multiples. Lorsque nous, en Occident, nous sommes intéressés à l'histoire, nous avons compris que les codes moraux différaient selon les époques. En écumant les mers et en parcourant le globe, nous avons appris l'existence de peuplades reculées sur différents continents dont les codes moraux correspondaient aux réalités de leurs propres sociétés. La science a également joué son rôle en s'en prenant aux conceptions religieuses du monde, sapant ainsi la mainmise du sacré sur les règles et l'éthique. À en croire les sciences sociales matérialistes, nous pouvions diviser le monde en faits – que tous pouvaient observer, et qui étaient aussi objectifs que « réels » – et en valeurs subjectives et personnelles. Ensuite, nous pouvions d'abord nous mettre d'accord sur les faits, et, peut-être, un jour, mettre au point un code scientifique d'éthique (que l'on attend toujours). En outre, en laissant entendre que la réalité des valeurs était moindre que celle des faits, et en considérant que la « valeur » était d'une importance mineure, la science contribua à sa façon au relativisme moral. Mais l'idée que l'on puisse distinguer aussi facilement les faits des valeurs était et demeure encore aujourd'hui naïve. Dans une certaine mesure, les valeurs de quelqu'un déterminent ce à quoi cette personne prêtera attention, et ce qui passera pour un fait.

Dès l'Antiquité, on savait déjà que les règles et les morales variaient selon les sociétés, et il est intéressant de comparer les réactions de l'époque à celles d'aujourd'hui (le relativisme, le nihilisme et l'idéologie). Quand les Grecs d'autrefois prirent la direction de l'Inde ou d'ailleurs, ils comprirent eux aussi que les règles, les morales et les coutumes étaient distinctes d'un pays à l'autre, et constatèrent que les principes du bien et du mal dépendaient souvent d'une autorité ancestrale. La réaction des Grecs ne fut pas le désespoir, mais une invention : la philosophie.

Socrate, en réaction au doute généré par la prise de conscience du caractère contradictoire de ces codes moraux, décida, plutôt que de devenir nihiliste, relativiste ou idéologue, de consacrer son existence à la recherche de la sagesse qui lui permettrait de résoudre ces différences : il participa à la création de la philosophie. Il passa sa vie à poser des questions aussi déconcertantes que fondamentales, telles que : « Qu'est-ce qu'une vertu ? », « Comment peut-on mener la vie qu'il faut ? » et « Qu'est-ce que la justice ? », et testa différentes approches, se demandant laquelle semblait la plus cohérente et la plus en accord avec la nature humaine. Il me semble que c'est ce genre d'interrogations qui animent ce livre.

Lorsque les anciens ont découvert que chaque population avait sa propre vision de la vie, ils n'ont pas été tétanisés. Cela leur a au contraire permis d'améliorer leur compréhension de l'humanité et d'avoir les conversations les plus enrichissantes que des hommes aient jamais engagées sur la meilleure façon de mener son existence.

Il en va de même d'Aristote. Plutôt que de désespérer à cause de ces différences de codes moraux, il soutint que les êtres humains, de par leur nature, avaient invariablement une forte tendance à établir des règles, des lois et des coutumes, même si elles étaient toujours spécifiques à la culture locale. Pour le dire avec des mots d'aujourd'hui, il semblerait que les hommes, dans leur globalité, en raison d'une particularité biologique, soient si préoccupés par la morale qu'ils ont tendance à créer des lois et des règles structurées partout où ils se trouvent. L'idée que l'homme puisse débarrasser son existence de toute obsession morale est un fantasme.

Nous sommes des producteurs de règles. Et puisque nous sommes des êtres doués de morale, quel effet notre relativisme moderne simpliste aura-t-il sur nous ? En feignant d'être ce que nous ne sommes pas, nous sommes en train de nous créer des entraves. Ce n'est qu'un masque, mais un masque plutôt curieux, car il trompe surtout celui qui le porte. Rayez à coups de clé la portière de la Mercedes du professeur relativiste postmoderne le plus intelligent qui soit, et vous constaterez avec quelle rapidité tombent le masque du relativisme (qui permet de nier l'existence du bien et du mal) et la cape de l'extrême tolérance.

Comme nous ne disposons pas encore d'éthique fondée sur la science moderne, Jordan n'a aucune intention d'imposer ses règles en faisant table rase du passé, ni en faisant passer des milliers d'années de sagesse pour de simples superstitions, sans tenir compte de nos plus grandes conquêtes morales. Autant inclure le meilleur de ce que l'on peut apprendre aujourd'hui dans les ouvrages que les hommes ont jugé bon de préserver durant des milliers d'années, et dans les histoires qui, contre toute attente, n'ont pas sombré dans l'oubli.

Il suit le même cheminement que tous les guides raisonnables : il évite de prétendre que la sagesse humaine est née avec lui. Au contraire, il se tourne avant tout vers ses propres guides. Et si les thèmes abordés dans ce livre sont sérieux, Jordan n'hésite pas à les aborder avec une touche d'humour, comme on peut s'en apercevoir en jetant un coup d'œil au sommaire. Il ne prétend aucunement être exhaustif et, parfois, les chapitres sont composés de grandes discussions sur sa façon de voir notre psychologie.

Alors, pourquoi ne pas avoir considéré qu'il s'agissait d'un ouvrage de recommandations, un terme beaucoup plus agréable, convivial et moins strict que celui de « règles » ?

Parce qu'il s'agit réellement de règles. Et la plus importante d'entre elles stipule que l'on doit prendre en main son existence. Point.

On serait tenté de croire qu'une génération à laquelle les enseignants les plus idéologistes ont rabâché qu'elle avait des droits, des droits et encore des droits verrait d'un mauvais œil qu'on lui explique qu'elle ferait mieux de se concentrer sur ses responsabilités. Pourtant, cette génération – dont nombre de représentants ont été élevés par des parents hyperprotecteurs au sein de familles restreintes, ont joué dans des aires de jeux équipées de surfaces antichocs et ont été instruits dans des universités dotées de *safe spaces* où ils n'étaient pas obligés d'écouter ce qu'ils ne voulaient pas entendre, et où on leur a enseigné à ne jamais prendre de risques –, compte aujourd'hui des millions d'individus qui se sentent abêtis, tant on a sous-estimé leur force morale. Et ils ont adopté le message de Jordan, selon lequel chaque individu a une responsabilité suprême à assumer. Quand on souhaite avoir une vie bien remplie, il faut d'abord balayer devant sa porte. Alors seulement, on peut raisonnablement envisager de prendre de plus grandes responsabilités. La portée de cette réaction nous a souvent émus aux larmes, tous les deux.

Parfois, ces règles sont exigeantes. Elles requièrent que l'on s'engage dans un processus graduel qui, avec le temps, permettra de dépasser ses limites. Pour ce faire, comme je l'ai dit, il faut s'aventurer dans l'inconnu. Choisir avec soin ses idéaux et s'y tenir : il faut qu'ils soient là-haut, au-dessus de vous, supérieurs à vous... et que vous ne soyez pas toujours sûrs de pouvoir les atteindre.

Mais, si on n'est pas certain de pouvoir y accéder, pourquoi se donner la peine de les choisir ? Parce que sinon, une chose est sûre, vous n'aurez jamais l'impression que votre vie a un sens.

Et sans doute parce que, aussi curieux que cela puisse paraître, dans les méandres de notre psychisme, nous souhaitons tous être jugés.

Docteur Norman DOIDGE
Docteur en médecine, auteur de *Les Étonnants*
Pouvoirs de transformation du cerveau

PRÉAMBULE

Ce livre a deux histoires, une courte et une longue. Commençons par la première.

En 2012, j'ai décidé de m'impliquer sur le site web Quora. Sur Quora, n'importe qui peut poser une question, et tout le monde peut y répondre. Les visiteurs votent positivement à leurs réponses préférées et négativement à celles qui ne leur plaisent pas. Ainsi, les plus utiles apparaissent en premier, tandis que les autres sombrent dans l'oubli. Ce site m'intriguait. Son côté participatif me plaisait bien. Les discussions y étaient souvent fascinantes, et il était intéressant de voir l'éventail des avis suscités par une seule et même question.

Quand je faisais une pause (ou quand je ne voulais pas travailler), j'allais fréquemment sur Quora, à la recherche de sujets. Je réfléchissais, puis répondais à des questions comme : « Quelle est la différence entre être heureux et être content ? », « Qu'est-ce qui s'améliore avec l'âge ? » ou « Qu'est-ce qui donne plus de sens à la vie ? »

Avec Quora, vous pouvez savoir combien de personnes ont lu vos réponses et combien de votes vous avez reçus. Ainsi, vous pouvez estimer votre influence sur les lecteurs et voir ce qu'ils pensent de vos idées. Seule une petite partie de ceux qui ont lu une réponse vote. En juillet 2017, au moment où j'écris ces lignes – cinq ans après ma contribution à la question « Qu'est-ce qui donne plus de sens à la vie ? » –, ma réponse a été lue par peu de monde (14 000 vues et 133 votes positifs), tandis que celle sur l'âge a été lue par 7 200 personnes et a reçu 36 votes. Pas vraiment de quoi s'extasier. Mais il fallait s'y attendre. Sur ce genre de site, la plupart des réponses ne retiennent que très peu l'attention, et seule une minuscule minorité d'entre elles provoquent un engouement notable.

Peu après, j'ai répondu à une autre question : « Quelles sont les choses les plus importantes que tout le monde devrait savoir ? » J'ai dressé une liste de règles, ou de maximes. Certaines très sérieuses, d'autres ironiques : « Soyez reconnaissant en dépit de vos souffrances », « Ne faites rien que vous détestez », « Évitez de cacher quoi que ce soit dans le brouillard », et ainsi de suite. Les visiteurs du site semblaient apprécier ma liste. Ils l'ont commentée et partagée. Parmi les commentaires on trouvait « Je vais l'imprimer pour m'en servir de modèle, elle est incroyable » ou « Tu as gagné, Quora. On peut fermer le site, maintenant ! » Des étudiants de l'université de Toronto, où j'enseigne, sont venus me dire combien elle leur plaisait. À ce jour, ma réponse à « Quelles sont les choses les plus importantes... » a été lue par 120 000 personnes et a reçu 23 000 votes positifs. Seules quelques centaines de questions parmi les 600 000 présentes sur Quora ont franchi la barrière des 2 000 votes positifs. Mes réflexions nées de ma procrastination avaient touché une corde sensible. Ma réponse avait un pourcentage de satisfaction de 99,9 %.

Lorsque j'ai établi cette liste de règles de vie, rien n'indiquait qu'elle allait avoir une telle réception. Je m'étais tout autant appliqué dans les dizaines de réponses que j'avais postées sur le site après cette publication. Néanmoins, Quora permet d'obtenir des études de marché de premier choix. Ceux qui laissent des commentaires sont des anonymes. Ils sont désintéressés, dans le bon sens du terme, et leurs avis sont spontanés et impartiaux. Je me suis donc penché sur les résultats et interrogé sur les raisons du succès disproportionné de ma réponse. Peut-être avais-je trouvé dans la formulation de ces propositions le juste équilibre entre le connu et l'inconnu. Peut-être les lecteurs avaient-ils été séduits par l'organisation de ces règles. Peut-être les gens appréciaient-ils simplement les listes.

Quelques mois auparavant, en mars 2012, j'avais reçu un e-mail d'un agent littéraire. Elle m'avait entendu à la radio, sur CBC, dans une émission simplement intitulée *Dites non au bonheur*, où j'avais critiqué l'idée que le bonheur puisse être le but ultime de la vie. Au fil des ans, j'avais lu un grand nombre de livres extrêmement noirs sur le XXᵉ siècle, notamment sur l'Allemagne nazie et l'Union soviétique. Alexandre Soljenitsyne, le grand dénonciateur des horreurs des camps de travail soviétiques, a jadis écrit que l'« idéologie pitoyable » selon laquelle « les êtres humains ont été conçus pour atteindre le bonheur » avait été « réduite à néant par le premier coup de gourdin d'un employeur[1] ». En temps de crise, les inévitables souffrances causées par la vie peuvent facilement ôter toute crédibilité à l'idée que le bonheur puisse être le but ultime d'un individu. Dans l'émission, je suggérai au contraire de chercher un sens plus profond à l'existence. Je fis remarquer que la nature de ce genre de quête était constamment représentée dans les grands récits du passé, et qu'il s'agissait davantage d'affirmer une personnalité face à la souffrance que de rechercher le bonheur. Cela fait partie de la longue histoire du présent ouvrage.

De 1985 à 1999, j'ai travaillé environ trois heures par jour sur le seul autre livre que j'aie jamais publié : *Maps of Meaning : The Architecture of Belief*. Durant cette période et les années qui ont suivi, j'ai également donné des cours sur le contenu de ce livre. D'abord à Harvard, et aujourd'hui à l'université de Toronto. En 2013, voyant le succès grandissant de YouTube et la popularité de mon travail avec TVO, une chaîne de télévision publique canadienne, j'ai décidé de filmer mes cours à l'université pour les mettre en ligne. Ils ont attiré un public de plus en plus nombreux : j'ai dépassé le million de vues en avril 2016. Ce chiffre a considérablement augmenté depuis (jusqu'à dix-huit millions au moment où j'écris ces lignes), mais c'est en partie dû au fait que je me suis retrouvé impliqué dans une polémique politique qui a attiré l'attention sur moi plus que de raison.

Mais c'est une autre histoire. Sans doute pour un autre livre.

Dans *Maps of Meaning*, je suggérais que les grands mythes et les grandes histoires religieuses du passé, notamment issus d'une tradition orale antérieure, avaient des objectifs plus moraux que descriptifs. Ainsi, contrairement à un travail scientifique, ils ne se souciaient guère de la réalité et se focalisaient plutôt sur le comportement humain. Je partais du principe que nos ancêtres représentaient le monde comme une scène de théâtre, et non comme un lieu réel. Je décrivais comment j'en étais venu à croire que les fondations de ce monde illusoire étaient l'ordre et le chaos, et non des éléments réels et palpables.

L'ordre, c'est quand les gens autour de vous se conduisent selon des normes sociales parfaitement admises et demeurent à la fois prévisibles et coopératifs. C'est le règne de la structure sociale, de l'habitude et de la tradition. Symboliquement, l'ordre est représenté – avec beaucoup d'imagination – au masculin. Ce sont le roi sage et le tyran, éternellement liés l'un à l'autre, la société étant à la fois structure et oppression.

Le chaos, en revanche, c'est lorsque quelque chose d'inattendu arrive. Le chaos surgit sous sa forme la plus insignifiante quand vous racontez une plaisanterie lors d'une soirée avec des personnes que vous pensiez connaître et qu'elle est accueillie par un silence gêné. Le chaos, c'est ce qui se produit, de manière plus dramatique, lorsque vous vous retrouvez soudain au chômage, ou quand votre conjoint vous trompe. Antithèse de l'ordre symboliquement masculin, le chaos est considéré comme féminin. C'est la nouveauté et l'imprévu survenant brusquement au milieu de l'ordinaire et du commun. C'est la création et la destruction, l'origine des nouvelles choses et leur délabrement (la nature, contrairement à la culture, étant simultanément la naissance et la mort).

L'ordre et le chaos sont le yin et le yang du célèbre symbole taoïste à deux serpents tête-bêche*. L'ordre est le serpent blanc masculin, le chaos sa contrepartie féminine noire. Le point noir dans le blanc – et le point blanc dans le noir – indiquent la possibilité de transformation : lorsque tout paraît stable, l'inconnu peut surgir à l'improviste. Inversement, quand tout semble perdu, un nouvel ordre peut jaillir d'un désastre et du chaos.

Pour les taoïstes, le sens est à découvrir à la frontière des deux éléments à tout jamais entrelacés. Progresser sur cette ligne, c'est rester sur le chemin de la vie, sur la voie divine.

Et c'est nettement mieux que le bonheur.

L'agent littéraire à qui je fais allusion a écouté l'émission de radio où j'abordais cette théorie. Cela l'a poussée à se poser de profondes questions. Elle m'a envoyé un e-mail pour me demander si j'envisageais d'écrire un livre destiné au grand public. J'avais déjà tenté de réaliser une version plus accessible de *Maps of Meaning*, qui est un ouvrage plutôt dense. Mais durant l'écriture et dans le manuscrit définitif, l'esprit n'y était pas. Sans doute parce que ce n'était qu'un ersatz de mon précédent livre et de moi-même. Parce que je ne suivais pas la ligne entre l'ordre et le

---

* Le symbole du yin et du yang est la seconde partie du *taijitu*, un diagramme plus compréhensible divisé en cinq et représentant à la fois l'unité absolue et la multiplicité du monde. Nous l'évoquerons plus en détail dans la Règle 2, et ailleurs dans ce livre.

chaos en créant quelque chose de neuf. Je lui suggérai de regarder quatre des cours que j'avais enregistrés pour une émission de TVO intitulée *Big Ideas* – grandes idées –, sur ma chaîne YouTube. Je considérais que c'était un préalable indispensable pour avoir une discussion à la fois plus éclairée et plus approfondie sur le genre de sujets que je pourrais aborder dans un ouvrage destiné au grand public.

Elle me contacta quelques semaines plus tard, après avoir regardé les quatre cours et en avoir discuté avec un collègue. Elle était encore plus enthousiaste et souhaitait vraiment s'impliquer dans le projet. Voilà qui était prometteur... et inattendu. Compte tenu du sérieux et du caractère singulier de mon discours, je suis toujours surpris de voir des gens réagir positivement à mes propos. Je suis stupéfait d'avoir été autorisé, et même encouragé à enseigner, d'abord à Boston et désormais à Toronto. Je me suis toujours dit que le jour où on allait prêter attention au contenu de mes cours, j'allais le sentir passer ! Après avoir lu ce livre, vous comprendrez pourquoi j'ai des raisons de m'inquiéter...

Elle me proposa d'écrire une sorte de guide avec tout ce dont on a besoin pour « bien vivre », quel que soit le sens que l'on attribue à cette expression. J'ai aussitôt pensé à ma liste sur Quora. Entre-temps, j'avais approfondi ma réflexion sur les règles que j'avais édictées. Et on avait également répondu positivement à ces nouvelles idées. J'ai donc eu le sentiment que ma liste convenait parfaitement au projet de mon agent. Je la lui ai envoyée. Elle a adoré.

À la même époque, un de mes amis et accessoirement de mes anciens étudiants, le romancier et scénariste Gregg Hurwitz, travaillait sur un nouveau livre qui allait devenir le thriller à succès *Orphan X*. Mes règles lui plaisaient aussi. Il a fait en sorte que Mia, le personnage féminin principal de l'histoire, en dispose certaines sur son frigo, une par une, aux moments les plus propices du récit. Encore une preuve de leur attrait. Je proposai à mon agent d'écrire un court chapitre sur chacune de ces règles. Après avoir obtenu son accord, je me mis au travail. Toutefois, je m'aperçus rapidement que ces chapitres n'avaient rien de court. J'avais beaucoup plus à dire sur chacune des règles que je l'avais d'abord envisagé.

C'était en partie dû à mes longues recherches pour l'écriture de mon premier livre : j'avais étudié l'histoire, la mythologie, les neurosciences, la psychanalyse, la psychologie de l'enfant, la poésie et de longs passages de la Bible. J'avais lu et peut-être même compris *Le Paradis perdu* de John Milton, *Faust* de Goethe et *L'Enfer,* de Dante. J'avais assimilé tout cela pour le meilleur et pour le pire, afin d'aborder un épineux problème historique : la ou les raisons de l'impasse nucléaire de la guerre froide. J'avais du mal à comprendre comment on pouvait donner suffisamment d'importance à ses convictions pour accepter de risquer la destruction de la planète pour les défendre. J'ai compris que les systèmes de croyances partagées rapprochaient les gens, et qu'il n'était pas simplement question de convictions.

Les individus qui suivent les mêmes codes deviennent prévisibles l'un pour l'autre. Ils agissent en fonction des attentes et des désirs de l'autre. Ils peuvent coopérer. Ils peuvent même se concurrencer de manière pacifique, car tout le monde sait ce qu'il est en droit d'attendre des autres. Un système de croyances partagées, en partie psychologique, en partie mis en pratique, réduit chacun à l'essentiel, à ses propres yeux comme aux yeux des autres. Les croyances communes simplifient également la vie, car ceux qui savent ce qu'ils peuvent attendre des autres peuvent agir de concert pour apprivoiser le monde. Il n'existe sans doute rien de plus important que le maintien de cette organisation, que cette simplification. Lorsqu'elle est menacée, le grand « navire de l'État » se met à tanguer.

Cela ne signifie pas que des gens vont accepter de se battre pour leurs convictions. Ils vont plutôt lutter pour préserver l'équilibre entre ce qu'ils croient, ce qu'ils attendent, et ce qu'ils désirent. Entre leurs attentes et la façon dont tout le monde se comporte. C'est précisément la sauvegarde de cet équilibre qui permet à tous de vivre ensemble en paix, de manière prévisible et utile. Il réduit les incertitudes et atténue le mélange chaotique d'émotions insoutenables inévitablement provoqué par le doute.

Imaginons que quelqu'un soit trompé par son partenaire. Le contrat social sacré qui liait ces deux personnes a été brisé. Les actes ont plus de poids que les mots, et une trahison vient bouleverser la paix fragile et soigneusement établie d'une relation intime. Après une infidélité, on est assailli par une série d'émotions épouvantables : le dégoût, le mépris (envers soi ou envers le fautif), la culpabilité, l'angoisse, la colère et l'effroi. Le conflit est inévitable, parfois avec des résultats irréversibles. Les systèmes de croyances partagées – ceux qui mettent en avant un comportement et des attentes convenus – permettent de réguler et de maîtriser ces puissantes forces. Inutile de se demander pourquoi on accepte plus volontiers de se battre pour défendre ce qui nous permet d'échapper à un sentiment de chaos et de terreur (et pour ce qui nous évite, ensuite, de sombrer dans le conflit et la lutte).

Mais ce n'est pas tout. Un système culturel partagé stabilise les interactions humaines, mais c'est aussi un ensemble de valeurs : une hiérarchie de valeurs où certains éléments sont prioritaires par rapport à d'autres selon leur importance. En l'absence d'un tel système de valeurs, on ne peut simplement pas agir. En fait, on est même dans l'incapacité de percevoir, car la perception, comme l'action, a besoin d'un objectif, et par la force des choses, un but est un élément auquel on accorde une certaine valeur. La plupart de nos émotions positives sont liées à des objectifs. On ne peut pas être heureux à proprement parler, si l'on ne s'est pas senti progresser. Et l'idée même de progression implique la notion de valeur. Pire, sans valeur positive, la vie n'est pas simplement neutre. Parce que nous sommes vulnérables et mortels, la douleur et l'angoisse font partie intégrante de notre existence. Il nous faut opposer à la souffrance quelque chose qui soit également propre à l'Être*. Il faut que le sens soit inhérent à un système de valeurs approfondi si l'on souhaite éviter que l'horreur de l'existence devienne rapidement prépondérante. Et qu'un certain nihilisme se manifeste ensuite, avec son lot de désespoir.

Donc pas de valeur, pas de sens. Entre différents systèmes de valeurs, cependant, il existe une possibilité de conflit. Nous sommes ainsi constamment pris entre deux feux : la perte de convictions collectives rend l'existence chaotique, maussade, voire insoutenable. La présence de convictions collectives rend inévitable le conflit avec d'autres groupes. En Occident, nous nous sommes éloignés de nos cultures traditionnelles, religieuses et même nationales, en partie pour atténuer les risques de conflits entre groupes. Mais nous sommes de plus en plus la cible du désespoir causé par l'absence de sens, et c'est loin d'être une avancée.

---

* J'emploie en partie le terme « Être » (avec un « Ê » majuscule) en raison de ma proximité avec les idées de Martin Heidegger, philosophe allemand du XXᵉ siècle. Ce dernier a tenté de faire la distinction entre la réalité telle qu'on la conçoit de manière objective, et l'ensemble de l'expérience humaine (son « Être »). L'Être, c'est ce que vit chacun de nous, de façon subjective, personnellement et individuellement, mais aussi avec les autres. En tant que tel, il inclut les émotions, les instincts, les rêves, les visions et les révélations, ainsi que nos perceptions et nos pensées personnelles. L'Être, enfin, est aussi créé par l'action. Sa nature est donc, à un degré indéterminé, une conséquence de nos décisions et de nos choix. Il est en théorie façonné par notre libre arbitre. Exprimé de cette façon, l'Être (1) n'est ni facilement ni directement réductible à quelque chose de matériel et d'objectif, et (2) requiert un terme qui lui soit propre, comme Heidegger a tenté de le démontrer durant des dizaines d'années.

En écrivant *Maps of Meaning*, je me suis également aperçu que nous ne pouvions plus nous permettre d'entrer en conflit avec d'autres groupes. Certainement pas à l'échelle de ceux du XXe siècle, en tout cas. Nos armes de destruction sont devenues bien trop puissantes. Les conséquences d'une guerre seraient apocalyptiques. Mais d'un autre côté, il nous est impossible de renoncer à nos systèmes de valeurs, à nos croyances, à nos cultures... Des mois durant, ce problème en apparence insoluble m'a causé bien du tourment. Existait-il une troisième voie qui m'échappait ? À cette époque, il m'est arrivé une nuit de rêver que j'étais suspendu dans le vide, cramponné à un lustre, à plusieurs dizaines de mètres du sol, juste sous le dôme d'une gigantesque cathédrale. En contrebas, les gens ressemblaient à des fourmis. J'étais loin de tout mur, et même du sommet du dôme.

J'ai appris à tenir compte des rêves, ne serait-ce qu'en raison de ma formation de psychologue clinicien. Les rêves apportent leur propre éclairage sur les zones d'ombres de la psyché où la raison ne s'est pas encore aventurée. J'ai également étudié le christianisme en profondeur. Plus que toute autre religion, même si je tente aujourd'hui encore de combler cette lacune. Comme tout le monde, par conséquent, je maîtrise mieux ce que je connais que ce que j'ignore. Je savais que les cathédrales avaient la forme de croix, et que le point sous le dôme en était le centre. Je savais que la croix était simultanément la marque d'une grande souffrance, le signe de la mort et de la transformation, et le centre symbolique du monde. Je n'avais aucune envie de me trouver là. Je suis parvenu à descendre de ce ciel spirituel, à regagner le sol familier et anonyme où je ne craignais rien. J'ignore comment. Et puis, toujours dans mon rêve, je retournais dans ma chambre, dans mon lit, tentant de me rendormir et de retrouver la paix du sommeil. En me relâchant, cependant, je me sentais transporté ailleurs. Une forte bourrasque me dissolvait, sur le point de me projeter de nouveau dans la cathédrale, de me remettre en ce point central. Il n'y avait aucune échappatoire. Un véritable cauchemar ! Je me suis forcé à me réveiller. Derrière moi, les rideaux voletaient au-dessus de mes oreillers. À demi endormi, je me tournai vers le pied du lit. Et là, j'aperçus les portes monumentales de la cathédrale. Cela me réveilla complètement, et elles se dissipèrent.

Mon rêve me plaçait au centre même de l'Être, et il m'était impossible de m'en extraire. Il me fallut des mois pour comprendre ce que cela signifiait. En attendant, j'ai réellement pris conscience de ce sur quoi les grandes histoires du passé insistaient inlassablement : le centre est occupé par l'individu. Le centre est marqué par la croix, comme on marque un lieu d'un « X ». L'existence en ce point n'est que souffrance et transformation. Et, surtout, ce fait a besoin d'être volontairement accepté. Il est possible de transcender une adhésion servile au groupe et à ses doctrines et, en même temps, d'éviter les pièges de son extrême opposé, le nihilisme. Il est possible, au contraire, de trouver suffisamment de sens dans la conscience individuelle et l'expérience.

Comment libérer le monde du terrible dilemme du conflit, d'une part, et de la dissolution sociale et psychologique de l'autre ? La réponse était la suivante : par l'élévation et le développement de l'individu, et par la volonté de chacun d'endosser le fardeau de l'Être et de prendre le chemin de l'héroïsme. Il faut que chacun de nous accepte toute sa responsabilité, aussi bien pour lui que pour la société et le reste du monde. Que chacun de nous dise la vérité, répare ce qui n'est plus en état, détruise et recrée ce qui est ancien et dépassé. C'est de cette manière que nous pouvons et devons réduire la souffrance qui empoisonne le monde. C'est beaucoup demander. C'est tout demander. Mais l'autre possibilité – l'horreur d'une idéologie autoritaire, le chaos d'un État délabré, le drame tragique d'un monde naturel débridé, la faiblesse et l'angoisse existentielle d'un individu devenu inutile – est évidemment bien pire.

Voilà des dizaines d'années que je réfléchis à ces notions et que je les enseigne. J'ai rassemblé un vaste corpus d'histoires et de concepts qui leur sont liés. Je ne prétends toutefois aucunement avoir raison ni être exhaustif dans mon raisonnement. L'Être est bien plus complexe qu'il n'y paraît, et je ne dispose pas de tous les éléments nécessaires. C'est simplement le mieux que je puisse proposer.

Quoi qu'il en soit, l'ensemble de mes précédentes recherches et de mes réflexions ont abouti à de nouveaux textes, qui, en fin de compte, ont donné ce livre. Mon idée initiale était d'écrire un court essai sur chacune des quarante réponses que j'avais fournies à Quora. Cette proposition avait été acceptée par la maison d'édition Penguin Random House Canada. Toutefois, en écrivant, j'ai réduit le nombre de chapitres à vingt-cinq, puis à seize, et enfin à douze. J'ai ensuite passé ces trois dernières années à réviser le texte avec l'aide de mon correcteur attitré (en tenant compte des critiques acerbes, mais effroyablement justes de Gregg Hurwitz, à qui j'ai fait allusion plus haut).

Il m'a fallu du temps avant de m'arrêter sur un titre : *12 règles pour une vie. Un antidote au chaos.* Pourquoi celui-là et pas un autre ? Avant tout pour sa simplicité. Il indique clairement que les gens ont besoin de principes d'organisation pour éviter que le chaos ne s'installe. Nous avons besoin de règles, de normes et de valeurs, aussi bien individuellement que collectivement. Nous sommes des bêtes de somme. Il nous faut porter une charge pour justifier notre existence. Nous avons besoin de la routine et de la tradition. C'est cela, l'ordre. L'ordre peut devenir excessif, mais le chaos peut nous submerger. Ce qui n'est pas vraiment mieux. Il faut que nous restions dans le droit chemin, si étroit soit-il.

Chacune des douze règles de ce livre et les essais qui les accompagnent expliquent comment aller là. « Là », c'est la ligne entre l'ordre et le chaos. C'est l'endroit où nous sommes à la fois suffisamment stables, explorateurs, aptes au changement, aux réparations et à la coopération. C'est le lieu où nous découvrons le sens qui justifie notre existence et son inévitable souffrance. Peut-être que si nous vivions de manière plus appropriée, nous pourrions mieux supporter le poids de notre conscience de nous. Nous pourrions accepter nos propres fragilités et notre caractère mortel sans éprouver le sentiment de victimation que génère d'abord le ressentiment, puis l'envie et, enfin, le désir de vengeance et de destruction. Peut-être que si nous vivions de manière plus appropriée, nous ne serions pas tentés de nous tourner vers des certitudes totalitaires pour nous protéger de nos propres déficiences et de notre ignorance. Nous pourrions sans doute éviter ces chemins qui mènent directement en enfer. Et nous avons vu, au cours de ce terrible XXᵉ siècle, combien l'enfer pouvait être une réalité.

J'espère que ces règles et les descriptions qui les accompagnent en aideront certains à comprendre ce qu'ils savent déjà : que l'âme de chacun a perpétuellement soif de l'héroïsme de l'Être authentique, et que le choix d'endosser cette responsabilité équivaut à décider de mener une vie accomplie.

Si nous décidons tous de vivre de manière appropriée, nous nous épanouirons collectivement.

De tout cœur avec vous durant la lecture de ces pages.

Docteur Jordan B. PETERSON
Psychologue clinicien et professeur de psychologie

RÈGLE I

TENEZ-VOUS DROIT,
LES ÉPAULES EN ARRIÈRE

Les homards et leur territoire

Si vous êtes comme tout le monde, vous ne devez pas penser souvent aux homards[2]. À moins que vous ne soyez justement en train d'en manger. Pourtant, ces crustacés aussi intéressants que délicieux méritent qu'on s'attarde sur leur cas. Leur système nerveux est relativement simple, avec de gros neurones – ces cellules magiques du cerveau –, facilement observables. Ce qui a permis aux scientifiques de cartographier avec une grande précision leur système neuronal. Cela nous a aidés à comprendre la structure et le fonctionnement du cerveau, ainsi que le comportement d'animaux plus complexes – dont l'être humain. Les homards partagent plus de points communs avec nous qu'on ne pourrait le croire (surtout les jours où on doit nous prendre avec des pincettes, ha, ha !).

Les homards vivent au fond de l'océan. Il leur faut un point d'attache à proximité duquel ils chassent et récupèrent tout ce qui traîne de comestible. Des bricoles apportées là par les pluies, vestiges du chaos perpétuel des carnages à la surface. Ils ont besoin d'un endroit sûr, où la chasse et la cueillette donnent des résultats satisfaisants. Ils rêvent d'un « chez-eux ».

Ce qui peut constituer un problème, parce que les homards sont nombreux. Et si d'aventure, au fond de l'océan, deux d'entre eux occupent le même territoire au même moment et désirent s'y établir ? Et que des centaines de homards, qui tous tentent de gagner leur pitance et d'élever une famille sur le même bout de terrain surpeuplé souhaitent s'y installer ?

D'autres animaux connaissent ce problème. Quand au printemps les oiseaux chanteurs vont au nord, par exemple, s'engagent de féroces disputes territoriales. Les airs qu'ils sifflent, si paisibles et si doux à nos oreilles, sont en fait des chants de sirènes et des cris de domination. L'oiseau merveilleusement musical que vous entendez est en réalité un petit guerrier proclamant sa souveraineté sur un territoire. Prenez le troglodyte – petit oiseau chanteur fougueux se nourrissant d'insectes, que l'on trouve surtout en Amérique du Nord. Un nouvel arrivant cherche un endroit protégé pour y construire un nid à l'abri du vent et de la pluie. Il le veut près d'une source de nourriture, et suffisamment attrayant pour séduire d'éventuelles partenaires. Il souhaite aussi convaincre ses concurrents de garder leurs distances.

Les oiseaux et leur territoire

Quand j'avais dix ans, mon père et moi avions fabriqué une maison d'oiseaux pour une famille de troglodytes, avec une entrée comme une pièce de 25 cents. Elle ressemblait à un Conestoga, ces chariots bâchés qui transportaient les colons le long des routes américaines. Cela leur faisait un excellent abri. Mais beaucoup moins pour les espèces plus grandes, qui ne pouvaient y pénétrer. Chez ma voisine – une femme âgée –, il y avait un nichoir que nous lui avions fabriqué le même jour à partir d'une vieille botte en caoutchouc, à l'accès suffisamment large pour laisser entrer un rouge-gorge. Elle était impatiente de le voir occupé.

Un troglodyte découvrit bientôt notre maison et s'y trouva rapidement comme chez lui. Au début du printemps, on l'entendait répéter ses longs trilles à l'envi. Mais dès que son nid fut fini dans le chariot bâché, notre nouveau locataire se mit à apporter de petites brindilles dans la botte de notre voisine. Il la remplit à tel point qu'aucun autre oiseau, petit ou gros, ne pouvait plus y pénétrer. Cet assaut préventif n'enchanta pas vraiment la vieille dame, mais il n'y avait rien à y faire. « Si on le décroche, expliqua mon père, qu'on le vide et qu'on le remet en place dans l'arbre, le troglodyte va recommencer à le remplir. » Les troglodytes sont petits et mignons, mais sans pitié.

L'hiver précédent, je m'étais cassé la jambe au ski dès ma première descente, et j'avais reçu un peu d'argent de la part d'une assurance scolaire destinée à récompenser les enfants malchanceux et maladroits. Avec ce butin, je m'étais offert un magnétophone à cassette (un gadget à la pointe de la technologie, à l'époque). Mon père me suggéra d'aller m'installer sur la pelouse dans le jardin, d'enregistrer le chant du troglodyte et de le rediffuser pour voir ce qui se passerait. Je sortis donc, profitant d'un beau soleil printanier, et enregistrai durant quelques minutes les furieuses revendications territoriales de ce volatile. Puis je lui fis écouter son propre chant. Cet oiseau, trois fois plus petit qu'un moineau, se mit à fondre à plusieurs reprises en piqué sur moi et mon magnétophone, à quelques centimètres du haut-parleur. Il nous est arrivé plus d'une fois d'assister à ce genre de comportement, même en l'absence d'enregistreur. Si un oiseau plus gros osait se poser dans l'un des arbres à proximité de notre nichoir, il y avait de fortes chances pour qu'il s'en fasse déloger par notre kamikaze à plumes.

Mais les troglodytes et les homards sont très différents. Ces derniers ne volent pas, ne chantent pas et ne vont pas nicher dans les arbres. Les troglodytes ont des plumes et non des carapaces. Les troglodytes ne peuvent pas respirer sous l'eau, et sont rarement servis dans une assiette avec du beurre. Malgré tout, ils ont des points communs importants. Tous deux sont obsédés par leur statut et leur position hiérarchique, comme un grand nombre d'animaux, d'ailleurs. Le zoologiste et spécialiste norvégien de psychologie comparée, Thorleif Schjelderup-Ebbe, a observé en 1921 que même les vulgaires poulets de basse-cour établissaient un « ordre de picorage[3] ».

La détermination du *Who's Who* dans le monde de la volaille a des conséquences importantes pour la survie de chaque spécimen, surtout en période de disette. Chez les poules, l'accès prioritaire à la nourriture distribuée dans la cour le matin par les fermiers est réservé aux vedettes. Après viennent les seconds couteaux, les parasites et les aspirants. Puis c'est au tour des poules de troisième ordre. Et ainsi de suite, jusqu'aux malheureuses mal nourries au plumage dégarni qui occupent la strate la plus basse dans la hiérarchie du poulailler.

Les poules, comme les banlieusards, vivent en communauté. Ce n'est pas le cas des oiseaux chanteurs comme les troglodytes, non, mais cela n'empêche pas ceux-là de respecter une hiérarchie de commandement. Elle est simplement étendue à un territoire plus grand. Les oiseaux les plus malins, les plus robustes et les plus chanceux occupent un territoire de premier choix et le défendent. Ils ont ainsi plus de chances d'attirer des partenaires intéressants, pour donner naissance à une progéniture plus à même de survivre et de prospérer. La protection contre le vent, la pluie et les prédateurs, ainsi qu'un accès facile à une bonne nourriture rendent l'existence beaucoup moins stressante. Le territoire compte, et les droits territoriaux sont intimement liés au statut social. Il s'agit souvent d'une question de vie ou de mort.

Quand une maladie aviaire contagieuse se propage au sein d'un groupe d'oiseaux chanteurs bien hiérarchisé, ce sont les moins dominants et les plus stressés – ceux qui occupent les échelons les plus bas de l'univers des volatiles –, qui ont le plus de risques d'être contaminés et de mourir[4]. C'est tout aussi vrai pour les quartiers humains de toute la planète où les virus de grippe aviaire et autres maux se propagent. Les pauvres et les gens en situation de stress meurent toujours les premiers et en grand nombre. Ils sont également bien plus vulnérables aux maladies non infectieuses comme le cancer, le diabète et les maladies cardiaques. Quand l'aristocratie attrape un rhume, comme on dit, c'est la classe ouvrière qui meurt de pneumonie.

Parce que le territoire a de l'importance, et parce que les meilleurs emplacements sont toujours comptés, leur recherche crée des conflits parmi les animaux. Ces conflits posent un problème à leur tour : comment gagner ou perdre sans que les parties incriminées subissent des pertes trop conséquentes ? Ce dernier point est particulièrement important. Imaginez que deux oiseaux se chamaillent à propos d'une zone de nidification recherchée. Leur interaction peut rapidement dégénérer en combat à mort. Dans de telles conditions, un oiseau – généralement le plus gros –, finira par l'emporter, mais il se peut qu'il en sorte blessé. Cela signifie qu'un troisième volatile, un témoin rusé et indemne, peut décider de prendre la place avec un certain opportunisme, et de vaincre le précédent gagnant désormais estropié. Ce qui ne serait pas du tout une bonne affaire pour les deux premiers.

Conflits et territoires

Au fil des millénaires, les animaux cohabitant sur un même territoire ont été contraints d'apprendre certaines astuces pour asseoir leur domination sans prendre trop de risque. Un loup vaincu, par exemple, se couchera sur le dos, exposant sa gorge au vainqueur qui s'abstiendra de l'achever. Le nouveau loup dominant aura sans doute besoin d'un futur partenaire de chasse, après tout, même s'il est aussi pathétique que son adversaire vaincu. Les dragons barbus – une variété de lézards remarquablement sociables –, remuent pacifiquement leurs pattes antérieures pour indiquer leur souhait de préserver l'harmonie sociale en cours. Pour réduire les conflits potentiels entre dominants et dominés lorsqu'ils chassent, et pendant d'autres moments de grande excitation, les dauphins émettent des pulsations sonores particulières. Ce genre de comportement est universel dans la communauté des êtres vivants.

Les homards qui arpentent les fonds marins ne font pas exception[5]. Si vous en capturez quelques dizaines et les déposez dans un nouvel habitat, vous observerez leurs rituels et leurs techniques pour se forger un statut. Chacun d'eux va commencer par explorer son nouveau territoire, en partie pour en dresser la carte détaillée, et en partie pour y trouver le meilleur abri possible. Les homards apprennent beaucoup de l'endroit où ils vivent, et ils s'en souviennent. Si vous en surprenez un près de son habitat, il y retournera en vitesse pour s'y cacher. Mais si vous le surprenez à quelque distance, il filera aussitôt vers l'abri le plus proche, dont il aura mémorisé l'emplacement à l'avance.

Les homards ont besoin d'une cachette sûre pour s'y reposer, hors d'atteinte des prédateurs et des forces de la nature. En outre, ils muent en grandissant. Ils perdent leurs carapaces, ce qui les rend vulnérables durant une longue période. Un terrier sous une pierre fait un excellent logis pour un homard, surtout s'il peut y traîner des carapaces et d'autres détritus pour en boucher l'entrée lorsqu'il est confortablement installé. Il n'existe toutefois qu'un nombre limité d'abris et de cachettes de cette qualité sur chaque nouveau territoire. Ils sont aussi rares que précieux. Et d'autres homards sont constamment à leur recherche.

Cela signifie qu'ils se croisent souvent lors de leurs explorations. Des chercheurs ont démontré que même un homard élevé seul, isolé des autres, sait quoi faire lorsqu'une telle chose se produit[6]. Il a des attitudes défensives et agressives complexes générées par son système nerveux. Il commence par se mettre à danser comme un boxeur, brandissant et ouvrant ses pinces, reculant, avançant, allant de droite à gauche, imitant son adversaire, agitant d'avant en arrière ses pinces ouvertes. En même temps, il possède sous les yeux un organe lui permettant de projeter un liquide droit contre son rival. Cette projection contient un mélange de substances chimiques qui renseigne les autres homards sur sa taille, son sexe, son état de santé et son humeur.

Parfois, un homard comprend à la taille des pinces de son concurrent qu'il n'est pas de force à lui faire face. Il bat alors en retraite sans combattre. Les informations chimiques échangées par ces pulvérisations peuvent produire le même effet, et convaincre un belligérant en moins bonne forme ou moins agressif de réviser ses intentions. Il s'agit là d'une résolution de conflit de niveau 1[7]. Si les deux homards sont de taille et de force comparables, cependant, ou si l'échange de fluides s'est révélé insuffisamment instructif, ils passeront au niveau 2. Battant éperdument des antennes et les pinces baissées, l'un d'eux s'avancera et l'autre reculera. Plus le défenseur avancera et plus l'agresseur reculera. Après avoir répété ce rituel à plusieurs reprises, le plus nerveux des deux comprendra qu'il n'est pas dans son intérêt de poursuivre. Par réflexe, il remuera la queue, reculera rapidement pour s'éclipser et aller tenter sa chance ailleurs. Mais si aucun des deux ne cède, le conflit passe alors au niveau 3, un véritable combat.

Cette fois, furieux, les homards se jettent brutalement l'un sur l'autre, pinces en avant. Chacun tente de retourner l'autre sur le dos. Une fois le ventre en l'air, le vaincu comprend qu'il risque de subir de sévères dégâts. Généralement, il abandonne et s'en va (même s'il ne manquera pas de nourrir une intense rancœur envers le vainqueur et de dire du mal de lui derrière son dos). Si aucun d'eux ne parvient à retourner l'autre, ou si le vaincu refuse de se rendre une fois sur le dos, les homards passent au niveau 4. À ce stade, les crustacés courent de grands risques, et aucun ne s'engagera dans ces extrémités sans y avoir bien réfléchi : l'un d'eux, si ce n'est les deux, sortira de cette lutte avec de graves blessures. S'il s'en tire.

Les animaux s'avancent l'un vers l'autre à une vitesse de plus en plus grande. Les pinces ouvertes pour pouvoir saisir une patte, une antenne, un œil ou toute autre partie vulnérable. Dès qu'il a une prise, l'assaillant tentera d'arracher le membre attrapé en reculant brusquement, tout en remuant la queue. Les conflits qui ont dégénéré à ce point laissent généralement un vainqueur évident et un perdant. Ce dernier a peu de chances de survivre, surtout s'il demeure sur le territoire occupé par le vainqueur, désormais considéré comme un ennemi mortel.

Après une défaite, et quel que soit son degré d'agressivité, le homard ne sera plus disposé à se battre, même contre un adversaire qu'il a déjà vaincu. Le perdant perd confiance, parfois des jours durant. Il arrive qu'une défaite ait des conséquences encore plus graves. Si un dominant se fait battre à plate couture, son cerveau se dissout pour ainsi dire. Il lui en pousse un nouveau, un cerveau de subordonné plus adapté à son nouveau statut[8]. Son précédent cerveau n'est pas assez sophistiqué pour appréhender le passage d'une condition de roi à celle d'un moins que rien sans une totale dissolution suivie d'une repousse. Tous ceux qui ont subi une douloureuse transformation après

une grave défaite, qu'elle soit sentimentale ou professionnelle, doivent certainement ressentir quelque affinité avec
ce crustacé autrefois brillant.

La neurochimie de la défaite et de la victoire

La chimie d'un cerveau de homard vaincu diffère de façon
significative de celle d'un vainqueur. Cela se remarque dans
leurs attitudes relatives. L'assurance ou la crainte dépendent
chez eux de la présence de deux substances chimiques
permettant d'ajuster la communication entre deux de leurs
neurones, la sérotonine et l'octopamine. Chaque victoire augmente la quantité de la première par rapport à la seconde.

Un homard avec un haut niveau de sérotonine et peu
d'octopamine devient trop sûr de lui. Il aime à plastronner,
et il est peu probable qu'il se retrouve sur le dos lorsqu'on
le défie. La sérotonine l'aide à réguler la souplesse de son
corps. Et plus un homard est souple, plus il peut étendre
ses appendices pour paraître encore plus grand et plus
dangereux, tel Clint Eastwood dans un western-spaghetti.
Quand un homard qui vient de perdre une bataille est
exposé à de la sérotonine, il se détend, prêt à en découdre
avec des congénères qui l'ont déjà vaincu par le passé. Il se
bat plus longuement et plus fougueusement[9]. Les inhibiteurs
sélectifs de la recapture de la sérotonine, prescrits en cas de
dépression, ont plus ou moins les mêmes effets chimiques
et comportementaux sur les humains. Une expérience stu-
péfiante a démontré la continuité de l'évolution de la vie
sur Terre, le Prozac ayant remonté le moral des homards[10].

Le vainqueur est caractérisé par un haut niveau de sérotonine et un faible niveau d'octopamine. À l'inverse, un fort
taux d'octopamine produit une sorte de homard poltron,
déprimé, refoulé, renfrogné et au moral de vaincu, que
l'on n'apercevra que de loin et qui disparaîtra au premier

problème. La sérotonine et l'octopamine régulent également le mouvement réflexe de la queue, qui permet au crustacé de se propulser rapidement en marche arrière lorsqu'il a besoin de s'échapper. Un réflexe qui se déclenche plus rapidement chez le vaincu. On constate le même genre de phénomène dans le sursaut caractéristique du soldat et de l'enfant battu atteints d'un trouble de stress posttraumatique.

Le principe de la distribution inégale

Quand un homard vaincu retrouve son courage et ose de nouveau se battre, il est probable qu'il perde encore. Ce qui est prévisible à l'étude de ses précédents combats. Son adversaire victorieux, quant à lui, a plus de chances de remporter son duel à venir. Dans le monde des homards, il existe une prime au vainqueur, exactement comme dans les sociétés humaines, où les 1 % de personnes les plus riches cumulent autant de richesses que les 50 % de plus pauvres[11], et où les quatre-vingt-cinq personnes les plus aisées ont autant que les trois millions et demi d'indigents.

Ce violent principe de distribution inégale ne s'applique pas que dans le domaine financier. Il se retrouve dès lors qu'une production créatrice est nécessaire. La majorité des articles scientifiques sont publiés par un tout petit groupe d'experts. Une infime proportion de musiciens produisent presque l'ensemble de la musique commerciale enregistrée. Une poignée d'auteurs vendent la majeure partie des livres du marché. Il se vend chaque année aux États-Unis un million et demi de titres distincts ! Toutefois, seuls cinq mille d'entre eux se vendent à plus de cent mille exemplaires[12]. De la même manière, quatre compositeurs de musique classique – Bach, Beethoven, Mozart et Tchaïkovski – ont écrit la quasi-totalité des œuvres jouées par les orchestres modernes. Bach, quant à lui, s'est révélé un compositeur si prolifique qu'il faudrait des dizaines d'années de travail pour simplement recopier ses partitions. Pourtant, seule une petite sélection de sa prodigieuse production est jouée fréquemment. C'est également le cas des trois autres membres de ce groupe de compositeurs hyperdominants : seule une faible part de leur œuvre est encore jouée. Ainsi, on ne connaît et on n'aime qu'une petite partie seulement de la musique composée par une petite partie de l'ensemble des compositeurs classiques.

On appelle parfois ce principe « loi de Price », en hommage à Derek J. de Solla Price[13], le chercheur qui a découvert son application scientifique en 1963. Elle peut être représentée par un graphique plus ou moins en forme de L, avec en ordonnée le nombre de personnes, et en abscisse leur productivité ou leurs ressources. Ce principe fondamental a été découvert bien plus tôt. Le génie italien Vilfredo Pareto (1848-1923) avait remarqué sa pertinence dans la distribution des richesses au début du XXᵉ siècle. Et il semble se vérifier pour chaque société étudiée, indépendamment de sa forme de gouvernance. Il s'applique également à la population urbaine (un petit nombre de villes hébergent la majorité de la population), à la masse des corps célestes (seuls quelques-uns accumulent toute la matière), et la fréquence des termes dans une langue (90 % de notre communication n'est constituée que de cinq cents mots), et ainsi de suite. On le connaît aussi sous le nom de « principe de Matthieu » (Matthieu 25:29), inspiré par ce qui pourrait être la citation la plus sévère attribuée à Jésus-Christ : « Car, à celui qui a, on donnera encore, et il sera dans l'abondance. Mais, à celui qui n'a pas, on ôtera même ce qu'il a. »

Vous pouvez être sûr d'être le fils de Dieu quand votre maxime s'applique même aux crustacés.

Mais revenons à nos homards indisciplinés : il ne leur faut pas longtemps, après s'être mutuellement jaugés, pour déterminer à qui ils peuvent s'en prendre, et qui mérite un grand lit. Une fois la leçon apprise, leur hiérarchie est extrêmement stable. Après une victoire, il suffit au vainqueur de remuer ses antennes de façon menaçante pour faire fuir ses précédents adversaires dans un nuage de sable. Les homards les plus faibles finiront par renoncer, préférant accepter leur statut plutôt que de sortir blessés d'un combat. En revanche, le homard dominant occupe le meilleur abri, dort mieux, savoure les meilleurs repas et fait étalage de son autorité sur l'ensemble de son territoire, expulsant ses subordonnés de leurs abris en pleine nuit dans l'unique but de leur rappeler qui est le patron.

Toutes les filles

Les homards femelles, qui n'hésitent pas non plus à se battre pour leur territoire au cours des périodes maternelles de leur existence[14], identifient rapidement le grand chef et sont attirées par lui. Selon moi, il s'agit d'une excellente stratégie. Elle est également mise en œuvre par les femelles de nombreuses espèces, y compris l'espèce humaine. Plutôt que de tenter d'identifier le meilleur mâle, tâche éminemment difficile, les homards femelles leur confient le soin de traiter le problème. Elles les laissent se battre et choisir leurs maîtresses depuis le sommet de la hiérarchie. Cela ressemble beaucoup à ce qui se passe sur les marchés boursiers, où la valeur de chaque entreprise est déterminée grâce à la concurrence globale.

Quand les femelles sont prêtes à perdre leur carapace et s'adoucissent un peu, elles cherchent à se reproduire. Elles commencent par traîner devant l'abri du homard dominant, diffusant vers lui des odeurs attrayantes et aphrodisiaques pour tenter de le séduire. Son agressivité lui ayant apporté le succès, il est probable qu'il réagisse en dominant à fleur de peau. En outre, il est grand, en bonne santé et puissant. Il n'est guère aisé de détourner son attention du combat et de le convaincre de s'accoupler. S'il se laisse séduire, en revanche, il changera d'attitude envers la femelle. C'est l'équivalent pour les homards de *Cinquante Nuances de Grey*, le livre de poche vendu le plus rapidement de tous les temps, et l'éternelle histoire d'amour du genre de *La Belle et la Bête*. C'est le mode de comportement sans cesse représenté dans la littérature érotique, et aussi populaire chez les femmes que les photos de femmes nues chez les hommes.

Il faut signaler, cependant, que la simple puissance physique est un socle instable pour établir une domination durable, ce que le primatologue néerlandais Frans de Waal[15] s'est donné beaucoup de mal à démontrer. Parmi les groupes de chimpanzés qu'il a étudiés, les mâles les plus brillants sur le long terme devaient agrémenter leurs prouesses physiques de performances plus sophistiquées. Même le despote chimpanzé le plus brutal peut être vaincu par deux adversaires, pour peu qu'ils soient presque aussi violents que lui. Par conséquent, les mâles qui restent le plus longtemps au sommet sont ceux qui forment des coalitions avec leurs congénères de moindre statut, et apportent une attention particulière aux femelles du groupe et à leur progéniture. La manœuvre politique qui consiste à embrasser les jeunes enfants est employée depuis des millions d'années. Mais les homards étant encore relativement primitifs, les éléments simplistes de l'intrigue de *La Belle et la Bête* leur suffisent amplement.

Dès que la Bête a été séduite avec succès, la femelle homard gagnante se déshabille, perdant sa carapace, devenant dangereusement vulnérable, prête à s'accoupler. Au même moment, le mâle, à présent converti en amant attentionné, dépose un paquet de sperme dans le réceptacle adéquat. Ensuite, la femelle reste dans les parages et s'endurcit pendant environ deux semaines – un autre phénomène qui n'est pas totalement inconnu des êtres humains. Quand bon lui semble, elle rentre chez elle, pleine d'œufs fécondés. À ce stade, une autre femelle tente la même chose, et ainsi de suite. Le mâle dominant, grâce à sa posture droite et assurée, profite non seulement d'un abri de premier choix et d'un accès facilité aux meilleurs terrains de chasse, mais aussi de toutes les femelles. Cela vaut exponentiellement la peine de remporter des victoires, quand on est un homard mâle.

En quoi tout cela est-il pertinent ? Pour un nombre incroyable de raisons, mais pas forcément les plus évidentes. Tout d'abord, nous savons que les homards existent sous une forme ou sous une autre depuis plus de trois cent cinquante millions d'années[16]. Ce qui remonte à loin. Il y a soixante-cinq millions d'années, il y avait encore des dinosaures. Bien avant l'apparition de l'homme, donc. Pour les homards, en revanche, les dinosaures étaient des nouveaux riches, qui ont disparu aussi vite qu'ils sont apparus à l'échelle de l'éternité. Ce qui signifie que les hiérarchies de domination font partie depuis presque toujours des caractéristiques environnementales auxquelles toutes les formes de vie complexes se sont adaptées. Il y a trois cent cinquante millions d'années, les cerveaux et les systèmes nerveux étaient relativement simples. Néanmoins, ils avaient déjà la structure et la neurochimie nécessaires au traitement des informations sur le statut et la société. Difficile d'exagérer l'importance de ce fait.

La nature de la nature

En biologie, soutenir que l'évolution est conservatrice est un lieu commun. Toute évolution a pour base une création naturelle. De nouvelles fonctions apparaissent, et les plus anciennes peuvent subir des ajustements, mais la plupart des caractéristiques originelles demeurent identiques. C'est pour cette raison que les ossatures des ailes des chauves-souris, des mains des humains et des nageoires des baleines se ressemblent tant – elles ont le même nombre d'os. L'évolution a posé les pierres angulaires de la physiologie élémentaire il y a bien longtemps.

À présent, l'évolution se fait en grande partie par le biais des variations et de la sélection naturelle. Les variations existent pour de nombreuses raisons dont, pour faire simple, le mélange des gènes et la mutation aléatoire. Ce sont ces variations qui font qu'il existe divers types d'individus au sein d'une même espèce. Au fil du temps, la nature fait son choix. Cette théorie semble expliquer la modification permanente des espèces vivantes. Mais une autre question se pose alors : qu'est exactement la « nature » dans la « sélection naturelle » ? À quel environnement les animaux doivent-ils s'adapter ? On émet toutes sortes d'hypothèses sur la nature, sur l'environnement, ce qui n'est pas sans conséquence. Mark Twain a dit un jour : « Le danger, ce n'est pas ce qu'on ignore, c'est ce que l'on tient pour certain et qui ne l'est pas. »

Tout d'abord, il est facile de partir du principe que la « nature » est dotée d'une nature propre, qu'il s'agit de quelque chose de statique. Mais ce n'est pas le cas, du moins ce n'est pas si simple. La nature est à la fois statique et dynamique. L'environnement lui-même – la nature qui sélectionne – se transforme. Les magnifiques symboles du yin et du yang des taoïstes en rendent parfaitement compte. Pour les taoïstes, l'Être – la réalité – est composé de deux principes opposés souvent interprétés comme féminin et masculin, ou, plus précisément, comme homme et femme. Le yin et le yang représentent le chaos et l'ordre. Le symbole taoïste est un cercle composé de serpents jumeaux tête-bêche. Le serpent noir, le chaos, est orné d'un point blanc sur sa tête. Le blanc, l'ordre, a lui un point noir sur la tête. C'est parce que le chaos et l'ordre, en plus d'être éternellement juxtaposés, sont interchangeables. Rien n'est certain au point de ne jamais varier. Le Soleil lui-même a des cycles d'instabilité. Même ce qui semble constamment changeant peut être figé. Toute révolution est source d'un nouvel ordre. La mort est simultanément une métamorphose.

Considérer la nature comme purement statique risque d'engendrer de graves erreurs de perception. La nature « sélectionne ». L'idée de sélection induit implicitement celle d'adaptabilité. C'est l'adaptabilité qui est « sélectionnée ». C'est en gros la capacité d'un organisme donné à laisser une descendance, et donc à propager ses gènes dans le temps. L'adaptabilité est par conséquent la réponse d'un organisme aux exigences environnementales. Si ces exigences sont considérées comme statiques — si la nature est considérée comme éternelle et immuable —, alors l'évolution est une succession sans fin d'améliorations linéaires, et l'adaptabilité un concept dont on peut s'approcher de très près avec le temps. La théorie victorienne encore vivace de l'orthogenèse, avec l'homme à son sommet, est une conséquence partielle de cette vision de la nature. Elle laisse entendre de manière erronée que la sélection naturelle tend vers une destination (une meilleure adaptabilité à l'environnement), et qu'il est possible de la considérer comme un point fixe.

Mais la nature, le moteur de la sélection, n'est pas un sélectionneur statique. Du moins pas de manière aussi simple. Elle se pare différemment pour chaque occasion. Elle varie comme une partition musicale. Ce qui explique en partie pourquoi la musique donne l'impression d'avoir autant de sens. Puisque l'environnement subvenant aux besoins d'une espèce se transforme et évolue, les caractéristiques qui rendent un individu donné capable de survivre doivent faire de même. Ainsi, dans la théorie de la sélection naturelle, il n'est pas question de créatures qui correspondraient de plus en plus précisément à un modèle prédéfini. Il s'agit plus d'une danse entre ces créatures et la nature. Une danse mortelle. « Dans mon royaume, dit la reine Rouge à Alice au pays des merveilles, il faut courir aussi vite que possible pour pouvoir rester à la même place. » Celui qui demeure immobile ne peut pas l'emporter, si bien constitué soit-il.

La nature n'est pas non plus uniquement dynamique. Certaines choses évoluent rapidement, mais elles sont imbriquées, liées à d'autres qui changent moins vite. On rencontre souvent ce phénomène en musique également. Les feuilles changent plus vite que les arbres, et les arbres plus vite que les forêts. La météo évolue plus rapidement que le climat. Si ce n'était pas le cas, le conservatisme de l'évolution ne fonctionnerait pas puisque, par exemple, la morphologie élémentaire des bras et des mains devrait changer aussi vite que la longueur des os du bras et la fonction des doigts. C'est le chaos au sein de l'ordre, au sein du chaos, au sein d'un ordre suprême. L'ordre le plus réel est le plus immuable, même si ce n'est pas nécessairement celui que l'on distingue le plus facilement. La feuille, quand on la voit, peut détourner l'attention de l'observateur de l'arbre. L'arbre peut cacher la forêt. Et certaines choses parmi les plus réelles (comme l'omniprésente hiérarchie de domination) sont carrément impossibles à « voir ».

C'est également une erreur de concevoir la nature de manière romantique. Les riches citadins modernes noyés au milieu du béton brûlant imaginent la nature comme quelque chose d'aussi pur et paradisiaque que le paysage d'un impressionniste français. Dotés d'un point de vue encore plus idéaliste, les militants écologistes imaginent la nature privée des perturbations et des déprédations de l'humanité comme quelque chose d'harmonieusement équilibré et de parfait. Malheureusement, « l'environnement », c'est aussi l'éléphantiasis et les vers de Guinée (mieux vaut ne pas savoir de quoi il s'agit), les moustiques anophèles et la malaria, les grandes sécheresses, le sida et la peste. Personne ne fantasme sur la beauté de ces aspects de la nature, même s'ils sont aussi réels que leurs contreparties édéniques. Bien sûr, c'est la présence de ces divers aspects de la nature qui nous pousse à modifier notre cadre de vie, à protéger nos enfants, à bâtir des villes et des moyens de transport, à faire pousser notre nourriture et produire de l'énergie. Si mère nature ne souhaitait pas à tout prix notre destruction, il serait plus aisé pour nous d'exister en harmonie avec ses préceptes.

Ce qui nous amène à un troisième concept erroné : la nature est quelque chose de totalement séparé des constructions culturelles auxquelles elle a donné naissance. L'ordre au sein du chaos et de l'ordre de l'Être est d'autant plus « naturel » qu'il subsiste depuis longtemps. Parce que la nature est « ce qui sélectionne ». Plus une caractéristique existe depuis longtemps, plus elle a eu le temps d'être sélectionnée pour façonner la vie. Peu importe que cette caractéristique soit physique et biologique, ou sociale et culturelle. Tout ce qui importe, d'un point de vue darwinien, c'est la permanence. Et la hiérarchie de domination, si sociale ou culturelle puisse-t-elle paraître, existe depuis près de cinq cents millions d'années. C'est permanent, réel. La hiérarchie de domination n'a rien à voir avec le capitalisme. Ni avec le communisme, le complexe militaro-industriel ou le patriarcat, cet objet culturel aussi arbitraire que malléable et jetable. Ce n'est même pas une création humaine. Pas au sens le plus profond. C'est au contraire un aspect fondamental de la nature. Une grande partie de ce qu'on lui reproche lors de ses manifestations éphémères est une conséquence de son caractère immuable. Nous (le « nous » de majesté, le « nous » qui existe depuis l'apparition de la vie) vivons au sein d'une hiérarchie de domination depuis très, très longtemps. Nous luttions pour y avoir une place avant même d'avoir de la peau, des mains, des poumons et des os. Il n'y a rien de plus naturel que la culture. Les hiérarchies de domination sont plus anciennes que les arbres.

La partie de notre cerveau qui rend compte de notre statut dans cette hiérarchie est par conséquent extrêmement vieille et essentielle[17]. C'est un système de commandes qui module nos perceptions, nos valeurs, nos émotions, nos pensées et nos actes. Elle a des répercussions sur tous les aspects de notre être, conscient ou inconscient. Raison pour laquelle, lorsque nous sommes vaincus, nous nous conduisons comme un homard qui a perdu un combat. Nous nous affaissons. Nous baissons les yeux. Nous nous sentons menacés, blessés, angoissés et affaiblis. Si la situation ne s'améliore pas, nous entrons dans une phase de dépression chronique. Dans de telles conditions, nous sommes dans l'incapacité de livrer les combats imposés par la vie. Nous devenons des proies faciles pour les brutes à la carapace plus dure. Ce ne sont pas seulement les ressemblances comportementales et expérientielles qui sont frappantes. Une grande partie de la neurochimie élémentaire est identique.

Prenons la sérotonine, la substance chimique qui régit la posture et le réflexe de fuite chez le homard. Les individus de rang inférieur en produisent des quantités relativement faibles. C'est également vrai pour les humains, dont le rang diminue un peu plus à chaque nouvelle défaite. Un niveau peu élevé de sérotonine implique une perte de confiance en soi, une plus forte réaction au stress et un état d'alerte aux conséquences potentiellement fâcheuses. Car tout peut arriver à tout moment, dans les bas-fonds de la hiérarchie de domination, et ce sont rarement de bonnes nouvelles. Un faible niveau de sérotonine signifie moins de bonheur, plus de souffrance et d'angoisse, plus de maladies et une espérance de vie plus courte. Et ce aussi bien chez les humains que chez les crustacés. Plus haut dans la hiérarchie, avec un degré plus élevé de sérotonine, on tombe moins souvent malade et on meurt moins facilement, même à des niveaux de revenus et de nourriture équivalents. Difficile d'exagérer l'importance de ce fait.

En haut et en bas

Au fond de nous, à la racine même de notre cerveau, bien en dessous de nos pensées et de nos sentiments, se trouve un calculateur essentiel. Il gère avec précision notre position dans la société, sur une échelle de un à dix, supposons. Quand on est numéro un, au plus haut niveau, on connaît un succès important. Si on est un mâle, on a un accès préférentiel aux meilleurs logements et aux plats de qualité supérieure. Les gens se disputent pour nous rendre service. Les occasions de relations sexuelles ou durables sont plus fréquentes. On est un homard qui a réussi, et les personnes les plus désirables font la queue pour retenir notre attention[18].

Si on est une femelle, on a accès à un grand nombre de prétendants de grande qualité : grands, forts, symétriques, créatifs, fiables, honnêtes et généreux. Et, comme notre équivalent mâle dominant, on se bat avec acharnement, sans pitié, pour conserver ou améliorer sa position dans la hiérarchie d'accouplement, tout aussi concurrentielle. S'il est moins probable qu'on emploie l'agressivité physique pour parvenir à ses fins, on a à sa disposition un grand nombre d'astuces verbales et de stratégies.

Au contraire, quand on est un numéro dix, en bas de l'échelle, mâle ou femelle, on n'a nulle part où s'abriter (aucun refuge digne de ce nom, en tout cas). Quand on ne meurt pas de faim, on se contente de nourriture de piètre qualité. On est en mauvaise condition physique et mentale. D'un point de vue sentimental, on n'intéresse personne, à part ceux qui sont aussi désespérés que nous. On a plus de risques de tomber malade, de vieillir rapidement et de mourir jeune. On ne manquera d'ailleurs pas à grand monde, voire à personne[19]. Même l'argent ne nous est pas d'une grande utilité. On ne sait pas s'en servir, car il est difficile de le dépenser correctement, surtout quand on en manque. L'argent nous rend susceptibles de céder à la tentation de la drogue et de l'alcool, qui sont d'excellents substituts quand on a longtemps été privé de plaisir. L'argent fait également de nous une cible pour les prédateurs et les psychopathes, qui n'hésitent pas à exploiter les plus faibles. Rester en bas de cette hiérarchie est très périlleux.

Cette vieille partie de notre cerveau spécialisée dans l'évaluation de la domination observe de quelle manière on nous traite. À partir de cet examen, elle détermine notre valeur et nous alloue un statut. Si nos pairs nous accordent peu de mérite, elle restreint notre quantité de sérotonine. D'un point de vue physique aussi bien que psychologique, cela nous rend beaucoup plus réactifs à toute circonstance ou à tout événement susceptible de déclencher en nous des émotions, surtout si elles sont négatives. Cette réactivité est vitale. Les urgences sont fréquentes au bas de l'échelle, et il faut être prêt à survivre.

Malheureusement, cette hyperréaction physique et cette vigilance permanente exigent beaucoup d'énergie et de ressources. Cette réaction, c'est ce qu'on appelle le stress, et ce n'est en aucun cas un phénomène uniquement, ni même essentiellement psychologique. Il s'agit d'un reflet des véritables contraintes de circonstances complexes. Quand on est en bas, le régulateur de notre cerveau part du principe que même le plus petit imprévu peut déclencher une chaîne incontrôlable d'événements négatifs qu'il faudra gérer seul, les amis utiles se faisant plutôt rares en marge de la société. On va donc continuer à sacrifier ce qui aurait pu être mis de côté pour l'avenir, et s'en servir pour accroître notre vigilance et notre capacité à agir dans l'urgence. Quand on ne sait pas quoi faire, mieux vaut être prêt à faire tout et n'importe quoi, au cas où. Comme si, au volant de notre voiture, on appuyait en même temps sur la pédale de frein et l'accélérateur. À force, on risque de tout casser. Le régulateur peut même couper notre système immunitaire et employer sur-le-champ l'énergie et les ressources nécessaires pour rester en bonne santé plus tard. Cela nous rend impulsifs[20]. Par exemple on sautera alors sur la moindre occasion de s'accoupler, de prendre du plaisir, qu'importe si c'est honteux ou illégal. On sera prêt à vivre ou à mourir en toute insouciance pour chaque rare occasion de plaisir qui se présentera. Notre niveau de vigilance deviendra si exigeant d'un point de vue physique qu'il finira par nous avoir à l'usure[21].

D'un autre côté, quand on jouit d'un statut élevé, le mécanisme froid et préreptilien du régulateur part du principe que notre créneau est sans danger, productif et sûr, qu'on est soutenu par notre entourage. Il considère que le risque d'être mis en danger est faible et qu'il peut être écarté sans problème. Le changement peut être une opportunité plutôt qu'une catastrophe. La sérotonine coule à flots. Elle nous donne de l'assurance et de la sérénité. On se tient droit, on bombe le torse, et on est moins souvent en alerte. Notre position étant stable, l'avenir nous paraît radieux. On prend la peine de réfléchir à long terme et de faire des projets pour des lendemains qui chantent. Inutile de saisir instinctivement tout ce qui nous tombe sous la main, on peut de manière réaliste s'attendre que le meilleur nous soit réservé pour longtemps. On peut sélectionner ses plaisirs sans craindre de devoir s'en priver pour longtemps. On peut se permettre d'être fiable et prévenant.

Un dysfonctionnement

Cependant, il arrive parfois que le mécanisme du régulateur se trompe. De mauvaises habitudes alimentaires ou de sommeil peuvent interférer avec son bon fonctionnement. L'incertitude peut le dérouter. Les différentes parties du corps ont besoin de fonctionner comme un orchestre. Si l'on souhaite éviter la cacophonie, chaque système doit jouer correctement sa partition, et au bon moment. C'est pour cette raison qu'il faut une routine pour automatiser les gestes du quotidien. Ils doivent devenir des habitudes stables et fiables pour perdre en complexité et gagner en prévisibilité et simplicité. On le remarque notamment chez les jeunes enfants, qui sont adorables, amusants et enjoués quand leur emploi du temps est stable, et infernaux, geignards et désagréables dans le cas contraire.

C'est pour ces raisons que j'interroge toujours mes patients en premier lieu sur leur sommeil. Se réveillent-ils à peu près à la même heure que tout le monde ? Tous les jours ? Si ce n'est pas le cas, je leur recommande d'abord de régler ce problème. Qu'importe s'ils se couchent ou non à la même heure le soir, il est indispensable de se lever à une heure identique le matin. Il est impossible de traiter l'angoisse et la dépression si le malade a un emploi du temps imprévisible. Les systèmes qui gèrent les émotions négatives sont intimement liés aux rythmes circadiens.

Je me renseigne ensuite sur leurs habitudes alimentaires. Je leur conseille de prendre un petit déjeuner riche en lipides et en protéines dès que possible après le réveil, en évitant les glucides simples et les sucres, qui se digèrent trop rapidement et produisent un pic de glycémie suivi d'une baisse rapide. Les personnes anxieuses et dépressives sont déjà stressées, surtout si elles ne maîtrisent plus leur existence depuis un moment. Leurs corps sont par conséquent prêts à hypersécréter de l'insuline dès qu'ils s'engagent dans une activité complexe ou exigeante. Si c'est le cas après avoir jeûné toute la nuit et avant de manger, l'excès d'insuline dans leur système sanguin éliminera l'ensemble de leur glycémie. Ils deviendront ensuite hypoglycémiques et instables, aussi bien d'un point de vue psychologique que physiologique[22]. Toute la journée. Leurs systèmes ne pourront pas être réinitialisés avant une nouvelle nuit de sommeil. Nombre de mes patients ont vu leur angoisse diminuer à des taux très bas par le simple fait de dormir à des heures régulières et de prendre un petit déjeuner.

D'autres mauvaises habitudes peuvent également gêner la précision du régulateur. Cela se produit parfois de manière directe, pour des raisons biologiques qui nous échappent encore, ou parce que ces habitudes déclenchent une boucle de rétroaction positive complexe. Pour ce genre de boucle, il faut trois choses : un détecteur d'entrée, un amplificateur et une sortie. Imaginez un signal repéré par le détecteur d'entrée, puis diffusé sous une forme amplifiée. Jusqu'ici, tout va bien. Les ennuis commencent lorsque le détecteur d'entrée repère cette sortie et la fait passer une nouvelle fois dans le système, l'amplifiant et la diffusant de nouveau. Au bout de plusieurs fois, la situation peut dégénérer dangereusement.

On a tous été au moins une fois confrontés à un larsen en concert, quand la sono se met à hurler de manière assourdissante. Le micro envoie un signal aux haut-parleurs. Ceux-ci diffusent ce signal, mais si le son est trop fort ou le micro trop près, il est de nouveau capté par le micro et renvoyé dans le système. Le son s'amplifie rapidement à un niveau insupportable, suffisant pour détruire les haut-parleurs si on n'intervient pas.

Il se produit la même boucle destructrice dans la vie de certaines personnes. La plupart du temps, on qualifie ce phénomène de maladie mentale, même si cela ne touche pas seulement – voire pas du tout – le psychisme de ces individus. La dépendance à l'alcool ou à un autre psychotrope est un bon exemple de ce genre de boucle. Imaginez quelqu'un qui apprécie l'alcool, peut-être un peu trop. Il boit rapidement trois ou quatre verres. Son alcoolémie monte brutalement. Cela peut se révéler extrêmement grisant, surtout pour quelqu'un qui a des prédispositions génétiques à l'alcoolisme[23]. Mais pour que l'effet se prolonge, il faut que le taux d'alcool continue à monter, ce qui n'est possible que si la personne s'obstine à boire. Quand elle s'arrête, non seulement son alcoolémie atteint un plateau avant de commencer à chuter, mais son corps, en métabolisant l'alcool déjà consommé, se met à produire une variété de toxines. Le buveur commence aussi à ressentir un manque, les systèmes déclencheurs d'angoisse inhibés durant l'intoxication se mettant à hyperréagir. La gueule de bois est une des manifestations du manque d'alcool qui, fréquemment, tue les alcooliques tentant d'arrêter de boire ; et elle survient bien trop tôt après qu'on a cessé de boire. Pour garder l'aspect agréable de l'ivresse et éviter ses conséquences déplaisantes, le buveur continue à boire, jusqu'à ce qu'il n'y ait plus une goutte d'alcool chez lui, que les bars soient fermés et qu'il n'ait plus d'argent.

Le lendemain, au réveil, il a une sacrée gueule de bois. Jusque-là, c'est juste fâcheux. Mais les ennuis débutent réellement lorsqu'il découvre que sa gueule de bois peut se « guérir » avec quelques verres supplémentaires. Un remède purement temporaire qui ne fait que repousser à plus tard les symptômes du manque. Mais il peut falloir en passer par là, à court terme, si le mal est suffisamment aigu. Donc, désormais, il a appris à boire pour traiter sa gueule de bois. Quand le remède provoque la pathologie, c'est qu'une boucle est en train de se former. Dans de telles conditions, l'alcoolisme peut apparaître très rapidement.

Un phénomène similaire se produit avec les personnes souffrant de troubles anxieux comme l'agoraphobie. Elles peuvent être si accablées par la peur qu'elles cessent de sortir de chez elles. L'agoraphobie est la conséquence d'une boucle de rétroaction positive. Le premier événement qui provoque ce trouble est souvent une crise de panique. Ceux qui en souffrent le plus sont généralement des femmes d'âge moyen qui ont trop dépendu d'autres personnes. Souvent, elles sont passées directement de la dépendance excessive d'un père à une relation avec un compagnon ou un mari plus âgé ou relativement dominant, sans passer par la moindre phase d'indépendance.

Durant les semaines qui précèdent l'apparition de leur agoraphobie, elles vivent généralement un épisode inattendu et anormal. Il peut s'agir d'un événement physiologique, comme des palpitations cardiaques, relativement communes par ailleurs, et dont la probabilité augmente au cours de la ménopause, les processus hormonaux régulateurs du psychisme des femmes se mettant à fluctuer de manière imprévisible. Toute modification perceptible dans le rythme cardiaque peut déclencher des idées soit de crise cardiaque, soit d'affichage public gênant d'un stress et d'une souffrance postinfarctus (la mort et l'humiliation publique constituant les deux plus grandes peurs). L'événement inattendu peut aussi être un conflit dans le couple, la maladie ou la mort d'un conjoint. Il peut s'agir du divorce ou de l'hospitalisation d'un ami proche. C'est généralement un événement réel qui déclenche la peur initiale de mortalité et de jugement social[24].

Après le choc, peut-être que la femme pré-agoraphobe sort de chez elle pour se rendre au centre commercial. Il y a du monde, il est difficile de s'y garer. Cela la stresse encore davantage. Le sentiment de vulnérabilité qui la hante depuis le récent événement déplaisant vécu remonte à la surface, déclenchant une crise d'angoisse. Son cœur s'accélère. Sa respiration s'emballe. Sentant son cœur battre à tout rompre, elle commence à se demander si elle ne serait pas victime d'une crise cardiaque. Cette idée lui provoque une montée d'angoisse. Elle respire de manière encore plus rapide, augmentant le niveau de dioxyde de carbone dans son sang. Son rythme cardiaque s'accélère encore à cause de sa peur supplémentaire. Quand elle s'en aperçoit, les battements de son cœur redoublent de cadence.

Pouf! Une boucle de rétroaction positive. Bientôt, l'angoisse fait place à l'affolement, géré par une autre partie du cerveau destinée aux menaces les plus graves déclenchées par une trop grande peur. Submergée par ses symptômes, elle se rend aux urgences où, après une attente angoissante, on vérifie le fonctionnement de son cœur. Tout est en ordre. Mais elle n'est pas rassurée pour autant.

Il lui faut une boucle supplémentaire pour transformer cette expérience néfaste en véritable agoraphobie. La prochaine fois qu'elle devra aller au centre commercial, cette femme pré-agoraphobe sera inquiète, se rappelant ce qui s'est passé lors de sa dernière visite. Mais elle y va quand même. Sur le chemin, elle sent battre son cœur. Cela déclenche un nouveau cycle d'angoisse et d'inquiétude. Pour anticiper la panique, elle évite le stress du centre commercial et rentre chez elle. Mais, à présent, la partie de son cerveau qui gère l'angoisse a remarqué qu'elle a fui le centre commercial, et en a conclu que cette destination était vraiment dangereuse. Notre cerveau est très pragmatique. Il part du principe que tout ce que nous fuyons est dangereux. La preuve, on s'en est soustrait!

Désormais, le centre commercial est étiqueté « trop dangereux pour s'en approcher » (ou l'agoraphobe en devenir s'est qualifiée de « trop fragile pour fréquenter le centre commercial »). La situation n'a sans doute pas encore suffisamment dégénéré pour lui causer de véritables problèmes. Il existe d'autres endroits pour faire les courses. Mais peut-être que le petit supermarché du quartier ressemble suffisamment à un centre commercial pour déclencher le même genre de réaction quand elle s'y rend, avant de battre en retraite.

À présent, le supermarché fait partie de la même catégorie. Puis c'est au tour de l'épicerie du coin. Du bus, des taxis, du métro. Bientôt, c'est partout. L'agoraphobe finira même par prendre peur de chez elle, d'où elle s'enfuirait si elle le pouvait. Mais c'est impossible. Elle s'y retrouve coincée. Chaque fois qu'elle renonce à aller quelque part à cause de ses angoisses, ces lieux deviennent davantage angoissants. Elle a alors l'impression d'être de plus en plus petite, et trouve le dangereux monde extérieur de plus en plus vaste.

De nombreuses interactions entre le cerveau, le corps et la société sont susceptibles d'être prises dans une boucle de rétroaction positive. Les dépressifs, par exemple, peuvent commencer par se sentir inutiles et maladroits, ou accablés de chagrin. Cela les incite à renoncer à tout contact avec leurs amis et leurs proches. Ensuite, en raison de cette distance, ils se sentent seuls et isolés, et donc plus susceptibles de se trouver inutiles et maladroits. Puis ils s'isolent davantage. Ainsi, la dépression s'amplifie.

Si quelqu'un est grièvement blessé ou traumatisé au cours de sa vie, le régulateur de domination peut rendre plus probables de nouvelles souffrances. Cela se produit souvent chez des adultes ayant eu une enfance ou une adolescence difficiles. Ils deviennent anxieux et facilement contrariés. Constamment sur la défensive, ils évitent de croiser le regard des autres, ce que l'on pourrait interpréter comme un défi de domination.

Cela signifie que les dégâts causés par les brimades (la baisse de statut et de confiance en soi) peuvent encore exercer des effets longtemps après[25]. Dans les cas les plus simples, les personnes anciennement humbles ont mûri et tourné la page. Mais, sans qu'elles le remarquent, leurs adaptations physiologiques à une ancienne réalité demeurent, même si elles sont désormais contre-productives. Cela les rend plus stressées et timides que nécessaire. Dans les cas les plus complexes, ceux qui ont pris l'habitude de se considérer comme soumis sont plus stressés et timides que nécessaire, et leur attitude de docilité continue à attirer sur eux une attention véritablement négative de la part de brutes qui subsistent encore dans le monde adulte. Dans de telles situations, les conséquences psychologiques des premières brimades augmentent la probabilité de continuer à se faire persécuter, même si, à strictement parler, ce ne devrait plus être le cas en raison d'une plus grande maturité, d'un déménagement, d'une éducation soutenue ou d'une amélioration objective de son statut.

Se révolter

Parfois, certains se font maltraiter parce qu'ils ne peuvent pas riposter. Cela peut arriver à des personnes plus faibles physiquement que leurs agresseurs. C'est l'une des raisons les plus courantes chez les enfants. Même le gamin de six ans le plus coriace ne pourra rien contre un autre de neuf. Cependant, une grande partie de cet écart s'estompe à l'âge adulte, le physique finissant par se stabiliser et les sanctions se durcissant pour ceux qui continuent à intimider physiquement les autres.

Mais, tout aussi souvent, certains se font malmener parce qu'ils refusent de riposter. On le constate surtout chez les plus charitables et altruistes, notamment s'ils ont tendance à avoir des émotions négatives et ne cachent pas leur souffrance quand ils sont confrontés à un sadique. Les enfants qui pleurent facilement, par exemple, sont plus fréquemment brimés[26]. Cela arrive aussi à ceux qui ont décidé, pour une raison ou pour une autre, que toute forme d'agressivité, y compris la colère, était moralement inacceptable. J'ai eu l'occasion de voir des personnes particulièrement sensibles aux petites vexations et à une concurrence trop agressive réprimer en eux toutes les émotions qui auraient pu provoquer ce genre d'attitude. Souvent, ce sont des personnes dont le père était colérique et autoritaire. Les forces psychologiques ne sont cependant jamais unidimensionnelles. Et le potentiel inouï de la colère et de l'agressivité pour produire de la cruauté et du désordre est contrebalancé par la capacité de ces forces essentielles à repousser l'oppression, parler un langage de vérité et inciter à aller de l'avant en période de conflit, de doute et de danger.

Avec leur agressivité contenue par une morale trop étroite, ceux qui sont uniquement ou principalement charitables et altruistes – et naïfs et manipulables – sont incapables d'invoquer une colère justifiée et protectrice nécessaire à leur défense. Généralement, il suffit de montrer les crocs pour ne pas avoir à mordre. Lorsqu'elle est savamment intégrée, notre capacité à réagir avec agressivité et violence diminue au lieu d'augmenter la probabilité pour qu'une véritable offensive soit nécessaire. Lorsqu'on dit « non » relativement tôt dans le cycle d'oppression et qu'on le pense sincèrement, quand on affirme son refus sans hésitation et qu'on s'y tient, on réduit considérablement l'influence de l'oppression. Les forces de la tyrannie s'étendent inexorablement afin d'occuper tout l'espace qui lui est offert. Ceux qui refusent de réagir de manière adéquate pour protéger leur territoire risquent autant de se faire exploiter que ceux qui ne peuvent se défendre pour des raisons d'incapacité ou de déséquilibre flagrant des forces en présence.

Les individus inoffensifs et naïfs guident généralement leurs perceptions et leurs actions en fonction de quelques axiomes très simples : les gens ont bon fond ; personne n'a vraiment envie de faire du mal à qui que ce soit ; la menace – et certainement l'usage – de la force, physique ou autre, est inacceptable. Ces beaux principes s'effondrent, ou pire, en présence d'individus réellement malintentionnés[27]. Le pire, c'est que ces croyances naïves peuvent devenir une véritable invitation aux mauvais traitements. Ceux qui visent à faire mal n'hésitent pas à s'en prendre aux personnes qui ont ce genre de convictions. Dans ces cas-là, il faut retravailler ses principes. Dans mon cabinet, j'attire souvent l'attention de mes patients, convaincus que les gens bien ne se mettent jamais en colère, sur la dure réalité de leur propre ressentiment.

Personne n'aime à se faire bousculer, mais certains le tolèrent depuis trop longtemps. Alors, je les invite tout d'abord à traiter leur amertume comme de la colère, puis comme une indication stipulant qu'il faut dire quelque chose, si ce n'est agir (notamment parce que l'honnêteté l'exige). Ensuite, je leur demande de considérer ce genre d'action comme une partie de la force qui permet de repousser la tyrannie, aussi bien au niveau social qu'individuel. Nombre de bureaucraties emploient de petits despotes qui produisent des règles et des procédures inutiles uniquement pour exprimer et conforter leur pouvoir. Ces gens sont à l'origine de puissantes montées de ressentiment, qui, s'il était exprimé, limiterait l'expression de leur pouvoir pathologique. Ainsi, la volonté d'un seul individu de se défendre lui-même protège tout le monde de la corruption de la société.

Lorsque des naïfs découvrent leur potentiel de colère, ils sont sous le choc, parfois sérieusement. On peut en trouver un exemple dans la sensibilité des nouveaux soldats aux troubles de stress posttraumatique, qui surviennent souvent à cause d'un événement dont ils ont été témoins et qu'ils n'ont pas personnellement subi. Ils réagissent comme les monstres qu'ils peuvent devenir sur le champ de bataille dans des conditions extrêmes, et lorsqu'ils s'aperçoivent qu'ils ont cette capacité, leur monde s'écroule. Ce qui n'est guère étonnant. Sans doute étaient-ils partis du principe que les personnages les plus effroyables de l'Histoire étaient des gens qui ne leur ressemblaient en aucun cas. Sans doute n'avaient-ils jamais été en mesure de distinguer en eux cette capacité à l'oppression et aux brimades ni, certainement, leur capacité à l'affirmation de soi et à la réussite. Certains de mes patients ont été terrifiés des années durant, avec des convulsions nerveuses quotidiennes, par le simple fait d'avoir décelé autant de malveillance dans le regard de leurs agresseurs. Ces individus sont généralement issus de familles surprotégées, où rien de terrible n'a le droit d'exister, et où tout est aussi merveilleux que dans les contes de fées (sinon, gare aux conséquences !).

Au réveil, quand ces gens jadis naïfs finissent par reconnaître en eux les graines du mal et de la monstruosité et se considèrent comme dangereux, du moins potentiellement, leurs peurs s'estompent. Ils présentent un plus grand respect d'eux-mêmes. Ils commencent à résister à l'oppression, comprennent qu'ils ont cette capacité parce que eux aussi sont redoutables. Ils peuvent et doivent se défendre, parce qu'ils saisissent combien ils risquent de devenir monstrueux s'ils continuent de nourrir leur ressentiment, le transformant en machine de destruction. Je le répète, il n'y a pas beaucoup de différence entre la capacité à détruire et à semer le désordre et la force de caractère. C'est l'une des leçons de vie les plus difficiles.

Vous êtes peut-être un *loser*. Peut-être pas. Mais, si c'est le cas, inutile de persévérer dans cette voie. Vous avez peut-être simplement une mauvaise habitude. Ou une collection de mauvaises habitudes. Néanmoins, même si votre attitude est sincère, même si vous étiez un souffre-douleur et si on vous maltraitait chez vous ou à l'école primaire[28], elle n'est plus forcément appropriée aujourd'hui. Les situations évoluent. Si vous restez avachi, adoptant la même posture que le homard vaincu, les autres vous attribueront un statut peu élevé, et le vieux régulateur que vous partagez avec les crustacés à la base même de votre cerveau vous donnera une note de domination relativement basse. Ensuite, votre cerveau produira moins de sérotonine. Vous serez moins heureux, plus anxieux et triste, et vous risquerez plus probablement de céder quand vous devrez vous affirmer. Cela diminuera également la probabilité que vous puissiez vivre dans un bon quartier, que vous ayez accès à des ressources de premier choix, et que vous trouviez un partenaire désirable et en bonne santé. Vous aurez plus de risques de consommer de la cocaïne et de l'alcool, car vous vivrez au jour le jour dans un monde au futur incertain. Cela augmentera votre sensibilité aux maladies cardiaques, au cancer et à la démence. Tout bien considéré, rien de très positif.

Les situations évoluent, et vous aussi. Les boucles de rétroactions positives, additionnant les effets, peuvent vous conduire de manière contre-productive dans une mauvaise direction, tout comme elles peuvent vous aider à prendre l'avantage. C'est l'autre leçon, bien plus optimiste, de la loi de Price et de la distribution de Pareto : ceux qui commencent à avoir auront probablement davantage. Certaines de ces boucles bénéfiques peuvent se déclencher en vous-même. Comme les modifications de langage corporel. Si un chercheur vous demande de mettre vos muscles faciaux, un à la fois, dans une position qui pourrait sembler triste à un observateur, vous aurez l'impression d'être plus triste. Si on vous demande de paraître heureux, vous aurez l'impression de l'être. Les émotions sont en partie des expressions corporelles et peuvent par conséquent être amplifiées ou étouffées par ces mêmes expressions[29].

Certaines de ces boucles illustrées par le langage corporel peuvent se produire au-delà des confins de l'expérience subjective, dans l'espace social que vous partagez avec d'autres. Si votre posture est médiocre – si vous êtes avachi, les épaules en avant, la poitrine rentrée, la tête basse, l'air petit, vaincu et inefficace (protégé en théorie contre les attaques venant de derrière) – alors, vous vous sentirez petit, vaincu et inefficace. La réaction des autres ne fera qu'amplifier ce sentiment. Les humains, comme les homards, s'évaluent mutuellement en partie par la posture. Si vous vous présentez comme vaincu, les autres réagiront envers vous comme si vous étiez en train de perdre. Si vous commencez à vous redresser, on vous regardera et on vous traitera de manière différente.

On pourrait m'objecter que le bas de l'échelle est réel, tout comme le fait d'être en bas de celle-ci. Un simple changement de posture est insuffisant pour en sortir. Si vous êtes en dixième position, le fait de vous redresser et de sembler dominant peut attirer l'attention de ceux qui, une fois de plus, souhaitent vous humilier. Ce qui est compréhensible. Mais se redresser en bombant le torse, ce n'est pas simplement physique, parce que vous n'êtes pas qu'un corps. Vous êtes aussi un esprit, un psychisme. Se lever physiquement implique aussi se lever métaphysiquement. C'est accepter de bonne grâce le fardeau de l'être. Votre système nerveux réagit d'une tout autre manière lorsque vous faites volontairement face aux exigences de la vie. Vous répondez à un défi, plutôt que de vous préparer à une catastrophe. Vous voyez l'or qu'a amassé le dragon, au lieu de hurler de terreur face à la créature plus vraie que nature. Vous avancez pour prendre votre place dans la hiérarchie de domination et occuper votre territoire, manifestant votre volonté de le défendre, l'étendre et le transformer. Tout cela peut se passer de manière concrète ou symbolique, comme une restructuration physique ou conceptuelle.

Se lever, se tenir droit, le torse bombé, c'est accepter la terrible responsabilité de la vie, les yeux grands ouverts. C'est décider de transformer le chaos du potentiel en réalité de l'ordre habitable. C'est adopter le fardeau de la vulnérabilité et accepter la fin du paradis inconscient de l'enfance, où la complétude et la mortalité ne sont que vaguement comprises. C'est entreprendre de son plein gré les sacrifices nécessaires à la création d'une réalité productive et significative, c'est satisfaire Dieu, comme on le disait jadis.

Se lever, se tenir droit, bomber le torse, c'est construire l'arche qui protège le monde contre la crue, guidant votre peuple à travers le désert après qu'il a échappé à la tyrannie, quittant le confort de votre domicile et de votre pays et propageant la bonne parole à ceux qui sont indifférents aux veuves et aux enfants. C'est hisser sur son épaule la croix qui marque l'emplacement où vous et votre être vous croisez. C'est renvoyer l'ordre strict et trop tyrannique dans le chaos où il a été créé. C'est supporter l'incertitude qui s'ensuit, et établir en conséquence un ordre meilleur, plus significatif et plus productif.

Alors, soignez votre posture. Cessez de vous avachir et de voûter le dos. Exprimez le fond de votre pensée et vos désirs, comme si vous aviez le droit de les assouvir. Comme les autres. Redressez-vous et regardez devant vous. Osez vous montrer dangereux. Incitez la sérotonine à couler à flots dans les canaux neuronaux assoiffés de son influence apaisante.

Les gens, y compris vous-même, vont partir du principe que vous êtes compétent et capable, ou au moins ne concluront pas l'inverse en vous voyant. Enhardi par les réactions positives que vous recevrez désormais, vous finirez par être de moins en moins angoissé. Vous trouverez alors plus facile de prêter attention aux subtils indices sociaux qu'on échange en communiquant. Vos conversations se dérouleront mieux, avec moins de silences gênés. Cela vous donnera envie de rencontrer des gens, d'interagir avec eux, de les impressionner. Cela accroît la probabilité que de bonnes choses vous arrivent et vous donne aussi l'impression que celles-ci sont bien meilleures que prévu.

Ainsi renforcé et encouragé, vous choisirez peut-être d'adopter votre propre être et de travailler à son avancement et à son amélioration. Vous serez en mesure de faire face à la maladie d'un être cher ou à la mort d'un parent. Vous apporterez aux autres la force de ne pas sombrer dans le désespoir. Vous vous embarquerez dans le voyage de la vie, laissant briller votre lumière en poursuivant la destinée qui vous revient. Ensuite, votre existence aura peut-être suffisamment de sens pour repousser l'influence corruptrice du mortel désespoir.

Enfin, vous serez peut-être en mesure d'accepter le terrible fardeau du monde, et vous trouverez la joie.

Puisez votre inspiration chez le homard vainqueur, avec ses trois cent cinquante millions d'années de sagesse. Tenez-vous droit, les épaules en arrière !

RÈGLE 2

PRENEZ SOIN DE VOUS COMME VOUS LE FAITES AVEC LES AUTRES

Pourquoi ne prenez-vous pas vos fichus cachets ?

Imaginez cent personnes à qui on a prescrit un médicament. Réfléchissez à ce qui suit. Un tiers d'entre elles n'iront pas le chercher à la pharmacie[30]. La moitié des 67 % restants l'achèteront, mais ne le prendront pas correctement. Ils sauteront des prises, arrêteront le traitement avant la fin, voire n'y toucheront pas.

Les médecins et les pharmaciens reprochent souvent à ces patients leur négligence, leur inaction et leur erreur. « On ne peut pas être derrière eux tout le temps », disent-ils. Les psychologues voient généralement ce genre de critiques d'un mauvais œil. Nous sommes formés pour partir du principe que le refus d'un patient de suivre les conseils d'un praticien est la faute de ce dernier et non du malade. Nous sommes convaincus que celui qui dispense les soins a la responsabilité de prodiguer des conseils qui seront suivis, de proposer des interventions qui seront respectées, de revoir le patient ou le client jusqu'à ce que le résultat désiré soit obtenu, et de réaliser un suivi pour vérifier que tout se déroule correctement. C'est l'une des nombreuses choses qui font que les psychologues sont si merveilleux. Bien sûr,

83

nous pouvons nous permettre de prendre notre temps avec nos clients, contrairement à d'autres professionnels pressés de toutes parts, qui se demandent bien pourquoi leurs malades refuseraient de prendre leur traitement. Qu'est-ce qui leur prend ? Ne veulent-ils donc pas guérir ?

Pire. Imaginez que quelqu'un reçoive une greffe d'organe. Un rein. Les greffes ont souvent lieu après de longues périodes d'attente et d'angoisse. Seule une minorité de personnes font don de leurs organes à leur mort (ils sont encore moins nombreux à le faire de leur vivant). Et parmi eux, seuls quelques organes correspondent aux exigences des demandeurs pleins d'espoir. Des années durant, le transplanté a donc dû se soumettre à une dialyse. C'est la seule solution. Lors d'une dialyse, l'intégralité du sang du patient passe par une machine avant de réintégrer son corps. Il s'agit d'un traitement aussi improbable que miraculeux, mais qui n'a rien d'agréable. Il faut s'y plier cinq à sept fois par semaine durant huit heures. Presque chaque nuit. C'est insoutenable. Personne ne souhaite rester sous dialyse.

D'un autre côté, le risque d'un rejet existe pour toute greffe. Notre corps n'aime pas qu'on lui ajoute les organes d'autres personnes. Notre système immunitaire s'attaque à ces éléments étrangers et les détruit, même s'ils sont essentiels à notre survie. Pour l'empêcher, il faut prendre un traitement antirejet, qui réduit l'immunité et augmente le risque d'attraper une maladie contagieuse. La plupart acceptent ce compromis. Malgré l'existence et l'efficacité de ces médicaments, certains receveurs souffrent néanmoins de rejet. Pas parce que le traitement a échoué, même si cela peut parfois arriver, mais parce qu'ils n'ont pas pris leurs médicaments. Cela défie l'entendement. Inutile de dire qu'il vaut mieux éviter toute défaillance des reins. Une dialyse n'est jamais de tout repos, et les greffes ne sont possibles qu'après une longue attente, sans oublier qu'il s'agit d'une opération aussi risquée qu'onéreuse. Perdre le bénéfice de tout cela parce qu'on n'a pas pris ses médicaments, comment peut-on se faire une chose pareille, comment est-ce possible ?

Pour être honnête, il faut reconnaître que ce n'est pas simple. Nombre de receveurs sont des personnes isolées ou en proie à des problèmes de santé multiples, sans parler de difficultés comme le chômage ou une situation familiale dramatique. Ils sont parfois victimes de troubles cognitifs ou de dépression. Ils n'ont peut-être pas entièrement confiance en leur médecin ou n'ont pas saisi la nécessité de leur traitement. Certains, qui ont tout juste les moyens de se payer les médicaments, les rationnent d'une façon aussi désespérée que stérile.

Mais – et c'est là le plus incroyable – imaginez que ce ne soit pas vous le malade. C'est votre chien, disons. Vous l'emmenez chez le vétérinaire. Celui-ci lui fait une ordonnance. Que se passe-t-il, ensuite ? Vous avez tout autant de raisons de vous méfier d'un vétérinaire que d'un médecin. De plus, si votre animal vous avait été indifférent et si cela ne vous avait pas inquiété qu'on lui donne un traitement erroné, de mauvaise qualité ou inapproprié, jamais vous ne l'auriez amené chez le vétérinaire. Donc, vous tenez à lui. Vos actes en sont la preuve. En fait, en moyenne, vous tenez plus à lui qu'à vous. Nous sommes plus à même d'administrer correctement un traitement à notre animal de compagnie qu'à nous-mêmes. Ce n'est pas bien, même du point de vue de votre animal. Ce dernier vous aime probablement et serait plus heureux si vous preniez vos médicaments.

Il est difficile de tirer la moindre conclusion de cette série de faits, à part que les gens semblent adorer leurs chiens, chats, furets, oiseaux (voire leurs lézards) plus qu'eux-mêmes. Vous ne trouvez pas cela terrible ? Comme vous devez avoir honte de vous pour qu'une telle chose soit possible. Comment certains individus peuvent-ils préférer leur animal à eux-mêmes ?

C'est une vieille histoire dans le Livre de la Genèse, le premier livre de l'Ancien Testament, qui m'a aidé à trouver la réponse à cette question.

L'histoire la plus ancienne et la nature du monde

Deux histoires de la Création, issues de deux sources différentes au Proche-Orient, semblent s'être entremêlées dans le récit de la Genèse. Dans la première chronologiquement parlant, connue sous l'appellation de « document sacerdotal », mais la plus récente d'un point de vue historique, Dieu a créé l'univers à l'aide de Sa parole divine, faisant apparaître la lumière, l'eau et la terre, puis les plantes et les corps célestes. Ensuite, il a conçu les oiseaux, les animaux terrestres et les poissons, là encore grâce à Sa parole divine, et a terminé par l'homme et la femme, tous deux à son image. Tout cela est raconté dans la Création (ou Genèse 1). Dans la deuxième, plus ancienne, le document « jahviste », on découvre un autre récit où il est question d'Adam et d'Ève (où les détails de la Création sont légèrement différents), ainsi que d'Abel et Caïn, de Noé et de la tour de Babel. Il s'agit de la Genèse 2 à 11. Pour comprendre la Création, le document sacerdotal qui insiste sur la parole comme force créatrice fondamentale, il est indispensable de passer en revue quelques principes essentiels à la compréhension de l'époque. Ces principes sont sensiblement différents de ceux démontrés par la science, encore récents historiquement parlant.

Les vérités scientifiques sont apparues il y a seulement cinq cents ans, grâce au travail de Francis Bacon, René

Descartes et Isaac Newton. Quelle qu'ait été la vision du monde de nos ancêtres avant cela, elle n'avait rien de scientifique. L'invention du télescope étant elle aussi plus récente, ils n'avaient même pas la possibilité de voir la Lune et les étoiles de près. Dans un univers désormais tourné vers la science et résolument matérialiste, il nous est très difficile de concevoir ces anciennes visions du monde. Mais ceux qui vivaient à l'époque où sont apparus les premiers fondements de notre culture étaient bien plus préoccupés par ce qui leur permettait de survivre (et d'interpréter le monde en fonction de cet objectif) que par tout ce qui ressemblait à ce que nous qualifions aujourd'hui de « vérité objective ».

Avant l'avènement de la démarche scientifique, la réalité était interprétée de manière différente. On considérait l'existence comme une succession d'actes, et non comme un ensemble d'états[31]. On l'imaginait comme une histoire ou une pièce de théâtre. Cette histoire, ou pièce, était une expérience subjective vécue telle qu'elle se manifestait de temps à autre à l'esprit de tout un chacun. Elle était comparable aux anecdotes qu'on se raconte les uns aux autres sur notre vie et à la signification qu'elles ont pour nous. Aux événements que les romanciers décrivent dans les pages de leurs livres. Une expérience subjective, qui inclut des objets connus, tels les arbres et les nuages, essentiellement objectifs dans leur existence, mais aussi et surtout des choses comme les émotions et les rêves, ainsi que la faim, la soif et la douleur. Ce sont ces réalités, expérimentées personnellement, qui constituent les éléments essentiels de la vie, tant au niveau dramaturgique qu'archaïque. Et elles ne sont pas facilement réductibles pour un esprit matérialiste objectif et neutre, ni même pour un réductionniste moderne. Prenons la douleur en exemple. La douleur subjective est si réelle qu'aucun argument ne peut s'y opposer. Tout le monde se conduit comme si sa douleur était réelle, irrévocablement réelle. On lui accorde beaucoup d'importance, plus qu'à la matière. C'est pour cette raison, il me semble, que tant de traditions à travers le monde considèrent les souffrances de la vie comme la vérité inéluctable de l'existence.

Quoi qu'il en soit, ce que nous expérimentons subjectivement ressemble beaucoup plus à un roman ou à un film qu'à une description scientifique de la réalité. C'est le côté concret du vécu : la mort tragique et unique d'un père par rapport à la liste objective des morts dans les registres de l'hôpital. La douleur de votre premier amour. La tristesse d'espoirs réduits à néant. La joie liée à la réussite d'un enfant...

Le domaine non pas de la matière, mais de ce qui compte

Le monde scientifique de la matière peut être réduit à ses composantes essentielles, des molécules, des atomes, voire des quarks. Cependant, le monde de l'expérience possède également ses propres composantes essentielles : ce sont les éléments nécessaires dont les interactions définissent le drame et la fiction. L'un d'eux est le chaos. Un autre l'ordre. Le troisième, puisqu'il y en a trois, est le processus qui permet d'arbitrer entre les deux, et qui semble identique à ce que nous, modernes, qualifions de « conscience ». Notre éternelle soumission aux deux premiers nous fait douter du bien-fondé de l'existence, nous fait lever les bras de désespoir et nous empêche de prendre correctement soin de nous. Notre compréhension du troisième nous autorise à trouver l'unique véritable issue.

Le chaos est le domaine de l'ignorance. Un territoire inexploré. C'est ce qui s'étend à l'infini, sans la moindre limite, au-delà du périmètre de tous les états, de toutes les idées et de toutes les disciplines. C'est l'étranger, l'inconnu, le membre d'un autre gang, le bruissement dans les buissons la nuit, le monstre sous le lit, la colère contenue de sa mère et la nausée de son enfant. Le chaos, c'est le désespoir et l'horreur que l'on éprouve lorsqu'on nous a profondément trahis. C'est l'endroit où l'on finit quand tout part à vau-l'eau. Quand ses rêves s'effondrent. Quand sa carrière s'écroule, quand son couple se sépare. C'est le monde souterrain des contes de fées et des mythes, où le dragon et l'or sur lequel il veille coexistent pour l'éternité. Le chaos, c'est l'endroit où l'on se trouve lorsqu'on est perdu. C'est ce que l'on provoque quand on ne sait plus ce qu'on fait. Pour faire court, ce sont toutes ces choses et ces situations que l'on ne connaît pas et que l'on ne comprend pas.

Le chaos, c'est aussi le potentiel intangible grâce auquel le Dieu de la Création a pu invoquer l'ordre à l'origine des temps. C'est le même potentiel grâce auquel nous, créés à Son image, appelons de nos vœux de grands bouleversements pour nos vies. Enfin, le chaos, c'est aussi la liberté, l'effroyable liberté !

En revanche, l'ordre est un territoire connu. C'est la hiérarchie des lieux, des postes et de l'autorité. C'est la structure de la société. La structure biologique aussi, particulièrement lorsque celle-ci est adaptée à la structure sociale. L'ordre, c'est sa tribu, sa religion, son foyer, sa maison familiale et son pays. C'est le salon rassurant où les braises rougeoient dans la cheminée et où les enfants jouent. C'est le drapeau de la nation. La valeur de la monnaie. L'ordre, c'est le sol sous nos pieds, notre emploi du temps de la journée. C'est la noblesse de la tradition, les rangées de bureaux d'une salle de classe, les trains qui partent à l'heure, le calendrier et l'horloge. C'est l'air qu'on arbore en public, la politesse d'une réunion entre inconnus civilisés. La fine couche de glace sur laquelle on patine tous. L'ordre, c'est le moment où tout est à la hauteur de nos attentes et de nos désirs. Où tout se déroule comme prévu. Mais l'ordre, c'est aussi parfois la tyrannie et l'abrutissement, lorsque la demande de certitude et d'uniformité est unilatérale.

L'ordre règne lorsque la certitude est de mise. Lorsqu'un plan se déroule sans accroc, sans imprévu. Dans le domaine de l'ordre, le monde tourne comme Dieu l'a imaginé. C'est un lieu agréable. Il est plaisant de se trouver dans un environnement familier. Grâce à l'ordre, on est en mesure de faire des projets à long terme. Les choses fonctionnent. On est stable, calme et compétent. On quitte rarement un lieu – géographique ou conceptuel – qu'on comprend, et, lorsqu'on y est contraint ou quand ça se produit par accident, cela ne nous plaît absolument pas.

On est dans le domaine de l'ordre quand on a un ami fidèle, un allié digne de confiance. Lorsque cette même personne nous trahit, on passe du monde de la clarté et de la lumière aux ténèbres du chaos, de la confusion et du désespoir. C'est également le cas lorsque la société pour laquelle on travaille commence à avoir des difficultés et que son emploi est mis sur la sellette. Quand on a rempli sa déclaration d'impôts, c'est l'ordre. Quand on est la cible d'un contrôle fiscal, c'est le chaos. La plupart des gens préfèrent subir une agression plutôt qu'un contrôle de ce genre. Avant la chute des Twin Towers, c'était l'ordre. Le chaos s'est manifesté après. Tout le monde l'a ressenti. L'avenir était devenu incertain. Qu'est-ce qui était tombé, précisément ? Mauvaise question. Que restait-il debout ? C'était cela le problème.

Quand la glace sur laquelle on patine est solide, c'est l'ordre. Quand elle cède et qu'on passe au travers, c'est le chaos. L'ordre, c'est La Comté des hobbits, chez Tolkien : un territoire paisible, productif et habitable en toute sécurité, même par les plus innocents. Le chaos, c'est le royaume souterrain des nains dont s'est emparé le dragon Smaug pour s'approprier leur trésor. C'est le fond de l'océan où Pinocchio sauve Geppetto de la baleine Monstro, transformée en dragon cracheur de feu. Ce séjour dans les ténèbres, agrémenté d'un sauvetage, est l'acte le plus difficile qu'une marionnette puisse accomplir pour devenir un petit garçon. Pour se soustraire aux tentations de la tromperie, de l'hypocrisie, de la victimisation, du plaisir impulsif et de la soumission totalitaire. Pour prendre sa place en tant que véritable être vivant.

L'ordre, c'est la stabilité du couple. Elle est confortée par les traditions du passé et nos attentes, souvent ancrées, même si cela ne se voit pas nécessairement, dans ces mêmes traditions. Le chaos, c'est l'effondrement de cette stabilité lorsqu'on découvre l'infidélité de son conjoint. C'est l'impression de ne plus être relié à rien et de ne plus avoir aucun soutien quand ses habitudes et ses principes fondamentaux se désagrègent subitement.

L'ordre, c'est le moment où les règles souvent insaisissables que l'on suit tout au long de son existence régissent nos actes pour que les choses se déroulent comme on le souhaite. Le chaos, c'est celui où le drame se produit, où la malveillance révèle son véritable visage, même au sein de son propre foyer. Indépendamment des circonstances, lorsqu'on élabore un plan, on n'est jamais à l'abri de l'imprévu, de l'inattendu. Quand cela arrive, la situation n'est plus la même. Ne vous y trompez pas : l'espace, du moins en apparence, peut rester le même. Mais nous vivons aussi bien dans le temps que dans l'espace. Par conséquent, même les lieux les plus anciens et les plus familiers restent capables de nous surprendre. On peut conduire joyeusement la voiture qu'on connaît et qu'on aime depuis des années. Mais le temps passe. Les freins peuvent lâcher. On peut se promener avec le corps sur lequel on a toujours compté. Si son cœur se met à dysfonctionner, ne serait-ce que temporairement, plus rien n'est pareil. Rien n'empêche ce bon vieux chien de nous mordre un jour. Ni ces amis de longue date de nous trahir. De nouvelles idées sont toujours susceptibles de réduire à néant de confortables certitudes. Ces choses sont importantes. Elles sont réelles.

Lorsque le chaos survient, le cerveau réagit immédiatement, grâce à des circuits ultrarapides et très simples datant de l'époque où nos ancêtres vivaient encore dans les arbres, et où les serpents frappaient en un éclair[32]. Après cette réaction physique profondément instinctive et presque instantanée s'en produit une autre, émotionnelle, plus complexe et plus lente, à l'origine récente. Ensuite vient une réflexion approfondie qui peut nécessiter jusqu'à plusieurs secondes, plusieurs minutes, voire plusieurs années. En un sens, dans son ensemble, cette réaction est instinctive. Mais plus elle est naturellement rapide, plus elle est considérée comme telle.

Ordre et chaos, la personnalité, le masculin et le féminin

L'ordre et le chaos sont deux des éléments essentiels du vécu. Deux des sous-divisions les plus élémentaires de l'existence. Mais ce ne sont ni des choses ni des objets, et ils ne sont pas ressentis comme tels. Les choses et les objets font partie du monde objectif. Ils sont inanimés, dépourvus d'esprit. Ils sont morts. Impossible d'en dire autant de l'ordre et du chaos. Ils sont perçus et compris (si tant est qu'ils puissent l'être) comme des personnalités. Et c'est vrai tant pour les perceptions et la compréhension des individus modernes que pour leurs lointains ancêtres. Simplement, aujourd'hui, plus personne n'y prête attention.

L'ordre et le chaos ne sont pas personnifiés après avoir été saisis de façon objective en tant que choses ou objets dans un premier temps. Cela serait le cas si nous percevions d'abord la réalité objective, avant d'en déduire les intentions. Mais en dépit d'une idée préconçue, ce n'est pas de cette façon que fonctionne notre perception. Par exemple, nous considérons un outil pour ce qu'il est avant de déterminer qu'il s'agit d'un objet. Ou au mieux en même temps. On distingue la signification des choses aussi vite, voire plus vite qu'on n'en distingue la nature[33]. On les perçoit en tant qu'entités dotées de personnalité avant de les envisager comme des choses. C'est notamment le cas pour les actes des autres[34], des êtres vivants, mais nous considérons aussi le « monde objectif » inanimé comme animé, avec des intentions et des objectifs. C'est à cause du fonctionnement interne de ce que les psychologues appellent la « détection d'agents hyperactifs[35] ». Au fil des siècles, nous avons évolué dans des conditions extrêmement sociales. Cela signifie que les éléments les plus marquants de notre environnement d'origine étaient les personnalités, et non des choses, des objets ou des contextes.

En tout état de cause, les personnalités que nous avons commencé à voir au fil de notre évolution avaient toujours été présentes sous une forme prévisible et dans des configurations hiérarchiques typiques. Le masculin et le féminin, par exemple, existent depuis un milliard d'années. Cela fait bien longtemps. La séparation de la vie en deux sexes s'est produite avant même l'apparition des animaux multicellulaires. En comparaison, les mammifères, qui prennent grand soin de leur progéniture, ont vu le jour il y a environ deux cents millions d'années. Ainsi, la catégorie des « parents » et des « enfants » date de cette époque. Les oiseaux n'existaient pas encore. Ni même les fleurs. Cela ne fait pas un milliard d'années, certes, mais cela n'en demeure pas moins très ancien. Suffisamment pour que le masculin et le féminin, les parents et les enfants deviennent des éléments essentiels de notre environnement. Ainsi, à nos yeux, l'homme et la femme, le parent et l'enfant sont des catégories naturelles profondément ancrées dans nos structures motivationnelles, émotionnelles et perceptives.

Notre esprit est extrêmement social. Les autres créatures, principalement les humains, étaient d'une importance capitale pour que nous puissions vivre, nous reproduire et évoluer. Ces créatures constituaient précisément notre habitat naturel, notre environnement. D'un point de vue darwinien, c'est la nature – en soi, la réalité et l'environnement – qui « sélectionne ». L'environnement ne peut pas être défini de manière plus fondamentale. Il ne s'agit pas de simple matière inerte. Lorsque nous nous efforçons de survivre et de nous reproduire, nous luttons contre la réalité. C'est-à-dire en grande partie contre les autres, l'opinion qu'ils ont de nous et leurs communautés. Et c'est tout.

Au fil des siècles, la capacité de notre cerveau s'accroissant tout comme notre curiosité, nous avons progressivement pris conscience de la nature du monde qui nous entourait – que nous avons fini par qualifier de « monde objectif » – et nous nous y sommes intéressés de plus en plus. Au-delà de la famille et du groupe. Et je ne parle pas simplement d'un territoire physique inexploré. « Au-delà » signifie « au-delà de ce que nous comprenons à l'heure actuelle ». Et « comprendre » ne signifie pas simplement « se représenter de manière objective », mais aussi « gérer » et « surmonter ». Cependant, notre cerveau s'intéresse à l'étranger depuis longtemps. Il apparaît ainsi que nous avons commencé à percevoir le monde non humain, inconnu et chaotique, grâce aux catégories innées de notre cerveau social[36]. Mais cette assertion même n'est pas vraiment juste : lorsque nous avons commencé à percevoir ce monde non humain, nous l'avons fait par rapport aux catégories qui avaient initialement servi à représenter le monde social animal, et ce bien avant l'apparition de l'homme. Notre cerveau est bien plus ancien que l'humanité. Et il en va de même pour nos catégories. Notre catégorisation la plus élémentaire – aussi vieille, en un sens, que l'acte sexuel lui-même – semble être celle du sexe, masculin et féminin. Nous nous sommes manifestement servis de ce savoir primordial, de cette opposition ingénieuse, pour tout interpréter sous son prisme[37].

L'ordre, ce qui appartient au domaine du connu, est associé de manière symbolique à la masculinité (comme illustré dans le susmentionné « yang » du symbole taoïste « yin yang »). C'est peut-être parce que la structure hiérarchique primaire de la société humaine est masculine, comme c'est également le cas chez la plupart des animaux, dont le chimpanzé, notre plus proche voisin génétique et probablement aussi comportemental. C'est parce que les hommes sont et ont été par le passé des bâtisseurs de villes et de cités, des ingénieurs, des tailleurs de pierre, des maçons, des bûcherons et des conducteurs d'engins[38]. L'ordre, c'est Dieu le Père, le juge éternel, le gardien du grand registre, celui qui distribue les récompenses et les châtiments. C'est, en temps de paix, l'armée de policiers et de soldats. La culture politique, l'environnement professionnel et le système. C'est le « on » dans « tu sais ce qu'on dit ». Les cartes de crédit, les salles de classe, les queues des caisses des supermarchés, les conversations à tour de rôle, les feux tricolores et le chemin quotidien vers le bureau. L'ordre, quand il est poussé à son paroxysme, quand il est injuste, peut aussi se révéler terriblement destructeur. C'est le cas lors de migrations forcées, de la mise en œuvre de camps de concentration et de défilés au pas de l'oie.

Le chaos, l'inconnu, est associé de manière symbolique à la féminité. C'est en partie parce que tout ce que nous apprenons à connaître est né de l'inconnu. De même que toutes les personnes que nous croisons sont nées d'une mère. Le chaos, c'est *mater*, l'origine, la source, la mère ; *materia*, la matière, le matériau à partir duquel tout est fait. C'est aussi la matière grise, qui nous permet de déterminer ce qui est important, et qui est à l'origine de la communication. Sous sa forme positive, le chaos représente la « possibilité », la source d'inspiration, le mystérieux phénomène de la grossesse et de la naissance. En tant que force négative, ce sont les ténèbres impénétrables d'une caverne et l'accident sur le bord de la route. C'est la mère grizzly, attendrissante avec ses petits, mais qui vous réduit en charpie car vous êtes un prédateur potentiel.

Le chaos, l'éternel féminin, est également la force dévastatrice de la sélection sexuelle. Les femmes sont sélectives, contrairement aux femelles chimpanzés, leur pendant animal le plus proche[39]. La plupart des hommes ne correspondent pas à leurs critères idéaux. C'est pour cette raison que sur les sites de rencontres, 85 % des hommes ne sont pas, ou peu, considérés comme attirants[40]. C'est pour cette raison également que nous avons tous deux fois plus de femmes que d'hommes parmi nos ancêtres. Pour vous faire une idée, imaginez que toutes les femmes ayant vécu aient eu en moyenne un seul enfant, puis imaginez que la moitié des hommes aient eu deux enfants, tandis que l'autre moitié n'en a eu aucun[41]. C'est la femme dans son rôle de Dame Nature qui regarde la moitié des hommes et leur dit « non ! ». Lorsqu'ils se voient décliner un rendez-vous galant, certains hommes ont alors l'impression de faire face au chaos. Cette capacité à dire non montre pourquoi nous sommes si différents de nos ancêtres, ceux que nous partageons avec nos cousins chimpanzés, alors que ces derniers leur ressemblent encore beaucoup. Plus que toute autre force, l'inclination des femmes à dire « non » a façonné notre évolution et nous a permis de devenir les créatures créatives, travailleuses, honnêtes et cérébrales – douées d'esprit de compétition, agressives et autoritaires – que nous sommes[42].

C'est Dame Nature, dans son rôle de femme, qui dit : « Eh bien, jeune homme, tu es bien comme ami, mais ce que je sais de toi pour le moment ne me permet pas d'avoir la certitude que ton matériel génétique conviendrait à une éventuelle propagation. »

Les symboles religieux tirent en grande partie leur pouvoir de cette subdivision conceptuelle sous-jacente fondamentalement bipartite. L'étoile de David, par exemple, est composée du triangle de la féminité pointant vers le bas, et de celui de la masculinité pointant vers le haut*. Il en va de même pour le *yoni* et le *lingam* de l'hindouisme (couverts de serpents, nos anciens adversaires et provocateurs : le Shiva Linga est représenté avec des divinités serpents appelées « Nagas »). Dans l'Égypte antique, on représentait Osiris, dieu de l'État, et Isis, déesse du monde souterrain, par des cobras jumeaux dont les queues étaient nouées l'une à l'autre. On utilisait le même symbole en Chine pour illustrer Fuxi et Nuwa, créateurs de l'humanité et de l'écriture. Dans le christianisme, les représentations sont moins abstraites, plus personnalisées, mais les iconographies occidentales de la Vierge Marie avec l'Enfant Jésus, et de la Pietà, expriment

---

* Il est très intéressant, à cet égard, que le *taijitu* en cinq parties (dont il est question dans le premier chapitre, origine du symbole simplifié du yin yang) exprime avant tout la création du cosmos dans un absolu indifférencié, avant de le diviser en yin et en yang (le chaos et l'ordre, le féminin et le masculin), puis sous forme des cinq éléments (le bois, le feu, la terre, le métal et l'eau), et, enfin, pour faire simple, en « dix mille choses ».
De la même manière, l'étoile de David (le chaos et l'ordre, le féminin et le masculin) met en exergue les quatre éléments : le feu, l'air, l'eau et la terre à partir desquels tout le reste est fabriqué.
Les hindous emploient un hexagramme relativement semblable. Le triangle pointant vers le bas symbolise Shakti, le féminin, et le triangle pointant vers le haut Shiva, le masculin. En sanskrit, ces deux éléments sont appelés *om* et *hrim*. Des exemples remarquables de parallélisme conceptuel.

toutes deux la double unité homme-femme, comme on insiste traditionnellement sur l'androgynie du Christ[43].

Enfin, notons que, à un niveau morphologique brut, la structure du cerveau elle-même semble refléter cette dualité. À mes yeux, au-delà de toute métaphore, cela désigne la réalité fondamentale de cette division symbolique masculin-féminin, car le cerveau est, par définition, adapté à la réalité (en fait, à une réalité conceptualisée de manière quasi darwinienne). Elkhonon Goldberg, étudiant du grand neuropsychologue russe Alexander Luria, a suggéré de manière plutôt lucide et directe que la structure hémisphérique du cortex était le reflet de la division fondamentale qui existe entre la nouveauté (l'inconnu, le chaos) et la routine (le connu, l'ordre[44]). En référence à cette théorie, il ne fait pas allusion aux symboles représentant la structure du monde, mais ce n'est pas plus mal : une idée est plus crédible lorsqu'elle est la conséquence d'études dans différents domaines[45].

Nous savons déjà tout cela, mais nous ignorons que nous le savons. Nous le comprenons immédiatement, lorsque c'est articulé ainsi. Lorsque c'est expliqué avec des mots, tout le monde comprend l'ordre et le chaos, le monde dans lequel nous vivons et le monde souterrain. Nous avons l'impression tangible que le chaos est tapi derrière tout ce qui nous est familier. C'est la raison pour laquelle nous comprenons les histoires, si étranges et surréalistes soient-elles, de *Pinocchio*, *La Belle au bois dormant*, *Le Roi lion*, *La Petite Sirène* et *La Belle et la Bête*, avec leurs éternels paysages de connu et d'inconnu, en surface et dans le monde souterrain. Nous avons tous visité ces deux types d'endroits, et à de nombreuses reprises, que ce soit par hasard ou par choix.

Lorsqu'on commence à comprendre le monde de cette manière, les pièces du puzzle se mettent progressivement en place. Comme si le savoir de notre corps et de notre âme s'alignait sur celui de notre intellect. Et ce n'est pas tout, ces connaissances sont aussi excluantes que descriptives. C'est comme comprendre « ce qui » nous aidera à savoir « comment ». Comme le « est » duquel est issu le « devrait ». La juxtaposition taoïste du yin et du yang, par exemple, ne dépeint pas simplement le chaos et l'ordre comme les éléments essentiels de l'existence, elle nous explique comment réagir. La Voie, le chemin de la vie taoïste, est représentée par (ou existe sur) la frontière entre les serpents jumeaux. La Voie est le chemin à suivre pour mener une existence convenable. C'est la même que celle à laquelle le Christ fait référence dans Jean, 14:6 : « C'est moi qui suis le chemin, la vérité et la vie. » On retrouve d'ailleurs la même idée dans Matthieu 7:14 : « Mais étroite est la porte, resserré le chemin menant à la vie, et il y en a peu qui les trouvent. »

Cernés par le chaos, nous vivons en permanence dans un monde d'ordre. Nous sommes constamment en territoire connu, mais au milieu de l'inconnu. C'est lorsque nous louvoyons entre les deux que notre existence est la plus significative. Au sens darwinien le plus strict, nous sommes « adaptés », non au monde des objets, mais aux métaréalités de l'ordre et du chaos, du yang et du yin. Ce sont ces deux concepts qui sont l'essence du cadre merveilleux de l'existence.

Pour être équilibré, il faut embrasser cette dualité fondamentale : avoir un pied solidement ancré dans l'ordre et la sécurité, et l'autre dans le chaos, la possibilité, la croissance et l'aventure. Quand la vie se révèle soudain intense, captivante et digne d'intérêt. Quand on est si absorbé par ce qu'on fait qu'on ne remarque pas le temps qui passe. C'est à ce moment précis que l'on est à la limite entre l'ordre et le chaos. Le sens subjectif que l'on trouve alors à notre vie est une réaction qui se produit au plus profond de notre être, un instinct ancré dans notre système neurologique et évolutionnaire qui nous indique que non seulement la stabilité, mais aussi l'extension de notre territoire productif et habitable, de notre espace personnel, social et naturel sont assurées. Dans tous les sens du terme, ce sont des moments indispensables. Ils surviennent lorsque c'est important. C'est aussi ce que vous dit la musique quand vous en écoutez, et sans doute davantage encore quand vous dansez, lorsque ses motifs harmonieux, à la fois prévisibles et imprévisibles, en font surgir le sens du plus profond de votre être.

Le chaos et l'ordre sont des éléments essentiels, car ils sont le fondement de toutes les situations de la vie – et de toutes celles qu'il est possible d'imaginer. Dans n'importe quelle condition, nous savons identifier des choses, en faire bon usage et les prédire, tandis que d'autres nous échappent totalement. Qu'importe qui nous sommes, un résident du désert du Kalahari ou un banquier de Wall Street, nous maîtrisons certaines choses et pas d'autres. Raison pour laquelle les deux peuvent comprendre les mêmes histoires et accepter les mêmes vérités fondamentales. En fait, la réalité primordiale du chaos et de l'ordre se vérifie non seulement pour nous, mais aussi pour tous les êtres vivants. On les trouve toujours dans un environnement qu'ils maîtrisent, mais cernés d'éléments qui les rendent vulnérables.

L'ordre n'est pas suffisant. Il est impossible d'être uniquement dans une situation stable, sûre et immuable, parce qu'il est vital d'apprendre de nouvelles choses. Néanmoins, il peut arriver que le chaos soit trop fort. Qu'on ne puisse plus supporter de se sentir dépassé par ce que l'on apprend. Il nous faut alors remettre un pied dans ce que l'on maîtrise et comprend, tout en laissant l'autre dans ce que l'on est en train d'étudier. On se place alors en terrain connu, dans une situation sécurisante, tout en demeurant vigilant et impliqué. C'est là où il est possible de réellement apprendre et de s'améliorer. C'est là où notre existence puise une partie de son sens.

Le jardin d'Éden

Comme nous l'avons évoqué plus tôt, rappelez-vous que les histoires de la Genèse sont des assemblages de sources diverses et variées. Après le document sacerdotal (Genèse 1), qui narre l'émergence de l'ordre à partir du chaos, vient le document jahviste, encore plus ancien, qui débute avec Genèse 2. Ce texte, qui emploie le nom YHWH, ou Yahweh, pour représenter Dieu, raconte l'histoire d'Adam et Ève. Et donne une explication plus complète des événements du sixième jour dont il est brièvement question dans le précédent récit sacerdotal. La continuité entre les histoires semble être le résultat d'un travail minutieux de la part de celui ou ceux qui ont assemblé tous ces textes d'origines différentes, et que les biblistes qualifient de « Rédacteur ». Cela a dû se produire au moment où, pour une raison ou pour une autre, deux peuples de traditions différentes se sont unis. Avec le temps, le caractère illogique et disgracieux de ces histoires parallèles a dû agacer une âme volontaire, courageuse et obsédée par la cohérence.

D'après le récit de la Création jahviste, Dieu créa d'abord un espace délimité que l'on connaît sous le nom d'« Éden » (ce qui, en araméen, la langue supposée de Jésus, signifie « où l'eau est abondante »), ou de « Paradis » (en vieil iranien ou en avestique, *pairidaeza* se traduit par « enceinte » ou « jardin » « muré » ou « protégé »). Dieu y plaça Adam, au milieu de toutes sortes d'arbres fruitiers, dont deux très particuliers : l'Arbre de vie, et l'Arbre de la connaissance du bien et du mal. Dieu annonça ensuite à Adam qu'il pouvait goûter à volonté à tous les fruits qui lui plaisaient, sauf à celui de l'Arbre de la connaissance du bien et du mal. Après quoi, Il créa Ève, qu'Il lui donna comme compagne*.

---

* Ou, selon une autre interprétation, Il partagea l'individu androgyne d'origine en deux parties, l'une masculine, l'autre féminine.

Adam et Ève ne semblent pas très lucides lorsqu'ils arrivent au paradis, ni avoir réellement conscience d'eux-mêmes. Comme il est répété dans l'histoire, ces premiers humains étaient nus, mais n'en éprouvaient aucune honte. Une telle formulation implique tout d'abord qu'il est parfaitement naturel et normal d'avoir honte de sa nudité, sinon rien n'aurait été stipulé à ce sujet, et que quelque chose n'allait pas, pour le meilleur et pour le pire, avec nos ancêtres originels. Aujourd'hui, les seuls à ne pas être gênés de se retrouver nus en public – à part des exhibitionnistes dérangés – sont les enfants de moins de trois ans. En revanche, il est courant de faire un cauchemar dans lequel on se retrouve nu devant une assemblée.

Dans le troisième verset de la Genèse apparaît un serpent, apparemment pourvu de jambes. Dieu seul sait pourquoi Il a autorisé – ou placé – une telle créature dans le jardin. La signification de ce passage m'a longtemps laissé perplexe. Cela ressemble en partie à une réflexion sur la dichotomie ordre-chaos qui caractérise l'ensemble de l'expérience, le paradis faisant office d'ordre habitable et le serpent jouant le rôle du chaos. Par conséquent, la présence de ce serpent en Éden aurait la même signification que le point noir du côté « yin », une possible manifestation de l'inconnu et du révolutionnaire dans ce qui est ordonné.

Il semble donc impossible, même pour Dieu, de créer un espace clos entièrement à l'abri de l'extérieur, du moins dans le monde réel avec ses limites nécessaires, au milieu du merveilleux. Le chaos tente toujours de s'infiltrer, car il est impossible de protéger entièrement un lieu du reste de la réalité. Ainsi, même l'endroit le plus sûr héberge

---

D'après cette théorie, Jésus, le « second Adam », serait également l'Homme original d'avant la subdivision sexuelle. Le sens symbolique de cette hypothèse devrait être explicite pour ceux qui ont suivi la discussion jusqu'ici.

inévitablement un serpent. Il y avait à tout jamais de véritables serpents reptiliens au quotidien, dans l'herbe et dans les arbres de notre paradis africain originel[46]. Même si on les avait tous éradiqués (pure supposition, par une sorte de saint Georges primordial), les serpents auraient perduré sous les traits de nos plus grands ennemis humains – du moins, quand ils se conduisaient comme tels, du point de vue de notre cercle « familial » restreint. Après tout, les conflits et les guerres, tribaux ou non, ne manquaient pas du temps de nos ancêtres[47].

Et même si nous avions vaincu les serpents qui nous assaillaient depuis l'extérieur sous la forme de reptiles ou d'humains, nous n'aurions pas été en sécurité pour autant. Et nous ne le sommes pas plus aujourd'hui. Nous connaissons notre ennemi, après tout, et il est en nous. Le serpent loge dans nos âmes. D'après moi, c'est la raison pour laquelle les chrétiens insistent aussi lourdement, comme l'explique John Milton, sur le fait que le serpent du jardin d'Éden serait également Satan, l'esprit du mal en personne. Difficile de surestimer l'importance de cette identification symbolique, son génie stupéfiant. C'est grâce à des millénaires d'imagination que se développe l'idée de concepts moraux abstraits, avec tout ce que cela implique. Un travail inimaginable a été fourni pour mettre au point l'idée de bien et de mal et tout ce qui gravite autour, comme les métaphores oniriques. « Le pire de tous les serpents est l'éternelle attirance de l'homme pour le mal. » Le pire de tous les serpents est « psychologique, spirituel, personnel et interne ». Aucune muraille, si haute soit-elle, ne pourra le décourager. Même si les murs de la forteresse étaient suffisamment épais pour empêcher le mal sous toutes ses formes d'y pénétrer, celui-ci réapparaîtrait aussitôt à l'intérieur. Comme l'a soutenu le grand écrivain russe Alexandre Soljenitsyne, « la ligne de partage entre le bien et le mal [...] traverse le cœur de chaque homme et de toute l'humanité[48] ».

Il est simplement impossible de se préserver, ne serait-ce que d'une infime partie de la réalité qui nous entoure, et de tout rendre définitivement prévisible et sûr. Tout ce qui a été repoussé, quelles que soient les précautions prises, finira par revenir. Métaphoriquement parlant, on reverra inévitablement réapparaître un serpent. Même les plus vigilants des parents ne peuvent protéger leurs enfants de tout. Même en les enfermant au sous-sol, loin de la drogue, de l'alcool et du porno disponible sur Internet. Dans ce cas extrême, le parent trop prudent, trop attentionné, ne fait que se substituer aux autres problèmes de la vie. C'est le grand cauchemar œdipien de Freud[49]. Mieux vaut apporter de la compétence aux personnes dont nous sommes responsables que de chercher à les protéger.

Même s'il était possible de bannir définitivement toute menace, tout ce qui pourrait se révéler dangereux – et par conséquent stimulant et intéressant –, cela signifierait simplement qu'un nouveau danger surgirait : le risque d'un infantilisme permanent et d'une incompétence absolue. Comment l'homme pourrait-il atteindre son plein potentiel sans stimulation ni danger ? Nous deviendrions ennuyeux et méprisables si nous n'avions plus aucune raison de progresser. Sans doute Dieu jugeait-il sa nouvelle création capable d'affronter le serpent, et considérait-il sa présence comme un moindre mal.

Les parents doivent faire un choix : souhaitent-ils que leurs enfants soient forts, ou qu'ils n'aient rien à craindre ?

Dans un cas comme dans l'autre, il y a un serpent dans le jardin, et il s'agit d'une créature « subtile », à en croire son histoire : il est caché, vaporeux, rusé, fourbe et perfide. Il n'est donc guère surprenant qu'il finisse par jouer un tour à Ève. Pourquoi à Ève, plutôt qu'Adam ? Peut-être un hasard. D'un point de vue statistique, elle avait une chance sur deux, une probabilité somme toute relativement élevée. Mais j'ai appris que dans ces anciens récits rien n'est laissé au hasard.

Tout élément fortuit qui ne sert pas l'histoire est laissé de côté. Comme le dramaturge Anton Tchekhov le souligne : « Si un fusil est accroché au mur dans le premier acte, il faut qu'il serve dans l'acte suivant. Sinon, il n'a rien à faire là[50]. » Peut-être Ève avait-elle plus de raisons qu'Adam de se préoccuper des serpents ? Il était plus probable, par exemple, qu'ils s'en prennent à ses nouveau-nés dans les arbres. Peut-être est-ce pour cette raison que les filles d'Ève sont aujourd'hui plus protectrices, angoissées et stressées, et que leur confiance en soi est plus friable, même et surtout dans les sociétés modernes les plus égalitaires[51]. Quoi qu'il en soit, le serpent annonce à Ève que si elle mange le fruit défendu, elle ne mourra pas. Au contraire, cela lui ouvrira les yeux. Elle deviendra semblable à Dieu et distinguera le bien du mal. Bien sûr que c'est sur ce seul dernier point qu'elle ressemblera à son créateur. Mais c'est un serpent, après tout. Humaine et désireuse d'en savoir davantage, Ève décide de croquer le fruit. *Pouf!* Elle se réveille : pour la première fois, elle prend conscience de ce qui l'entoure et se sent embarrassée.

Aucune femme clairvoyante et consciente ne tolérerait, il est vrai, un homme encore aveugle au monde. Alors Ève partage aussitôt le fruit avec Adam. Il devient gêné à son tour. Pas grand-chose n'a changé. Depuis toujours, les femmes savent déstabiliser les hommes. Principalement en les repoussant. Mais aussi en les poussant à faire face à leurs responsabilités. Inutile de se demander pourquoi elles supportent le fardeau de la reproduction. Difficile d'imaginer qu'il pourrait en être autrement. Cette capacité à déstabiliser est une force primordiale de la nature.

À présent, on peut se poser la question : qu'est-ce qu'un serpent a à voir avec notre vision ? Tout d'abord, il est important d'être capable de les *voir*, parce qu'ils peuvent nous prendre pour cible – surtout quand on est petit et qu'on vit dans les arbres, comme nos ancêtres arboricoles.

Le docteur Lynne A. Isbell, professeur d'anthropologie et de comportement animal à l'université de Californie, suggéra que notre façon de voir le monde était une adaptation qu'on nous avait imposée des dizaines de millions d'années auparavant, par nécessité de repérer et éviter le terrible danger que représentaient les serpents avec qui nos ancêtres cohabitaient[52]. C'est sans doute une des raisons pour lesquelles le serpent se trouve dans le jardin du paradis en tant que créature ayant donné la vision à Dieu – en plus de faire office d'ennemi juré de l'humanité. C'est sans doute aussi une des raisons pour lesquelles Marie, la mère archétypale – une Ève améliorée – est si souvent représentée dans l'iconographie du Moyen Âge et de la Renaissance tenant l'Enfant Jésus à bout de bras au-dessus d'elle, aussi loin que possible du prédateur reptilien qu'elle écrase de son pied[53]. Et ce n'est pas tout. C'est un fruit qu'offre le serpent, et le fruit est également associé à la transformation de la vue, dans le sens où notre capacité à distinguer les couleurs est une adaptation qui nous permet de rapidement détecter les spécimens mûrs – et donc comestibles[54].

Nos premiers ancêtres ont écouté le serpent. Ils ont mangé le fruit, ce qui leur a ouvert les yeux. Ils se sont tous deux éveillés à la connaissance. On pourrait croire, comme ce fut d'abord le cas d'Ève, qu'il s'agit d'une bonne chose. Il arrive cependant parfois qu'un demi-don soit pire que rien. Certes, Adam et Ève s'éveillent, mais juste assez pour découvrir des choses épouvantables. Premièrement, ils prennent conscience de leur nudité.

Le singe nu

Mon fils a pris conscience de sa nudité bien avant d'avoir trois ans. Il voulait s'habiller seul. Il verrouillait la porte des toilettes. Il n'apparaissait jamais nu en public. Et rien à voir avec son éducation, il l'a découvert seul, et sa réaction est toute personnelle. J'ai eu le sentiment que c'était inné.

Que peut signifier le fait de se savoir nu ou, potentiellement pire, de savoir que l'on est nu avec son partenaire ? Toutes sortes de choses épouvantables, exprimées par exemple de la plus effrayante des manières à la Renaissance par le peintre Hans Baldung Grien, dont la plus célèbre toile a servi d'inspiration à l'illustration en tête de ce chapitre. « Nu » signifie « vulnérable » et « facilement abîmé ». C'est aussi synonyme de « sans défense » et « désarmé » dans la jungle de la nature et de l'homme. Raison pour laquelle Adam et Ève ont eu honte, aussitôt après avoir ouvert les yeux. Ils pouvaient voir, et la première chose qu'ils ont vue, c'est eux. Leurs défauts leur ont sauté aux yeux. Ainsi que leur vulnérabilité. Contrairement aux autres mammifères, dont seul le dos est exposé et leur sert de protection, les humains sont des bipèdes, et les parties les plus sensibles de leur corps sont à la vue de tous. Cependant, le pire est à venir. Adam et Ève se confectionnent aussitôt des pagnes (dans la version standard internationale ; des tabliers, dans la Bible du roi Jacques) pour couvrir leurs corps fragiles. Et pour protéger leur ego. Puis ils vont se cacher. En raison de leur vulnérabilité, dont ils ont à présent parfaitement conscience, ils se sentent indignes de se présenter devant Dieu.

Si vous êtes incapable de vous identifier à ce sentiment, vous n'êtes pas sérieux. La beauté discrédite la laideur. La force, la faiblesse. La mort, la vie et l'idéal nous discréditent tous. Ainsi, nous le craignons, lui en voulons et le haïssons même. Et, bien sûr, c'est le thème suivant étudié dans la Genèse, dans l'histoire d'Abel et Caïn. Que pouvons-nous y faire ? Abandonner tout idéal de beauté, de santé, de génie et de force ? Ce n'est pas la solution. Cela se transformerait en humiliation permanente et nous confirmerait que nous n'avons que ce que nous méritons. Je n'ai aucune envie que des femmes dont la simple présence est éblouissante disparaissent dans le seul but que d'autres puissent oublier leurs complexes. Je ne veux pas que des cerveaux comme John von Neumann se volatilisent uniquement pour que je puisse jouir de mon niveau de mathématiques de terminale. À dix-neuf ans, il avait déjà redéfini les nombres[55]. Les nombres ! Loué soit le ciel de nous avoir donné John von Neumann, Grace Kelly, Anita Ekberg et Monica Bellucci ! Je suis fier de me sentir indigne en leur présence. C'est le prix qu'il nous faut payer pour nos buts, nos réussites et notre ambition. Mais il n'est guère étonnant qu'Adam et Ève se soient couverts.

Malgré son côté tragique et horrible, je trouve la suite de l'histoire franchement grotesque. Ce soir-là, tandis que l'Éden se rafraîchit, Dieu sort faire sa promenade quotidienne. Mais Adam est introuvable. Dieu est perplexe. Il a pris l'habitude de flâner en sa compagnie.

— Adam ! appelle-t-Il, ayant manifestement oublié qu'Il est omniscient. Où es-tu ?

Adam se montre aussitôt, mais sous un mauvais jour, d'abord comme névrosé, puis comme balance. Le Créateur de l'univers appelle, Adam lui répond.

— Je t'ai entendu, Dieu. Mais j'étais nu, alors je me suis caché.

Qu'est-ce que cela signifie ? Que les hommes, déstabilisés par leur vulnérabilité, craignent à jamais de dire la vérité, d'arbitrer entre l'ordre et le chaos et d'accomplir leur destinée. En d'autres termes, ils ont peur de marcher avec Dieu. Même si ce n'est pas admirable, c'est tout à fait compréhensible. Dieu est un père prompt à la critique et aux critères élevés. Il est difficile à satisfaire.

Dieu demande :

— Qui t'a dit que tu étais nu ? As-tu mangé ce qui t'était défendu ?

Et, tout penaud, Adam désigne Ève, son amour, sa compagne, son âme sœur, et la dénonce. Puis il rejette la responsabilité sur Dieu :

— C'est la femme que tu m'as donnée qui me l'a remis. Puis je l'ai mangé.

Comme c'est pathétique. Et juste. La première femme a rendu le premier homme vulnérable. Et cela l'a rendu amer. Ensuite, il a rejeté la faute sur la femme. Puis sur Dieu. Aujourd'hui encore, c'est exactement de cette façon que se conduit un amoureux éconduit. D'abord, il se sent petit devant l'objet potentiel de son amour car, d'après lui, elle dénigre son aptitude à la reproduction. Puis il reproche à Dieu de les avoir faits elle si méchante, lui si nul (s'il en a conscience), et l'existence si profondément injuste. Il envisage alors de se venger. Comme c'est vil – mais, en un sens, compréhensible ! Au moins la femme pouvait-elle rejeter la faute sur le serpent qui, si peu probable que cela puisse paraître, se révèle être Satan. Ce qui nous permet de comprendre l'erreur d'Ève et d'éprouver une certaine compassion pour elle. Elle s'est fait abuser par le meilleur. Mais pas Adam ! Personne ne l'a obligé à prononcer ces paroles.

Malheureusement, le pire reste à venir. Aussi bien pour l'homme que pour la Bête. Premièrement, Dieu maudit le serpent, lui annonçant que, privé de ses jambes, il devra désormais ramper, risquant à tout instant de se faire piétiner par des humains furieux. Deuxièmement, Il prévient la femme qu'elle enfantera dorénavant dans la douleur, et qu'elle désirera un homme indigne et plein de ressentiment qui, par conséquent, se moquera à tout jamais de sa destinée biologique. Que cela peut-il bien signifier ? Tout simplement que Dieu est un tyran patriarcal, comme le soutiennent certaines interprétations politisées de cette ancienne histoire ? Pour ma part, je suis convaincu que ce récit est uniquement descriptif. Rien de plus. En voici la raison : au fur et à mesure de l'évolution, le cerveau humain s'est développé et a fini par permettre à l'homme de prendre conscience de lui-même. Cela a déclenché une sorte de duel entre la tête des fœtus et le bassin des femmes[56]. Cette tête élargit leurs hanches au point qu'il leur devient presque impossible de courir. Pour sa part, le nouveau-né naît un an plus vite que les autres mammifères de sa taille, et il a acquis une boîte crânienne à moitié escamotable[57]. Ce progrès a été et est encore douloureux pour l'un et pour l'autre. Le nourrisson, au fond encore au stade fœtal, est presque entièrement dépendant de sa mère durant sa première année. La capacité de programmation de son impressionnant cerveau signifie qu'il devra suivre une formation jusqu'à dix-huit ans (ou trente) avant d'être chassé du nid. Ce qui est insignifiant au regard de l'enfantement dans la douleur imposé aux femmes, et au risque élevé de mourir, aussi bien pour la mère que pour l'enfant. Tout cela confirme que les femmes paient au prix fort leur grossesse et l'éducation de leurs enfants, notamment au début. Et cela provoquait, il y a quelques années, une dépendance accrue aux bonnes grâces, pas toujours fiables et souvent problématiques, des hommes.

Après que Dieu eut expliqué à Ève ce qui allait se produire maintenant qu'elle avait ouvert les yeux sur le monde, il se tourna vers Adam qui, avec ses fils, n'allait pas s'en tirer à si bon compte. Il tint en essence ce discours : « Homme, puisque tu t'es occupé de la femme, on t'a ouvert les yeux. La vision divine que t'ont accordée le serpent, le fruit et ta compagne te permet de voir loin, même dans le temps. Mais ceux qui prédisent l'avenir voient aussi venir les problèmes et doivent alors être parés à toute éventualité. Pour ce faire, tu devras à tout jamais sacrifier le présent à l'avenir. Tu devras renoncer au plaisir au profit de la sécurité. En un mot, il te faudra travailler. Et ce sera difficile. J'espère que tu aimes les chardons et les épines, parce que tu vas en faire pousser beaucoup. »

Dieu bannit le premier homme et la première femme du paradis, de l'insouciance enfantine et du monde de l'inconscience animale, pour les jeter dans les horreurs de l'histoire elle-même. Ensuite, Il place un chérubin et une épée de feu devant la porte d'Éden pour les empêcher de croquer le fruit de l'Arbre de vie. Ce qui peut sembler mesquin. Pourquoi ne pas accorder tout de suite l'immortalité à ces pauvres humains ? Surtout si c'était ce qu'il avait prévu pour l'avenir, de toute façon, comme le veut l'histoire. Mais qui oserait contredire Dieu ?

S'il nous faut construire le paradis, sans doute nous faut-il gagner l'immortalité.

Ce qui nous ramène à notre question initiale : pourquoi acheter, et soigneusement administrer des médicaments à son chien, et ne pas en faire autant pour soi ? Vous avez à présent la réponse, issue de l'un des textes fondateurs de l'humanité. Qui accepterait de prendre soin de quelqu'un d'aussi nu, laid, honteux, effrayé, bon à rien, lâche, rancunier et accusateur qu'un descendant d'Adam ? Quand bien même cette chose, cet individu serait soi-même ? Et malgré ma formulation, je n'ai aucunement l'intention d'exclure les femmes de mon raisonnement.

Toutes les raisons d'avoir un regard sombre sur l'humanité que nous avons citées jusqu'à présent sont tout aussi applicables aux autres qu'à soi-même. Ce sont des généralités sur la nature humaine, rien de plus. Nous sommes censés mieux nous connaître. Les autres savent que vous ne valez rien, mais vous seul connaissez l'entière étendue de vos péchés, de vos lacunes et de vos faiblesses. Personne n'a conscience mieux que vous de vos défauts, qu'ils soient physiques ou psychiques. Personne n'a plus de raisons que vous de vous mépriser, de vous trouver pitoyable. En refusant un remède qui pourrait vous faire du bien, vous vous punissez pour tous vos échecs. De toute évidence, un chien inoffensif, innocent et authentique mérite mieux que vous.

Si vous n'en êtes pas encore convaincu, penchons-nous sur une autre question cruciale. L'ordre, le chaos, la vie, la mort, le péché, la vision, le travail et la souffrance : ce n'est pas suffisant pour les auteurs de la Genèse, ni pour l'humanité. L'histoire se poursuit, avec son lot de catastrophes et de tragédies, et les personnes impliquées (c'est-à-dire nous) doivent faire face à une autre vérité douloureuse. Nous sommes également voués à réfléchir à notre moralité.

Le bien et le mal

En ayant ouvert les yeux, Adam et Ève ne sont pas uniquement confrontés à leur nudité et à la nécessité de travailler. Ils apprennent aussi à distinguer le bien du mal. Faisant allusion au fruit, le serpent déclare : « Mais Dieu sait que le jour où vous en mangerez, vos yeux s'ouvriront, et vous serez comme Lui, connaissant le bien et le mal. » Qu'est-ce que cela peut bien vouloir dire ? Que peut-il rester à explorer et à raconter après tout ce qui a déjà été dit ? Compte tenu du contexte, il semblerait que cela ait un rapport avec des jardins, des serpents, la désobéissance, le fruit, la sexualité et la nudité. C'est ce dernier élément, la nudité, qui m'a finalement mis sur la piste. Mais cela m'a pris des années.

Les chiens sont des prédateurs. Les chats aussi. Ils tuent des proies et les dévorent. Ce n'est pas joli à voir. Mais nous les acceptons malgré tout comme animaux de compagnie, prenons soin d'eux et leur donnons leurs médicaments quand ils sont malades. Pourquoi ? Ce sont des prédateurs, mais c'est dans leur nature. Ils n'en sont aucunement responsables. Ils sont affamés, pas malfaisants. Ils n'ont ni présence d'esprit, ni créativité, ni surtout la conscience d'eux-mêmes nécessaire à la cruauté avisée de l'homme.

Pourquoi ? C'est simple. Contrairement à nous, les prédateurs n'ont aucune idée de leurs faiblesses, de leur vulnérabilité et de leur assujettissement à la douleur et à la mort. Alors que nous savons précisément comment et où frapper pour nous atteindre, et pourquoi. C'est une définition comme une autre de la conscience de soi. Nous sommes lucides sur notre vulnérabilité et notre mortalité. Nous ressentons la douleur, le dégoût de soi, la honte, l'horreur, et nous en avons conscience. Nous savons ce qui nous fait souffrir. Nous savons de quelle manière on peut nous faire peur et mal. Ce qui signifie que nous savons précisément comment faire subir aux autres le même traitement. Nous savons quand nous sommes nus, et de quelle façon cette nudité peut être exploitée. Et comment user de la nudité des autres.

Nous pouvons sciemment terrifier nos semblables. Les faire souffrir et les humilier pour des défauts que nous ne comprenons que trop bien. Les torturer au sens propre du terme, lentement, avec imagination et cruauté. Cela va beaucoup plus loin que la prédation. C'est un changement considérable dans la compréhension des choses. Un cataclysme aussi violent que l'apparition de la conscience de soi. C'est l'accès à la distinction entre le bien et le mal. Une seconde fracture ouverte dans la structure de l'existence. C'est la transformation de l'être en une entreprise morale, associée au développement d'une conscience de soi complexe.

Seul l'homme pouvait imaginer des instruments de torture comme la « vierge de fer » et les poucettes. Seul l'homme est capable de faire souffrir gratuitement. C'est la meilleure définition du mal que j'aie jamais été en mesure de formuler. Les animaux en sont incapables, mais les humains, doués de leurs horribles capacités semi-divines, ne s'en privent pas. Cette prise de conscience nous permet de légitimer presque entièrement l'idée – très impopulaire dans les cercles intellectuels modernes – de péché originel. Et qui oserait prétendre que nous n'avons pas eu le choix dans notre évolution, dans notre transformation aussi bien individuelle que théologique ? Nos ancêtres ont choisi leurs partenaires sexuels. Les ont-ils sélectionnés en fonction de leur état de conscience ? De leur conscience de soi ? De leur connaissance de la morale ? Et qui peut nier qu'il existe chez l'homme un profond sentiment de culpabilité existentielle ? Il n'échappera à personne que, sans cette culpabilité – ce sentiment de corruption innée et de cette capacité à faire le mal –, l'homme serait à deux doigts de la psychopathie.

Les êtres humains ont de grandes dispositions à faire le mal. Une aptitude unique dans le domaine du vivant. Nous sommes capables d'accomplir volontairement les pires ignominies, en ayant parfaitement conscience de ce que nous faisons. Mais aussi sans le faire exprès, par négligence ou en fermant délibérément les yeux. Compte tenu de cette terrible faculté, de cette inclination à faire le mal, est-il surprenant que nous ayons des difficultés à prendre soin de nous ou des autres ? Ou même que nous doutions de la valeur de l'humanité dans son ensemble ? Pour une bonne raison, nous doutons de nous depuis très longtemps. Il y a des milliers d'années, les Mésopotamiens croyaient par exemple que l'humanité avait été conçue à partir du sang de Kingu, le monstre le plus terrible que la grande déesse du Chaos ait pu invoquer de ses souhaits de vengeance et de destruction[58]. Après avoir tiré de telles conclusions, comment pourrions-nous ne pas mettre en doute la valeur de notre existence, et même de l'être en soi ? Qui pourrait faire face à la maladie, chez soi ou chez un autre, sans douter de l'utilité morale d'une prescription médicale ? Personne ne comprend mieux la zone d'ombre d'un individu que ce même individu. Pour cette raison, qui va accepter de se soigner correctement pour lutter contre la maladie ?

Peut-être l'homme est-il une créature qui n'aurait jamais dû exister. Peut-être vaudrait-il mieux débarrasser le monde de toute présence humaine, afin que l'existence et la conscience puissent laisser sa place à la brutalité animale. Je suis convaincu que celui qui prétend ne jamais avoir souhaité une telle chose, soit a mauvaise mémoire, soit renie ses fantasmes les plus noirs.

Comment faire, alors ?

Une étincelle divine

Dans Genèse 1, grâce à sa parole divine, Dieu crée le monde, instituant un ordre paradisiaque habitable à partir du chaos précosmogonique. Il conçoit ensuite l'homme et la femme à Son image, les dotant de la faculté de créer la vie, de produire de l'ordre à partir du chaos et de poursuivre Son œuvre. À chacune des étapes de la Création, y compris celle impliquant la formation du premier couple, Dieu évalue les conséquences de ce qu'il a fait et estime qu'elles appartiennent au domaine du bien.

L'enchaînement de Genèse 1 et des Genèses 2 et 3 (décrivant la chute de l'homme et les raisons pour lesquelles notre douloureuse destinée est marquée du sceau de la tragédie) est une séquence narrative presque insupportable. La morale de Genèse 1 est que tout être né de la parole divine est bon. C'est même le cas de l'homme avant sa séparation d'avec Dieu. Cette bonté originelle est terriblement mise à mal par les événements de la chute de l'Homme (notamment dans les passages concernant Caïn et Abel, le Déluge et la tour de Babel), mais nous gardons une idée de notre situation avant notre déclin. Nous nous rappelons, pour ainsi dire. Nous demeurons à jamais nostalgiques de l'innocence de l'enfance, du divin, de l'inconscience de l'animal et de la forêt vierge aussi majestueuse qu'une cathédrale. Ce genre d'éléments nous procure un certain répit. Nous les vénérons, quand bien même nous nous serions autoproclamés écologistes athées antihumains de la pire espèce. Sous cet angle, l'état d'origine de la nature nous semble paradisiaque. Mais c'est terminé, nous ne faisons plus qu'un avec Dieu et la nature, et il est inenvisageable de faire machine arrière.

L'homme et la femme originels, qui formaient une unité inébranlable avec leur Créateur, ne paraissaient pas conscients, et encore moins conscients d'eux-mêmes. Ils n'avaient pas ouvert les yeux. Mais, malgré leur perfection, ils étaient inférieurs à leurs homologues d'après la chute. Leur bonté leur avait été décernée, ils ne l'avaient ni méritée ni gagnée. Ils n'avaient pas eu le choix. Dieu est omniscient, c'est plus facile comme cela. Mais sans doute n'est-ce pas aussi bien, par exemple, que de gagner véritablement sa bonté. Peut-être que, même d'un point de vue cosmique (en partant du principe que la conscience est en soi un phénomène de portée cosmique), le libre arbitre signifie quelque chose. Qui donc peut prétendre avoir des certitudes sur un tel sujet ? Je n'ai cependant aucune envie d'éluder ces questions juste pour leur difficulté. J'ai donc une hypothèse à vous soumettre : ce qui nous préoccupe et nous fait douter de notre propre valeur, ce n'est peut-être pas la conscience de soi et la connaissance de la mort et de la chute. Peut-être est-ce au contraire notre réticence – exprimée par Adam, qui se cache de honte – à marcher auprès de Dieu, en dépit de notre fragilité et de notre penchant pour le mal.

La Bible est entièrement structurée de sorte que tout ce qui se déroule après la chute (l'histoire d'Israël, les prophètes, la venue du Christ) est présenté comme un remède à celle-ci, comme un moyen de renoncer au mal. Le début de l'histoire consciente, l'apparition de l'État et de toutes ses pathologies de fierté et de rigidité, l'émergence de grandes figures morales qui tentent de redresser la situation, dont l'aboutissement est le Messie en personne. Tout cela concourt à la tentative de l'humanité de se racheter. Mais comment ?

C'est ce qu'il y a de plus incroyable. La réponse est déjà implicite dans Genèse 1 : incarner consciemment l'image de Dieu – extraire volontairement du chaos l'être bon. « On ne construit du solide que sur le passé », comme le soulignait si justement T. S. Eliot, mais uniquement quand on a choisi d'être éveillé, et non quand on s'endort sur le passé.

> Nous ne cesserons pas notre exploration
> Et le terme de notre quête
> Sera d'arriver là d'où nous étions partis
> Et de savoir le lieu pour la première fois.
> À travers la grille inconnue, remémorée
> Quand le dernier morceau de terre à découvrir
> Sera celui par quoi nous avions commencé ;
> À la source du plus long fleuve
> La voix de la cascade celée
> Et les enfants dans le pommier
> Non sus parce que non cherchés
> Mais perçus, à demi perçus dans le silence
> Entre deux vagues de la mer.
> Vite, ici, maintenant, toujours
> Une simplicité complète
> (Ne coûtant rien de moins que tout)
> Et toute chose sera bien
> Toute manière de chose sera bien
> Lorsque les langues flamboyantes
> S'infléchiront dans la couronne
> Du nœud ardent et que le feu
> Et la rose ne feront qu'un.
>
> « Little Gidding », *Four Quartets*, 1942*

---

* T. S. Eliot, *Poésie*, traduction de Pierre Leyris, Paris, Le Seuil, 1976, p. 221 (N.d.T.)

Quand on souhaite s'occuper de soi correctement, il faut commencer par se respecter. Mais ce n'est pas le cas parce que nous sommes, surtout de notre point de vue, des créatures déchues. Si nous vivions dans la vérité, si nous l'exprimions, nous pourrions de nouveau marcher au côté de Dieu, nous respecter et respecter les autres. Nous nous comporterions alors envers nous-mêmes comme avec les personnes à qui nous tenons. Nous aspirerions à remettre la planète sur de bons rails. Nous nous tournerions vers le ciel, où nous aimerions que reposent ceux à qui nous étions attachés, plutôt qu'en enfer, auquel nous serions tous condamnés en raison de notre ressentiment et de notre haine.

À l'apparition du christianisme, il y a deux mille ans, les gens étaient des Barbares, par rapport à aujourd'hui. Des conflits éclataient un peu partout. Les sacrifices humains, y compris ceux d'enfants, étaient fréquents, même dans des sociétés aussi avancées que l'ancienne Carthage[59]. À Rome se déroulaient dans les arènes des compétitions à mort, et il était banal d'y voir le sang couler. De nos jours, dans les démocraties modernes, les probabilités pour qu'une personne tue ou se fasse tuer sont extrêmement faibles, par rapport à ce que cela a pu être par le passé, et à ce que l'on peut toujours observer dans les régions les plus anarchiques et désorganisées du globe[60]. À l'époque, le principal problème moral auquel était confrontée la société était la maîtrise d'un égoïsme impulsif et violent accompagné d'une cupidité et d'une brutalité aveugles. Il existe encore aujourd'hui des individus agressifs. Au moins, ils sont conscients qu'une telle attitude n'a rien d'idéal, et ils s'efforcent de la contenir, préférant éviter de devoir affronter d'importants obstacles d'ordre social.

Mais de nos jours, nous sommes confrontés à un nouveau problème, sans doute plus fréquemment que par le passé, où la vie était plus difficile. On pourrait en effet estimer que nos contemporains sont arrogants, égoïstes et ne pensent qu'à eux. Le cynisme qui fait de cette opinion un truisme universel est à la mode. Mais il ne faut pas en faire une généralité. D'autres ont le problème inverse : ils ploient sous le fardeau du dégoût et du mépris de soi, de la honte et de la gêne. Ainsi, contrairement à ceux qui se gonflent de narcissisme, ils ne s'accordent ni l'estime, ni l'attention ni le soin nécessaires. Certains semblent convaincus de ne mériter aucun égard. Conscients de leurs faiblesses et de leurs défauts réels ou supposés, ils doutent de leur propre valeur. Ils s'efforcent de venir en aide à autrui pour le soulager. Ils agissent de même avec leurs animaux, mais jamais envers eux-mêmes.

Il est vrai que le concept de dévouement vertueux est profondément ancré dans la culture occidentale, dans la mesure où l'Occident a été influencé par le christianisme, lui-même engendré par un Messie auteur de l'acte ultime de sacrifice. Celui qui prétend que la règle d'or n'est pas de se « sacrifier pour les autres » paraîtra peu crédible. La mort du Christ sert d'exemple à ceux qui souhaitent accepter la mortalité, la trahison et la tyrannie avec héroïsme – comment marcher avec Dieu en dépit du drame de la conscience de soi. Et non comme un principe de victimisation au service des autres. Le fait de se sacrifier à Dieu – le bien ultime, si vous préférez –, ne signifie pas qu'il faille souffrir en silence de ce que nous donnons plus que ce que nous ne recevrons en retour. Cela veut dire que nous soutenons la tyrannie et autorisons les autres à nous traiter comme des esclaves. Il n'y a rien de vertueux à se laisser persécuter par une brute, même si on est soi-même une brute.

J'ai appris deux choses importantes grâce à Carl Gustav Jung, le célèbre pionnier suisse de la psychologie des profondeurs, au sujet de « faire aux autres ce qu'on aimerait qu'ils fassent pour nous », et d'« aimer son prochain comme soi-même ». La première, c'est qu'aucune de ces affirmations n'a quoi que ce soit à voir avec la gentillesse. La seconde, c'est qu'il s'agit plus d'équations que d'injonctions. Si je suis l'ami, un proche ou le compagnon de quelqu'un, je suis moralement obligé de négocier aussi dur en mon nom qu'eux de leur côté. Si j'échoue, je finirai esclave, et l'autre tyran, ce qui n'a aucun avantage. Il vaut mieux dans une relation que les deux partenaires soient de force égale. En outre, il n'y a guère de différence entre se défendre quand on est tyrannisé, brutalisé ou réduit en esclavage ou défendre quelqu'un d'autre. Comme le dit Jung, l'aide et le pardon accordés à quelqu'un d'imparfait ne diffèrent pas de l'amour et de l'acceptation envers le pécheur que l'on est.

« C'est à moi qu'appartient la vengeance, c'est moi qui donnerai à chacun ce qu'il mérite », dit le Seigneur. Si l'on se fie à cette philosophie, on n'est pas entièrement maître de soi-même. On ne peut pas se torturer et se maltraiter comme bon nous semble. C'est en partie parce que notre existence est inexorablement liée à celle des autres que souffrir peut aussi avoir un impact sur eux. C'est plus évident lors d'un suicide, ceux qui restent étant à la fois démunis et traumatisés. Mais d'un point de vue métaphorique, on peut prétendre que nous avons en nous une étincelle divine qui appartient à Dieu, et non à nous-mêmes. Après tout, si l'on en croit la Genèse, nous sommes à Son image et avons une faculté de conscience quasi divine qui participe à l'expression de notre être. Nous sommes des versions de Dieu en basse résolution, – *kénotique*. Nous sommes en mesure de créer de l'ordre à notre façon, à partir du chaos et vice versa, avec nos propres mots. Alors nous ne sommes peut-être pas Dieu, mais nous ne sommes pas vraiment rien non plus.

Dans mes moments de noirceur, dans le monde souterrain de l'âme, je suis souvent stupéfié par la faculté qu'ont certains de se lier d'amitié, d'aimer leurs conjoints, leurs parents, leurs enfants, tout en faisant ce qu'il faut pour faire tourner le monde. J'ai connu un handicapé de la route qui travaillait pour la municipalité. Durant des années après son accident il a travaillé avec un homme victime d'une maladie neurologique dégénérative. Ils coopéraient pour réparer des lignes électriques, chacun compensant les faiblesses de l'autre. Ce genre d'héroïsme au quotidien, j'en suis convaincu, est la norme plutôt que l'exception. La plupart des gens dont la santé est gravement atteinte travaillent et se rendent utiles sans se plaindre. Si vous avez la chance d'être dans une période de grâce et en bonne santé, il est rare qu'au moins une personne dans votre entourage proche ne soit pas en souffrance. Pourtant, les gens résistent et continuent à accomplir des tâches exigeantes et difficiles pour mainte-nir l'unité de leurs familles et de la société. Je trouve cela miraculeux. À tel point qu'il n'y a pas d'autres réactions possibles que la stupéfaction et la gratitude. L'édifice peut s'écrouler ou cesser de fonctionner, ce sont toujours les moins valides qui font le ciment du système. Ils méritent sincèrement toute notre admiration, car c'est un miracle permanent de courage et de persévérance.

Dans mon cabinet, j'encourage mes patients à se féliciter, eux et ceux parmi leur entourage qui, se montrant utiles et prévenants, se préoccupent d'autrui avec sincérité. Les limites et les contraintes de l'existence les inquiètent tellement qu'à mon grand étonnement ils se conduisent convenablement et se tournent vers les autres. Ils sont suffisamment nombreux pour nous permettre d'avoir nourriture, eau courante, chauf-fage central, électricité et ordinateurs... Ainsi que la possibilité de regarder en face l'avenir de notre société tout entière, et même de la nature, la terrible nature. Cette machinerie complexe qui nous empêche de mourir de froid, de faim et de soif a tendance à supporter de moins en moins le chaos. Et ce n'est que grâce à l'attention permanente de quelques individus qu'elle continue à fonctionner aussi bien, si incroyable que cela paraisse. Quand certains vivent l'enfer du ressentiment et de la haine de la vie, la plupart s'en protègent en dépit de leurs souffrances, déceptions, deuils et faiblesses. Là encore, c'est un véritable miracle pour ceux qui ont la capacité de le voir.

Dans son ensemble, l'humanité – et ceux qui la composent – mérite un peu de compassion pour l'effroyable fardeau qu'elle porte : mortalité, tyrannie étatique ou menaces naturelles... Aucun animal n'y est confronté, alors que c'est d'une telle rigueur qu'il faudrait être Dieu pour l'endurer. C'est par la compassion qu'il faudrait remédier au mépris de soi-même, un mépris certes justifiable, mais qui ne représente qu'une partie de l'Histoire. La haine de soi et de l'humanité peut être contrebalancée par une certaine reconnaissance envers la tradition et l'État, ou un émerveillement face aux prouesses de nos pairs. Sans parler de certaines réussites formidables.

Nous méritons un peu de respect. *Vous* méritez un peu de respect. Vous êtes quelqu'un d'important, aussi bien pour les autres que pour vous-même. Vous jouez un rôle crucial dans la destinée du monde. Vous êtes moralement obligé de prendre soin de vous. Vous devez vous occuper de vous aussi bien que s'il s'agissait d'un être aimé pour qui vous avez une grande estime. Vous devez donc vous conduire au quotidien de manière à pouvoir vous respecter vous-même. Chacun a ses défauts, personne n'est à la hauteur de la gloire de Dieu. Mais si cela signifiait que nous n'avons aucune responsabilité, que ce soit envers nous ou les autres, nous serions tous éternellement punis. Ce qui aggraverait les défauts du monde et pousserait les plus sincères à douter de sa pertinence. Il ne peut simplement pas s'agir de la bonne voie.

Au contraire, le fait de vous considérer vous-même comme ayant besoin d'être aidé signifie que vous réfléchissez à ce qu'il pourrait y avoir de plus bénéfique. Ce n'est pas « ce que vous voulez ». Ce n'est pas non plus « ce qui vous fera plaisir ». Chaque fois que vous donnez une friandise à un enfant, vous le rendez heureux. Cela ne signifie pas pour autant que vous devez le nourrir exclusivement de sucreries. « Heureux » n'est en aucun cas synonyme de « bénéfique ». Les enfants doivent se brosser les dents. Enfiler leur combinaison de ski quand ils sortent dans le froid, quand bien même ils protestent. Vous devez aider un enfant à devenir vertueux, responsable et réfléchi, capable de rendre les bienfaits, de prendre soin de lui et des autres tout en s'épanouissant. Pourquoi en mériteriez-vous moins que lui ?

Réfléchissez à l'avenir et demandez-vous à quoi ressemblerait votre vie si vous vous occupiez de vous-même. Quel genre de carrière vous stimulerait, vous rendrait productif et utile, vous permettrait d'assumer votre part du fardeau et de profiter des bénéfices ? Ce que vous pourriez faire, quand vous avez un peu de temps libre pour améliorer votre santé, accroître vos connaissances et muscler votre corps. Pour pouvoir commencer à tracer votre route, il faut que vous sachiez où vous vous trouvez. Pour évaluer vos capacités et vous renforcer dans le respect de vos limites, vous devez savoir qui vous êtes. Pour restreindre l'étendue du chaos dans votre existence, rétablir l'ordre et apporter au monde la force divine de l'espérance, il vous faut savoir où vous allez.

Pour pouvoir faire des affaires, éviter de finir cruel, revanchard et aigri, vous devez établir votre destination. Pour que les autres ne profitent pas indûment de vous, et pour pouvoir travailler et vous amuser sans crainte, vous devez exprimer clairement vos principes. Vous fixer une discipline rigoureuse. Pour vous faire confiance et vous motiver, il vous faut tenir les promesses que vous vous faites, vous accorder des récompenses. Pour devenir et rester quelqu'un de bien, vous devez décider comment vous comporter envers vous-même. Ce serait bien de rendre le monde meilleur. Après tout, le paradis ne viendra pas tout seul, il nous faudra travailler pour nous en approcher. Et nous conforter pour pouvoir résister aux anges redoutables et à l'épée du Jugement que Dieu a placés là pour nous en barrer l'accès.

Ne sous-estimez jamais le pouvoir de la vue et de l'orientation. Ce sont des forces irrésistibles, capables de transformer des obstacles à première vue insurmontables au milieu du chemin. Renforcez l'individu. Commencez par vous-même : prenez soin de vous, définissez qui vous êtes, peaufinez votre personnalité. Choisissez votre destination et déterminez votre parcours. Comme l'a si brillamment fait remarquer le grand philosophe allemand du XIXe siècle Friedrich Nietzsche : « Celui qui a un ''pourquoi'' qui lui tient lieu de but, peut vivre avec n'importe quel ''comment''[6]. »

Vous pouvez prendre part à la direction du monde. Influer sur sa trajectoire oscillante, la pousser un peu plus vers le paradis, l'éloigner un peu plus de l'enfer. Dès que vous aurez compris l'enfer, que vous aurez fait des recherches sur le sujet – notamment sur votre enfer personnel –, vous pourrez refuser d'aller dans certaines directions, ou de créer. Vous viserez ailleurs. En fait, vous pourrez même y consacrer votre existence pour lui donner un sens, la justifier. Cela vous permettrait de vous racheter, compte tenu de votre nature inavouable, et de remplacer votre honte et votre gêne par la fierté et l'assurance naturelles de celui qui a réappris à marcher dans le jardin, au côté de Dieu.

Vous pourriez commencer par prendre soin de vous comme vous le faites avec les autres.

RÈGLE 3

CHOISISSEZ POUR AMIS DES GENS QUI SOUHAITENT CE QU'IL Y A DE MIEUX POUR VOUS

Ma bonne vieille ville

La bourgade où j'ai grandi, dans les immenses et planes prairies du Nord, est sortie de terre cinquante ans seulement avant ma naissance. Fairview, dans l'Alberta, faisait partie du Far West, comme le prouvaient les bars de cow-boys. Le grand magasin Hudson's Bay sur Main Street se fournissait encore directement en fourrures de castor, de loup et de coyote auprès de trappeurs. Elle hébergeait trois mille habitants, à six cent cinquante kilomètres de la ville la plus proche. La télévision par câble, les jeux vidéo et Internet n'existaient pas. Il n'était pas simple de se divertir en toute innocence à Fairview, surtout durant les cinq mois d'hiver, où les températures avoisinaient en moyenne les – 40 °C le jour, et étaient encore plus rudes la nuit.

Avec un climat si froid, la vie est bien différente. Chez nous, les ivrognes ne faisaient pas de vieux os. S'ils avaient le malheur de tomber dans les pommes dans les congères à trois heures du matin, on les retrouvait gelés le lendemain. À cette température, on ne sort pas de chez soi sans raison. Au premier souffle, l'air aride du désert vous brûle les poumons. Du givre se forme sur vos cils et les colle entre eux. Si vous avez des cheveux longs, ils gèlent au sortir de la douche et, chargés d'électricité, se dressent ensuite sur votre tête en dégelant. Les enfants ne s'avisent pas de coller deux fois leur langue sur les montants métalliques des aires de jeux. La fumée des cheminées ne s'élève pas vers le ciel. Vaincue par le froid, elle redescend rapidement et forme une sorte de brume au-dessus des toits et des jardins enneigés. La nuit, il faut brancher les voitures, réchauffer leur moteur à l'aide de blocs chauffants si l'on veut que l'huile puisse y circuler correctement au matin et les démarrer sans encombre. Mais il arrive que ça ne suffise pas. Vous avez beau tourner la clé jusqu'à ce que le démarreur se taise, rien n'y fait. Il vous faut alors extraire la batterie gelée, en desserrer les boulons avec vos doigts engourdis par le froid intense et l'apporter chez vous. Vous devrez ensuite attendre des heures qu'elle dégèle, jusqu'à ce qu'elle se soit suffisamment réchauffée pour supporter une charge acceptable. Vous ne verrez rien par la lunette arrière non plus. Elle est couverte de givre de novembre à mai. Mieux vaut éviter de la gratter si vous voulez éviter de mouiller les sièges. Au risque de les faire geler aussi. Un soir, tard, après avoir rendu visite à un ami, je suis resté assis deux bonnes heures sur le bord du siège passager d'une Dodge Challenger de 1970, coincé contre le levier de vitesses, tentant d'ôter la buée du pare-brise devant le chauffeur à l'aide d'un chiffon imbibé de vodka, car le chauffage était tombé en panne. Hors de question de s'arrêter. Il n'y avait nulle part où s'arrêter.

Les chats domestiques vivaient un véritable enfer. Tous les félins de Fairview avaient de petites oreilles et la queue courte, parce qu'ils en avaient perdu les extrémités à cause de gelures. Ils ressemblaient à des renards polaires, avec leurs particularités qui les aidaient à faire face au froid glacial. Un jour, notre chat est sorti à notre insu. On l'a retrouvé plus tard la fourrure collée par le gel aux marches de ciment qui menaient à la porte de derrière, où il avait eu le malheur de s'asseoir. Avec précaution, nous l'avons tiré de ce mauvais pas sans trop de dégâts, sauf pour sa fierté. L'hiver, les chats de Fairview couraient aussi de gros risques à cause des voitures. Pas pour les raisons qu'on imagine. Le plus grand danger n'était pas qu'ils se fassent écraser par une voiture dérapant sur une chaussée glissante. C'étaient uniquement les moins dégourdis qui mouraient de cette façon. Non, les véhicules les plus dangereux étaient ceux qui venaient de se garer. Les chats frigorifiés n'hésitaient pas à se glisser sous leur capot pour profiter de la chaleur du moteur qui venait de tourner. Mais que se passait-il lorsque le chauffeur décidait de reprendre sa voiture avant que le moteur ait eu le temps de refroidir ? Disons simplement que ces petits animaux frileux et les hélices des radiateurs ne faisaient jamais bon ménage.

Si loin au nord, il faisait également très sombre, l'hiver. En décembre, le soleil ne se levait jamais avant 9 h 30. Nous nous rendions à l'école dans le noir le plus complet. Il ne faisait pas beaucoup plus clair sur le chemin du retour, juste avant le coucher précoce du soleil. Il n'y avait pas grand-chose à faire pour les jeunes, à Fairview. Même l'été. Mais, l'hiver, c'était pire. Alors, vos amis comptaient. Plus que tout.

Mon ami Chris et son cousin

J'avais un ami, à l'époque. Nous l'appellerons Chris. C'était un gars intelligent qui lisait énormément. Il aimait le même genre de science-fiction que moi (Bradbury, Heinlein, Clarke...). Il était inventif, s'intéressait à l'électronique, à la mécanique et aux moteurs. Il était fait pour devenir ingénieur. Mais tout cela était gâché par quelque chose qui était allé de travers dans sa famille. J'ignore de quoi il s'agissait. Ses sœurs étaient intelligentes, son père calme et posé, et sa mère était gentille. Les filles semblaient n'avoir aucun problème, mais personne n'avait l'air de se soucier de Chris. En dépit de sa sagacité et de sa curiosité, il était plein de colère et de ressentiment. Il avait perdu toute once d'espoir.

Son pick-up Ford bleu de 1972 en était l'illustration parfaite. À l'extérieur, chacune des tôles qui composaient ce fameux véhicule était cabossée. Pire, c'était également le cas dans l'habitacle. Ces bosses avaient été produites par ses amis à chacun de ses innombrables accidents. On aurait dit l'exosquelette d'un nihiliste. Il était orné d'un autocollant idoine : « Soyez vigilants, on a besoin de vigies lentes. » Ça et les bosses, on était vraiment dans l'absurde le plus complet. Cependant, rien de tout cela n'était (si l'on peut dire) accidentel.

Chaque fois que Chris avait une mésaventure avec son pick-up, son père réglait le problème en lui achetant quelque chose d'autre. Il avait une moto et un camion de glacier. Il se moquait de la moto et ne vendait pas de glace. Il était souvent insatisfait de sa relation avec son père. Mais ce dernier était âgé et souffrant, car on lui avait diagnostiqué une affection des années seulement après son apparition. Il n'avait pas l'énergie qu'il aurait souhaitée. Peut-être ne s'occupait-il pas suffisamment de son fils. Peut-être cela avait-il suffi à tendre leurs relations.

Chris avait un cousin, Ed, qui avait environ deux ans de moins que lui. Je l'aimais bien, autant que l'on puisse apprécier le jeune cousin d'un ami quand on est adolescent. C'était un grand gamin vif d'esprit, séduisant et beau garçon. Il avait aussi beaucoup d'humour. Si vous l'aviez rencontré quand il avait douze ans, vous lui auriez prédit un bel avenir. Mais

Ed dérapa petit à petit, finissant par abandonner ses études, et était à deux doigts de mener une existence marginale. Il n'était pas aussi enragé que Chris, mais il était tout aussi perdu. En connaissant les amis d'Ed, on aurait pu croire que c'étaient eux qui l'avaient poussé sur cette pente descendante. Mais, quand bien même ses pairs paraissaient moins brillants, ils ne semblaient pas plus perdus ou délinquants que lui. Il faut dire aussi que la situation d'Ed, comme celle de Chris, ne s'était pas particulièrement améliorée lorsqu'ils s'étaient mis à consommer du cannabis. La marijuana n'est pas plus nocive que l'alcool. Il semblerait même qu'à son contact certains s'améliorent. Mais cela n'a pas été le cas d'Ed. Ni de Chris.

Pour nous divertir les longues nuits d'hiver, Chris, Ed et moi, ainsi que les autres adolescents du coin, faisions le tour de la ville dans nos voitures et nos pick-up des années 1970. On longeait Main Street, Railroad Avenue, on passait devant le lycée, on contournait le village par le nord et l'ouest, ou on remontait Main Street jusqu'au nord avant de piquer vers l'est... et ainsi de suite, répétant le même trajet à l'envi. Quand on ne conduisait pas en ville, on écumait les alentours. Cent ans auparavant, des géomètres avaient quadrillé les huit cent mille kilomètres carrés des grandes prairies de l'Ouest. Au nord, tous les trois kilomètres, un chemin de terre s'étirait à perte de vue d'est en ouest. À l'ouest, tous les kilomètres et demi, une autre route allait du nord au sud. On n'était jamais à court de routes.

Le désert de l'adolescence

Quand on ne faisait pas le tour du village en voiture, on était à une soirée. Il y avait toujours un jeune adulte (ou un type plus âgé à l'air relativement louche) pour ouvrir sa porte à des amis. Cela devenait le temps d'un soir le refuge de toutes sortes de fêtards, dont une bonne partie d'indésirables ou de gars qui le devenaient rapidement après avoir bu. Il arrivait aussi à l'occasion qu'une fête s'improvise chez un ado, à l'insu de ses parents momentanément absents. Dans ce cas, lors de leur virée automobile, les gens finissaient toujours par repérer une maison aux lumières allumées et remarquer l'absence de la voiture parentale. Ce n'était jamais bon. La situation pouvait facilement dégénérer.

Je n'aimais pas les soirées d'ados. Je n'en garde aucune nostalgie. C'était glauque. Les lumières étaient tamisées. Cela permettait de ne pas avoir trop honte de soi. La musique beaucoup trop forte rendait toute discussion impossible. De toute façon, on n'avait pas grand-chose à se dire. On y croisait toujours deux ou trois psychopathes du coin. Tout le monde buvait et fumait trop. En de telles occasions, il régnait un profond sentiment d'ennui et une ambiance oppressante. Il ne se passait jamais rien, à moins de compter la fois où, ivre, un camarade de classe trop silencieux a brandi un fusil de calibre 12 chargé ; ou celle où la fille que j'ai épousée plus tard a insulté avec mépris quelqu'un qui la menaçait avec un couteau ; ou celle encore où un autre ami est monté à un arbre, s'est balancé à une branche et est tombé sur le dos, à moitié mort, juste à côté du feu de camp que nous venions d'allumer, suivi précisément une minute plus tard par son imbécile de pote.

Personne ne savait ce qu'il fichait à ces soirées. Espérions-nous la venue d'une pom-pom girl ? Attendions-nous Godot ? Même si nous eussions préféré la première possibilité (bien que les équipes de pom-pom girls se fassent rares dans la région), la seconde était la plus proche de la réalité. Il aurait sans doute été plus romantique, j'imagine, de prétendre que nous sautions tous sur l'occasion de faire quelque chose de plus productif, tant nous nous ennuyions, mais ce n'était pas le cas. Nous étions tous prématurément cyniques et désabusés, et fuyions trop nos responsabilités pour nous en tenir aux clubs de débats, à la ligue d'Air Cadets et aux épreuves sportives que les adultes tentaient vainement d'organiser. On trouvait génial de ne rien faire. Je me demande à quoi ressemblait la vie des adolescents avant que les révolutionnaires de la fin des années 1960 recommandent à tous les jeunes d'« écouter, de vibrer et de se laisser aller ». Était-il normal qu'un adolescent adhère de son plein gré à un club, en 1955 ? Parce que ce n'était certainement pas le cas vingt ans plus tard. Nous étions nombreux à « vibrer et se laisser aller ». Mais pas tant que cela à « écouter ».

Je rêvais d'être ailleurs. Je n'étais pas le seul. Tous ceux qui ont quitté Fairview savaient dès leurs douze ans qu'ils allaient partir. Je l'avais compris. Ma femme, qui a grandi dans la même rue que moi, l'avait compris. Mes amis, ceux qui sont partis comme les autres, savaient également ce qu'ils feraient, quelle que soit la route qu'ils comptaient suivre. On savait, dans les familles de ceux qui comptaient aller à l'université, que cela allait de soi. Pour ceux issus de familles moins éduquées, un avenir qui passait par la faculté était tout simplement inenvisageable. Pas par manque d'argent. Les frais d'inscription étaient très bas à l'époque, et les petits boulots en Alberta étaient abondants et bien payés. J'ai mieux gagné ma vie en 1980 dans une fabrique de contreplaqué que n'importe où ailleurs en vingt ans. Dans les années 1970, dans cette région pétrolifère, personne ne renonçait à l'université pour des raisons financières.

Des amis différents... et d'autres moins

Au lycée, après que mes premiers copains eurent tous laissé tomber leurs études, je me suis lié d'amitié avec deux nouveaux. Des pensionnaires. Dans leur patelin encore plus reculé que le nôtre, le bien nommé Bear Canyon, il n'y avait pas de classes au-delà de la troisième. Par rapport à nous, ils étaient drôlement ambitieux. Simples et fiables, ils étaient aussi sympas et très amusants. Quand j'ai quitté Fairview pour une université à cent cinquante kilomètres de là, le Grande Prairie Regional College, l'un d'eux est devenu mon camarade de chambrée. L'autre est parti dans une autre fac pour suivre un cursus différent. Ils visaient tous deux très haut. Leurs décisions ont renforcé les miennes.

J'étais heureux comme un poisson dans l'eau en arrivant à la fac. J'ai découvert un groupe d'étudiants qui partageaient mes goûts, auquel mon camarade de Bear Canyon s'est également joint. Nous étions tous captivés par la littérature et la philosophie. Nous avons pris les rênes du syndicat étudiant. Nous l'avons rendu rentable, pour la première fois de son histoire, en organisant des soirées dansantes. Comment pouvait-on perdre de l'argent en vendant des bières à des étudiants ? Nous avons également lancé un journal. Lors des travaux dirigés en petits groupes qui ont émaillé notre première année, nous avons appris à connaître nos professeurs de sciences politiques, de biologie et de littérature anglaise. Ravis de notre enthousiasme, ils nous ont dispensé un enseignement de qualité. Nous étions en train de nous bâtir une vie meilleure.

Je me suis débarrassé d'une bonne partie de ma jeunesse. Dans un village, tout se connaît. On traîne son passé derrière soi comme un chien tire des boîtes de conserve accrochées à sa queue. Impossible d'échapper à ce qu'on a été. Tous nos faits et gestes n'étaient pas mis en ligne, Dieu merci, mais ils étaient tout aussi fortement ancrés dans la mémoire des uns et des autres.

Quand on déménage, tout est mis en suspens, du moins durant un moment. C'est stressant, mais du chaos surgissent de nouvelles possibilités. Personne, pas même vous, ne peut vous coincer avec ses vieilles idées. Vous sortez de l'ornière. Vous avez la possibilité d'en creuser de nouvelles, de plus belles, avec des gens qui visent plus haut. Il m'a semblé que c'était dans l'ordre naturel des choses. Que tous ceux qui partaient avaient, et souhaitaient la même renaissance, tel le Phénix, mais cela ne se produisait pas toujours.

Un jour – je devais avoir quinze ans –, avec Chris et Carl, un autre ami, nous sommes allés à Edmonton, une ville de six cent mille habitants. C'était la première fois que Carl allait en ville. Ce n'était pas chose commune. Aller-retour, c'étaient mille deux cents kilomètres de route. J'avais fait le trajet à de nombreuses reprises, parfois avec mes parents, parfois sans. L'anonymat des villes me plaisait. J'aimais échapper à l'étroitesse d'esprit et à la sinistrose des adolescents de mon village. J'avais donc convaincu mes deux amis de faire le voyage. Mais on ne vécut pas la même chose. À peine arrivés, Chris et Carl voulurent acheter de l'herbe. On prit la direction des quartiers chauds de la ville, qui ressemblaient beaucoup à ceux de Fairview. On dénicha les mêmes dealers de rue. On passa le week-end à boire dans la chambre d'hôtel. Malgré la distance parcourue, nous n'étions allés nulle part.

J'en eus un exemple encore plus frappant quelques années plus tard. J'avais emménagé à Edmonton pour y achever mon premier cycle. J'avais pris un appartement avec ma sœur, qui faisait des études d'infirmière. Elle était très touche-à-tout. Quelques années plus tard, elle alla planter des fraises en Norvège, organiser des safaris en Afrique, faire traverser discrètement le désert du Sahara à des camions malgré la danger, et prendre soin de gorilles orphelins au Congo. Nous avions un beau logement dans une nouvelle tour qui surplombait la vaste vallée de la rivière Saskatchewan Nord. Au fond, la silhouette des gratte-ciel de la ville se dressait contre l'horizon. Sur un coup de tête, j'avais acheté un joli piano droit Yamaha. C'était un appartement agréable.

J'avais appris par hasard qu'Ed, le jeune cousin de Chris, avait emménagé en ville. J'étais ravi. Un jour, il m'appela. Je l'invitai chez moi. Je voulais avoir de ses nouvelles. J'espérais qu'il avait enfin atteint le potentiel que j'avais décelé chez lui. Ce n'était pas le cas. Il était plus âgé, le crâne dégarni, le dos voûté. Il faisait plus « jeune adulte qui ne va pas très bien » que jeune plein de promesses. Aux fentes rouges à la place de ses yeux, on devinait le camé patenté. Ed avait trouvé un boulot de jardinier qui aurait parfaitement convenu à un étudiant ou à quelqu'un qui ne pouvait trouver mieux, mais qui offrait des perspectives extrêmement restreintes pour une personne aussi intelligente que lui.

Il était accompagné d'un ami.

C'est surtout de cet ami dont je me souviens. Il était dans un état second. Défoncé. Déchiré. Il n'était pas dans le même univers que nous. Ma sœur était présente. Elle connaissait Ed. Elle avait déjà eu l'occasion d'assister à ce genre de scène. Je n'étais guère ravi qu'Ed ait amené ce type chez nous. Il s'installa. Son ami l'imita, sans vraiment s'en apercevoir. C'était tragicomique. Si défoncé soit-il, Ed eut le bon sens de se sentir gêné. On sirotait une bière quand l'ami d'Ed leva les yeux : « Mes particules sont éparpillées au plafond », parvint-il à articuler. Je n'avais jamais entendu quelque chose d'aussi vrai.

Je pris Ed à part et lui demandai poliment de partir. Je lui assurai qu'il n'aurait jamais dû amener sa loque d'ami. Il acquiesça. Il avait compris. C'était pire encore. Plus tard, son cousin Chris me rédigea une lettre à ce sujet. Je l'ai fait figurer dans mon premier livre, *Maps of Meaning : The Architecture of Belief*, publié en 1999. « J'avais des amis, écrivait-il[62]. Avant. Des gens qui éprouvaient un tel mépris pour eux-mêmes qu'ils pouvaient me pardonner le mien. »

Qu'est-ce qui avait empêché Chris, Carl et Ed – ou, pire, leur avait ôté toute envie – de partir, de changer d'amis et d'améliorer leurs conditions de vie ? Était-ce inévitable ? Une conséquence de leurs propres limites, d'une maladie naissante ou de traumatismes du passé ? Après tout, les individus changent de manière aussi bien structurelle que déterministe. Tout le monde n'est pas doté de la même intelligence, en grande partie responsable de notre faculté à apprendre et à évoluer. Chacun a sa personnalité, aussi. Certains sont actifs, d'autres passifs. Angoissés ou sereins. Pour chaque personne déterminée à réussir, une autre est paresseuse. Ces différences sont plus souvent innées qu'on ne pourrait l'imaginer ou le désirer, même en étant optimiste. Et puis, il y a la maladie, physique ou mentale, diagnostiquée ou invisible, qui limite notre existence ou la façonne.

À la trentaine, après avoir flirté avec la folie durant de nombreuses années, Chris eut un épisode psychotique. Peu après, il se suicida. Sa forte consommation de cannabis a-t-elle joué un rôle d'amplificateur, ou s'agissait-il d'une automédication acceptable ? Après tout, les prescriptions d'antalgiques ont diminué dans les États comme le Colorado où la consommation de marijuana a été légalisée[63]. Peut-être l'herbe a-t-elle amélioré les conditions de vie de Chris, plutôt que de les aggraver. Peut-être cela lui a-t-il permis d'atténuer la douleur, plutôt que d'accentuer son instabilité. Sont-ce ses tendances nihilistes qui ont conduit à sa crise ? Ce nihilisme était-il une conséquence de sa mauvaise santé ou une simple rationalisation de sa réticence à prendre sa vie en main ? Pourquoi, comme son cousin et mes autres amis, fréquentait-il en permanence des personnes et des lieux néfastes pour lui ?

Parfois, quand on a une piètre opinion de soi, ou peut-être lorsqu'on refuse d'assumer son existence, on choisit de côtoyer des individus qui ont déjà eu des problèmes par le passé. Convaincus de ne pas mériter mieux, ceux-là sont moins exigeants. À moins qu'ils n'aient simplement aucune envie de fréquenter des gens mieux qu'eux. Freud appelait cela la « compulsion de répétition », une tendance inconsciente à répéter les horreurs du passé. Parfois sans doute pour les formuler de manière plus précise, d'autres fois pour tenter de les maîtriser, ou parce qu'ils n'avaient pas le choix. Chacun façonne son univers avec les outils qu'il a à sa disposition. De mauvais outils donnent de mauvais résultats. Et un usage répété de mauvais outils produit inlassablement les mêmes mauvais résultats. C'est ainsi que ceux qui sont incapables d'apprendre de leurs erreurs se condamnent à les répéter. C'est en partie le destin, en partie de l'incapacité, en partie... de la réticence à apprendre ? Un refus d'apprendre ? Un refus d'apprendre justifié ?

Au secours des âmes damnées

On peut aussi choisir des amis néfastes pour d'autres raisons. Parfois pour les secourir. C'est plus courant avec les jeunes, même si cette volonté continue à exister chez des personnes plus âgées trop gentilles, crédules ou qui ferment obstinément les yeux. On pourrait m'objecter : « Il est tout naturel de voir le bon côté des gens. Le désir d'aider son prochain est la plus grande des vertus. » Mais ce n'est pas parce qu'on a échoué qu'on est une victime. Et ce n'est pas parce qu'on a touché le fond qu'on a envie de remonter, même si c'est le cas de beaucoup d'entre eux et qu'une grande partie y parviennent. Néanmoins, on accepte souvent sa souffrance, et il arrive même qu'on l'amplifie. Ainsi que celle des autres, s'il est possible de la brandir comme la preuve de l'injustice du monde. Les oppresseurs ne manquent pas parmi les opprimés, même si, compte tenu de leur modeste position, nombre d'entre eux ne sont que des aspirants tyrans. C'est la voie la plus aisée à suivre sur le moment, mais elle est intenable à long terme.

Imaginez quelqu'un qui ne va pas bien. Il a besoin d'aide. Il a peut-être même envie que l'on vienne à son secours. Mais il est très difficile de distinguer une personne qui a vraiment besoin d'aide d'une autre qui se contente d'exploiter une âme charitable. La différence est même difficile à établir par celui qui désire de l'aide et qui va peut-être exploiter quelqu'un. L'individu qui essaie et qui échoue, qui est pardonné, qui réessaie et échoue de nouveau avant d'être encore pardonné est aussi trop souvent celui qui veut que tout le monde croie en l'authenticité de ceux qui essaient.

Quand ce n'est pas simplement de la naïveté, la tentative de secourir quelqu'un est souvent alimentée par la vanité et le narcissisme. Ce phénomène est décrit dans le classique cinglant de Fiodor Dostoïevski *Les Carnets du sous-sol*, qui débute par les phrases célèbres : « Je suis un homme malade... Je suis un homme méchant. Un homme plutôt repoussant. Je crois que j'ai le foie malade. » Ce sont les confessions d'un individu aussi misérable qu'arrogant qui vit dans le monde souterrain du chaos et du désespoir. Il dresse une autoanalyse sans concession, mais se contente de faire amende honorable pour une centaine de péchés, alors qu'il en a commis des milliers. Puis, estimant qu'il s'est acquitté de sa dette, il commet la plus grosse des fautes. Il propose son aide à Lisa, une femme vraiment malheureuse désespérément contrainte de se prostituer, malgré tout ce que cela implique au XIXe siècle. Il l'invite à venir le voir, lui promettant de la remettre sur le droit chemin. Et durant son attente, ses fantasmes se font de plus en plus messianiques :

> « Cependant, une journée se passa, une autre encore, et encore une troisième. Lisa ne venait pas, et je commençais à me rassurer. Surtout passé neuf heures du soir j'étais tout à fait courageux, et je me promenais en liberté. Je me mis même à réfléchir moins amèrement à toute cette aventure : "Voyons, je vais sauver Lisa (puisqu'elle ne vient pas !) : je lui parle, je développe son esprit, j'entreprends son éducation. Je vois enfin qu'elle m'aime, qu'elle m'aime passionnément, mais je fais semblant de

ne pas la comprendre. Je ne sais pourtant pas pourquoi je fais semblant... C'est peut-être plus beau. Puis, un soir, toute confuse, très belle, elle se jette à mes pieds en tremblant et en pleurant, elle me dit que je suis son sauveur, qu'elle m'aime plus que tout au monde*..." »

Ces fantasmes alimentent exclusivement le narcissisme de l'homme du sous-sol. À côté d'eux, Lisa n'existe même plus. Le secours qu'il lui offre exige bien plus en termes d'engagement et de maturité que cet homme n'est disposé à en donner, si tant est qu'il en soit capable. Il n'a simplement pas la force de caractère d'aller jusqu'au bout. Il s'en rend compte rapidement et s'en justifie aussitôt. Lisa finit par venir le voir dans son appartement miteux, prête à tout pour trouver une porte de sortie, misant tout ce qu'elle a sur cette visite. Elle lui raconte qu'elle souhaite changer de vie. Sa réponse ?

« "Pourquoi es-tu venue chez moi, dis-moi, je t'en prie ?" Je ne tenais même plus compte de l'ordre logique de mes paroles, je voulais tout lâcher d'un seul coup, et je ne savais par où commencer. "Pourquoi es-tu venue ? Réponds ! Réponds ! Ah ! je vais te le dire, ma petite mère, je vais te le dire, pourquoi tu es venue ! C'est parce que je t'ai dit, l'autre jour, des mots de pitié, cela t'a touchée, et tu es venue chercher encore des mots de pitié ! Eh bien ! Écoute, sache que je me suis moqué de toi ! Et maintenant encore, je me moque de toi ! Eh, oui ! Je me moquais... On m'avait offensé, dans la soirée, à un dîner, des gens... des camarades... et je venais dans votre maison pour provoquer l'un d'eux, un officier, qui avait dû y venir avant moi. Mais je ne l'ai pas rencontré : il fallait bien me venger sur quelqu'un,

---

* Traduit par Charles Morice et Ely Halpérine-Kaminsky, 1864 (N.d.T.)

reprendre ce qu'on m'avait pris. Tu es tombée sous ma main, et j'ai bavé sur toi toute ma colère, toute mon ironie. On m'avait humilié, je t'ai humiliée. On m'avait tordu comme un torchon : j'ai voulu à mon tour user de ma force... Voilà ! Et toi, tu croyais déjà que je venais te sauver ! N'est-ce pas ? Tu l'as cru ? Tu l'as cru ?'' Je savais que quelques détails pourraient lui échapper, mais j'étais sûr qu'elle comprendrait très bien l'ensemble de mes paroles. Je ne me trompais pas. Elle devint pâle comme un mouchoir, voulut parler, mais ses lèvres se convulsèrent, et elle s'affaissa sur sa chaise comme si elle venait de recevoir un coup de hache, et, aussi longtemps que je parlai, elle m'écouta, la bouche béante, les yeux démesurément ouverts, dans une saisissante attitude d'épouvante. Le cynisme de mes paroles la comblait de stupeur*. »

L'outrecuidance, l'insouciance et la pure malveillance de l'homme du sous-sol anéantissent les derniers espoirs de Lisa. Il le comprend parfaitement. Pire, c'était son objectif secret depuis le début. Cela aussi, il ne le sait que trop bien. Mais un méchant désespéré par sa propre malice n'en devient pas pour autant un héros. L'héroïsme est un comportement positif, pas simplement l'absence de mal.

Mais on pourrait m'objecter que Jésus lui-même s'est lié d'amitié avec des collecteurs d'impôts et des prostituées. Comment puis-je oser mettre en doute les motivations de ceux qui tentent d'aider les autres ? Cependant, le Christ est l'archétype de l'homme parfait. Et vous êtes vous. Comment pouvez-vous être certain qu'en aidant quelqu'un à se relever, vous n'allez pas l'enfoncer, ou vous enfoncer vous-même ? Imaginez le cas du responsable d'une équipe d'employés remarquables

---

* Traduit par Charles Morice et Ely Halpérine-Kaminsky, 1864 (N.d.T.)

qui vont tous dans le même sens afin d'atteindre un objectif commun. Imaginez-les travailler dur, brillants, créatifs et unis. Mais la personne qui les encadre est aussi responsable d'un individu perturbé peu efficace, dans un autre service. Le chef bien intentionné a un jour l'idée d'intégrer cette personne à problèmes à son équipe exemplaire, espérant qu'il y trouverait un exemple à suivre. Que se passe-t-il ? La littérature psychologique est sans ambiguïté sur ce point[64]. Le nouveau venu va-t-il se tenir à carreau et filer droit ? Non. Au contraire, c'est le reste de l'équipe qui décline. Le nouvel arrivant reste toujours aussi cynique, arrogant et névrosé. Il ne cesse de se plaindre, de tirer au flanc. Il manque des réunions importantes. Son travail de mauvaise qualité provoque des retards et doit être refait par d'autres. Il continue cependant à être aussi bien payé que ses collègues. Ceux qui travaillent dur autour de lui ont le sentiment d'avoir été trahis. « Pourquoi je me mets en quatre pour tenter de terminer ce projet, alors que le nouveau se la coule douce ? » se demandent-ils tous. Il se produit exactement la même chose quand des juges placent des adolescents délinquants au milieu de pairs relativement plus civilisés. C'est la délinquance qui se propage, et non la stabilité[65]. Il est beaucoup plus facile de faire baisser son niveau que de l'élever.

Vous pouvez souhaiter secourir quelqu'un parce que vous êtes quelqu'un de fort, généreux et équilibré et que vous voulez bien faire. Mais il est également possible – et sans doute plus probable – que vous désiriez simplement attirer l'attention sur vos réserves inépuisables de compassion et de bonne volonté. À moins que vous ne vouliez simplement vous convaincre que votre force de caractère ne se résume pas simplement à de la chance et à un lieu de naissance. Ou parce qu'il est plus facile de paraître vertueux à côté d'un individu totalement irresponsable.

Partez d'abord du principe qu'il s'agit de la voie la plus facile, et non de la plus difficile.

À côté de votre alcoolisme débridé, mes beuveries occasionnelles semblent insignifiantes. Mes longues conversations avec vous sur votre couple qui bat de l'aile nous convainquent tous les deux que vous faites tout ce qui est en votre pouvoir et que je fais le maximum pour vous aider. Cela ressemble à un effort. À un progrès. Mais une réelle amélioration exige bien davantage. Êtes-vous certain que la personne qui appelle à l'aide n'a pas décidé mille fois d'accepter son lot de souffrances inutiles et de plus en plus graves, simplement parce qu'elles sont plus simple à endosser que de véritables responsabilités ? Souhaitez-vous lui permettre de se bercer d'illusions ? Est-il possible que votre mépris puisse se révéler plus salutaire que votre pitié ?

À moins que vous n'ayez aucune intention de sauver qui que ce soit. Vous avez des fréquentations qui vous sont néfastes, non pas parce que c'est mieux pour tout le monde, mais parce que c'est plus facile. Vous le savez. Vos amis le savent. Vous êtes tous liés par un accord tacite qui vise le nihilisme, l'échec et la souffrance la plus bête qui soit. Vous avez décidé de sacrifier l'avenir au présent. Vous n'en parlez pas. Vous ne vous réunissez pas pour vous dire : « Prenons la voie la plus simple. Laissons-nous tenter par ce qui se présente. Et convenons, ensuite, de ne plus nous appeler. Ainsi, il nous sera plus aisé d'oublier ce que nous faisons. » Non, vous ne faites pas allusion à tout cela. Mais vous savez exactement ce qui se passe.

Avant d'aider quelqu'un, mieux vaut chercher à comprendre pourquoi cette personne a des ennuis. Évitez de partir du principe qu'elle est une pauvre victime d'une situation injuste. C'est l'explication la moins probable. D'après mon expérience, clinique ou autre, ce n'est jamais aussi simple. D'ailleurs, si vous croyez que toutes les choses épouvantables se produisent comme par enchantement, sans aucune part de responsabilité de la victime, vous niez que cette personne ait pu exercer la moindre influence par le passé (et par conséquent dans le présent et l'avenir). En procédant de cette manière, vous lui ôtez tout pouvoir.

Il est beaucoup plus probable qu'un tel individu ait simplement décidé de renoncer, en raison de sa difficulté, au chemin qui mène vers le haut. C'est peut-être même votre hypothèse face à ce genre de situation. C'est trop dur, pensez-vous. Vous avez peut-être raison. C'est trop vous demander. Mais réfléchissez : l'échec est facile à comprendre. Inutile de chercher une explication à son existence. De la même manière, la peur, la haine, la dépendance, les mœurs légères, la trahison et la tromperie n'ont besoin d'aucune justification. Le vice est facile. L'échec aussi. Il est plus facile de renoncer à un fardeau. D'éviter de réfléchir, de faire, de s'impliquer. Il est plus facile de remettre à demain ce qui doit être fait aujourd'hui, et de sacrifier les mois et les années qui viennent au profit de petits plaisirs immédiats. Comme le dit le père du clan Simpson juste avant de descendre un pot de mayonnaise accompagné d'une vodka : « C'est un problème pour le Homer du futur. La vache, je ne l'envie pas[66] ! »

Comment puis-je savoir que votre souffrance n'est pas destinée à m'émouvoir sur votre martyre pour que vous puissiez repousser l'inévitable, ne serait-ce que de façon temporaire ? Peut-être, même si vous refusez de l'admettre, vous êtes-vous fait à l'idée de votre chute imminente. Sans doute mon aide ne pourra-t-elle rien rectifier, mais elle vous permettra de retarder un temps le moment où vous devrez vous rendre à l'évidence. Peut-être votre douleur est-elle destinée à me faire sombrer aussi, afin que le fossé que vous estimez nous séparer se réduise pendant que vous continuez à décliner. Comment puis-je être certain que vous vous refuseriez à jouer un tel jeu ? Comment puis-je savoir, en vous « aidant » vainement, que je ne suis pas simplement en train de faire mine d'endosser mes responsabilités aussi, afin de pouvoir échapper à quelque chose de beaucoup plus difficile, et de réellement possible ?

Votre souffrance est peut-être l'arme qui vous pousse à haïr ceux qui parviennent à s'élever alors que vous sombrez. Votre façon de prouver que la vie est injuste, plutôt que la preuve de votre incapacité à viser juste, de votre refus délibéré de vous battre et de vivre. Vu ce que la douleur vous sert à prouver, il est même probable que votre volonté de souffrir de vos échecs soit sans fin. C'est vraisemblablement votre vengeance sur la vie. Pourquoi devrais-je devenir votre ami dans ces conditions ? Comment le pourrais-je ?

La réussite, c'est le mystère. La vertu, c'est l'inexplicable. Pour échouer, il suffit d'entretenir de mauvaises habitudes, d'attendre son heure. Et une fois que vous avez fait ça, vous êtes extrêmement diminué. Une bonne partie de ce que vous auriez pu devenir s'est envolée, et le reste est devenu réalité. Tout se désagrège de lui-même, mais nos péchés accélèrent notre dégénérescence. Puis survient le raz-de-marée.

Je ne dis pas qu'il n'existe aucun espoir, ni que la situation est irrémédiable, mais il est beaucoup plus difficile de sortir quelqu'un d'un ravin que d'un simple fossé. Et certains ravins sont extrêmement profonds. Le corps est généralement dans un triste état, après une si longue chute.

Peut-être ferais-je mieux au moins de patienter un peu, avant de voler à votre secours, en attendant d'avoir la certitude que vous souhaitez réellement être aidé. Le célèbre psychologue humaniste Carl Rogers était persuadé qu'il était impossible d'entamer une relation thérapeutique si la personne qui cherchait de l'aide refusait de s'améliorer[67]. D'après lui, on ne peut convaincre quelqu'un de faire des progrès. Le désir de s'améliorer est à ses yeux une condition préalable au progrès. Il m'est arrivé d'avoir des patients en psychothérapie imposés par les tribunaux. Ils ne voulaient pas de mon aide. Ils étaient contraints de me la demander.

Naturellement, cela n'a pas fonctionné. C'était un simulacre de thérapie.

Si je reste dans une relation malsaine avec vous, c'est peut-être parce que je n'ai pas assez de volonté pour partir, mais je refuse de le reconnaître. Ainsi, je continue à vous aider, et je me console avec mon martyre inutile. Je pourrai alors déclarer à mon sujet : « Quelqu'un de si altruiste et de si désireux d'aider les autres... c'est forcément quelqu'un de bien. » Ce n'est pas le cas. Il peut s'agir d'une personne qui tente de faire bon effet en prétendant résoudre un problème difficile plutôt que quelqu'un de bien qui s'occupe des vraies questions.

Peut-être qu'au lieu de poursuivre notre amitié, je ferais mieux de partir, de me prendre en main et de montrer l'exemple.

Au cas où il faudrait le préciser, il ne s'agit là aucunement d'un prétexte pour que vous abandonniez ceux qui sont réellement dans le besoin afin de pouvoir poursuivre vos ambitions.

Un accord réciproque

Voici une question qui mérite réflexion : si vous avez un ami que vous ne recommanderiez ni à votre sœur, ni à votre père, ni à votre fils, pourquoi le gardez-vous donc ? Vous pourriez me répondre : « Par fidélité. » Mais la fidélité n'est pas synonyme de « bêtise ». Elle se doit d'être négociée, équitable et honnête. L'amitié est un accord réciproque. Moralement, rien ne vous oblige à soutenir quelqu'un qui vous complique l'existence. Au contraire. Choisissez des gens qui souhaitent améliorer les choses et non les aggraver. C'est une bonne décision qui n'a rien d'égoïste, que de choisir des amis dont la présence vous sera bénéfique. Il est tout à fait acceptable, et même louable de fréquenter des individus qui seront ravis de vous voir progresser.

Si vous vous entourez de personnes qui vous soutiennent dans vos efforts, elles ne supporteront ni votre cynisme ni votre caractère destructeur. Elles vous encourageront quand vous ferez des choses bénéfiques pour vous et pour votre entourage, et vous sanctionneront durement le cas inverse. Cela renforcera votre détermination à faire ce qu'il faut de la manière la plus adéquate et la plus consciencieuse possible. Ceux qui n'ont aucune envie de viser plus haut feront le contraire. Ils proposeront une cigarette à un ancien fumeur et une bière à un ancien alcoolique. Ils seront jaloux de vos réussites et de vos exploits. Ils vous priveront de leur présence ou de leur soutien. Ils tenteront de minimiser vos actes en mettant en avant les leurs, réels ou supposés. Peut-être essaient-ils de vous mettre à l'épreuve, de voir si vous êtes vraiment sincère. Mais la plupart du temps, ils vous rabaissent parce que vos progrès mettent en lumière leurs propres défauts.

Pour devenir un exemple, il faut donc relever des défis importants. C'est pourquoi chaque héros est un juge. Le *David* de Michel-Ange crie à celui qui l'observe : « Tu pourrais être bien plus que ce que tu es. » Lorsque vous osez viser plus haut, vous faites apparaître au grand jour l'inadéquation du présent et la promesse de l'avenir. Vous en dérangez certains au plus profond de leur âme, car vous leur faites comprendre que leur immobilisme est injustifiable. Vous êtes leur Abel. Vous leur rappelez que s'ils ont cessé de prendre soin d'eux, ce n'est pas à cause des horreurs de la vie, qui sont indéniables, mais parce qu'ils refusent de porter le monde sur leurs épaules.

N'allez pas croire qu'il est plus simple de s'entourer de personnes bienveillantes et saines que d'individus malveillants et malsains. Ce n'est pas le cas. Une personne bienveillante et saine, c'est un idéal. Il faut de la force et de l'audace pour côtoyer ce genre de personnage. De l'humilité. Du courage. Fiez-vous à votre jugement, fuyez la compassion et la pitié dépourvues de tout sens critique.

Choisissez pour amis des gens qui souhaitent ce qu'il y a de mieux pour vous.

COMPAREZ-VOUS À LA PERSONNE QUE VOUS ÉTIEZ HIER, ET NON À QUELQU'UN D'AUTRE

La petite voix

Il était plus simple de sortir du lot lorsqu'on vivait encore au sein de petites communautés rurales. On pouvait être la reine du bal, champion du concours d'orthographe, génie des mathématiques ou star du basket. Il n'y avait qu'un ou deux mécanos et autant d'enseignants. Chacun dans sa spécialité, ces héros locaux jouissaient de la confiance en soi des vainqueurs chargés en sérotonine. C'est sans doute pour cette raison que les personnes originaires de petites villes sont statistiquement surreprésentées parmi les personnalités de renom[68]. Aujourd'hui, si vous êtes quelqu'un d'exceptionnel, mais que vous venez de New York, il y a vingt personnes comme vous. Et nous vivons pour la plupart dans de grandes villes, de nos jours. Qui plus est, nous sommes désormais tous connectés aux sept milliards de Terriens. Notre échelle de réussite est à présent vertigineusement verticale.

Quels que soient votre talent ou la qualité de vos réalisations, il y aura toujours quelqu'un qui vous fera passer pour un incapable. Vous avez beau avoir un niveau convenable à la guitare, vous n'êtes ni Jimmy Page ni Jack White.

Vous ne parviendriez peut-être même pas à faire danser le pub de votre quartier. Vous avez beau savoir cuisiner, les grands chefs sont légion. La recette de têtes de poissons au riz de votre mère, quand bien même elle avait un grand succès dans son village d'origine, n'est plus aujourd'hui à la hauteur des mousses de pamplemousse et des crèmes glacées au scotch et au tabac. Il y aura toujours un parrain de la mafia qui aura un yacht plus kitsch que le vôtre. Un P.-D.G. maniaque qui aura une montre mécanique plus perfectionnée que la vôtre. Qu'il rangera dans un écrin de bois et d'acier d'une plus grande valeur que le vôtre. Même l'actrice hollywoodienne la plus éblouissante finit par se transformer en Méchante Reine paranoïaque à l'affût de la prochaine Blanche-Neige. Et vous ? Votre carrière est aussi ennuyeuse que dénuée de sens, vos compétences en ménage sont médiocres, vous avez des goûts épouvantables, vous avez plus d'embonpoint que vos amis, et tout le monde appréhende vos soirées. Qui cela intéresse-t-il, que vous soyez Premier ministre du Canada, quand un autre est président des États-Unis ?

Nous hébergeons une petite voix critique qui sait tout cela. Elle n'hésite jamais à se manifester. Elle condamne nos piètres efforts. Elle peut se révéler très difficile à satisfaire. Pire, ses critiques sont indispensables. Les artistes sans talent, les mauvais musiciens, les cuisiniers empoisonneurs, les petits chefs obsédés par la bureaucratie, les écrivaillons et les enseignants barbants pétris d'idéologie ne manquent pas. Tout – et tout le monde – ne se vaut pas. Nos oreilles sont constamment agressées par de la mauvaise musique. Des bâtiments mal construits s'écroulent au moindre tremblement de terre. Des véhicules mal conçus tuent leurs conducteurs au premier accident. L'échec est le prix à payer pour atteindre un niveau de qualité satisfaisant. La médiocrité ayant des conséquences aussi néfastes que réelles, les normes sont nécessaires.

Nous ne sommes égaux ni en compétences ni en résultats, et ce ne sera jamais le cas. Presque tout est produit par un nombre restreint d'individus. Les gagnants ne raflent pas la totalité de la mise, mais on n'en est pas loin. Et ceux qui restent dans l'ombre ne sont pas heureux. Ils y sont mal, demeurent dans l'anonymat, et personne ne les aime. Ils s'y gâchent l'existence, ils y meurent. En conséquence, la petite voix qui dévalorise les gens dans leur esprit leur raconte une histoire dévastatrice. L'existence est un jeu à somme nulle dont l'état par défaut est une absence de valeur. Il faut être obstinément aveugle pour refuser ce genre de critique. C'est pour ces raisons qu'une génération entière de psychosociologues a recommandé les « illusions positives » comme seule voie fiable vers la santé mentale[69]. Leur credo ? Abritez-vous sous un mensonge. Difficile d'imaginer philosophie plus pessimiste, sinistre et calamiteuse : la vie est si horrible que seule l'illusion peut nous en protéger.

Voici une approche différente, qui ne requiert aucune illusion. Si les cartes sont constamment contre vous, sans doute le jeu auquel vous jouez est-il truqué (peut-être même par vous, à votre insu). Si votre petite voix vous fait douter de la valeur de vos efforts, de votre existence ou de la vie en général, ne vaut-il pas mieux ne plus lui prêter l'oreille ? Si elle dénigre tout ce que font les autres sans distinction, on peut s'interroger sur sa fiabilité. Il s'agit plus de médisance que de paroles de sagesse. « Il y aura toujours quelqu'un de meilleur que toi. » C'est un stéréotype du nihilisme, comme la question : « Dans un million d'années, qui fera la différence ? » La réponse la plus appropriée n'est pas : « Eh bien, alors, rien n'a de sens. » C'est : « N'importe quel imbécile est capable de choisir un laps de temps durant lequel rien n'a d'importance. » Lorsque vous tentez de vous convaincre d'un manque de pertinence, ce n'est pas une profonde critique de l'Être. Ce n'est qu'un mauvais coup de votre esprit rationnel.

Beaucoup de bons jeux

Les critères de qualité ne sont ni illusoires ni inutiles. Si vous n'aviez pas déterminé que ce que vous faites est la meilleure option, vous ne l'auriez pas fait. L'idée d'un choix indépendant de toute valeur est paradoxale, car les jugements de valeur sont une condition préalable à toute action. En outre, une fois choisie, toute activité n'est réalisable que selon des conditions définies, elle peut être bien ou mal faite. S'y engager est donc comparable à jouer à un jeu aux objectifs définis et valorisés qu'il est toujours possible d'atteindre avec plus ou moins d'efficacité et d'élégance. Chaque jeu possède des chances de succès et des risques d'échec, avec des différences qualitatives, et si tout se valait, rien ne vaudrait la peine d'être fait. Sans valeur, rien n'a de sens, pourquoi faire des efforts, si ça ne permet aucune amélioration ? Pour que les choses aient un sens, il faut que l'on puisse faire la différence entre ce qui est mieux et moins bien. Comment, alors, apaiser la petite voix de notre esprit critique ? Où sont les failles dans la logique apparemment inattaquable de son message ?

Commençons par réfléchir aux termes « réussite » et « échec », bien trop manichéens. Soit vous réussissez, ce qui est globalement positif, soit vous échouez, ce qui est irrémédiablement négatif. Ces termes ne laissent place à aucun juste milieu. Dans un univers aussi compliqué que le nôtre, de telles généralisations témoignent d'une analyse naïve, simpliste, voire malveillante. Ce système binaire anéantit des degrés et des gradations de valeur essentiels, ce qui a des conséquences désastreuses.

Tout d'abord, il n'existe pas qu'un seul jeu auquel on puisse réussir ou échouer. Ils sont nombreux, et la plupart sont bons. Autrement dit, ils correspondent à vos aptitudes, vous impliquent de façon utile auprès d'autres personnes, se pérennisent, voire s'améliorent au fil du temps. Avocat est un bon jeu. C'est également le cas du plombier, médecin, charpentier et instituteur. La vie accorde de nombreuses façons d'Être. Si l'une d'elles ne vous convient pas, vous pouvez en tenter une autre, plus en adéquation avec votre combinaison unique de forces et de faiblesses et votre propre situation. Si aucune ne vous convient, vous avez toujours la possibilité d'en inventer une nouvelle. J'ai récemment regardé un concours de jeunes talents et assisté à la performance burlesque d'un mime, avec du Scotch sur la bouche et des maniques. C'était inattendu et original, mais cela semblait lui correspondre.

Il est peu probable que vous ne jouiez qu'à un seul jeu. Entre votre carrière, vos amis, votre famille et vos projets personnels, vos activités artistiques et sportives, rien ne vous empêche d'évaluer votre réussite dans tous les jeux auxquels vous participez. Vous pouvez être très bon à certains, moyen à d'autres et exécrable aux derniers. C'est peut-être dans l'ordre des choses. Vous pourriez m'objecter : « Je devrais gagner à tout ! » Mais dans ce cas, cela pourrait simplement signifier que vous ne faites rien de nouveau ou de difficile. Vous pourriez gagner, mais cela ne vous ferait pas progresser, alors que le plus important c'est de vaincre. Une victoire dans le présent doit-elle toujours prendre le pas sur l'avenir ?

Enfin, vous pourriez vous apercevoir que les spécificités des nombreux jeux auxquels vous prenez part vous correspondent si bien que toute comparaison avec d'autres serait totalement vaine. Il est possible que vous surestimiez ce que vous n'avez pas, et que vous sous-estimiez ce que vous avez. La reconnaissance est très utile, c'est une bonne protection contre les dangers de la victimation et du ressentiment. Votre collègue est plus performant que vous au travail ? Sa femme, en revanche, le trompe, tandis que votre couple est stable et heureux. Lequel d'entre vous est-il en meilleure posture ? Le personnage célèbre que vous admirez conduit régulièrement en état d'ébriété et se montre intolérant. Sa vie est-elle vraiment plus enviable que la vôtre ?

Quand votre petite voix vous rabaisse par ce genre de comparaison, il faut comprendre qu'elle ne vous compare arbitrairement que dans un seul domaine – la célébrité, peut-être, ou le pouvoir – comme s'il était le seul pertinent, et vous jauge d'après un modèle extraordinairement performant. Le fossé infranchissable entre ce parangon et vous peut même induire à vos yeux que l'existence est profondément injuste, ce qui sapera votre motivation avec une grande efficacité. Ceux qui acceptent de se soumettre à ce genre d'autoévaluation se compliquent drôlement la vie. Mais il est tout aussi problématique de se créer soi-même des difficultés.

Quand on est jeune, on n'est ni autonome ni averti. On n'a pas encore eu le temps, ni acquis la sagesse de mettre en place nos propres critères. Mais comme ces derniers sont essentiels, nous devons nous comparer aux autres. Sans eux, impossible de faire quoi que ce soit. En vieillissant, nous devenons de plus en plus individualistes et notre caractère unique ressort. Nos conditions de vie se font plus personnelles et par là moins comparables. D'un point de vue symbolique, cela indique que nous devons quitter la maison du père et affronter notre chaos. Il nous faut prendre acte de notre désarroi sans pour autant rejeter ce père. Nous devons nous efforcer de redécouvrir les valeurs de notre culture – dissimulées à nos yeux par notre ignorance, cachées dans les trésors poussiéreux du passé – les sauver et les intégrer à notre façon de vivre. C'est ce qui donne à l'existence sa pleine et nécessaire signification.

Qui êtes-vous ? Vous pensez le savoir, mais c'est peut-être faux. Vous n'êtes ni votre propre maître ni votre esclave, il vous sera difficile de vous dire quoi faire et de vous obliger à obéir. Tout comme il est difficile de faire obéir votre mari, votre femme ou vos enfants. Certains domaines vous intéressent, d'autres non, vous pouvez donc façonner cet intérêt dans ces limites.

Vous avez une nature. Si vous la laissez vous dominer, vous risquez de vous rebeller. Jusqu'où pouvez-vous vous contraindre à travailler sans que cela ne devienne une corvée, jusqu'où pouvez-vous vous sacrifier pour votre partenaire avant que votre générosité ne se transforme en amertume ? Qu'aimez-vous vraiment, que voulez-vous vraiment ? Avant de pouvoir exprimer vos principes, il vous faut d'abord vous regarder comme un étranger pour apprendre à vous connaître. Que trouvez-vous le plus précieux, le plus agréable ? À quel point avez-vous besoin de loisirs, de divertissement et de repos pour ne pas avoir l'impression d'être une bête de somme, comment éviter de ruer dans les brancards et de tout casser ? Vous pouvez vous contenter de votre train-train quotidien et rentrer chez vous frustré tous les soirs, regarder les jours défiler, ou chercher une activité productive et durable qui vous plaise. Négociez-vous de manière équitable avec vous-même, ou êtes-vous à la fois votre tyran et votre esclave ?

Quand vous arrive-t-il de détester vos parents, votre femme ou vos enfants, et pourquoi ? Comment y remédier ? Qu'attendez-vous de vos amis et de vos collègues ? La question n'est pas simplement de savoir ce que vous voulez, ni ce que les autres attendent de vous ou vos devoirs envers eux, mais de déterminer la nature de vos obligations morales envers vous-même. Vous faites partie d'une société aux nombreuses obligations sociales, et il faut tenir compte de vos devoirs. Alors autant que vous soyez à la hauteur, ce qui ne signifie en aucun cas que vous devez être un petit chien obéissant et inoffensif. Vous n'êtes l'esclave d'aucun dictateur.

Au contraire, prenez des risques. Soyez sincère. Prenez la parole et annoncez (ou, du moins, prenez conscience de) ce qui donnerait du sens à votre existence. Dans votre couple, si vous permettez à vos désirs les plus sombres et les plus secrets de s'exprimer, par exemple, ou même si vous vous contentez de réfléchir à la question, vous pourriez découvrir qu'ils ne sont pas si noirs, en fin de compte. Que vous aviez simplement peur et que vous faisiez mine d'être prude. Vous pourriez découvrir qu'en obtenant ce que vous désirez, la tentation cesserait. Êtes-vous certain que votre partenaire serait mécontent d'en apprendre un peu plus sur vous ? Si la femme fatale et l'antihéros sont si attirants, c'est pour une bonne raison...

De quelle manière souhaitez-vous qu'on s'adresse à vous ? Qu'attendez-vous des autres ? Que tolérez-vous, ou que prétendez-vous aimer du devoir ou de vos obligations ? Penchez-vous sur votre ressentiment. C'est une émotion révélatrice, malgré son caractère pathologique. Elle fait partie d'une triade infernale avec l'arrogance et la tromperie. Rien ne fait plus mal que cette redoutable trinité. Mais le ressentiment signifie toujours que soit la personne amère est immature – elle ferait alors bien de se taire, de cesser de geindre et de passer à autre chose –, soit qu'il s'agit d'une affaire de tyrannie, où l'individu assujetti a l'obligation morale de se faire entendre. Pourquoi ? Parce que s'il garde le silence, les conséquences seront encore plus terribles. Évidemment, sur le moment, il est plus simple de se taire et d'éviter tout conflit. Mais à long terme, c'est fatal. Si vous avez quelque chose à dire, le silence est un mensonge, et la tyrannie se repaît de mensonges. Quand faut-il empêcher l'oppression de prendre le dessus, malgré le danger ? Lorsque vous commencez à nourrir des désirs secrets de vengeance, à vous empoisonner l'existence avec des idées d'engloutissement et de destruction.

Il y a plusieurs dizaines d'années, j'ai eu un patient qui souffrait de graves troubles obsessionnels du comportement. Il lui fallait aligner correctement ses pyjamas avant de pouvoir aller se coucher chaque soir. Puis il devait faire gonfler son oreiller et ajuster ses draps. Encore et toujours. Je lui ai dit :

— Peut-être qu'une partie de vous, cette partie d'une obstination maladive, désire quelque chose qu'elle ne parvient pas à exprimer. Écoutons-la. De quoi pourrait-il s'agir ?

— D'une question de contrôle, m'a-t-il répondu.

— Fermez les yeux et autorisez-la à vous dire ce qu'elle veut. Ne vous laissez pas arrêter par la peur. Ce n'est pas parce que vous pensez à quelque chose qu'il vous faut le mettre en pratique.

— Elle attend de moi que je prenne mon beau-père par la peau du cou, que je le plaque contre la porte et que je lui secoue les puces !

Peut-être était-il temps effectivement de lui secouer les puces, mais je lui ai néanmoins suggéré quelque chose d'un peu moins radical. Dieu seul sait quelles batailles il faut livrer, de manière franche et volontaire, sur le chemin qui mène à la paix. Que faites-vous pour éviter les conflits, si nécessaires soient-ils ? À quel propos avez-vous tendance à mentir, en partant du principe que la vérité serait insoutenable ? Que simulez-vous ?

Le nouveau-né est dépendant de ses parents dans presque tous les domaines. Plus grand, il peut les quitter, du moins de façon temporaire, et se faire des amis. Pour y parvenir, il renonce à une petite partie de lui-même, mais y gagne beaucoup plus. L'adolescent accompli doit mener ce processus à sa conclusion logique. Il lui faut quitter sa famille et voler de ses propres ailes comme tout le monde. Il doit s'intégrer au groupe pour pouvoir transcender les dépendances de son enfance. Une fois intégré, l'adulte doit apprendre à être suffisamment différent des autres, mais pas trop.

Soyez prudent, quand vous vous comparez aux autres. À l'âge adulte, vous êtes un individu singulier avec vos propres problèmes financiers, intimes, psychologiques ou autres, tous étroitement liés au vaste contexte de votre existence. Votre carrière vous convient – ou non – à titre personnel, et cela au sein d'une interaction unique avec les divers aspects de votre existence. Vous devez décider combien de temps vous souhaitez consacrer à chacune de vos activités, et faire un choix parmi elles.

Du bout des yeux, ou « faites le point »

Notre regard est constamment braqué sur ce que nous souhaitons approcher, examiner ou obtenir, ou sur ce que nous recherchons. Pour le voir, nous devons le viser, et nous sommes en permanence en train de viser quelque chose. Notre esprit s'inspire de celui de nos ancêtres chasseurs-cueilleurs. « Chasser » signifie : déterminer une cible, la suivre et la frapper. « Cueillir », c'est choisir et saisir. Nous jetons des pierres, des lances et des boomerangs. Nous lançons des balles dans des paniers, frappons des palets dans des cages et faisons glisser des blocs de granit polis sur de la glace vers une cible horizontale. Nous envoyons des projectiles sur des cibles à l'aide d'arcs, de pistolets, de fusils et de lance-roquettes. Nous balançons des insultes, tirons des plans et lançons des idées. Nous réussissons lorsque nous marquons un but ou atteignons notre cible. Dans le cas contraire, nous échouons ou « péchons » (en anglais, le terme *sin* signifie à la foi « pécher » et « manquer sa cible[70] »). Alors que dans ce monde il nous faut toujours naviguer, nous en sommes incapables sans viser un point précis[71].

Nous sommes toujours à la fois au point A (ce qui n'est pas très souhaitable), et en approche du point B (ce que nous préférons, selon nos valeurs explicites et implicites). Le monde tel que nous le connaissons est invariablement en état d'insuffisance, ce que nous cherchons à améliorer. Nous pouvons imaginer de nouvelles façons de rectifier les choses, même si nous avons tout ce dont nous avons besoin. Même satisfaits, ne serait-ce que temporairement, nous demeurons curieux. Nous vivons dans un cadre qui définit le présent comme éternellement déficient, et l'avenir comme fondamentalement meilleur. Si nous ne considérions pas les choses sous cet angle, nous ne ferions plus rien. Nous ne serions même pas capables de voir car, pour ce faire, il faut une mise au point, ce qui nous oblige à choisir un objectif principal à notre attention.

Mais nous pouvons voir. Nous voyons même ce qui n'existe pas. Nous sommes à même de concevoir de nouvelles façons d'améliorer les choses. Nous sommes en mesure de bâtir de nouveaux mondes hypothétiques où des problèmes dont nous n'avions pas conscience sont réglés au moment même où ils se présentent. Les avantages sont évidents : nous pouvons changer le monde pour pouvoir remédier dans le futur à l'état insoutenable du présent. L'inconvénient est que cette anticipation créative génère un malaise et une gêne chroniques. Puisque nous sommes sans cesse en train de comparer ce qui est à ce qui pourrait être, il nous faut viser ce qui pourrait être. Au risque de viser trop haut. Ou trop bas. Ou de manière trop anarchique. Alors nous échouons et vivons dans la déception, même quand nous donnons aux autres l'impression d'aller bien. Comment pouvons-nous profiter de notre inventivité, de notre capacité à améliorer l'avenir sans dénigrer inlassablement notre existence ratée ?

La première étape consiste sans doute à faire le point. Qui êtes-vous ? Lorsque vous achetez une maison et vous apprêtez à y vivre, vous faites appel à un professionnel pour qu'il dresse la liste de toutes ses malfaçons. Ses véritables défauts, constatés dans la réalité, pas une liste rêvée. Vous allez même le payer pour qu'il vous annonce ces mauvaises nouvelles. Vous souhaitez être prévenu, découvrir les vices cachés de la construction. Il faut que vous sachiez s'il s'agit de simples imperfections esthétiques ou de faiblesses structurelles. Parce qu'il est impossible de réparer quoi que ce soit quand on ignore si c'est cassé. Et vous êtes cassé. Il vous faut l'aide d'un professionnel. Votre petite voix peut jouer ce rôle, si vous parvenez à la mettre sur le bon chemin. Si elle et vous réussissiez à vous entendre, elle pourrait vous aider à faire le point. Mais il faudrait qu'elle vous accompagne dans votre maison psychologique et que vous écoutiez attentivement ce qu'elle a à vous dire. Vous êtes peut-être le rêve de tout bricoleur, une vraie bâtisse à rénover. Comment allez-vous pouvoir entamer vos travaux sans être démoralisé, abattu par une liste aussi douloureuse qu'interminable ?

Voici un conseil. L'avenir est comme le passé. À une différence cruciale près : le passé est réparé, alors que le futur... il est possible de l'améliorer juste ce qu'il faut. Ce que l'on peut accomplir en une journée peut-être, si l'on s'en donne les moyens. Le présent, lui, est à jamais imparfait. Mais votre point de départ importe moins que votre point d'arrivée. Sans doute le bonheur se dévoile-t-il tout au long du trajet qui mène en haut de la colline, et non dans le sentiment de satisfaction fugace que l'on éprouve en atteignant le sommet. Le bonheur est en grande partie composé d'espoir, quelle que soit la profondeur du monde souterrain où cet espoir a vu le jour.

Si vous faites correctement appel à elle, votre petite voix vous indiquera ce qu'il faut remettre en ordre de votre plein gré, sans amertume, voire en y prenant du plaisir. Interrogez-vous : existe-t-il dans votre vie une situation sens dessus dessous que vous pourriez réorganiser ? Accepteriez-vous de la réparer sur-le-champ ? Imaginez que vous soyez quelqu'un d'autre, avec qui vous devez négocier, quelqu'un de paresseux, susceptible, rancunier et difficile à vivre. Avec cette attitude, il ne sera pas aisé de vous faire bouger. Il vous faudra user d'un peu de charme et d'entrain. « Excuse-moi, pourriez-vous vous dire sans ironie ni sarcasme. J'essaie de diminuer une partie de ma souffrance inutile. J'aurais besoin d'un peu d'aide. Je me demandais si tu accepterais de faire quelque chose pour moi. Je t'en serais très reconnaissant. » Repoussez toute idée de dérision, posez la question avec humilité. Ce n'est pas simple.

En fonction de l'état d'esprit dans lequel vous vous trouvez, il vous faudra peut-être négocier davantage. Vous êtes peut-être méfiant envers vous-même. Vous pensez que dès que vous aurez votre réponse, vous aurez de nouvelles exigences. Si cela venait à se produire, vous n'hésiteriez pas à vous montrer vindicatif et blessant. Et vous dénigreriez les réponses déjà apportées. Qui a envie de travailler avec un tyran de cette sorte ? Pas vous. Raison pour laquelle vous ne faites pas ce que vous souhaiteriez. Vous êtes un mauvais employé, mais un patron pire encore. Peut-être avez-vous besoin de vous dire : « D'accord. Je sais que nous ne nous sommes pas toujours très bien entendus, j'en suis navré. Je tente de m'améliorer. Je commettrai sans doute des erreurs, mais j'essaierai d'écouter tes protestations, d'apprendre. Tu n'avais pas sauté de joie quand je t'ai demandé de m'aider. Pourrais-je t'offrir quelque chose en contrepartie de ta coopération ? » Ensuite, vous pourriez écouter. Vous entendriez une voix dans votre esprit, peut-être celle d'un enfant perdu de vue depuis longtemps, qui vous répondrait : « Tu accepterais de faire quelque chose de sympa pour moi ? Ce n'est pas une ruse ? »

C'est là qu'il vous faudra être prudent.

Cette petite voix est celle d'un chat échaudé. Vous pourriez alors lui répondre, en faisant attention : « Vraiment. Je ne m'en sortirai peut-être pas très bien, je ne serai peut-être pas de bonne compagnie, mais je ferai quelque chose de sympa pour toi, je te le promets. » Un peu de gentillesse permet d'aller loin, et une récompense judicieuse est un puissant facteur de motivation. Ensuite, vous pourriez vous prendre par la main et aller faire cette fichue vaisselle. Après, évitez surtout d'aller nettoyer la salle de bains et d'oublier le café, le film ou la bière promis à soi-même, ou il vous sera encore plus difficile la fois suivante de faire appel à ces parties de vous oubliées dans les recoins du monde souterrain.

Vous vous demandez peut-être : « Que pourrais-je dire à un autre – un ami, mon frère, mon chef, mon assistante –, demain, pour remettre un peu d'ordre dans notre relation ? Quelle part de chaos pourrais-je éradiquer de chez moi, de mon bureau, de ma cuisine ce soir, pour préparer la scène à une meilleure pièce ? Quels serpents puis-je bannir de mon placard, de mon esprit ? » Cinq cents petites décisions et mesures composeront votre journée aujourd'hui et les jours à venir. Pourriez-vous vous focaliser sur une ou deux de ces questions pour de meilleurs résultats à vos yeux, à l'aune de vos critères personnels ? Pourriez-vous comparer votre « demain » à votre « hier » ? Pourriez-vous réfléchir et vous demander à quoi pourrait ressembler ce meilleur demain ?

Visez petit. Déjà, compte tenu de vos aptitudes limitées, de votre tendance à la tromperie, du fardeau de votre amertume et de votre propension à fuir vos responsabilités, vous n'avez aucune envie de trop en faire d'un coup. Ainsi, vous vous fixez l'objectif suivant : « Ce soir, je veux que ma situation soit un tout petit peu meilleure que ce matin. » Puis vous vous demandez : « Que pourrais-je ou serais-je prêt à faire dans ce but, et quelle petite récompense me ferait plaisir ? » Ensuite, vous faites ce que vous avez décidé, même si c'est mal fait. Enfin, pour célébrer cette victoire, vous vous accordez ce fichu café. Vous vous sentirez peut-être un peu idiot, mais faites-le. Et répétez l'opération le lendemain, et ainsi de suite. Chaque jour, votre référentiel de comparaison s'élève un peu, et c'est magique. C'est un intérêt composé. Continuez comme cela pendant trois ans, et votre existence aura changé du tout au tout. Dès lors, vous pourrez viser plus haut. Faire un vœu. Vous cessez peu à peu d'être ébloui et apprenez à voir. Ce que vous visez détermine ce que vous voyez. Cela vaut la peine d'être répété : *Ce que vous visez détermine ce que vous voyez.*

Ce que vous souhaitez et ce que vous voyez

Le fait que la vue dépende de ce que l'on vise (et par conséquent de sa valeur, parce que vous visez ce qui a de la valeur) a été brillamment démontré il y a plus de quinze ans par Daniel Simons, psychologue spécialisé dans les sciences cognitives[72]. Simons a étudié la « cécité d'inattention soutenue ». Il demandait aux sujets de ses recherches de s'asseoir devant un écran et leur montrait, par exemple, un champ de blé. Puis, pendant qu'ils regardaient la photo, il la transformait lentement sans les prévenir. Il faisait apparaître une route au milieu du champ. Ce n'était pas un petit chemin qu'il aurait été aisé de manquer. Non, c'était un axe majeur qui occupait un bon tiers de l'image. Si curieux que cela puisse paraître, de nombreux sujets ne la remarquaient même pas.

La démonstration qui a rendu célèbre le docteur Simons est du même genre, si ce n'est plus spectaculaire, voire incroyable. Tout d'abord, il filme une vidéo de deux équipes de trois personnes[73]. Une équipe porte des maillots blancs, l'autre des noirs. Les six personnages sont très faciles à voir. Ils occupent une bonne partie de l'écran, et on distingue parfaitement leurs traits. Chacune dispose de son propre ballon. Les joueurs se le passent entre coéquipiers ou dribblent avec des feintes dans un petit espace devant des ascenseurs où la scène est filmée. Dès que Dan a sa vidéo, il la diffuse aux participants de son étude. Il leur demande à chacun de compter le nombre de passes entre les joueurs en blanc. Au bout de quelques minutes, la plupart répondent « quinze ». C'est la bonne réponse. Ils en sont ravis. Ouais ! Ils ont réussi le test ! Mais, ensuite, le docteur Simons leur demande : « Vous avez vu le gorille ? »

C'est une blague ? Quel gorille ?

« Regardez de nouveau la vidéo, mais cette fois, ne comptez pas », leur demande-t-il. Sans surprise, au bout d'une minute environ, un homme déguisé en gorille surgit au beau milieu de la scène, reste immobile quelques secondes, puis se frappe le torse avec ses poings. En plein milieu de l'écran, grandeur nature, aussi évident que le nez au milieu de la figure. Mais un sujet sur deux ne l'a pas vu.

Pire. Le docteur Simons a mené une autre étude. Cette fois, il montre à ses sujets la vidéo de quelqu'un au comptoir d'un café. Le serveur se baisse derrière le bar pour ramasser quelque chose, puis se redresse. La plupart des participants ne détectent rien de suspect, alors que c'est une personne différente qui réapparaît ! « Impossible, je l'aurais remarqué ! » Si, c'est possible. La probabilité que vous ne repériez pas la substitution est élevée, même si le serveur remplaçant est de sexe et de couleur de peau différents. Vous êtes aveugle.

C'est en partie dû au fait que la vision est « coûteuse », aussi bien d'un point de vue psychophysiologique que neurologique. La fovéa, située au centre de notre rétine, ne représente qu'une infime partie de celle-ci. Elle nous sert en particulier à distinguer les visages. Chacune des rares cellules fovéales mobilise dix mille cellules du cortex visuel, uniquement pour la première partie du processus de la vision[74], constitué de plusieurs étapes. Ensuite, chacune de ces dix mille cellules a besoin de dix mille autres pour passer à la seconde étape. Si l'ensemble de notre rétine était composé de fovéa, il nous faudrait le crâne gigantesque d'un extraterrestre de série B pour héberger notre cerveau. Par conséquent, nous faisons le tri parmi ce que nous voyons. La majeure partie de notre vision est périphérique, en basse résolution. Nous ménageons notre fovéa pour tout ce qui est important. Nous réservons cette vision en haute résolution à ce que nous visons de manière spécifique. Nous laissons le reste – soit à peu près tout – s'effacer, passer inaperçu en arrière-plan.

Si une chose à laquelle on ne s'attend pas pointe le bout de son nez et interfère directement avec notre activité en cours, on la verra. Sinon, c'est comme si elle n'avait jamais existé. Le ballon sur lequel les sujets de Simons étaient focalisés n'a jamais été dissimulé par le gorille ni par l'un des six joueurs. Parce que le gorille n'a jamais interféré avec la tâche parfaitement définie qui vous avait été assignée, il était impossible de le distinguer au milieu de tout ce que les participants ne voyaient pas lorsqu'ils étaient concentrés sur le ballon. On pouvait sans risque faire l'impasse sur le grand singe. On se comporte de la même façon avec la complexité écrasante du monde : focalisés sur nos propres problèmes, on n'y fait pas attention. On voit ce qui nous permet d'avancer vers nos objectifs. On détecte les obstacles lorsqu'ils surgissent sur notre chemin. On est vraiment très aveugle à tout le reste. C'est comme cela que ça doit être. Parce que nous ne sommes qu'une part insignifiante du monde, il nous faut orienter soigneusement nos ressources. Il est très difficile de voir, nous devons donc opérer une sélection et renoncer au reste.

Les textes védiques (les plus anciennes écritures de l'hindouisme, et l'un des fondements de la culture indienne) renferment une idée relativement profonde : le monde tel qu'on le perçoit est *maya* (« apparence » ou « illusion »). Cela signifie que les gens sont aveuglés par leurs désirs et incapables de voir les choses comme elles sont. C'est le cas, dans un sens qui transcende le métaphorique. Nos yeux sont des outils, ils sont là pour nous aider à obtenir ce que nous souhaitons. Le prix à payer pour cette fonctionnalité, pour cette aide particulière, est une cécité au reste du monde. Cela n'a pas vraiment d'importance quand tout va bien et que nous parvenons à avoir ce que nous voulons. Même si cela peut devenir un problème, car obtenir ce que l'on veut peut nous rendre aveugles à ce qui est plus important. Mais en temps de crise, lorsque rien ne va comme prévu, ne pas voir tout un pan de l'univers qui nous entoure peut avoir de lourdes conséquences. Parmi tous les éléments à gérer, certains risquent de nous échapper. Heureusement, le problème lui-même contient un début de solution. Puisque nous n'avons pas tenu compte de tous les éléments, il reste toutes les possibilités sur lesquelles nous ne nous sommes pas encore penchés.

Imaginez que vous êtes malheureux, vous ne parvenez pas à obtenir ce que vous souhaitez. Paradoxalement, c'est sans doute à cause de ce que vous voulez. Ce que vous désirez vous aveugle. Peut-être que ce dont vous avez besoin se trouve en réalité juste sous votre nez, mais vous ne vous en rendez pas compte car vous visez plus loin. Ce qui nous amène à un autre sujet, le prix à payer avant que l'on puisse obtenir ce que l'on souhaite – ou mieux encore, ce qu'il nous faut. Réfléchissez-y sous cet angle : vous contemplez le monde d'une manière qui vous est propre et unique. Vous employez un ensemble d'outils pour filtrer la plupart des choses et n'en laisser que quelques-unes vous atteindre. Vous avez passé du temps à vous forger ces outils qui vous sont devenus familiers. Il ne s'agit pas de simples idées abstraites. Ils sont une part de vous, ils vous orientent dans le monde et ce sont vos valeurs les plus profondes, souvent implicites et inconscientes. Elles font partie intégrante de votre organisme. Elles sont vivantes et n'ont aucune intention de disparaître, de se transformer ou de mourir. Mais parfois, elles ont fait leur temps, et de nouvelles voient le jour. Pour cette raison parmi d'autres, il est nécessaire de renoncer à certaines choses sur le chemin qui mène au sommet de la colline. Si tout ne se passe pas correctement pour vous sur ce chemin, c'est peut-être parce que, comme le dit l'aphorisme le plus cynique qui soit, « la vie est une garce, et ensuite tu meurs ». Toutefois, avant d'être poussé à cette affreuse conclusion, réfléchissez à cela : « Ce n'est pas la vie qui a un problème, c'est vous. » Au moins, cette prise de conscience vous laisse quelques possibilités. Si rien ne se passe comme vous le souhaitez, ce sont peut-être vos connaissances qui sont insuffisantes, et non votre existence qui mérite d'être critiquée. Sans doute vos valeurs ont-elles besoin d'être sérieusement réorganisées. Peut-être que ce que vous désirez vous empêche de voir le reste. Il est possible que vous vous cramponniez si fermement à vos désirs présents que vous ne voyiez rien d'autre, même ce dont vous avez terriblement besoin.

Imaginez que vous vous disiez avec envie : « Je devrais avoir le poste de mon chef. » Si votre supérieur, parfaitement compétent, s'y accroche obstinément, ce genre d'idée vous mettra dans un profond état d'agacement, de mécontentement et de dégoût. Vous pourriez en prendre conscience et vous dire : « Je suis malheureux, mais je pourrais y remédier en satisfaisant mon ambition », puis vous rétorquer : « Attends. Si je suis malheureux, ce n'est peut-être pas parce que je n'ai pas le poste de mon chef, mais parce ce que je ne peux pas m'empêcher de le vouloir. » Cela ne veut pas dire qu'il vous suffit, comme par magie, de vous enjoindre de ne plus ambitionner ce poste pour changer d'avis. Vous ne pourrez pas vous raviser aussi facilement. Il vous faudra creuser plus en profondeur.

Vous vous direz peut-être : « Je ne sais que faire de cette stupide souffrance. Je ne peux pas renoncer comme ça à mes ambitions, je n'aurais plus aucun but. Mais désirer un boulot que je ne peux pas avoir, ça ne fonctionne pas. » Vous déciderez alors sans doute de tenter une approche différente. D'élaborer un nouveau plan qui satisfasse à vos désirs, récompense véritablement vos ambitions, vous débarrasse de l'amertume et du ressentiment qui vous rongent. Vous songerez peut-être : « Je vais tenter de trouver quelque chose pour améliorer mon existence, et vais commencer à y travailler dès maintenant. Si ça me permet de faire autre chose que de courir après la place de mon chef, je l'accepterai et tournerai la page. »

Vous êtes désormais sur une tout autre trajectoire. Avant, ce qui était juste, souhaitable et digne d'intérêt était aussi concret que précis. Mais vous vous êtes retrouvé dans une impasse, totalement coincé et malheureux. Alors, vous laissez tomber. Vous faites ce sacrifice et cela vous donne accès à une nouvelle palette de possibilités, jusqu'alors occultées par votre ambition. Et il y a de quoi faire. À quoi ressemblerait votre existence si elle était meilleure ? À quoi ressemblerait la vie en général ? Que peut bien signifier « meilleure » ? Vous n'en savez rien. Et cela n'a aucune importance, car dès que vous aurez pris votre décision, vous allez commencer à le voir progressivement. Vous percevrez peu à peu ce qui était resté caché à vos yeux à cause de vos idées préconçues et des précédents mécanismes de votre vision. Vous allez commencer à apprendre.

Toutefois, cela ne fonctionnera qu'à la condition que vous souhaitiez réellement améliorer votre existence. Impossible de berner ses structures perceptuelles implicites, ne serait-ce qu'un peu, car elles visent dans la direction où on les braque. Pour se réorganiser, faire le point et viser quelque chose de mieux, il faut y réfléchir à fond. Vous devez passer votre psychisme au peigne fin – avec précaution, parce que pour améliorer sa vie, il faut faire face à un certain nombre de responsabilités. Cela demande plus d'efforts et d'attention que de vivre bêtement dans la souffrance, arrogant, fourbe et plein de ressentiment.

Que se passerait-il si tout ce qui est bon dans ce monde se révélait participant d'une vie « meilleure », selon votre propre perception ? Plus votre conception du « meilleur » serait élevée, renforcée et élaborée, plus vous auriez accès à de nouvelles possibilités et à de nouveaux avantages. Cela ne signifie pas pour autant que vous pouvez avoir tout ce que vous désirez, ni que tout est interprétation et que la réalité n'existe pas. Le monde demeure, avec son organisation et ses limites. Au fur et à mesure que vous avancez, il coopère ou proteste. Mais vous pouvez danser avec lui, si c'est votre objectif. Vous pourrez même conduire, si vous êtes suffisamment doué et avez assez de grâce. Ce n'est pas de la théologie, ni du mysticisme. Ce sont des connaissances empiriques. Rien de magique là-dedans, du moins rien de plus que la magie de la conscience. Nous ne voyons que ce que nous visons, le reste du monde – dans sa quasi-intégralité – étant dissimulé. Quand nous changeons de but pour quelque chose comme « je veux une vie meilleure », notre esprit nous présente de nouvelles informations qui nous étaient jusque-là cachées, pour nous aider à l'atteindre. Nous pouvons alors nous en servir pour avancer, agir, observer et nous améliorer. Ensuite, nous pouvons passer à autre chose, viser plus haut comme : « Je veux tout ce qui pourrait rendre ma vie encore meilleure. » Nous pénétrons alors dans une dimension de la réalité plus élevée, plus complète.

À ce stade, sur quoi devons-nous nous concentrer ? Que pourrions-nous voir ?

Prenons les choses sous cet angle : partons du fait que nous désirons certaines choses, et même que nous en avons besoin, c'est dans la nature humaine. Nous connaissons tous la faim, la solitude, la soif, le désir sexuel, l'agressivité, la peur et la souffrance, ces éléments font partie de l'Être, ce sont des éléments axiomatiques, primordiaux de l'Être. Mais il nous faut trier et organiser ces désirs primaires, car le monde est à la fois complexe et profondément réel. Il est impossible d'avoir ce que l'on souhaite et en même temps toutes les choses dont on aurait envie ou besoin. Nos désirs sont susceptibles d'entrer en conflit non seulement avec ces autres envies, mais aussi avec d'autres personnes, voire avec le reste du monde. Par conséquent, il nous faut prendre conscience de nos désirs, les organiser, établir des priorités, les hiérarchiser. Cela les rend complexes et leur permet de cohabiter avec ceux de personnes différentes. C'est ainsi que nos désirs s'élèvent d'eux-mêmes. Qu'ils s'organisent en valeurs et deviennent moraux. Nos valeurs, notre morale... ce sont des indicateurs de notre complexité.

L'étude philosophique de notre morale – celle du bien et du mal – est l'éthique. Une telle étude peut nous rendre plus avisés dans nos choix. La religion est encore plus ancienne et plus profonde que l'éthique. La religion ne se préoccupe pas uniquement de ce qui est bon ou mauvais, elle s'en sert de base pour juger directement du bien et du mal, la religion s'intéresse au domaine de la valeur, de la valeur suprême. Un terrain différent de celui de la science et des descriptions empiriques. Ceux qui ont écrit et corrigé la Bible, par exemple, n'étaient pas des scientifiques. Même s'ils l'avaient voulu, cela aurait été impossible. Les points de vue, les méthodes et les pratiques de la science n'avaient pas encore été mis au point lors de la rédaction de la Bible.

La religion traite surtout du comportement. De ce que Platon appelait le « bien ». Le véritable disciple d'une religion ne cherche pas à formuler des idées fidèles à la nature du monde, même s'il lui arrive parfois de tenter de le faire. Il s'efforce plutôt d'être une « bonne personne ». Il se peut que, pour lui, « bon » ne signifie rien d'autre qu'« obéissant », voire « obéissant aveuglément ». D'où l'objection classique et libérale de l'Occident averti au fait religieux : l'obéissance n'est pas suffisante. Mais au moins c'est un début, ce que nous avons tendance à oublier. Vous ne pourrez rien viser tant que vous serez totalement indiscipliné et ignorant. Vous ne saurez pas quoi viser, et votre trajectoire ne sera pas directe, même si d'une façon ou d'une autre vous êtes parvenu à viser juste. Ensuite, vous en conclurez qu'il n'y a rien à viser, et vous serez perdu.

Il est donc nécessaire et souhaitable pour les religions d'inclure un élément dogmatique. À quoi servirait un ensemble de valeurs qui ne s'appuierait sur aucune structure stable, et qui ne montrerait pas le chemin vers un ordre supérieur ? À quoi cela servirait-il si vous étiez incapable d'assimiler cette structure ou d'accepter cet ordre, non pas comme une destination finale, mais, au moins comme un point de départ ? Sans cela, vous n'êtes qu'un adulte de deux ans sans charme ni potentiel. Cela ne signifie pas, je le répète, que l'obéissance se suffit à elle-même. Mais une personne capable d'obéir – disons plutôt quelqu'un de relativement discipliné – est au moins un bon outil. C'est déjà ça, et ce n'est pas rien. Bien sûr, il faut une vision, car au-delà de la discipline et du dogme, chaque outil a besoin d'un but. C'est pour ce genre de raisons que Jésus a dit, dans l'Évangile selon Thomas : « Mais le royaume du Père s'étend sur la Terre, et les hommes ne le voient pas[75]. »

Cela signifie-t-il que ce que nous voyons dépend de notre foi ? Oui ! Et ce que nous ne voyons pas aussi ! Vous pourriez m'objecter : « Mais je suis athée... » Non, ce n'est pas le cas. Et si vous souhaitez comprendre pourquoi, lisez *Crime et Châtiment*, de Dostoïevski, sans doute le plus grand roman jamais écrit, dans lequel Raskolnikov, le personnage principal, décide de prendre son athéisme véritablement au sérieux, commet un crime qu'il justifie de « bienveillant », et en paie le prix. Vous n'avez rien d'athée dans vos actes, et ce sont eux qui sont le reflet le plus fidèle de vos croyances implicites ancrées au fond de vous, sous vos appréhensions conscientes, vos comportements exprimables et votre connaissance superficielle de vous-même.

Vous pouvez découvrir ce en quoi vous croyez vraiment, plutôt que ce en quoi vous pensez croire, en vous regardant agir. Avant, vous ignorez simplement en quoi vous croyez. Vous êtes trop complexe pour vous comprendre.

Il faut une observation minutieuse de l'éducation, de la réflexion et de la communication pour pouvoir gratter la surface de vos convictions. Tout ce qui compte à vos yeux est le résultat de processus de développement personnel, culturel et biologique incroyablement longs. Vous ne comprenez pas combien ce que vous souhaitez – et, par conséquent, ce que vous voyez – est conditionné par le passé, à la fois immense, effroyable et intime. Vous ne comprenez pas comment chacun des circuits neuronaux grâce auxquels vous pouvez voir le monde a été façonné dans la douleur par les objectifs éthiques de nos ancêtres durant des millions d'années, et ceux des êtres vivants qui ont existé pendant des milliards d'années avant eux.

Vous ne comprenez rien.

Vous ne saviez même pas que vous étiez aveugle.

Une partie de nos connaissances sur nos croyances sont documentées. Nous nous sommes observés en train d'agir, avons réfléchi à cette observation, et raconté des histoires modelées par cette réflexion durant des dizaines, voire des centaines de milliers d'années. Cela fait partie de nos tentatives, aussi bien individuelles que collectives, pour découvrir et exprimer nos croyances. L'essentiel de notre savoir provient des enseignements fondamentaux de nos cultures, de textes anciens comme le *Tao te king*, les écritures védiques ou les récits de la Bible. Pour le meilleur ou pour le pire, la Bible est le document fondateur de la civilisation occidentale, dans ses valeurs, sa morale et sa conception du bien et du mal. C'est le résultat de processus qui dépassent foncièrement notre entendement. La Bible est le rassemblement de plusieurs livres, chacun écrit et corrigé par de nombreuses personnes. C'est un document vraiment singulier, une histoire concoctée durant des milliers d'années par à la fois tout le monde et personne. Et chacun de ses éléments a été sélectionné et ordonné pour les rendre cohérents. Surgie de nulle part, la Bible est issue de l'imaginaire collectif, du résultat de forces incroyables s'étant exercées durant un laps de temps incommensurable. Son étude minutieuse et respectueuse nous en apprend beaucoup sur ce que nous croyons, sur notre comportement et sur la manière dont nous devrions nous conduire.

Le Dieu de l'Ancien Testament
et le Dieu du Nouveau Testament

Le Dieu de l'Ancien Testament peut paraître sévère, moralisateur, imprévisible et dangereux, surtout lors d'une lecture superficielle. Cela a été grandement exagéré par les chrétiens, dans le but d'amplifier la distinction entre les anciens et les nouveaux Évangiles. Mais une telle manipulation a des conséquences : confrontés à Yahweh, nos contemporains ont tendance à se dire : « Jamais je ne pourrai croire en un tel Dieu. » Mais le Dieu de l'Ancien Testament se moque éperdument de ce que pensent nos contemporains. Il se moquait déjà de ce que pensaient les gens de l'époque, même s'il était curieusement possible de marchander avec Lui, comme on s'en aperçoit notamment dans les récits d'Abraham. Néanmoins, quand Son peuple s'écarte du chemin, lorsqu'il désobéit à Ses ordres, viole Ses accords et contrevient à Ses commandements, il doit s'attendre à avoir des ennuis. Si vous ne faisiez pas ce qu'exigeait le Dieu de l'Ancien Testament, quels que soient Sa requête et le moyen dont vous tentiez de le Lui dissimuler, vous, vos enfants et vos petits-enfants risquiez d'avoir de gros problèmes.

Ce sont des réalistes qui ont créé ou analysé le Dieu de l'Ancien Testament. À force de suivre avec insouciance le mauvais chemin, les représentants de ces sociétés antiques se sont retrouvés dans la misère et l'esclavage, parfois des siècles durant, quand ils n'étaient pas totalement décimés. Était-ce raisonnable ? Juste ? Équitable ? Les auteurs de l'Ancien Testament se sont posé ces questions avec une extrême prudence, dans un cadre bien défini. Ils sont partis du principe que le Créateur de l'Être savait ce qu'il faisait, que c'était par essence Lui qui détenait le pouvoir, et qu'il fallait se soumettre à Ses injonctions. Ils étaient sages. C'était une force de la nature. Un lion affamé est-il raisonnable, juste ou équitable ? Quelle absurdité ! Les Israélites de l'Ancien Testament et leurs ancêtres savaient qu'il ne fallait pas badiner avec Dieu, et que s'ils le contrariaient, ils risquaient de voir un véritable enfer s'abattre sur eux. Le siècle dernier s'étant distingué par les horreurs insondables de Hitler, Staline et Mao, nous ne saurions qu'être d'accord avec eux.

Le Dieu du Nouveau Testament est souvent présenté comme un personnage différent (bien que l'Apocalypse, avec son Jugement dernier, mette en garde contre un excès de suffisance naïve). Il ressemble davantage à un Geppetto bienveillant, maître artisan et père débonnaire. Pour nous, Il ne veut que ce qu'il y a de mieux, Il n'est qu'amour et pardon. Bien sûr, si on se conduit mal, Il nous enverra en enfer. Mais au fond, c'est un dieu d'amour. On pourrait trouver cela plus optimiste, naïvement plus accueillant, mais proportionnellement moins crédible. Dans le monde de l'époque, susceptible d'exploser à la moindre étincelle, qui peut croire une chose pareille ? Un dieu de bonté dans l'après-Auschwitz ? C'est pour ces raisons que le philosophe Nietzsche, sans doute le critique le plus avisé en ce qui concerne la chrétienté, considérait le Dieu du Nouveau Testament comme le pire crime littéraire de l'histoire de l'Occident.

Dans *Par-delà le bien et le mal*[76], il écrit :

« Dans l'Ancien Testament juif, le livre de la justice divine, il y a des hommes, des choses et des discours d'un si grand style que les littératures grecque et hindoue n'ont rien à leur opposer. On s'arrête avec crainte et vénération devant ces vestiges prodigieux de ce que l'homme était autrefois et l'on songe tristement à la vieille Asie et à sa petite presqu'île, l'Europe [...]. Avoir accolé à l'Ancien Testament ce Nouveau Testament, au goût si rococo à tous les points de vue, pour n'en faire qu'un seul livre que l'on a appelé "Bible", le "livre des livres", c'est peut-être la plus grande témérité, le plus grand "péché contre l'esprit" que l'Europe littéraire ait sur la conscience*. »

Qui, exception faite des plus naïfs, pourrait soutenir que c'est un Être bon et miséricordieux qui gouverne ce monde ? Mais ce qui paraît incompréhensible à un aveugle peut sembler évident à quelqu'un qui a ouvert les yeux.

Revenons au cas où votre objectif est défini par quelque chose de mesquin, votre désir d'obtenir le poste de votre supérieur. À cause de cette jalousie, le monde dans lequel vous vivez se révèle empreint d'amertume, de déception et de malveillance. Imaginez que vous veniez à le remarquer et, après réflexion, à remettre en cause votre mécontentement. Vous décidez d'en accepter la responsabilité et osez partir du principe qu'il puisse en partie s'agir d'une situation sur laquelle vous avez la main. Vous entrouvrez un œil un moment et regardez autour de vous. Vous souhaitez quelque chose de mieux. Vous sacrifiez votre petitesse, vous vous repentez de votre jalousie et ouvrez votre cœur. Au lieu de maudire les ténèbres, vous laissez entrer un peu de

* Frédéric Nietzsche, *Par-delà le bien et le mal*, traduction d'Henri Albert, in *Œuvres complètes de Frédéric Nietzsche*, vol. X, Mercure de France, 1894 (NdT)

lumière. Vous décidez de viser une vie meilleure, plutôt qu'un plus beau bureau.

Mais vous ne vous arrêtez pas là. Vous vous apercevez que si c'est pour gâcher la vie de quelqu'un d'autre, c'est une erreur de viser une vie meilleure. Alors, vous faites appel à votre imagination. Vous décidez de jouer à un jeu plus difficile. Vous optez pour une vie meilleure de sorte que celle de vos proches s'améliore aussi. Et celle de vos amis. Et celle des inconnus qu'ils fréquentent. Et celle de vos ennemis ? Souhaitez-vous également les inclure ? Vous n'avez aucune idée de comment y parvenir. Mais vous avez étudié un peu d'histoire. Vous savez comment les conflits se déclenchent. Alors, bien que vous ne soyez pas maître de tels sentiments, vous commencez à souhaiter du bien même pour vos ennemis, du moins en théorie.

Et votre vue change de direction. Vous faites fi des limites qui, à votre insu, vous empêchaient de voir. Vous entrevoyez de nouvelles possibilités, et vous faites tout pour qu'elles se concrétisent. Votre existence s'améliore effectivement. Vous commencez alors à regarder plus loin : « "Meilleur" ? C'est peut-être le cas pour moi, mes proches et mes amis. Et même pour mes ennemis. Mais ce n'est pas tout. Ça signifie "meilleur aujourd'hui", ce qui sous-entend que tout sera encore meilleur demain, la semaine prochaine, l'année prochaine, dans dix ans, dans cent ans. Dans mille ans. À tout jamais. »

Et puis, « meilleur » signifie que l'on vise l'Amélioration de l'Être, avec un « A » majuscule et un « Ê » majuscule. En réfléchissant à tout cela et en le comprenant, vous prenez un risque. Vous faites le choix de considérer que le Dieu de l'Ancien Testament, avec son terrible pouvoir qui vous semble parfois si arbitraire, puisse également être celui du Nouveau Testament, même si vous comprenez combien c'est absurde. Autrement dit, vous décidez de faire comme si l'existence pouvait se justifier par sa vertu, à condition d'avoir l'attitude appropriée. C'est cette décision, cette déclaration de foi existentielle qui vous permet de venir à bout du nihilisme, du ressentiment et de l'arrogance. Qui empêche cette haine de l'Être et tous les maux qui l'accompagnent. En ce qui concerne la foi, il ne s'agit nullement du fait de croire en des choses que vous savez pertinemment fausses. La foi, ce n'est pas la croyance enfantine dans la magie. Cela, c'est de l'ignorance, voire de l'aveuglement délibéré. C'est au contraire la prise de conscience que le caractère dramatiquement irrationnel de l'existence doit être compensé par un engagement tout aussi irrationnel envers la vertu essentielle de l'Être. C'est en même temps la volonté d'oser viser l'impossible et de tout sacrifier, y compris et surtout votre vie. Vous comprenez que vous n'avez littéralement rien de mieux à faire. Mais comment allez-vous vous y prendre, si tant est que vous soyez suffisamment idiot pour essayer ?

Vous pourriez commencer en évitant de vous poser des questions, ou, plus exactement en refusant de soumettre votre foi à votre rationalité et à son étroitesse. Je ne vous demande pas de vous « rendre idiot ». Au contraire. Cela signifie que vous devez cesser de manœuvrer, calculer, intriguer, comploter, imposer, exiger, éviter, ignorer et sanctionner. Que vous devez remiser vos vieilles stratégies. Que vous devez, au contraire, rester attentif comme jamais.

Rester attentif

Rester attentif. Faire attention à ce qui vous entoure, aussi bien d'un point de vue physique que psychologique. Repérer ce qui vous ennuie, vous préoccupe, ce qui ne vous laissera pas en paix, ce à quoi vous pourriez remédier, ce à quoi vous allez remédier. Vous pouvez trouver ça en vous posant trois questions, comme si vous souhaitiez sincèrement obtenir des réponses : « Qu'est-ce qui m'ennuie ? », « Puis-je régler le problème ? » et « Suis-je disposé à le régler ? » Si votre réponse à au moins l'une de ces questions est « non », alors cherchez ailleurs. Visez plus bas. Interrogez-vous jusqu'à ce que vous découvriez ce qui vous agace vraiment, ce dont vous pouvez vous débarrasser et êtes prêt à le faire. Cela devrait suffire.

Il y a peut-être une pile de papiers sur votre bureau que vous ignorez depuis trop longtemps. Quand vous entrez dans la pièce, vous ne la regardez même pas. Des choses terribles vous y attendent : des déclarations de revenus, des factures, des lettres de personnes qui attendent de vous ce que vous ne pouvez leur offrir. Prêtez attention à votre peur, et ayez un peu de compassion pour elle. Il y a peut-être des serpents dans cette pile de papiers. Vous risquez de vous faire mordre. Peut-être même des hydres. Quand vous leur trancherez une tête, sept autres repousseront. Comment allez-vous pouvoir faire face à une telle épreuve ?

Vous pourriez vous demander : « Que suis-je prêt à faire pour cette pile ? Accepterais-je de jeter un coup d'œil au moins à une partie de ces papiers ? Disons pendant une vingtaine de minutes ? » La réponse sera peut-être « non ! ». Mais vous pourriez alors vous poser la question pour dix minutes, ou même cinq, voire une seule. Il y a un début à tout. Rien qu'en vous penchant sur une petite partie de cette pile, vous découvrirez rapidement qu'elle n'est pas si importante. Que chacune de ses parties est insignifiante. Et si, comme récompense, vous vous accordiez un verre de vin au dîner, un moment sur le canapé avec un livre ou devant un film ? Et si vous demandiez à votre conjoint de vous féliciter dès que vous réglez un problème, cela vous motiverait-il ? Les personnes dont vous attendez en priorité des remerciements ne seront sans doute pas promptes à vous les offrir, mais cela ne devrait pas vous arrêter. Tout le monde peut apprendre, même quand on n'est pas doué du tout au départ. Ne vous dites pas : « Je ne devrais pas avoir besoin de faire ça pour me motiver. » Que savez-vous de vous-même ? Vous êtes d'une part la chose la plus complexe de l'univers, et d'autre part incapable, ne serait-ce que de régler l'heure sur votre micro-ondes. Évitez de surestimer ce que vous savez sur vous.

Laissez les tâches de la journée se présenter d'elles-mêmes. Vous pouvez peut-être y réfléchir au lever, assis au bord de votre lit. Vous pouvez aussi tenter d'y penser la veille, avant d'aller vous coucher. Obligez-vous à une contribution volontaire. Si vous le demandez gentiment, et si vous écoutez attentivement la réponse sans essayer de tricher, vous devriez en trouver une. Faites-le quotidiennement pendant un moment. Ensuite, faites-le jusqu'à la fin de vos jours. Vous ne tarderez pas à vous retrouver dans une situation fort différente. À présent, vous allez vous demander : « Que puis-je faire, que vais-je accepter de faire pour améliorer mon existence ? » Ne vous imposez pas ce que vous pensez être le « meilleur » pour vous. Vous n'êtes ni totalitaire ni utopique, même envers vous-même, parce que vous avez appris du nazisme, du soviétisme, du maoïsme et de votre propre expérience que le totalitarisme ne menait à rien de bon. Visez haut. Fixez-vous pour objectif l'amélioration de l'Être. Choisissez de vous axer sur la vérité et le bien. Il vous faut établir un ordre et faire naître la beauté. Venir à bout du mal, réduire vos souffrances et vous améliorer.

C'est, à mon avis, le sommet de l'éthique d'après les critères occidentaux. C'est d'ailleurs le message des versets suivants, aussi éblouissants que déroutants, du sermon du Christ sur la montagne. L'essence, d'une certaine façon, de la sagesse du Nouveau Testament. C'est ce qui permet à l'esprit de l'humanité de transformer la compréhension de la morale des dix commandements que l'on apprend tout petit, en une vision positive et organisée d'un individu authentique. C'est l'expression non seulement d'une admirable maîtrise de soi, mais aussi du désir fondamental de mettre de l'ordre dans ce qui nous entoure. Ce n'est pas la fin des péchés, mais leur opposé, le bien. Le sermon sur la montagne trace les contours de la véritable nature humaine et de son objectif : se concentrer sur la journée présente, afin de vivre dans l'instant et se consacrer pleinement à ce qui est à portée de main. Mais uniquement après avoir décidé de laisser briller ce qui est en nous, pour que cela puisse justifier l'Être et illuminer le monde. Uniquement après avoir choisi de sacrifier ce qui doit l'être pour pouvoir atteindre le bien suprême.

« Considérez les lis ! Ils poussent sans se fatiguer à tisser des vêtements. Et pourtant, je vous l'assure, le roi Salomon lui-même, dans toute sa gloire, n'a jamais été aussi bien vêtu que l'un d'eux !

Si Dieu habille ainsi cette petite plante dans les champs, qui est là aujourd'hui et qui demain déjà sera jetée au feu, à plus forte raison combien vous vêtira-t-il vous-mêmes ! Ah, votre foi est bien petite !

Ne vous faites donc pas de soucis au sujet du manger et du boire, et ne vous tourmentez pas pour cela.

Toutes ces choses, les païens de ce monde s'en préoccupent sans cesse. Mais votre Père sait que vous en avez besoin.

Faites donc plutôt du royaume de Dieu votre préoccupation première, et ces choses vous seront données en plus. »

Luc 12:27-31

« Ne vous inquiétez pas pour le lendemain ; le lendemain se souciera de lui-même. À chaque jour suffit sa peine. »

Matthieu 6:34

Plutôt que de manipuler tout le monde, vous dites la vérité. Plutôt que de jouer au martyr ou au tyran, vous restez attentif, vous négociez. Il vous est désormais inutile d'être envieux, puisque vous n'êtes plus du tout certain que quelqu'un d'autre ait vraiment mieux que vous. Vous n'êtes plus frustré, puisque vous avez appris à viser bas et à vous montrer patient. Vous découvrez votre véritable nature, ce que vous voulez et ce que vous êtes disposé à faire. Vous comprenez qu'il vous faut des solutions adaptées à vos problèmes. Vous êtes moins préoccupé par les faits et gestes des autres, puisque vous avez largement de quoi faire de votre côté.

Concentrez-vous sur la journée à venir, mais visez le bien suprême.

À présent que votre trajectoire est dirigée vers le ciel, cela vous redonne espoir. Même sur un bateau en train de sombrer, n'importe qui serait heureux de pouvoir se hisser dans un canot de sauvetage, et qui sait jusqu'où il ira, à l'avenir ? Il vaut peut-être mieux voyager heureux que d'arriver à destination...

Demandez, et vous recevrez. Frappez, et la porte s'ouvrira. Si vous demandez avec sincérité et frappez à la porte avec la volonté d'entrer, vous aurez sans doute l'occasion d'améliorer votre existence, un peu, beaucoup, totalement. Avec cette amélioration, votre Être progressera lui aussi.

Comparez-vous à la personne que vous étiez hier, et non à quelqu'un d'autre.

DÉFENDEZ À VOS ENFANTS DE FAIRE CE QUI VOUS EMPÊCHERAIT DE LES AIMER

Si, c'est grave !

Récemment, j'ai eu l'occasion d'observer un garçon de trois ans qui suivait péniblement son père et sa mère dans un aéroport bondé. Toutes les cinq secondes, il hurlait violemment. Et surtout délibérément, pas parce qu'il était à bout. En tant que père, je peux faire la différence. Il énervait ses parents et des centaines de personnes dans le seul but d'attirer l'attention. Il voulait certainement quelque chose, mais ce n'était pas le meilleur moyen de l'obtenir, et ses parents auraient mieux fait de le lui expliquer. Vous pourriez me rétorquer que « peut-être ils étaient épuisés, victimes du décalage horaire, après un long vol ». Mais trente secondes d'explications auraient suffi à mettre un terme à ce cirque. Des parents plus attentionnés n'auraient pas permis que l'enfant auquel ils tiennent devienne ainsi l'objet d'un mépris général.

J'ai aussi observé un couple incapable de dire « non » à leur fils de deux ans, ou peu disposé à le faire. Ils le suivaient partout durant cette balade qui aurait pu être agréable, car il se conduisait si mal qu'il était impossible de le laisser seul quelques secondes. Le désir de ses parents de le laisser agir à sa guise sans intervenir avait paradoxalement produit l'effet inverse : ils le privaient de toute possibilité de se comporter de façon autonome. Comme ils n'osaient pas lui enseigner le sens du « non », il n'avait aucune idée des limites à ne pas franchir à son âge. Un exemple typique de « trop de chaos » engendrant « trop d'ordre » (et inévitablement l'inverse). Dans le même ordre d'idées, j'ai vu des parents incapables de tenir une conversation entre adultes à un dîner, parce que leurs enfants de quatre et cinq ans accaparaient toute l'attention, dévorant la mie de toutes les tranches de pain, soumettant tout le monde à leur tyrannie juvénile sous le regard embarrassé de leurs parents démunis.

Lorsque ma fille, aujourd'hui adulte, était petite, un enfant lui a donné un coup sur la tête avec un camion en métal. Un an plus tard, j'ai revu ce même garçon pousser brutalement sa petite sœur contre une table basse en verre. Sa mère l'a aussitôt attrapé, sans un regard pour sa fille effrayée, et en chuchotant lui a dit de ne pas faire ce genre de chose, tout en lui caressant la tête de manière réconfortante, marquant ainsi son approbation sans la moindre équivoque. Elle était en train de fabriquer un petit empereur de l'univers. C'est le but inexprimé de nombreuses mères, y compris celles qui se considèrent pourtant comme partisanes d'une parfaite égalité entre les sexes. Ces femmes sont du genre à protester à grands cris contre toute directive émise par un homme, mais à s'exécuter sur-le-champ quand leur progéniture exige une tartine de beurre de cacahuète au milieu d'une partie de jeu vidéo. Les futures compagnes de ces garçons auront toutes les raisons de haïr leurs belles-mères. Le respect des femmes ? C'est pour les hommes et les autres enfants. Pas pour leurs fils chéris.

C'est sans doute le même principe qui préside en partie à la préférence pour les garçons dans des pays comme l'Inde, le Pakistan et la Chine, où l'on pratique abondamment l'avortement sélectif en fonction du sexe de l'enfant. Sur Wikipédia, l'article sur cette pratique attribue son existence à des « normes culturelles » en faveur de l'enfant mâle. Si je cite Wikipédia, c'est parce que ses articles sont rédigés et modifiés de manière collective, et qu'il s'agit par conséquent du lieu idéal pour y découvrir des idées reçues. Mais rien ne prouve que de telles idées soient strictement culturelles. Il est plausible que l'évolution d'une telle attitude ait des motifs psychobiologiques inacceptables du point de vue moderne de l'égalité. Si les circonstances vous obligent à mettre tous vos œufs dans le même panier, si je puis dire, il est moins risqué d'avoir un fils, d'après les critères rigoureux de la logique de l'évolution, pour laquelle seule la prolifération de vos gènes a une quelconque importance. Pourquoi ?

Eh bien, une fille bonne reproductrice peut vous donner huit ou neuf enfants. À cet égard, Yitta Schwartz, qui a survécu à la Shoah, est une sorte de star. Sur trois générations, ses descendants directs ont réalisé cette performance. À sa mort, en 2010, elle était l'ancêtre de près de deux mille personnes[77]. Mais pour un garçon, il n'existe aucune limite. En ayant des rapports avec de multiples partenaires, il peut se reproduire de manière exponentielle, compte tenu de la propension de notre espèce à faire des enfants uniques. On raconte que l'acteur Warren Beatty et l'athlète Wilt Chamberlain ont chacun couché avec plusieurs milliers de femmes (un phénomène qui n'est pas rare non plus chez les rock stars). Ils ne font pas d'enfant chaque fois, car les techniques modernes de contraception y veillent. Contrairement aux « célébrités » d'autrefois comme Giocangga (vers 1550), le doyen de la dynastie Qing, l'ancêtre direct d'un million et demi de personnes dans le nord-est de la Chine[78]. Au Moyen Âge, la dynastie Uí Néill a donné naissance à près de trois millions de descendants mâles, qui vivent à présent surtout dans le nord-ouest de l'Irlande et aux États-Unis, en raison de l'émigration irlandaise[79]. Loin devant, leur roi à tous, Gengis Khan, conquérant d'une grande partie de l'Asie, est l'ancêtre de huit pour cent des hommes d'Asie centrale, soit seize millions de descendants mâles, trente-quatre générations plus tard[80]. Ainsi, d'un point de vue strictement biologique, les parents ont de bonnes raisons de privilégier les garçons et d'éliminer les filles avant leur naissance. Même si je ne prétends nullement qu'il s'agisse d'une cause directe. Ni ne suggère l'absence d'autres motifs d'origine culturelle.

Lorsqu'on accorde un traitement de faveur à son fils tout au long de son développement, on l'aide parfois à devenir un homme séduisant, équilibré et sûr de lui. Ce fut notamment le cas du père de la psychanalyse, Sigmund Freud : « Quand on a été sans contredit l'enfant préféré de sa mère, on garde pour la vie ce sentiment conquérant, cette assurance du succès qui, dans bien des cas, l'entraîne effectivement[81]. » Très bien. Mais avoir un « sentiment conquérant » peut rapidement se muer en « devenir un conquérant ». La reproduction effrénée de Gengis Khan a sans aucun doute empêché celle des autres, y compris celles des millions de morts chinois, perses, russes et hongrois. Gâter son fils pourrait donc être bienvenu du point de vue du « gène égoïste » (permettre aux gènes de l'enfant préféré de se transmettre à une descendance innombrable), pour reprendre la célèbre expression de Richard Dawkins, biologiste et théoricien de l'évolution. Mais cela peut rapidement tourner au cauchemar et devenir incroyablement risqué.

Je ne dis pas que toutes les mères préfèrent leurs fils à leurs filles (ni que les filles ne sont jamais préférées aux fils ni que les pères préfèrent parfois leurs fils). D'autres facteurs entrent évidemment en ligne de compte. Il arrive parfois, par exemple, qu'une haine inconsciente – pas toujours si inconsciente que cela, d'ailleurs – prenne le pas sur toute autre considération, quels que soient le genre, la personnalité et la situation de l'enfant. J'ai vu un garçon de quatre ans dont les parents autorisaient les colères régulières. Il avait blessé sa nourrice, et ses voisins le gardaient à tour de rôle. Quand sa mère le déposa chez nous, elle nous prévint qu'il ne mangerait rien de la journée. « Ce n'est pas grave », nous déclara-t-elle. Si, c'est grave (au cas où ce ne serait pas évident pour tout le monde). C'est ce même garçon de quatre ans qui se cramponna des heures à ma femme, aussi désespéré que dévoué lorsqu'elle parvint, grâce à sa ténacité, sa persévérance et sa compassion, à lui faire manger un repas entier, le récompensant pour sa coopération, refusant de le laisser tomber. Installé à la table de la salle à manger avec nous – ma femme, nos deux enfants, deux jeunes voisins dont nous nous occupions la journée et moi –, il refusa tout d'abord d'ouvrir la bouche. Elle lui tendit sa cuillère, attendit patiemment, insista même quand il tournait la tête, employant les méthodes défensives classiques des enfants récalcitrants de deux ans dont on ne s'occupe pas très bien.

Elle ne le lâcha pas. Elle lui caressait la tête chaque fois qu'il prenait une bouchée, lui déclarant avec sincérité que c'était un « bon garçon ». Elle pensait ce qu'elle disait. C'était un gamin mignon, mais amoché. En dix minutes pas si douloureuses que cela, il termina son repas. Nous le regardions tous fixement. C'était une question de vie ou de mort.

« Regarde ! lui dit-elle en brandissant son bol. Tu as tout fini. » La première fois que je l'avais vu, il était délibérément assis dans un coin avec son air triste, refusant de communiquer avec les autres enfants, fronçant les sourcils en permanence, refusant de réagir quand je le chatouillais et l'aiguillonnais pour tenter de le faire jouer un peu... Ce garçon se fendit aussitôt d'un large sourire qui mit tout le monde en joie autour de la table. Vingt ans plus tard, en écrivant ces lignes, des larmes me montent encore aux yeux. Ensuite, le restant de la journée, il suivit ma femme partout comme un petit chien, refusant de la perdre de vue. Lorsqu'elle s'asseyait, il sautait sur ses genoux, se blottissait contre elle, s'ouvrant de nouveau au monde, en quête désespérée de l'amour qu'on lui avait refusé. Plus tard dans la journée, mais bien trop tôt à son goût, sa mère est venue le chercher. Elle est descendue dans la pièce où nous nous trouvions tous. « Oh, supermaman », lâcha-t-elle avec dédain en apercevant son fils pelotonné sur les genoux de ma femme. Puis elle repartit, avec le même cœur noir assassin, tenant son malheureux fils par la main. Elle était psychologue. Même d'un seul œil ouvert, on voit certaines choses. Inutile de se demander pourquoi tant de monde préfère rester aveugle.

Tout le monde déteste l'arithmétique

Il arrive souvent que mes patients viennent me voir pour me raconter leurs problèmes familiaux. Ces soucis de la vie quotidienne sont insidieux, leur caractère habituel et prévisible leur donne un côté insignifiant. Mais cette apparence est trompeuse : ce qui se produit tous les jours constitue véritablement notre existence, et le temps passé à répéter les mêmes choses s'additionne de façon alarmante. Récemment, un père de famille m'a raconté combien il avait du mal à coucher son fils tous les soirs*, un rituel qui se transformait généralement en trois quarts d'heure de disputes. Nous avons fait le calcul. Quarante-cinq minutes par jour, sept jours par semaine, cela fait trois cents minutes,

---

* Je m'inspire ici de l'expérience de mes patients (comme il m'est déjà arrivé de faire appel à mon expérience personnelle), et je le referai à plusieurs reprises dans cet ouvrage. J'ai tenté de garder intacte la morale de ces histoires tout en modifiant les détails par égard pour la vie privée des personnes concernées. J'espère avoir trouvé le bon équilibre.

soit cinq heures par semaine. Sur quatre semaines, cela fait vingt heures par mois. Soit 240 heures par an. Un mois et demi, si l'on considère des semaines de travail classiques de quarante heures.

Mon patient passait un mois et demi par an, à raison de huit heures par jour ouvrable, à se disputer vainement avec son fils. Inutile de préciser qu'ils en souffraient tous les deux. Si bonnes ses intentions soient-elles, si doux et tolérant son tempérament soit-il, il est impossible de maintenir une bonne relation avec quelqu'un contre qui on lutte un mois et demi par an. On finit toujours par éprouver du ressentiment. Même si ce n'est pas le cas, tout ce temps perdu de façon désagréable aurait évidemment pu être consacré à des activités plus productives et utiles, moins stressantes et plus plaisantes. Comment expliquer ce genre de situation ? Qui est fautif, l'enfant ou le parent ? La nature ou la société ? Et, surtout, comment y remédier ?

Certains accusent l'adulte de tous ces problèmes, soit le parent, soit la société au sens large. « Il n'y a pas de mauvais enfants, pensent-ils. Que de mauvais parents. » Quand on songe à l'enfant idéal, cette idée peut sembler parfaitement justifiée. La beauté, la franchise, la joie, la confiance et la faculté d'aimer qui caractérisent les enfants peuvent nous pousser à rejeter la culpabilité sur les adultes. Mais ce genre d'attitude est aussi dangereusement que naïvement romantique. Elle est trop partiale, notamment dans le cas d'un fils ou d'une fille particulièrement difficiles. Et accabler la société de tous les maux ne vaut pas beaucoup mieux. Ce faisant, on se contente de déplacer le problème dans le temps, sans explication ni solution. Si la société est corrompue, mais pas les individus qui la composent, alors d'où vient la corruption, comment s'est-elle propagée ? Cette théorie partiale est fondamentalement idéologique.

L'insistance qui découle logiquement de cette présomption de corruption sociale et selon laquelle chaque problème, si rare soit-il, doit être résolu grâce à la mise en œuvre d'une restructuration sociale, si radicale soit-elle, est encore plus problématique. Notre société fait face à un appel croissant à déconstruire ses traditions, source de stabilité, afin d'y inclure un nombre de plus en plus petit d'individus qui ne conviennent pas ou refusent de s'adapter à notre perception de la vie. Ce n'est pas opportun. Il est impossible de remédier à tous les maux par une révolution sociale, car les révolutions sont déstabilisantes et dangereuses. Nous avons appris à vivre ensemble et à organiser nos sociétés complexes de manière lente et progressive, sur de longues périodes, et nous ne comprenons pas avec exactitude pourquoi ce que nous faisons fonctionne. Ainsi, compte tenu des souffrances que génèrent habituellement les révolutions même les plus infimes, le fait de bouleverser sans précautions nos habitudes au nom d'un principe idéologique quelconque (celui de la diversité me vient à l'esprit) engendre sans aucun doute plus de problèmes qu'il n'en résout.

Était-ce vraiment une bonne idée, par exemple, de libéraliser à ce point le divorce dans les années 1960 ? Je ne suis pas sûr que ce soit l'avis des enfants dont l'existence a été déstabilisée par la liberté hypothétique que cela était censé amener. Derrière les murs si sagement érigés par nos ancêtres sont tapies l'horreur et la terreur. Nous les abattons à nos risques et périls. Inconsciemment, nous patinons sur la fine couche de glace d'un lac gelé où, dans les eaux glaciales, des monstres indescriptibles attendent notre moindre faux pas.

Les parents d'aujourd'hui sont terrorisés par leurs enfants, en particulier parce qu'on les considère comme les agents proximaux de cette prétendue tyrannie sociale, et que dans le même temps on leur refuse tout mérite pour leur rôle aussi bienveillant que nécessaire d'agents de discipline, d'ordre et de conventionnalité. Ils demeurent avec une certaine gêne dans l'ombre du tout-puissant adolescent des années 1960, une décennie dont les excès ont conduit à un dénigrement général de l'adulte, au doute qu'il puisse exister un pouvoir satisfaisant, et à l'incapacité de faire la différence entre le chaos de l'immaturité et la liberté, faite de responsabilités. Cela a rendu les parents plus sensibles aux moindres souffrances émotionnelles de leurs enfants, leur faisant craindre de leur nuire de façon aussi douloureuse que contre-productive. Mieux vaut cela que l'inverse, pourriez-vous me rétorquer, mais des catastrophes nous attendent à chaque extrémité du continuum moral.

Le bon sauvage

On dit que tout individu est le disciple conscient ou non d'un philosophe influent. La croyance selon laquelle les enfants ont un esprit intrinsèquement pur, uniquement corrompu par la culture et la société, est issue en grande partie de l'esprit du philosophe genevois Jean-Jacques Rousseau[82]. Ce dernier était convaincu de l'influence corruptrice de la société et de la propriété privée. Il prétendait que rien n'était plus doux et merveilleux qu'un homme avant d'avoir été civilisé. À la même période, constatant son incapacité à être père, il abandonna cinq de ses enfants aux bons soins des orphelinats de l'époque.

Toutefois, le bon sauvage que décrivait Rousseau était un idéal – une abstraction à la fois archétypale et religieuse –, et non la réalité de chair et de sang qu'il supposait. Le Divin Enfant, mythologiquement parfait, hantera à tout jamais notre imagination. Il représente le potentiel de la jeunesse, le héros nouveau-né, l'innocent lésé, le fils que le roi légitime a perdu de vue depuis longtemps. C'est le sentiment d'immortalité qui accompagne nos premières expériences. C'est Adam, l'homme parfait déambulant avec Dieu dans le jardin d'Éden avant de connaître le péché, avant la chute.

Mais les êtres humains sont aussi bons que mauvais, et les ténèbres qui hantent notre âme surgissent dès notre plus jeune âge. En général, plutôt que d'empirer, les gens s'améliorent avec l'âge. En mûrissant, ils se font plus affables, plus sérieux et plus stables émotionnellement[83]. Les intimidations comme dans les cours d'école[84] n'ont généralement plus lieu dans la société des adultes. C'est pour cette raison que *Sa Majesté des mouches*, le roman noir et anarchiste de William Golding, est un classique.

En outre, il existe nombre de preuves directes que les horreurs commises par les hommes ne sont pas toutes imputables à l'histoire et à la société. Cette découverte sans doute fort douloureuse a été faite par la primatologue Jane Goodall à partir de 1974, lorsqu'elle s'est aperçue que ses chimpanzés bien-aimés étaient capables de s'entretuer (pour employer la terminologie appropriée aux humains), et prêts à le faire[85]. En raison de leur nature troublante et de leur grande signification anthropologique, elle garda le secret sur ses observations des années durant, craignant que son contact avec les animaux ne les ait conduits à adopter un comportement anormal. Même après qu'elle eut publié son étude, ils furent nombreux à refuser d'y croire. Il devint cependant bientôt évident que ce qu'elle avait observé n'avait rien d'exceptionnel.

Pour le dire crûment, ses chimpanzés avaient mené une guerre intertribale. De plus, ils l'avaient fait avec une violence presque inimaginable. Malgré sa petite taille, le chimpanzé adulte moyen, rapporté à l'échelle humaine, est plus de deux fois plus robuste[86]. Ce fut avec une certaine terreur que Goodall avait fait état de la facilité avec laquelle les singes qu'elle avait étudiés avaient rompu de gros câbles d'acier et des leviers[87]. Les chimpanzés sont capables de se réduire mutuellement en pièces. Et ils n'hésitent pas à le faire. Impossible, cette fois, d'en faire le reproche aux sociétés humaines et à leurs technologies complexes[88]. « Souvent, quand il m'arrivait de me réveiller en pleine nuit, écrit-elle, des images effrayantes me venaient spontanément à l'esprit : Satan (un chimpanzé que j'observais depuis longtemps) formant une coupe avec sa main sous le menton de Sniff pour boire le sang qui s'écoulait d'une plaie à son visage... Jomeo arrachant une bande de peau de la cuisse de Dé, Figan se jetant de façon répétée sur le corps ravagé et tremblant de Goliath, l'un de ses héros d'enfance, pour le frapper[89]. » Des petites bandes d'adolescents, principalement des mâles, écumaient les limites de leur territoire. Chaque fois qu'ils croisaient des étrangers (même des chimpanzés qu'ils avaient jadis connus et qui avaient quitté le groupe désormais trop important), s'ils les surpassaient en nombre, ils se jetaient sur eux et les anéantissaient. Sans la moindre pitié. Les chimpanzés n'ont pas d'ego démesuré, et mieux vaut se rappeler que la faculté des humains à garder leur sang-froid est parfois aussi très exagérée. La lecture attentive d'un livre aussi bouleversant et atroce que *Le Viol de Nankin*, d'Iris Chang[90], qui décrit la violente destruction de la ville chinoise par l'envahisseur japonais, désenchanterait même le plus convaincu des romantiques. Et moins on en dit sur l'Unité 731, une unité de recherche secrète japonaise spécialisée dans la guerre bactériologique, mieux cela vaut. Renseignez-vous à son sujet à vos risques et périls. Je vous aurai prévenu.

Les chasseurs-cueilleurs aussi sont plus meurtriers que leurs homologues urbains industrialisés, et ce malgré leur vie en communauté et leurs cultures localisées. Le taux annuel d'homicides au Royaume-Uni est d'environ un pour cent mille[91]. Il est quatre ou cinq fois plus élevé aux États-Unis, et près de quatre-vingt-dix fois plus au Honduras, qui a le taux le plus haut au sein des pays développés. Mais les faits sont là, les humains deviennent de plus en plus pacifiques, et non l'inverse, au fur et à mesure que les sociétés s'agrandissent et s'organisent. Les !Kung d'Afrique,

qualifiés dans les années 1950 par Elizabeth Marshall Thomas de « peuple inoffensif[92] », avaient un taux annuel de
meurtres de 40 pour 100 000, qui s'est réduit de plus
de trente pour cent lorsqu'ils ont mis en place une autorité
d'État[93]. C'est un exemple très instructif d'une structure
sociale complexe qui permet de réduire, et non d'accentuer
les tendances à la violence des êtres humains. Des taux
annuels de 300 pour 100 000 ont été constatés chez les
Yanomami du Brésil, célèbres pour leur agressivité, mais ce
ne sont pas les statistiques les plus élevées. Les citoyens de
Papouasie-Nouvelle-Guinée s'entretuent chaque année à un
rythme allant de 140 à 1 000 pour 100 000[94]. Toutefois,
le record semble être détenu par le peuple indigène Kato
de Californie, dont 1 450 sur 100 000 ont succombé de
mort violente en 1840[95].

Les enfants, à l'image des autres êtres humains, n'étant ni
entièrement bons ni totalement mauvais, il est inconcevable
de les laisser livrés à eux-mêmes à l'écart de la société pour
qu'ils puissent s'épanouir en toute perfection. Même les
chiens ont besoin d'en fréquenter d'autres s'ils souhaitent être
acceptés dans la meute. Et il va sans dire que les enfants
sont bien plus complexes que des chiens. Cela signifie qu'ils
sont beaucoup plus susceptibles de s'égarer s'ils ne sont
pas éduqués, disciplinés et convenablement stimulés. Qu'il
n'est pas juste du tout de vouloir associer l'ensemble des
tendances violentes de l'humanité aux pathologies de ses
structures sociales. C'est si faux que c'est tout le contraire.
Le processus crucial de socialisation empêche beaucoup de
dégâts et favorise les bonnes choses. Pour qu'ils puissent
s'épanouir, les enfants ont besoin d'être structurés et bien
informés. Cela se ressent singulièrement dans leur attitude :
les gamins ont désespérément besoin d'attention, aussi bien
de la part de leurs pairs que des adultes car, en plus d'en
faire des acteurs de la communauté efficaces et avertis, elle
leur est d'une importance vitale.

Les enfants souffrent autant, si ce n'est davantage, d'un manque d'attention soutenue que de mauvais traitements, qu'ils soient physiques ou psychiques. Il s'agit de dégâts par omission plutôt que par perpétration, mais ils n'en sont pas moins graves et durables. Quand leurs parents, dans leur négligence « bienveillante », sont incapables de les rendre observateurs et éveillés mais les laissent dans un état inconscient et indifférencié, les enfants souffrent. C'est également le cas lorsque ceux qui sont censés s'occuper d'eux, redoutant le moindre conflit ou fâchés, cessent de les réprimander et les laissent livrés à eux-mêmes. Dans la rue, je repère immédiatement ce genre d'enfants. Ils sont ramollis, dans le vague... Au lieu d'être rayonnants et vifs, ils traînent des pieds et semblent s'ennuyer. Ce sont des blocs non taillés pris au piège dans un état d'attente permanente.

Ces enfants n'inspirent à leurs pairs que de l'indifférence. C'est dû au fait qu'il n'est pas amusant de jouer avec eux. Les adultes ont tendance à avoir la même attitude, même s'ils s'acharneront à le nier quand on le leur fera remarquer. Lorsque je travaillais dans des garderies, au début de ma carrière, les enfants relativement négligés venaient me voir d'un air désespéré, avec leur maladresse et leur manque d'assurance, sans encore de notion de distance ni de gaieté. Ils se laissaient tomber non loin, ou directement sur mes genoux, qu'importe ce que j'étais en train de faire, inexorablement poussés par le besoin d'attirer l'attention d'un adulte, catalyseur nécessaire à leur développement. Il était très difficile de dissimuler son agacement, voire son dégoût pour ces enfants et leur infantilisme prolongé, de ne pas les repousser, même si j'avais beaucoup de peine pour eux et comprenais très bien la situation dans laquelle ils se trouvaient. Je suis convaincu que cette réaction, si sévère et épouvantable soit-elle, était un signal interne d'avertissement universel me prévenant du danger d'établir une relation avec des enfants si peu socialisés : la probabilité d'une dépendance immédiate et déplacée, parce qu'elle était de la responsabilité des parents, et la formidable débauche de temps et de moyens qu'impliquait le fait d'accepter une telle dépendance. Confrontés à une telle situation, leurs amis potentiels et les adultes intéressés sont nettement plus susceptibles de se tourner vers d'autres enfants dont le rapport coûts et bénéfices, pour le dire sans ambages, serait moins élevé.

Parent ou ami ?

Il arrive que la négligence et les mauvais traitements délibérés soient dus à une approche disciplinaire mal structurée, voire totalement inexistante, justifiée par des arrière-pensées parentales explicites et conscientes, si l'on s'est fourvoyé. Mais plus souvent qu'on ne le croit, les parents sont simplement paralysés par la peur de ne plus être aimés par leurs enfants s'ils les réprimandent pour une raison ou pour une autre. Ils souhaitent avant tout leur amitié, et sont prêts pour l'obtenir à sacrifier le respect. Ce n'est pas bien. Un enfant a beaucoup d'amis, mais seulement deux parents, dans le meilleur des cas, et ces derniers sont bien plus que des amis. Les amis n'ont qu'une autorité limitée pour réprimander. Chaque parent doit donc apprendre à accepter la colère, voire la haine passagère que son enfant éprouve envers lui après qu'il a été contraint de le sermonner, car la faculté des enfants à percevoir ou à se soucier des conséquences à long terme est très limitée. Les parents sont les arbitres de la société. Ils enseignent à leurs enfants comment se comporter pour que les autres puissent interagir avec eux de manière significative et utile.

Punir un enfant est un acte responsable. Ce n'est pas de la colère contre un mauvais comportement. Ni une vengeance contre une bêtise. C'est un savant mélange de compassion et de jugement à long terme. Une discipline appropriée demande des efforts. En fait, c'est presque synonyme d'« effort ». Il est difficile de s'occuper d'enfants. De comprendre ce qui ne va pas, ce qui va et pourquoi. Il n'est pas simple d'élaborer des stratégies disciplinaires à la fois justes et compatissantes, ni de négocier leur application avec les autres personnes impliquées dans la garde d'enfants. En raison de toutes les responsabilités et difficultés que cela représente, il est fort probable que ceux qui soutiennent que les contraintes imposées aux enfants les font souffrir soient écoutés. Une telle idée, une fois acceptée, permet aux adultes censés faire preuve de bon sens de renoncer à leur poste d'agent d'*enculturation*, tout en donnant l'impression de faire ce qu'il y a de mieux pour leurs enfants. C'est de l'aveuglement pur et simple, pernicieux et grave. C'est paresseux, cruel et inexcusable. Et notre tendance à rationaliser ne s'achève pas là.

Nous partons du principe que les règles vont irrémédiablement inhiber la créativité innée et débridée de nos enfants, bien que la littérature scientifique indique clairement que, premièrement, cette créativité au-delà de l'insignifiant est affreusement rare[96], et que, deuxièmement, ces limites strictes favorisent l'imagination plutôt que de la brider[97]. La croyance d'après laquelle les règles et structures sont des éléments purement destructeurs va souvent de pair avec l'idée que les enfants, si on leur permet d'exprimer leur véritable nature, sont parfaitement capables de savoir quand il faut aller se coucher et ce qu'il faut manger. Ces suppositions sont tout aussi dépourvues de fondements. Les enfants sont tout à fait prêts à tenter de vivre de hot dogs, de nuggets de poulet et de céréales de toutes les couleurs si cela leur permet d'attirer l'attention, leur donne du pouvoir ou les dispense d'essayer quelque chose de nouveau. Plutôt que d'aller sagement se coucher dans le calme, ils vont préférer lutter contre le sommeil jusqu'à ce qu'ils tombent de fatigue. Ils sont aussi disposés à exaspérer les adultes tout en explorant les contours complexes de leur environnement social, de la même façon que les jeunes chimpanzés peuvent harceler les adultes de leur groupe[98]. En observant les conséquences de leurs taquineries et de leurs moqueries, les chimpanzés – et les enfants – découvrent les limites de ce qui serait sinon une liberté sans structure, et par conséquent terrifiante. Ces limites, lorsqu'ils les ont trouvées, leur apportent un sentiment de sécurité, même si leur découverte leur procure temporairement déception et frustration.

Je me rappelle avoir emmené ma fille au square, quand elle avait environ deux ans. Suspendue à bout de bras, elle jouait au cochon pendu. Un petit monstre particulièrement provocateur du même âge se tenait au-dessus d'elle, sur la même barre que celle où elle était accrochée. Je l'ai regardé approcher de ma fille. Nos regards se sont croisés. Lentement, il lui marcha délibérément sur les mains, de plus en plus fort, tout en me regardant fixement. Il savait exactement ce qu'il faisait. « Va te faire voir, superpapa. » C'était sa philosophie. Il s'était déjà fait à l'idée que les adultes étaient méprisables et qu'il pouvait les défier sans risque. (Dommage qu'il soit lui aussi destiné à en devenir un !) C'était l'avenir sans espoir que comptaient lui offrir ses parents. À sa grande et salutaire surprise, je l'aurais volontiers soulevé de la structure et projeté dix mètres plus loin.

Non. Je me suis contenté de récupérer ma fille et de l'amener ailleurs. Mais il aurait été préférable pour lui que je mette mon idée à exécution.

Imaginez un bambin qui frappe sa mère au visage de façon répétée. Pourquoi ferait-il une chose pareille ? Question idiote, incroyablement naïve. La réponse est évidente : pour dominer sa mère. Pour voir s'il peut s'en tirer à bon compte. Après tout, la violence n'est plus un mystère. Contrairement à la paix, la violence est un état par défaut. C'est facile.

La paix est difficile, elle s'apprend, s'inculque et se gagne. On se pose généralement les questions psychologiques à l'envers. Pourquoi certains se droguent-ils ? Ce n'est pas un mystère. Le plus curieux, c'est qu'ils n'en consomment pas à longueur de temps. Pourquoi souffre-t-on d'angoisse ? Là non plus, ce n'est pas un mystère. La vraie question, c'est « comment peut-on rester calme ? » Nous sommes fragiles et mortels. Un million de choses peuvent mal se passer, d'un million de façons différentes. Nous devrions constamment être terrifiés. Mais ce n'est pas le cas. On peut en dire autant de la dépression, la paresse et la criminalité.

Si je peux vous blesser et vous vaincre, alors je peux faire tout ce que je veux, quand je le souhaite, même en votre présence. Pour satisfaire ma curiosité, je peux vous faire souffrir, je peux attirer l'attention à vos dépens et vous dominer. Je peux vous prendre votre jouet. Les enfants frappent, premièrement parce que l'agressivité est innée, même si elle est plus dominante chez certains individus que chez d'autres, et deuxièmement parce qu'elle facilite le désir. Il est ridicule de partir du principe qu'un tel comportement s'apprend. Un serpent n'a pas besoin de conseils pour attaquer. C'est dans sa nature. D'un point de vue statistique, les enfants de deux ans sont les individus les plus violents[99]. Ils donnent des coups de pied et de poing, mordent et dérobent les biens des autres. Ils agissent ainsi pour explorer, exprimer leur indignation et leur frustration, pour satisfaire leurs désirs et leurs instincts. Surtout, ils le font pour tester les véritables limites de ce qui leur est permis. Sinon, comment pourraient-ils comprendre ce qui est acceptable ou non ? Les nourrissons sont comme des aveugles, à la recherche d'un mur. Il leur faut avancer, tester, pour voir où se trouvent les limites – et elles se trouvent trop rarement où l'on prétend qu'elles sont.

En réprimandant de manière systématique ce genre d'action, on définit les limites de l'agressivité acceptable de l'enfant. Sinon, on ne fait qu'attiser sa curiosité. Ainsi, s'il est agressif et dominant, il va frapper, mordre, donner des coups de pied jusqu'à ce qu'on lui indique une limite. Jusqu'où puis-je frapper maman ? Jusqu'à ce qu'elle proteste. Cela étant posé, mieux vaut réprimander trop tôt que trop tard, si le résultat attendu par le parent est de ne plus être frappé. La réprimande aide également l'enfant à apprendre que frapper les autres est une stratégie sociale loin d'être optimale. Sinon, aucun enfant ne fera l'effort d'organiser et de réguler ses pulsions pour qu'elles puissent coexister en paix à la fois dans son psychisme et en société. L'organisation d'un esprit n'est pas une mince affaire.

Mon fils était particulièrement entêté, quand il était petit. Alors qu'il me suffisait d'un regard noir pour paralyser ma fille, cette technique n'avait aucun effet sur mon fils. À neuf mois, à table, il avait tenu tête à ma femme, qui n'est pourtant pas du genre à se laisser marcher sur les pieds. Il insistait pour tenir sa cuillère tout seul. « Parfait ! » songea-t-on. Nous n'avions aucune envie de le nourrir plus longtemps que nécessaire. Mais ce petit salopiaud ne mangeait que trois ou quatre bouchées. Ensuite, il s'amusait. Il remuait sa nourriture dans son assiette, il en renversait sur la tablette de sa chaise haute et la regardait tomber par terre. Pas de problème, il explorait. Mais il ne mangeait pas assez. Ce qui le conduisit à un manque de sommeil. Comme il ne dormait plus suffisamment, ses pleurs nous réveillaient au milieu de la nuit. Nous devenions bougons, de mauvaise humeur. Il frustrait sa mère, et elle passait ses nerfs sur moi. Cela prenait une très mauvaise tournure.

Au bout de quelques jours, je décidai de reprendre la cuillère. J'étais prêt à me battre, j'étais resté en retrait suffisamment longtemps. Aussi difficile que cela puisse sembler, un adulte patient est tout à fait capable de vaincre un enfant de deux ans. Comme on le dit : « L'âge et la ruse auront toujours raison de la jeunesse et de l'habileté. » C'est en partie parce que le temps s'écoule beaucoup moins vite quand on a deux ans, une demi-heure pour moi équivalait à une semaine pour lui. Je me suis assuré de la victoire. Il se montra aussi méchant qu'obstiné, mais je savais être pire que lui. On s'installa face à face, l'assiette devant lui. C'était *Le Train sifflera trois fois*. Il le savait, et je le savais. Il empoigna la cuillère. Je la lui pris des mains et la remplis d'une délicieuse bouchée de bouillie. Je l'approchai lentement de sa bouche. Il me regarda avec le même air que le petit monstre du square. Faisant la moue, il refusa la cuillère. Je suivais sa bouche chaque fois qu'il tournait la tête d'un côté et de l'autre.

J'avais plus d'un tour dans mon sac. De ma main libre, je lui donnai des petits coups de doigt pour l'agacer. Il ne bougea pas. Je recommençai. Plusieurs fois. Pas fort, mais de manière à ne pas le laisser indifférent. Une dizaine de petits coups plus tard, il ouvrit sa bouche dans l'intention de manifester son mécontentement. Ah, quelle erreur ! Avec adresse, j'enfonçai la cuillère entre ses lèvres. Il tenta vaillamment de repousser la nourriture avec sa langue, mais je sais aussi comment gérer cette réaction. Je me contentai de placer mon index horizontalement sur sa bouche. S'il parvint à repousser une partie de la bouillie, il en avala aussi. Un point pour papa. Je lui caressai la tête en lui assurant que c'était un gentil garçon. J'étais sincère. Quand quelqu'un finit par faire une chose à laquelle vous tentez de le contraindre, récompensez-le. Pas de rancune après une victoire. Une heure plus tard, c'était terminé. Il y avait eu de l'indignation et des cris, ma femme avait dû quitter la pièce, c'était trop stressant pour elle. Mais mon fils mangea son plat. Épuisé, il s'endormit sur ma poitrine. On fit une sieste ensemble. Et il m'aima beaucoup plus à son réveil qu'avant d'avoir reçu cette petite leçon de discipline. Je le remarquai à plusieurs reprises lorsqu'il nous arriva de nous affronter. Et pas seulement avec lui. Plus tard, on fit de la garde partagée avec un autre couple. Tous les enfants étaient rassemblés dans une seule maison. Ce qui permettait à un couple de parents d'aller au restaurant ou au cinéma, laissant l'autre surveiller les enfants, qui avaient tous moins de trois ans. Un soir, un troisième couple de parents se joignit à nous. Je ne connaissais pas bien leur fils, un petit costaud de deux ans. « Il ne va pas dormir, nous annonça son père. Dès que vous l'aurez couché, il va se lever et descendre. Généralement, on le laisse regarder un épisode de *1, rue Sésame*. »

« Il est hors de question que je récompense un enfant récalcitrant pour son comportement inacceptable, songeai-je. Et je n'ai pas l'intention de laisser qui que ce soit regarder une vidéo de *1, rue Sésame*. » J'avais toujours détesté ces marionnettes sinistres et geignardes. C'était un affront à l'héritage de Jim Henson. Il était donc hors de question que je récompense qui que ce soit avec un épisode de cette émission. Je m'abstins de dire quoi que ce soit, évidemment. Il est inutile de parler de leurs enfants à des parents. À moins qu'ils soient prêts à écouter.

Deux heures plus tard, on coucha les enfants. Sur les cinq, quatre ne firent aucune histoire, mais le fan de marionnettes joua les récalcitrants. Je l'avais mis dans un lit à barreaux pour l'empêcher de s'échapper. Mais il pouvait toujours hurler. C'est exactement ce qu'il fit. La situation était délicate. C'était bien joué de sa part. C'était agaçant, et il menaçait de réveiller les autres, qui se mettraient alors aussi à brailler. Un point pour le gamin. Je suis donc monté le voir. « Allonge-toi, lui ordonnai-je sans succès. Allonge-toi, répétai-je, ou c'est moi qui m'en charge. » Il est rarement efficace de chercher à raisonner un enfant, surtout dans de telles circonstances, mais je crois aux mises en garde. Bien sûr, il refusa d'obtempérer. Il se remit à hurler, pour faire son effet.

Une attitude fréquente. Les parents apeurés croient qu'un enfant qui pleure est soit triste, soit souffrant. Ils se trompent. La colère est l'une des principales raisons pour lesquelles ils se mettent dans cet état. Une étude de la musculature des enfants qui pleurent l'a confirmé[100]. Les pleurs de colère et les pleurs de tristesse sont différents. Ils ne sonnent pas pareil. Si l'on y prête attention, on peut les distinguer. Les cris de colère sont souvent des actes de domination, et il faut les traiter comme tels. Je le soulevai et le recouchai. Avec douceur et patience. Mais fermement. Il se releva. Je le recouchai. Il se releva. Cette fois, je le recouchai en maintenant ma main sur son dos. Il se débattit vigoureusement mais vainement. Après tout, il ne faisait qu'un dixième de ma taille. Je pouvais le soulever d'une seule main. Je le maintins donc couché et m'adressai à lui calmement, lui assurant que c'était un gentil garçon, et qu'il ferait mieux de se détendre. Je lui donnai sa tétine et lui tapotai doucement le dos. Il commença à se détendre. À fermer les yeux. J'ôtai ma main.

Il se releva aussitôt.

J'étais impressionné. Ce gamin avait du courage ! Je le soulevai et le recouchai. « Couche-toi, petit monstre », lui ordonnai-je. Je lui tapotai de nouveau doucement le dos. Certains enfants trouvent cela apaisant. Il commençait à être fatigué. Il était prêt à capituler. Il ferma les yeux. Je me redressai et me dirigeai sans un bruit vers la porte de la chambre. Je jetai un dernier coup d'œil par-dessus mon épaule pour vérifier qu'il était bien toujours couché. Il s'était relevé. Je tendis vers lui un doigt menaçant. « Couché, petit monstre ! » haussai-je le ton. Il s'allongea aussitôt. Je refermai la porte. On s'aimait bien. Ni ma femme ni moi ne l'entendîmes de la nuit.

— Comment ça s'est passé ? demanda son père en rentrant, plus tard dans la nuit.

— Bien, répondis-je. Aucun problème. Il dort, là.

— Il s'est levé ?

— Non. Il s'est couché tout de suite.

Son père leva les yeux vers moi. Il aurait bien aimé savoir. Mais il ne posa pas la question. Et je ne lui répondis pas. « Ce serait donner de la confiture aux cochons », comme on dit. Vous trouvez peut-être cela un peu dur, mais encourager votre enfant à ne pas dormir, et le récompenser avec les singeries de marionnettes effrayantes, ça aussi, c'est un peu dur. Chacun son truc.

Discipliner et punir

Les parents modernes sont terrifiés par deux termes souvent juxtaposés, discipline et punition, qui évoquent en eux des images de prisons, de soldats et de dictatures. La distance qui sépare la personne stricte en matière de discipline du tyran et la punition de la torture est en effet aisément franchie. La discipline et la punition doivent être maniées avec précaution. On peut les redouter, mais elles sont nécessaires. On peut les appliquer de manière consciente ou inconsciente, mal ou bien, mais il est impossible d'y échapper.

Il n'est cependant pas impossible d'imposer une discipline basée sur les récompenses. Gratifier un bon comportement peut se révéler très efficace. B. F. Skinner, le plus célèbre des psychologues behavioristes, était un grand partisan de cette approche et un spécialiste dans ce domaine. Il enseigna à des pigeons à jouer au ping-pong, même s'ils se contentaient de se renvoyer la balle à coups de bec[101]. Mais ce n'étaient que des pigeons. Ainsi, même s'ils jouaient mal, cela n'en demeurait pas moins un exploit. Skinner indiqua même à ses volatiles comment piloter des missiles durant la Seconde Guerre mondiale, grâce au Project Pigeon (puis Orcon[102]).

Il avait parcouru un long chemin avant que l'invention de systèmes de guidage électronique rende ses efforts obsolètes.

Skinner observait avec une attention particulière les animaux qu'il dressait à accomplir de tels exploits. Tout acte qui se rapprochait du but qu'il avait fixé était immédiatement suivi d'une récompense adaptée : assez conséquente pour ne pas être jugée insignifiante, suffisamment petite pour éviter de dévaloriser les suivantes. On peut suivre la même approche avec des enfants, elle fonctionne très bien. Imaginez que vous souhaitiez que votre enfant vous aide à mettre la table. C'est une compétence utile. Vous aimeriez qu'il en soit capable. Ce serait bon pour son amour-propre. Alors, vous décomposez l'action en plusieurs gestes. Le premier consiste à porter une assiette du placard à la table. Même cela peut paraître complexe. Peut-être votre enfant ne marche-t-il que depuis quelques mois. Il est encore chancelant et manque d'assurance. Vous commencez sa formation en lui tendant une assiette et en lui demandant de vous la rendre. Vous pouvez lui caresser la tête. Il est possible d'en faire un jeu. Tendez-la dans votre main gauche. Passez-la dans la droite. Puis derrière votre dos. Remettez-la-lui et reculez de quelques pas pour l'obliger à marcher avant qu'il vous la rende. Entraînez-le à devenir un virtuose du maniement de l'assiette. Ne le laissez pas dans sa maladresse.

Vous pouvez enseigner pratiquement n'importe quoi à n'importe qui, avec cette méthode. Tout d'abord, fixez-vous un objectif. Ensuite, observez attentivement les gens autour de vous. Enfin, chaque fois que vous voyez quelqu'un faire quelque chose qui ressemble à peu près à ce que vous voulez, récompensez-le. Votre fille était très réservée jusqu'à son adolescence. Vous aimeriez qu'elle s'exprime un peu plus, c'est l'objectif. Un matin, au petit déjeuner, elle vous raconte une anecdote à propos de l'école. C'est le moment de lui accorder toute votre attention. C'est la récompense :

mettez vos SMS de côté et écoutez-la. Sauf si vous voulez qu'elle ne vous raconte plus jamais rien.

C'est en rendant vos enfants heureux que vous parviendrez à façonner leur comportement. Il en va de même pour les maris, les épouses, les collègues et les parents. Skinner était néanmoins réaliste. Il avait remarqué qu'il était très difficile d'octroyer des récompenses : l'observateur devait attendre patiemment que la cible se dote spontanément du comportement souhaité, puis le confirme. Cela demandait du temps et de la patience, et c'était le problème. Il devait également affamer ses animaux, leur faisant perdre un quart de leur poids normal, avant qu'ils soient suffisamment intéressés par les récompenses pour lui prêter véritablement attention. Mais ce ne sont pas les seuls défauts d'une approche exclusivement positive.

Comme les émotions positives, les sentiments négatifs nous aident à progresser. Nous avons besoin d'apprendre, parce que nous sommes idiots et facilement brisés. Nous pouvons mourir. Ce qui est de toute évidence négatif, et nous le ressentons comme tel. Si ce n'était pas le cas, on chercherait à mourir. Mais la simple idée d'être mortels nous dérange. En permanence. Ainsi, malgré leur caractère désagréable, les émotions négatives nous protègent. Le fait de se sentir blessé, effrayé, honteux et écœuré nous permet d'éviter de subir de lourdes blessures. Nous sommes susceptibles d'éprouver ce genre de sentiment à tout moment. De fait, l'émotion négative que l'on ressent à la perte de quelque chose est bien plus forte que l'émotion positive lorsqu'on gagne l'équivalent. La douleur est nettement plus forte que le plaisir, et l'angoisse plus puissante que l'espoir.

Les émotions, positives et négatives, se déclinent en deux variantes bien distinctes. La satisfaction (la satiété) nous dit que nous avons réalisé quelque chose de bien, tandis que l'espoir (une récompense incitative) nous prévient que quelque chose de plaisant va nous arriver. La douleur nous marque pour que nous évitions de répéter les actes qui nous ont causé des dégâts ou qui sont à l'origine de notre isolement social, car la solitude est également une forme de souffrance. L'angoisse nous incite à nous tenir à l'écart des personnes blessantes et des mauvais endroits pour nous éviter de souffrir. Toutes ces émotions doivent s'équilibrer les unes les autres, et être jugées avec prudence dans leur contexte. Elles sont toutes indispensables à notre survie et à notre épanouissement. Nous rendons un mauvais service à nos enfants en refusant de nous servir de tous les outils à notre disposition pour les aider à apprendre, y compris les émotions négatives, même si ces dernières doivent être utilisées avec la plus grande parcimonie.

Skinner savait que les menaces et les punitions pouvaient mettre fin à des comportements indésirables, de la même manière que des récompenses encouragent les attitudes souhaitées. Dans un monde paralysé à l'idée d'interférer dans le développement prétendument pur de l'enfant, il peut se révéler difficile, ne serait-ce que d'aborder les techniques que je viens d'évoquer. Toutefois, les enfants ne bénéficieraient pas d'une si longue période de développement avant leur maturité s'il ne fallait pas façonner leur comportement. Ils sortiraient du ventre de leur mère, prêts à entrer sur le marché du travail. Il est également impossible de les protéger totalement de la peur et de la souffrance. Ils sont petits et vulnérables. Ils ne savent pas grand-chose du monde. Même quand ils font quelque chose d'aussi naturel qu'apprendre à marcher, ils se font constamment rattraper par leur environnement. Sans parler de la frustration et du sentiment de rejet qu'ils éprouvent inévitablement face à leurs semblables, leurs frères et sœurs et les adultes entêtés qui refusent de coopérer. De ce fait, la question morale qui se pose n'est pas de savoir comment protéger les enfants de toute mésaventure et de tout échec pour leur éviter de connaître la peur et la souffrance, mais comment optimiser leur apprentissage pour qu'ils puissent apprendre le plus de choses utiles à moindre coût.

Dans le film de Disney *La Belle au bois dormant*, après une longue attente, le roi et la reine ont enfin une fille, la princesse Aurore. Ils organisent un grand baptême pour la présenter aux sujets du royaume. Ils accueillent tous ceux qui aiment et honorent leur nouvelle fille. Ils s'abstiennent cependant d'inviter Maléfique (qui porte bien son nom), reine du monde souterrain, ou des aspects négatifs de la nature. Symboliquement, cela signifie que les deux monarques couvent un peu trop leur fille bien-aimée en l'entourant d'un environnement entièrement positif. Mais ils ne parviennent pas pour autant à la protéger. Cela l'affaiblit. Maléfique maudit la princesse, la condamnant à mort avant son seizième anniversaire. Elle se piquera au fuseau d'un rouet. Le rouet figure la roue du destin, et la piqûre, qui la fait saigner, la perte de virginité, signe que l'enfant fait place à la femme.

Par chance, une fée – élément positif de la nature – atténue le châtiment : Aurore sombrera simplement dans le coma et sera réveillée par un baiser d'amour. Pris de panique, le roi et la reine débarrassent le pays de tous ses rouets et confient leur fille aux trois fées bien trop gentilles. Fidèles à leur stratégie, ils éliminent tous les objets dangereux mais, ce faisant, ils laissent leur fille dans la naïveté, l'immaturité et la faiblesse. Un jour, juste avant son seizième anniversaire, Aurore croise un prince dans la forêt et en tombe aussitôt amoureuse, même si c'est un peu rapide pour être raisonnable. Puis elle déplore le fait de devoir épouser le prince Philippe, à qui elle a été promise dès l'enfance. Elle s'effondre émotionnellement lorsqu'on la ramène au château de ses parents le jour de ses seize ans. C'est alors que se révèle la malédiction de Maléfique. Un portail s'ouvre dans le château, un rouet se matérialise, Aurore se pique le doigt et perd connaissance. Elle devient la Belle au bois dormant. Ce faisant, et toujours d'un point de vue symbolique, elle privilégie l'inconscience à l'effroi de la vie d'adulte. Dans l'existence, ce genre de chose se produit fréquemment avec les enfants surprotégés, qui peuvent être perturbés – et ensuite préférer le bonheur de l'inconscience – par leur premier échec, ou pire, leur premier contact avec la malveillance, qu'ils ne comprennent pas et contre laquelle ils n'ont aucun moyen de se défendre.

Prenons le cas d'une fillette de trois ans qui n'a pas appris à partager. Elle se montre égoïste en présence de ses parents, mais ils sont trop gentils pour intervenir. Plus exactement, ils refusent de faire attention, de reconnaître ce qui est en train de se passer et de lui apprendre à se conduire convenablement. Ils sont ennuyés, bien sûr, quand elle refuse de prêter ses affaires à sa sœur, mais ils font comme si ce n'était pas grave. Si, c'est grave, et ils la gronderont plus tard sous un prétexte quelconque sans le moindre rapport. Elle en sera blessée et confuse, mais elle n'apprendra rien. Pire, quand elle tentera de se faire des amis, cela se passera mal à cause d'un manque d'habileté sociale de sa part. Les enfants de son âge seront rebutés par son incapacité à coopérer, ils se disputeront avec elle, ou s'éloigneront s'ils trouvent quelqu'un d'autre avec qui jouer. Les parents de ces enfants constateront sa maladresse et sa mauvaise conduite et refuseront de l'inviter à nouveau. Elle se retrouvera isolée et se sentira rejetée, ce qui débouchera sur des crises d'angoisse, de la dépression et du ressentiment. Elle se détournera de la vie comme si elle préférait l'inconscience.

Les parents qui refusent la responsabilité de discipliner leurs enfants pensent qu'ils peuvent tout simplement refuser de participer aux conflits nécessaires à une éducation convenable. Ils évitent à court terme de passer pour des méchants. Mais, de cette manière, ils ne sauvent ni ne protègent leurs enfants de la peur et de la souffrance. Au contraire, la société, insensible et toujours prompte à la critique, leur infligera un traitement nettement plus douloureux qu'un parent qui leur a ouvert les yeux. Vous pouvez soit discipliner vos enfants, soit laisser cette responsabilité au monde sans pitié dans lequel nous vivons. Il ne faudra alors jamais confondre cette dernière possibilité avec de l'amour.

Vous pourriez me rétorquer, comme des parents modernes s'y emploient parfois : « Pour quelle raison un enfant devrait-il être soumis aux ordres arbitraires de ses parents ? » Il existe en effet une nouvelle variante de la pensée politiquement correcte qui qualifie cette idée d'« adultisme[103] », une forme de préjugé et d'oppression comparable, disons, au sexisme et au racisme. La question de l'autorité des adultes doit être traitée avec précaution. Elle requiert un examen minutieux de son énoncé. Accepter cette objection telle qu'elle est formulée équivaut à en accepter la validité, et cela peut se révéler risqué si la question est mal posée. Décomposons-la.

Tout d'abord, pourquoi un enfant devrait-il être « soumis » ? Facile. Chaque enfant doit écouter les adultes et leur obéir parce qu'il dépend des bons soins qu'un ou plusieurs d'entre eux, si imparfaits soient-ils, sont prêts à lui accorder. Cela étant posé, mieux vaut pour l'enfant qu'il se comporte de manière à susciter une véritable affection et de la bienveillance. On peut même imaginer mieux. L'enfant pourrait agir de façon à s'assurer en même temps une attention optimale de la part des adultes, de manière utile à sa condition actuelle ainsi qu'à son développement futur. C'est compliqué, mais c'est dans son meilleur intérêt, il a donc toutes les raisons d'y aspirer.

Il faudrait aussi enseigner à tous les enfants à se soumettre de leur plein gré aux attentes de la société civile. Cela ne signifie pas qu'il faille les écraser sous un conformisme idéologique bêtifiant, mais au contraire que les parents doivent récompenser les comportements et les actes qui permettront à leur enfant de réussir en dehors du cercle familial, et employer la menace et la punition en cas de nécessité afin de supprimer les conduites qui le conduiront à l'échec et à la souffrance. La fenêtre de tir étant relativement étroite, il est important de viser juste et rapidement. Si un enfant n'a pas appris à bien se conduire avant ses quatre ans, il lui sera à tout jamais difficile de se faire des amis. Sur ce sujet, les études sont très claires. C'est important parce que c'est avec ses semblables qu'il va principalement se socialiser après ses quatre ans. Les enfants rejetés interrompent leur développement, car ils sont exclus par leurs pairs. Ils se laissent de plus en plus distancer, tandis que les autres poursuivent leur progression. Ainsi, l'enfant sans amis devient souvent l'adolescent puis l'adulte solitaire, antisocial ou dépressif. Rien de positif à ça. On ne s'en rend pas forcément compte, mais une grande partie de notre santé mentale provient d'une immersion réussie au sein d'une communauté. On doit constamment nous rappeler de penser et d'agir de manière adaptée. Quand on s'égare, ceux qui nous aiment sont là pour nous remettre sur les rails. Alors, autant avoir ce genre de personnes autour de nous.

Revenons à la question posée. Il est faux de prétendre que les ordres des adultes sont tous arbitraires. Ce n'est exact qu'au sein d'un État totalitaire dysfonctionnel. Dans une société civilisée ouverte, la majorité respecte un contrat social fonctionnel dont l'objectif est une amélioration mutuelle. Ou du moins la possibilité de coexister sans trop de violence. Compte tenu des autres possibilités, un système de règles qui n'autoriserait même que ce minimum n'est en aucun cas arbitraire. Si une société ne récompense pas suffisamment une attitude productive, persiste à distribuer ses ressources de manière arbitraire et injuste et autorise le vol et l'exploitation, elle ne reste pas longtemps en paix. Si ses hiérarchies sont fondées sur le pouvoir plutôt que sur la compétence nécessaire à la réalisation de choses importantes et difficiles, elle ne tardera pas à s'effondrer, ce qui est également le cas, la complexité en moins, des hiérarchies chez les chimpanzés : c'est une indication sur sa véracité naissante fondamentale, biologique et non arbitraire[104].

Les enfants faiblement socialisés mènent une existence horrible. Ainsi, mieux vaut les socialiser de manière optimale. C'est en partie possible à l'aide de récompenses, mais pas entièrement. La question n'est donc pas de déterminer s'il faut employer la menace et la punition, mais de savoir le faire sciemment et de manière intelligente. Alors, comment faut-il discipliner les enfants ? Il s'agit d'une question très difficile, parce que, comme leurs parents, ils ont des tempéraments très différents les uns des autres. Certains sont très agréables. Ils ont profondément envie de faire plaisir, mais, en contrepartie, ont tendance à fuir les conflits et à être dépendants. D'autres sont plus obstinés et indépendants. Ces gamins aiment faire ce qu'ils veulent, quand ils veulent. Ils peuvent se révéler provocateurs, désobéissants et entêtés. Certains enfants ont désespérément besoin de règles et de structures et sont heureux dans des environnements stricts. D'autres, qui n'aiment ni la routine ni le caractère prévisible des choses, n'ont que faire des exigences d'ordre, même minimes et nécessaires. Certains ont une imagination débordante et sont créatifs, tandis que d'autres sont plus terre à terre et classiques. Ces différences sont aussi profondes qu'importantes, fortement influencées par des facteurs biologiques et difficiles à ajuster. Heureusement, face à une telle diversité, nous bénéficions de nombreuses réflexions sur le bon usage du contrôle social.

La force minimum nécessaire

Voici une idée de départ relativement simple : évitez de multiplier les règles quand ce n'est pas nécessaire. Autrement dit, les mauvaises lois discréditent les bonnes. C'est l'équivalent éthique – et même juridique – du « rasoir d'Ockham », la guillotine conceptuelle du scientifique qui stipule qu'il faut toujours privilégier l'hypothèse la plus simple. Alors, évitez d'encombrer les enfants et leurs parents de trop de règles. Cette voie conduit à la frustration.

Limitez-en le nombre. Ensuite, réfléchissez à ce qu'il faut faire quand on les enfreint. Il est difficile d'établir une règle sur la sévérité des punitions qui fonctionnerait en toute occasion. Toutefois, une norme utile a déjà été inscrite dans le droit coutumier anglais, l'un des meilleurs produits de la civilisation occidentale. Son analyse peut nous aider à établir un second principe utile.

Le droit coutumier anglais vous permet de défendre vos droits, mais uniquement de manière raisonnable. Imaginons que quelqu'un s'introduise chez vous. Vous avez un pistolet chargé. Vous avez le droit de vous défendre, mais mieux vaut procéder par étapes. Et s'il s'agissait d'un voisin ivre ? « Je tire ! » songez-vous. Mais ce n'est pas si simple. « Stop ! Je suis armé », dites-vous plutôt. Si cela n'a aucun effet, vous pouvez envisager un coup de semonce. Puis, si l'intrus continue à avancer, vous pouvez concevoir de lui tirer dans les jambes. (Il ne s'agit ici nullement d'un conseil juridique. Ce n'est qu'un exemple.) Un seul principe, remarquablement pratique, est susceptible de générer ces réactions de plus en plus fortes : le principe de la « force minimale nécessaire ». Nous disposons à présent de deux principes généraux de discipline. Le premier, limiter le nombre de règles. Le second, employer la force tout juste utile à faire respecter ces règles.

À propos du premier, vous pourriez vous demander : « Limiter les règles à combien, exactement ? » Voici quelques suggestions. Les morsures, les coups de pied et de poing, c'est uniquement pour te défendre. Évite de torturer et de tyranniser d'autres enfants si tu ne veux pas finir en prison. Mange de manière civilisée et avec reconnaissance pour que les gens soient ravis de t'avoir à leur table et contents de te nourrir. Apprends à partager, pour que les autres aient envie de jouer avec toi. Écoute lorsqu'un adulte s'adresse à toi, sinon, ils vont te détester et ne se donneront plus la peine de t'enseigner quoi que ce soit. Va te coucher rapidement et dans le calme, pour que tes parents puissent avoir une vie privée et ne soient pas frustrés par ta présence. Prends soin de tes affaires, parce qu'il faut que tu apprennes à le faire, et que tu as de la chance de les avoir. Sois de bonne compagnie quand tu t'amuses pour qu'on t'invite de nouveau. Fais en sorte que les gens autour de toi soient contents de ta présence, pour leur donner envie de te revoir. Un enfant qui connaît ces règles sera le bienvenu partout.

À propos du second principe, aussi important que le premier, vous pourriez vous demander : « Qu'est-ce que la force minimale nécessaire ? » Elle doit être établie de manière expérimentale, en commençant par la plus petite intervention possible. Un simple regard suffit à pétrifier certains enfants. Un ordre en arrêtera un autre. Une petite pichenette sur la main se révélera parfois nécessaire. Cette technique est particulièrement utile dans des lieux publics, comme au restaurant, par exemple. C'est rapide, silencieux et efficace, sans risque d'escalade. Sinon ? Un enfant qui pousse des cris de colère, qui réclame de l'attention ne se rend pas très populaire. Un enfant qui court de table en table et dérange tout le monde couvre de déshonneur (un terme ancien, mais approprié) ses parents et lui-même. Ce genre de situation n'a rien d'agréable, et les enfants se conduisent particulièrement mal en public parce qu'ils expérimentent, ils tentent de déterminer si les bonnes vieilles règles s'appliquent aussi en un nouveau lieu. Ils sont incapables de poser la question, surtout quand ils ont moins de trois ans.

Quand nos enfants étaient petits et qu'on les emmenait au restaurant, ils attiraient les sourires. Ils restaient sagement assis. Ils ne tenaient généralement pas longtemps, mais nous faisions en sorte de ne pas trop nous éterniser non plus. Lorsqu'ils commençaient à avoir la bougeotte, souvent au bout de trois quarts d'heure, nous savions qu'il était temps de partir. Cela faisait partie du marché. Les clients des tables voisines nous assuraient qu'ils étaient ravis de voir une famille heureuse. Ce n'était pourtant pas toujours le cas, et nos enfants étaient loin de toujours bien se conduire. Mais, la plupart du temps, il était merveilleux de voir des gens réagir de manière si positive à leur présence. C'était vraiment bon pour les enfants. Ils voyaient qu'on les aimait bien. Cela les incitait à se comporter convenablement, c'était leur récompense.

Si vous leur en donnez l'occasion, les autres aimeront vraiment vos enfants. Je l'ai compris dès qu'on a eu notre fille, Mikhaila. Quand on la sortait dans sa petite poussette pliable, dans notre quartier populaire de Montréal, des types qui ressemblaient à des bûcherons bons vivants s'arrêtaient pour lui sourire. Ils s'extasiaient en gloussant et en lui faisant des grimaces ridicules. Quand on observe les gens face à des enfants, on reprend foi dans la nature humaine. L'effet est démultiplié quand les enfants savent bien se tenir en public. Pour être certain que cela se produise, il faut les discipliner avec soin et efficacité, et pour ce faire, il vous faut tout connaître sur les récompenses et les punitions.

Pour établir une relation avec votre fils ou votre fille, il faut que vous sachiez comment cette petite personne va réagir à vos interventions disciplinaires avant de passer aux actes. Il est plus facile de proférer des lieux communs tels que : « Les châtiments physiques sont inexcusables », ou « Frapper les enfants leur apprend simplement à en faire autant ». Commençons par cette première assertion : « Les châtiments physiques sont inexcusables. » Premièrement, rappelons qu'il existe un large consensus autour de l'idée que certains comportements, notamment ceux associés aux domaines du vol et de l'agression, sont néfastes et méritent d'être sanctionnés. Deuxièmement, notons que ces sanctions sont généralement aussi bien psychologiques que physiques. La privation de liberté provoque des souffrances semblables, pour l'essentiel, à celles causées par un traumatisme physique. On peut en dire autant de l'isolement social, y compris lorsqu'on met un enfant au coin. Cela a été démontré d'un point de vue neurobiologique. Dans ces trois cas, ce sont les mêmes zones du cerveau qui réagissent, et on les apaise au moyen du même type de médicament, des opiacés[105]. La prison est de toute évidence un châtiment physique, en particulier l'isolement cellulaire, même lorsque aucune violence n'a lieu. Troisièmement, nous pouvons considérer que certaines actions nécessitent d'être interrompues de manière aussi immédiate qu'efficace, notamment pour éviter que quelque chose de pire ne se produise. Quelle est la punition adéquate pour quelqu'un qui ne cesse d'enfoncer une fourchette dans une prise électrique ? Ou qui s'enfuit en riant dans un parking de supermarché bondé ? La réponse est simple : tout ce qui l'arrêtera au plus vite, dans les limites du raisonnable. Parce que tout autre choix pourrait être fatal.

C'est plutôt évident, dans ces deux cas. Mais le même raisonnement s'applique en société, ce qui nous amène au quatrième point des prétextes pour les châtiments physiques. Les punitions pour mauvaise conduite (les comportements auxquels il aurait pu être mis fin durant l'enfance) se font de plus en plus sévères avec l'âge. En outre, ce sont, de façon disproportionnée, ceux qui n'ont pas été socialisés efficacement à l'âge de quatre ans qui finissent par être sanctionnés par la société vers la fin de l'adolescence et au début de l'âge adulte. Quant à ces enfants de quatre ans sans contraintes, ce sont souvent ceux qui étaient déjà particulièrement agressifs par nature à deux ans. D'un point de vue statistique, il était plus probable qu'ils donnent des coups de pied, frappent, mordent et prennent les jouets des autres (ce que l'on appellera plus tard du vol) que leurs semblables. Il s'agit d'environ cinq pour cent des garçons et d'un pourcentage nettement plus faible de filles[106]. Répéter bêtement comme un perroquet la phrase magique « Les châtiments physiques sont inexcusables », c'est entretenir l'illusion que ces démons d'adolescents surgissent d'un coup de baguette de petits anges jadis innocents. Vous ne rendez pas service à votre enfant en fermant les yeux sur ses débordements, particulièrement s'il est agressif.

Soutenir la théorie « les châtiments physiques sont inexcusables », c'est aussi partir du principe qu'en l'absence de menace de punition, l'enfant peut dire « non ». Si une femme peut dire « non » à un homme puissant et narcissique, c'est uniquement parce que les normes sociales, la loi et l'État la soutiennent. Si un parent peut dire « non » à un enfant qui désire une troisième part de gâteau, c'est parce qu'il est plus grand, plus fort et plus compétent que lui. Et, de surcroît, parce qu'il est soutenu dans son autorité par la loi et l'État. En définitive, « non » signifie toujours : « Si tu continues, il va t'arriver quelque chose qui ne va pas te plaire. » Sinon, ce mot n'a aucun sens. Pire, il peut annoncer « une nouvelle négation sans importance marmonnée par un adulte dont on peut ne pas tenir compte ». Pire encore, cela peut vouloir dire : « Tous les adultes sont incompétents et faibles. » Il s'agit naturellement d'une mauvaise leçon, puisque le destin de tous les enfants est de devenir adultes, et que la plupart des choses que l'on peut apprendre sans douleur sont montrées ou enseignées par des adultes. Que peut attendre un enfant qui ne tient pas compte des adultes et les méprise ? Pourquoi grandir, même ? C'est l'histoire de Peter Pan, qui croit que tous les adultes sont des capitaines Crochet, tyranniques et terrifiés par leur mortalité (souvenez-vous du crocodile affamé avec une pendule dans le ventre). La seule fois où « non » signifie

« non » en absence de violence, c'est quand le mot est prononcé par une personne civilisée à l'intention d'une autre.

Et qu'en est-il de l'idée selon laquelle « frapper les enfants leur apprend simplement à en faire autant » ? Premièrement : non, c'est faux. Trop simple. Tout d'abord, « frapper » est un terme trop simpliste pour décrire l'acte disciplinaire d'un parent efficace. Si « frapper » décrivait l'ensemble des actes impliquant la force physique, alors, il n'y aurait aucune différence entre des gouttes de pluie et la bombe atomique. L'ampleur a de l'importance, et le contexte aussi, si on refuse de rester obstinément aveugle et naïf sur la question. Tous les enfants savent qu'il y a une différence entre se faire mordre par un chien méchant qu'on n'a pas provoqué et se faire mordre par inadvertance par son propre animal quand il tente de récupérer son os en jouant. Quand on parle de « frapper », on doit tenir compte de paramètres comme la puissance du coup et la raison pour laquelle il a été porté. Le moment choisi, qui fait partie du contexte, est également d'une importance capitale. Si vous donnez une pichenette avec votre doigt à votre enfant de deux ans juste après qu'il a asséné un coup sur la tête d'un nourrisson à l'aide d'un cube en bois, il fera le lien et hésitera à le taper à l'avenir. Le résultat semble être plutôt bon. Il n'en conclura certainement pas qu'il devrait le taper davantage, prenant pour exemple la pichenette de sa mère. Il n'est pas idiot. Il est simplement jaloux, impulsif et pas très raffiné. Sinon, comment comptez-vous protéger son petit frère ou sa petite sœur ? Si vous manquez d'efficacité, le nourrisson risque de souffrir. Sans doute durant des années. Les brimades se poursuivront, parce que vous aurez été incapable d'y mettre un terme. Vous éviterez le conflit nécessaire à l'établissement de la paix. Vous fermerez les yeux. Puis, plus tard, quand votre cadet vous fera face (peut-être même quand il sera adulte), vous direz : « Je ne savais pas que c'était à ce point. » Vous ne souhaitiez simplement pas le savoir. Vous avez donc fermé les yeux. Vous avez refusé la responsabilité de discipliner, ce que vous avez justifié par une démonstration permanente de gentillesse. Toutes les maisons en pain d'épice hébergent une sorcière qui dévore les enfants.

Alors, où tout cela nous conduit-il ? Au choix d'instaurer une discipline, efficace ou inefficace. Mais jamais de renoncer totalement à la discipline, car la nature et la société se chargeront de sévir de manière implacable contre toutes les erreurs d'enfance qui n'ont pas été corrigées. Voici donc quelques conseils pratiques : mettre son enfant au coin peut être une forme de punition extrêmement efficace, notamment s'il redevient agréable dès qu'il parvient à se maîtriser. Un enfant en colère doit s'asseoir seul jusqu'à ce qu'il se soit calmé. Ensuite, on doit l'autoriser à reprendre une existence normale. Cela signifie que ce n'est pas la colère, mais l'enfant qui a gagné. La règle est : « Reste avec nous tant que tu peux te conduire convenablement. » C'est un excellent marché pour l'enfant, le parent et la société. Vous saurez déterminer quand votre enfant se sera vraiment maîtrisé. Vous l'aimerez de nouveau, et ce malgré sa mauvaise conduite un moment auparavant. Si vous lui en voulez encore, c'est qu'il ne s'est peut-être pas complètement repenti. À moins que ce soit à vous d'être moins rancunier.

Si votre enfant est le genre de garnement déterminé qui se contente de s'enfuir ou de rire quand on le punit dans l'escalier ou dans sa chambre, il est peut-être nécessaire d'ajouter une contrainte physique à sa mise au coin. On peut le maintenir – avec précaution, mais fermement – par les bras jusqu'à ce qu'il cesse de se débattre et qu'il accepte d'écouter. Si cela ne suffit pas, on peut avoir besoin de le fesser. Pour ceux qui vont bien trop loin, un coup sur le bas du dos peut leur faire comprendre que l'adulte ne plaisante pas. Dans certaines situations, cela ne suffira même pas, en partie parce que certains sont très déterminés, coriaces et en pleine exploration, ou parce que le comportement incriminé était vraiment inacceptable. Si vous refusez de réfléchir à ce genre de chose, vous n'agissez pas en tant que parent responsable. Vous laissez le sale boulot à quelqu'un d'autre, qui prendra nettement moins de gants que vous.

Un résumé des principes

Principe disciplinaire numéro 1 : « Limiter le nombre de règles. » Principe numéro 2 : « Employer la force minimale nécessaire. » En voici un troisième : « Les parents vont par deux[107]. » Élever des enfants en bas âge est exigeant et épuisant. Pour cette raison, il est facile pour les parents de commettre des erreurs. L'insomnie, la faim, les conséquences d'une dispute, une gueule de bois, une mauvaise journée au travail... chacun de ces motifs peut à lui seul rendre un individu excessif et, associé à d'autres, produire quelqu'un de très dangereux. Dans de telles circonstances, il est nécessaire d'avoir quelqu'un d'autre dans les parages pour observer, intervenir et discuter. Cela permet d'éviter qu'un petit provocateur geignard et l'un de ses parents grincheux parce qu'il en a plein le dos alimentent un conflit jusqu'au point de non-retour. Les parents allant par deux, le père d'un nouveau-né peut faire attention à la nouvelle maman pour éviter qu'elle s'épuise.

Voici un quatrième principe, plus psychologique : « Les parents doivent déterminer leur faculté à se montrer sévères, revanchards, arrogants, rancuniers, énervés et fourbes. » Les parents qui décident sciemment d'être de mauvais pères et de mauvaises mères ne courent pas les rues, mais on en croise pourtant très fréquemment. C'est parce que les gens ont des prédispositions pour le mal comme pour le bien, et parce qu'ils demeurent délibérément aveugles à ce fait. Les gens sont agressifs et égoïstes, mais également bons et prévenants. Pour cette raison, aucun adulte humain – ni aucun singe prédateur élevé dans la hiérarchie – ne peut vraiment supporter de se faire dominer par un petit morveux ! La vengeance sera terrible. Dix minutes après que deux parents trop gentils et trop patients ne sont pas parvenus à empêcher une colère en public au supermarché du coin, ils prennent leur revanche sur leur bambin en le snobant quand il accourt, enthousiaste, pour leur montrer son dernier exploit. Même le parent le plus débordant d'abnégation deviendra rancunier, face à une accumulation de situations embarrassantes, de désobéissance et de défis de l'autorité. C'est alors que débute la véritable punition. Le ressentiment engendre un désir de vengeance. Ils lui manifesteront moins souvent leur amour, et se trouveront des excuses pour le justifier. Ils se consacreront moins souvent à son développement personnel. Ils commenceront progressivement à lui tourner le dos. Et ce n'est que le début du chemin qui mènera à une guerre familiale totale, menée principalement sous la surface, sous une apparence trompeuse de normalité et d'amour.

Mieux vaut éviter d'emprunter cette voie par trop fréquentée. Un parent conscient de sa tolérance et de sa capacité limitées à supporter les débordements peut donc élaborer sérieusement une stratégie disciplinaire appropriée – surtout si elle est supervisée par un partenaire également éveillé. Et éviter que la situation dégénère au point qu'ils commencent à éprouver une réelle haine. Attention, les familles toxiques sont partout. Elles ne fixent aucune règle et ne mettent aucune limite aux débordements. Les parents piquent des crises de manière aléatoire et imprévisible. Les enfants qui vivent dans ce chaos sont broyés s'ils sont timides, ou se rebellent de façon contre-productive, quand ils sont plus coriaces. Cela peut devenir meurtrier.

Voici un cinquième et dernier principe plus général. Les parents ont le devoir de se comporter en intermédiaires du monde réel, cléments et attentionnés, mais intermédiaires malgré tout. Cette obligation prévaut sur toute responsabilité pour garantir le bonheur, encourager la créativité et stimuler l'amour-propre. Le principal devoir des parents est de rendre leurs enfants désirables d'un point de vue social. Cela leur permettra d'obtenir des opportunités, de l'estime de soi et une certaine sécurité. C'est encore plus important que de les encourager à développer une identité qui leur est propre. Quoi qu'il en soit, ce Saint Graal ne peut être atteint qu'après l'établissement d'un certain niveau de raffinement social.

Le bon enfant et le parent responsable

Un enfant de trois ans correctement socialisé est poli et charmant. Mais ne se laisse pas pour autant marcher sur les pieds. Il s'intéresse aux autres enfants et apprécie les adultes. Il existe dans un monde où les autres gamins sont heureux d'être avec lui et se disputent son attention, et où les adultes sont réellement contents de le voir, plutôt que de se dissimuler derrière de faux sourires. Ceux qui lui feront découvrir le monde prendront plaisir à le faire. Cela lui sera plus efficace pour se forger une individualité que les tentatives peu assurées de parents qui préfèrent quotidiennement éviter les conflits et la discipline.

Discutez avec votre partenaire, ou à défaut un ami, de vos préférences et de vos aversions en ce qui concerne vos enfants. Et ne craignez pas d'en avoir. Vous savez faire la différence entre ce qui est approprié et ce qui ne l'est pas, séparer le bon grain de l'ivraie. Vous savez distinguer le bien du mal. Après avoir clarifié votre position – évalué votre petitesse, votre arrogance et votre ressentiment –, vous pouvez passer à l'étape suivante et pousser vos enfants à bien se conduire. Vous êtes responsable de leur discipline, tout comme des erreurs que vous allez inévitablement commettre en les éduquant. Lorsque vous vous trompez, il vous suffit de présenter vos excuses et de vous améliorer.

Vous aimez vos enfants, après tout. Si leurs actes vous poussent à les détester, pensez à l'effet qu'ils vont avoir sur les autres, qui tiennent forcément moins à eux que vous. Ces autres personnes vont les punir sévèrement, que ce soit par omission ou commission. Ne permettez pas qu'une telle chose se produise. Mieux vaut que vos petits monstres sachent ce qui est souhaitable et ce qui ne l'est pas, afin qu'ils deviennent, hors de la famille, des citoyens du monde raffinés.

Un enfant qui écoute plutôt que de se laisser porter par le vent, qui joue plutôt que de pleurnicher, qui est drôle mais pas agaçant, qui est digne de confiance, aura des amis partout où il ira. Ses enseignants l'aimeront et ses parents aussi. S'il fait poliment attention aux adultes, ces derniers feront attention à lui, lui souriront et l'instruiront volontiers. Il s'épanouira, même si le monde est parfois froid, hostile et impitoyable. Les règles claires produisent des enfants stables et des parents rationnels. Les principes clairs de discipline et de punition permettent d'équilibrer la clémence et la justice, afin que le développement social et la maturité psychologique puissent être favorisés de manière optimale. Les règles claires et une discipline adéquate aident l'enfant, sa famille et la société à établir, maintenir et renforcer l'ordre qui est tout ce qui nous protège du chaos et des terreurs du monde souterrain – où tout est incertain, facteur d'angoisse, sans espoir et déprimant. Il n'est de plus beau présent qu'un parent dévoué et courageux puisse faire.

Défendez à vos enfants de faire ce qui vous empêcherait de les aimer.

BALAYEZ DEVANT VOTRE PORTE AVANT DE CRITIQUER LES AUTRES

Un problème religieux

Il ne semble guère raisonnable de qualifier le jeune homme qui a tué en 2012 vingt enfants et six membres du personnel à l'école élémentaire Sandy Hook de Newtown, dans le Connecticut, de croyant. Pas plus que le tireur du cinéma d'Aurora, dans le Colorado la même année, et que les tueurs du lycée de Columbine, en 1999. Mais ces meurtriers avaient un problème religieux avec la réalité. Comme l'un des membres du duo de Columbine l'a écrit[108] :

« L'espèce humaine n'est pas digne qu'on se batte pour elle. Elle mérite simplement qu'on l'éradique. Que l'on rende la planète aux animaux. Ils en valent infiniment plus la peine que nous. Plus rien n'a de sens. »

Ceux qui pensent ainsi considèrent l'Être comme étant injuste et corrompu, et l'être humain en particulier est à leurs yeux méprisable. Ils se prennent pour les juges suprêmes d'une réalité qu'ils n'estiment pas à la hauteur. Cynique, le jeune auteur poursuit :

« Si vous avez suivi vos cours d'histoire, vous vous rappelez que les nazis ont imaginé la "solution finale"

221

pour résoudre le problème juif... Tous les tuer. Eh bien, au cas où vous ne l'auriez pas compris, je dis : TUEZ L'HUMANITÉ ! Aucun survivant. »

Pour de tels individus, l'univers est inadapté et malveillant. Alors, faisons tout sauter !

Que se passe-t-il lorsque quelqu'un se met à penser ainsi ? La magnifique pièce de théâtre *Faust*, de l'Allemand Johann Wolfgang von Goethe, aborde ce sujet. Le personnage principal, Heinrich Faust, un érudit, vend son âme immortelle au diable, Méphistophélès. En contrepartie, il reçoit tout ce qu'il désire tant qu'il reste en vie. Dans la pièce de Goethe, Méphistophélès est l'adversaire juré de l'Être. Il est caractérisé par un principe fondamental[109] :

> « Je suis l'esprit qui toujours nie,
> Et c'est avec justice, car tout ce qui existe
> Est digne d'être détruit.
> Il serait donc mieux que rien n'existât.
> Ainsi, tout ce que vous nommez péché,
> Destruction, bref, ce qu'on entend par mal,
> Voilà mon élément*. »

Goethe jugeait si important ce sentiment détestable au cœur du pouvoir destructeur de la vengeance de l'homme, qu'il le fait dire une seconde fois à Méphistophélès, exprimé d'une manière quelque peu différente, dans la seconde partie de la pièce écrite des années plus tard[110].

Les gens réfléchissent souvent de manière méphistophélienne, bien qu'ils agissent rarement avec la brutalité des tueurs de masse. Chaque fois que nous souffrons d'injustice réelle ou imaginée, que nous vivons un drame ou que nous sommes victimes des machinations des autres, que nous subissons

---

* J. W. von Goethe, *Faust et le Second Faust*, traduction par Gérard de Nerval Garnier Frères, 1877 (N.d.T.)

l'horreur et la douleur de nos propres limites manifestement arbitraires, la tentation de contester l'Être, puis de le maudire remonte vilement à la surface. Pourquoi des innocents doivent-ils souffrir à ce point ? Sur quel genre de planète vivons-nous ?

En vérité, la vie est très difficile. Chacun est destiné à souffrir, condamné à la destruction. Parfois, la souffrance est de toute évidence le résultat d'une faute personnelle comme un « aveuglement volontaire », une mauvaise prise de décision ou de la malveillance. Dans ce genre de cas, lorsque c'est délibéré, cela peut même sembler juste. « Les gens ont ce qu'ils méritent », arguerez-vous sans doute. Maigre consolation, toutefois. Même quand c'est le cas. Parfois, lorsque ceux qui souffrent changent d'attitude, ils parviennent à éviter que leur existence ne tourne au drame. Mais la volonté humaine a ses limites. La vulnérabilité au désespoir, à la maladie, au vieillissement et à la mort est universelle. En fin de compte, il semblerait que nous ne soyons pas les architectes de notre propre fragilité. À qui la faute, alors ?

Ceux qui sont très malades, ou pire, qui ont un enfant malade, se poseront inévitablement la question, qu'ils soient croyants ou non. Et aussi ceux qui se retrouvent broyés par une bureaucratie tentaculaire, qui subissent un redressement fiscal, qui ont intenté une action en justice ou sont impliqués dans un divorce interminable. Il n'y a pas que ceux qui souffrent de façon évidente qui éprouvent le besoin de reprocher à quelqu'un ou quelque chose l'état insupportable de leur Être. Au sommet de sa gloire, de son influence et de sa créativité, l'immense Léon Tolstoï s'interrogeait lui aussi sur la valeur de l'existence humaine[111]. Il raisonnait ainsi :

> « Ma position était affreuse. Je savais que je ne trouverais rien sur le chemin de la science raisonnée, excepté la négation de la vie ; rien non plus dans la croyance,

excepté la négation de la raison, moins possible encore que celle de la vie. Du savoir intelligent il ressortait que la vie est un mal. Les hommes le savent donc, il dépend d'eux de ne pas vivre, et cependant ils ont vécu, ils vivent et je vis moi-même, bien que je sache depuis longtemps que la vie est un non-sens, qu'elle est un mal*. »

Malgré ses efforts, Tolstoï ne put identifier que quatre moyens d'échapper à de telles pensées. L'un d'eux consistait à se réfugier de manière enfantine dans l'ignorance du problème. Un autre à réaliser ses désirs les plus fous. Le troisième était de « continuer à mener tant bien que mal une existence qui soit à la fois un mal et un non-sens, sachant au préalable que l'on ne pourra rien en tirer ». Il associait cette forme particulière de fuite à de la faiblesse : « Cette catégorie de personnes sait que la mort vaut mieux que la vie, mais ils n'ont pas la force d'agir de façon rationnelle et de mettre un terme à cette illusion en se donnant la mort... »

Seul le quatrième et dernier moyen d'évasion réclame « de la force et de l'énergie. Il consiste à détruire la vie, une fois que l'on a compris qu'elle était un mal et un non-sens ». Tolstoï poursuivait :

> « C'est ainsi qu'agissent les rares hommes forts et logiques. Ayant compris toute la sottise de la plaisanterie qui nous est jouée, ayant compris aussi que le bien des morts est supérieur aux biens des vivants et que le mieux est de ne pas être, ils agissent en conséquence et terminent d'un seul coup cette stupide plaisanterie par les divers moyens à leur portée : une corde au cou, l'eau, le couteau pour se l'enfoncer dans le cœur, les roues d'une locomotive**. »

---

* Léon Tolstoï, *Ma Confession* (1882), traduction de Zoria, Paris, Albert Savine, 1887 (N.d.T.)
** *Ibid.*

Tolstoï n'était pas assez pessimiste. La stupidité de la plaisanterie que nous vivons ne nous pousse pas qu'au suicide. Elle nous pousse au meurtre. Au meurtre de masse, souvent suivi d'un suicide. Il s'agit là d'une révolte existentielle bien plus efficace. En juin 2016, si incroyable que cela puisse paraître, on a recensé mille tueries de masse (lorsque quatre personnes au moins se font tuer, sans compter le tueur, au cours d'un unique événement) aux États-Unis en 1 260 jours[112]. Ce qui fait plus d'une tous les cinq ou six jours durant trois ans et demi. Tout le monde dit : « On ne comprend pas. » Comment peut-on encore prétendre une chose pareille ? Tolstoï l'avait déjà compris il y a plus d'un siècle. Les auteurs du récit biblique de Caïn et Abel l'avaient eux aussi compris il y a plus de deux mille ans. Ils décrivaient le meurtre comme le premier acte de l'histoire post-Éden : non seulement le meurtre, mais aussi le fratricide. Non seulement l'assassinat d'un innocent, mais aussi celui de l'être idéal et bon. Un crime perpétré volontairement pour contrarier le Créateur de l'univers. Les tueurs d'aujourd'hui nous racontent la même chose. Avec leurs propres mots. Qui oserait prétendre qu'il ne s'agit pas du ver dans la pomme ? Mais nous ne les écoutons pas, parce que la vérité fait mal à entendre. Même pour un esprit aussi complexe que celui de l'auteur russe, il n'existait aucune issue. Comment pourrions-nous alors en découvrir une, quand un homme de sa stature s'avoue vaincu ? Des années durant, il a dissimulé ses armes et évitait de garder une corde à portée de main, au cas où il aurait voulu se pendre.

Comment une personne éveillée parvient-elle à ne pas s'indigner ?

Vengeance ou transformation ?

Un croyant peut brandir le poing de désespoir face à l'apparente injustice et à l'aveuglement de Dieu. Même Jésus s'est senti abandonné devant la Croix. C'est du moins ce qu'on raconte. Un agnostique ou un athée pourraient accuser le destin, ou se plaindre amèrement de la brutalité du hasard. Un autre pourrait craquer, à la recherche des défauts responsables de ses souffrances et de la dégradation de son état. Ce sont là des variations sur le même thème. Le nom de la cible change, mais la psychologie sous-jacente est la même. Pourquoi ? Pourquoi l'existence est-elle si douloureuse et cruelle ?

Peut-être est-ce réellement le fait de Dieu, ou la faute du sort aveugle et vain, si vous préférez voir les choses sous cet angle. Et tout semble indiquer que c'est le cas. Mais que se passe-t-il, si c'est aussi votre avis ? Les tueurs de masse pensent que les souffrances de la vie justifient le jugement et la vengeance, comme les meurtriers de Columbine l'ont très clairement indiqué[113] :

> « Plutôt mourir que de trahir mes idéaux. Avant de quitter ce monde sans valeur, je tuerai tous ceux que j'estime inaptes à tout, et surtout à la vie. Si vous m'avez gonflé par le passé, vous mourrez si je vous vois. Tous ceux que vous avez emmerdés l'ont peut-être oublié, mais pas moi. Je n'oublie jamais ceux qui me causent du tort. »

Dans le Minnesota, au sein de l'institution responsable de sa « réinsertion » quand il était délinquant juvénile, l'un des meurtriers les plus vindicatifs du XXᵉ siècle, le redoutable Carl Panzram, s'était fait violer, brutaliser et trahir. Fou de rage, il en est ressorti cambrioleur, pyromane, violeur et tueur en série. Il ne pensait plus qu'à détruire, de manière aussi délibérée que systématique, gardant même une trace de la valeur des propriétés qu'il incendiait. Il avait commencé par haïr ceux qui l'avaient fait souffrir. Aveuglé par son ressentiment, il avait fini par détester la Terre entière, mais ce n'était pas tout. Au fond, il dirigeait son pouvoir destructeur vers Dieu Lui-même. Il n'y a pas d'autres façons de le dire. Panzram a violé, tué et incendié pour exprimer son indignation envers l'Être. Il se conduisait comme si Quelqu'un était responsable. Comme dans le récit d'Abel et Caïn, les sacrifices de ce dernier sont repoussés. Il existe dans la souffrance. Il interpelle Dieu et défie l'Être qu'Il a conçu. Dieu refuse sa requête. Il explique à Caïn que c'est lui-même qui s'est créé son problème. Dans sa fureur, Caïn tue Abel, le préféré de Dieu – et en vérité l'idole de Caïn. Caïn est jaloux, bien sûr, du succès de son frère. Mais il l'anéantit avant tout pour contrarier Dieu. C'est exactement ce qui se produit quand certains accomplissent leur vengeance jusqu'au bout.

La réaction de Panzram était, et c'est le plus terrible, parfaitement compréhensible. Les détails de son autobiographie révèlent qu'il était l'un des héros forts et cohérents de Tolstoï. C'était un acteur puissant, logique et courageux. Il avait le courage de ses convictions. Comment pouvait-on espérer que quelqu'un comme lui passe l'éponge sur ce qui lui était arrivé ? Certains individus sont victimes de choses horribles. Inutile de se demander pourquoi ils cherchent à se venger. Dans de telles conditions, la vengeance semble être une nécessité morale. Comment peut-on la distinguer d'une exigence de justice ? Après avoir vécu de telles atrocités, le pardon ne passerait-il pas simplement pour de la lâcheté ou un manque de volonté ? Je suis très préoccupé par ce genre de questions. Parce que certaines personnes qui ont eu un passé horrible font le bien et non le mal, quand bien même un tel exploit peut sembler surhumain.

J'ai rencontré des gens qui y sont parvenus. Je connais un homme, un grand artiste, qui est passé par une « école » semblable à celle décrite par Panzram. Sauf que cet homme s'y est retrouvé à l'âge innocent de cinq ans, après un long séjour à l'hôpital, où il avait souffert de la rougeole, des oreillons et de la varicelle en même temps. Incapable de parler le langage de cette école, délibérément éloigné de sa famille, maltraité, affamé et harcelé, c'est un jeune homme furieux et brisé qui en est ressorti. Il s'est par la suite fait beaucoup de mal en consommant de la drogue et de l'alcool et en adoptant une conduite destructrice. Il détestait tout le monde. Aussi bien Dieu que la fatalité. Mais il a mis un terme à tout cela. Il a cessé de boire. Il a ravalé sa haine – même si elle ressurgit brièvement à l'occasion. Il a ravivé la culture artistique de sa tradition amérindienne et a formé des jeunes à suivre son exemple. Il a sculpté un totem de quinze mètres de haut pour commémorer les événements survenus tout au long de son existence, et taillé une pirogue de douze mètres dans un unique tronc d'arbre, comme on n'en produit plus guère de nos jours. Il a rassemblé sa famille, organisé un grand *potlatch* avec seize heures de danse et des centaines de participants, afin d'exprimer sa douleur et faire la paix avec le passé. Il avait décidé d'être quelqu'un de bien, puis fait l'impossible pour y parvenir.

J'avais une patiente qui n'avait pas de bons parents. Sa mère était morte très jeune. Sa grand-mère, qui l'avait élevée, était une mégère implacable beaucoup trop préoccupée par les apparences. Elle maltraitait sa petite-fille, la punissant pour ses qualités : la créativité, la sensibilité, l'intelligence... Elle exprimait en permanence son ressentiment et lui menait la vie dure. Ma patiente s'entendait mieux avec son père, mais celui-ci, toxicomane, était mort dans d'atroces souffrances alors qu'elle s'occupait de lui. Elle avait un fils et ne lui a pas fait subir ce qu'elle avait vécu. C'était un jeune homme honnête, indépendant, travailleur et intelligent. Plutôt que d'agrandir la déchirure dans l'étoffe dont elle avait hérité et de la transmettre, elle l'avait recousue. Elle avait renoncé aux péchés familiaux. C'est tout à fait possible.

« La détresse, qu'elle soit psychique, physique ou intellectuelle, ne produit pas nécessairement le nihilisme (c'est-à-dire le refus radical d'une valeur, d'un sens, d'un caractère désirable). Une telle détresse permet toujours une variété d'interprétations. »

C'est Nietzsche qui a rédigé ces mots[114]. Voici ce qu'ils signifiaient : ceux qui souffrent du mal peuvent bien sûr souhaiter le perpétrer, pour en faire profiter les autres. Mais en subissant le mal, il est également possible d'apprendre le bien. Un enfant tyrannisé peut imiter ses persécuteurs. Mais il peut également apprendre de ses mauvais traitements, comprendre qu'il est mal de blesser les autres et de leur gâcher l'existence. Une femme brimée par sa mère peut apprendre de son épouvantable expérience combien il est important d'être un bon parent. Une grande partie des adultes, sans doute même la plupart qui maltraitent leurs enfants ont eux-mêmes été maltraités durant leur enfance. Toutefois, la majorité de ceux qui ont été brutalisés ne malmènent pas leurs enfants. C'est un fait établi que l'on peut démontrer simplement, de façon arithmétique : si un parent maltraitait trois enfants, que chacun d'entre eux avait à son tour trois enfants, et ainsi de suite, il y aurait trois auteurs de sévices la première génération, neuf la seconde, vingt-sept la troisième, quatre-vingt-un la quatrième, et ainsi de suite, de manière exponentielle. Au bout de vingt générations, plus de dix milliards d'individus auraient subi de mauvais traitements, c'est-à-dire plus que la Terre n'en héberge aujourd'hui. Au contraire, on remarque que la maltraitance diminue au fil des générations. Sa propagation est contenue. C'est le signe d'une véritable domination du bien sur le mal dans le cœur des hommes.

Le désir de vengeance, même justifié, barre la route à toute autre pensée productive. Le poète américano-britannique T. S. Eliot en explique la raison dans sa pièce *The Cocktail Party*. L'un de ses personnages, une femme, ne s'y amuse guère. Elle fait part de sa tristesse à un psychiatre. Elle espère qu'elle est elle-même responsable de sa souffrance. Interloqué, le psychiatre lui demande pourquoi. Elle y a longuement réfléchi, lui explique-t-elle, et en est arrivée à la conclusion suivante : si c'est sa faute, elle pourra trouver un moyen d'y remédier. Si c'est l'œuvre de Dieu, en revanche – si la réalité elle-même est biaisée, déterminée à lui gâcher l'existence –, ses tentatives seront vouées à l'échec. Quand bien même elle peut s'efforcer de rectifier son mode de vie, elle n'est pas à même de modifier l'essence de la réalité.

Alexandre Soljenitsyne avait toutes les raisons de contester la structure de l'existence lors de son internement dans un camp de travail soviétique, au milieu de l'épouvantable XXe siècle. Il avait été soldat sur le front russe, mal préparé face à l'invasion nazie. Il avait été arrêté, battu et jeté en prison par ses propres compatriotes. Puis il avait été atteint d'un cancer. Il aurait pu éprouver un certain ressentiment, de l'amertume. Staline et Hitler, deux des pires tyrans de l'histoire, lui avaient gâché la vie. Il avait vécu dans des conditions déplorables. On lui avait fait perdre une grande partie de son temps précieux. Il avait été témoin des souffrances aussi avilissantes qu'inutiles infligées à ses amis et à ses connaissances. Puis il était tombé gravement malade. Soljenitsyne avait toutes les raisons d'en vouloir à Dieu. Même Job n'avait pas eu la vie si dure.

Mais le grand écrivain, le courageux défenseur de la vérité s'interdit d'avoir recours à la vengeance et à la destruction. Il ouvrit les yeux, au contraire. Au cours de ses nombreux procès, Soljenitsyne rencontra des individus qui se conduisaient avec noblesse, malgré des circonstances terrifiantes. Il étudia minutieusement leur comportement. Puis il se posa la plus difficile des questions : avait-il contribué personnellement au désastre de son existence ? Le cas échéant, de quelle manière ? Il se rappela son soutien inconditionnel au Parti communiste, dans sa jeunesse. Il passa en revue l'ensemble de sa vie. Il avait largement le temps, dans les camps. Comment avait-il pu se tromper à ce point par le passé ? Combien de fois avait-il agi contre sa conscience en commettant des actes qu'il savait inacceptables ? Combien de fois s'était-il trahi et avait-il menti ? Lui était-il possible d'expier ses péchés dans l'enfer fangeux des goulags soviétiques ?

Soljenitsyne passa au peigne fin les détails de son existence. Il se posa une deuxième question, puis une troisième. « Puis-je cesser de commettre de telles erreurs à présent ? Puis-je réparer les dégâts causés par mes échecs passés ? » Il apprit à observer et à écouter. Il découvrit des personnes qu'il admira : en dépit de tout, elles étaient demeurées honnêtes. Il se déconstruisit, laissant mourir ce qu'il jugeait superflu et néfaste, puis revint à la vie. Il écrivit ensuite *L'Archipel du goulag*, une histoire du système carcéral soviétique de travaux forcés[115]. Un livre aussi percutant qu'épouvantable, rédigé avec l'irrésistible force morale de la vérité mise à nue. Tout au long de centaines de pages, il y hurle son indignation de manière insupportable. Interdit (et pour cause) en URSS, l'essai est envoyé clandestinement à l'Ouest dans les années 1970 et fait sensation dans le monde entier. Grâce à ses écrits, Soljenitsyne parvint à saper de manière définitive la crédibilité intellectuelle du communisme en tant qu'idéologie et modèle de société. À l'aide d'une hache, il s'était attaqué au tronc de l'arbre dont les fruits amers l'avaient si mal nourri, et dont il avait pourtant soutenu la croissance.

La décision d'un homme de changer de vie plutôt que de maudire son sort ébranla l'ensemble du système dictatorial communiste, jusqu'en son cœur malade. Quelques années plus tard, ce système s'effondrera entièrement, et le courage de Soljenitsyne y fut incontestablement pour quelque chose. Il ne fut pas seul à participer à l'accomplissement de ce miracle. On se souvient notamment du Mahatma Gandhi, mais aussi de Václav Havel, l'écrivain persécuté qui, plus tard, si inimaginable cela soit-il, devint président de Tchécoslovaquie, puis de la nouvelle République tchèque.

Quand tout part à vau-l'eau

Des populations entières ont catégoriquement refusé de juger la réalité, de critiquer l'Être et de rejeter la faute sur Dieu. Intéressons-nous aux Hébreux de l'Ancien Testament. Leurs travaux ont suivi un plan cohérent. Les histoires d'Adam et Ève, d'Abel et Caïn, de Noé et de la tour de Babel sont vraiment anciennes. Leurs origines se perdent dans la nuit des temps. Ce n'est qu'après le récit du Déluge, dans la Genèse, que commence véritablement ce qui ressemble à nos yeux à de l'histoire. Cela commence par Abraham. Ses descendants forment le peuple hébreu de l'Ancien Testament, aussi connu sous le nom de Bible hébraïque. Ils passent une alliance avec Yahweh – Dieu –, et entament leurs aventures manifestement historiques.

Sous la férule d'un grand homme, les Hébreux s'organisent en société, puis en empire. Au fur et à mesure que leurs richesses s'accroissent, la réussite engendre de l'orgueil et de l'arrogance. La corruption apparaît. De plus en plus présomptueux, l'État devient obsédé par le pouvoir, finit par oublier son devoir envers les veuves et les orphelins, et s'éloigne de son accord ancestral avec Dieu. Un prophète surgit. Il vilipende effrontément et publiquement le roi autoritaire et le pays infidèle pour leurs échecs devant Dieu – un acte de courage aveugle – leur annonçant le terrible jugement à venir. Si les Hébreux ne restent pas indifférents à ses sages paroles, il est déjà trop tard. Dieu frappe son peuple rétif, le condamnant à une pitoyable défaite au combat et à un asservissement sur plusieurs générations. Les Hébreux se repentent longuement, rejetant la responsabilité de leur malheur sur leur propre incapacité à suivre la parole de Dieu. Ils sont convaincus qu'ils auraient pu mieux faire. Ils refondent leur État, et le cycle reprend.

C'est la vie. Nous créons des structures dans lesquelles nous vivons. Des familles, des États, des nations... Nous établissons les principes sur lesquels ces structures sont fondées et élaborons des systèmes de croyances. Tout d'abord, nous adoptons ces structures et ces croyances, comme Adam et Ève au paradis. Mais le succès nous rend suffisants. Nous oublions d'écouter. Nous considérons ce que nous avons comme allant de soi. Nous fermons les yeux pour éviter de remarquer que certaines choses changent, que la corruption s'installe. Et tout part à vau-l'eau. Est-ce la faute de la réalité ? De Dieu ? Ou n'avons-nous pas été suffisamment attentifs ?

Quand l'ouragan a frappé La Nouvelle-Orléans et que la ville a disparu sous les flots, s'agissait-il d'une catastrophe naturelle ? Les Néerlandais ont érigé des digues pour se préparer à l'arrivée de la pire des tempêtes depuis dix mille ans. Si la Louisiane avait suivi cet exemple, aucun drame ne serait à déplorer. Ce n'est pas comme si personne n'était au courant. Le Flood Control Act de 1965 recommandait des améliorations dans le système des barrages qui contiennent le lac Pontchartrain. Elles devaient être achevées en 1978. Quarante ans plus tard, seuls soixante pour cent des travaux ont été réalisés. Ce sont l'aveuglement volontaire et la corruption qui ont eu raison de la ville.

Un ouragan est un acte de Dieu. Mais le manque de préparation en connaissance de cause, c'est un péché. Une incapacité à atteindre sa cible. Et « le salaire du péché, c'est la mort » (Romains 6:23). Lorsque quelque chose n'allait pas, c'est à eux-mêmes que les anciens Juifs s'en prenaient. Ils se conduisaient comme si la bonté de Dieu – la bonté de la réalité – était incontestable, et endossaient leurs échecs. Voilà qui est extrêmement responsable. L'autre possibilité est de considérer que la réalité est imparfaite, de critiquer l'Être lui-même et de sombrer dans le ressentiment et le désir de vengeance.

Si vous souffrez, c'est normal. Les humains sont limités, et la vie est tragique. Toutefois, si votre souffrance est insupportable et que vous commencez à devenir corrompu, voici matière à réflexion.

Faites du ménage dans votre existence

Réfléchissez à votre situation. Commencez petitement. Avez-vous tiré parti de toutes les occasions qui se sont présentées à vous ? Travaillez-vous dur à votre carrière, ou même à votre emploi, ou laissez-vous votre amertume et votre ressentiment vous entraîner vers le fond ? Avez-vous fait la paix avec votre frère ? Traitez-vous votre épouse et vos enfants avec dignité et respect ? Avez-vous de mauvaises habitudes qui nuisent à votre santé et à votre bien-être ? Endossez-vous vraiment toutes vos responsabilités ? Avez-vous dit ce qu'il fallait à vos amis et à votre famille ? Existe-t-il des choses que vous avez la certitude de pouvoir faire et qui vous permettraient d'améliorer votre environnement ?

Avez-vous fait du ménage dans votre existence ?

Si la réponse est « non », essayez de cesser ce que vous savez être nuisible. Dès aujourd'hui. Si vous êtes certain que c'est le cas, évitez de perdre du temps en vous demandant comment vous savez que ce que vous faites est néfaste. Les questions intempestives sont susceptibles de jeter le trouble dans votre esprit, sans vous éclairer pour autant, et de vous empêcher de passer à l'action. Ce n'est pas parce que vous savez que quelque chose est bien ou mal qu'il vous faut nécessairement comprendre pourquoi. Votre Être peut vous dire des choses que vous serez incapable d'expliquer ou d'exprimer. Les individus sont trop complexes pour se connaître entièrement, et nous disposons tous d'une sagesse qui peut parfois dépasser notre entendement.

Contentez-vous donc de mettre un terme à ce que vous jugez bon d'arrêter, même sans trop savoir pourquoi. Cessez de vous comporter de cette manière méprisable. De dire ces choses qui vous affaiblissent et vous font honte. Contentez-vous d'exprimer ce qui vous rend fort. De faire ce dont vous serez fier.

Vous pouvez faire appel à vos propres critères de jugement. Suivre vos propres conseils. Inutile de suivre je ne sais quel code de conduite arbitraire, même s'il est préférable de ne pas négliger votre culture. La vie est courte, et vous n'avez pas le temps d'essayer de tout comprendre par vous-même. La sagesse du passé s'est acquise de haute lutte, et vos ancêtres ont peut-être quelque chose d'utile à vous apprendre.

Ne rejetez pas la faute sur le capitalisme, l'extrême gauche ou l'iniquité de vos ennemis. Évitez de vouloir réorganiser l'État avant d'avoir mis de l'ordre dans votre propre existence. Faites preuve d'un peu d'humilité. Si vous êtes incapable d'imposer un peu de paix dans votre maisonnée, comment voulez-vous diriger une ville ? Laissez-vous guider par votre âme. Observez le résultat durant plusieurs jours, plusieurs semaines. Au travail, vous commencerez à dire ce que vous avez sur la conscience. Vous déclarerez à votre femme, votre mari, vos enfants ou vos parents ce que vous souhaitez vraiment et ce dont vous avez besoin. Tant qu'il vous restera quelque chose à terminer, vous vous mettrez au travail. Quand vous cesserez de l'alimenter en mensonges, votre esprit finira par s'éclaircir. Lorsque vous cesserez de la falsifier par des actes imaginaires, votre expérience s'améliorera.

Vous découvrirez alors des choses nouvelles, plus subtiles, que vous faites mal. Cessez également. Au bout de quelques mois ou années d'efforts assidus, votre vie redeviendra plus simple. Votre jugement s'améliorera. Votre passé se démêlera. Vous serez plus fort et moins amer. Vous avancerez vers l'avenir avec plus d'assurance. Vous cesserez de vous compliquer inutilement l'existence. Il ne vous restera plus que les tragédies inévitables de la vie, mais elles ne seront plus aggravées par l'amertume et la tromperie.

Vous découvrirez sans doute que votre âme, désormais moins corrompue, plus forte, est à présent capable de supporter ces petits drames inéluctables, mais nécessaires. Peut-être apprendrez-vous même à les affronter de sorte qu'ils demeurent tragiques – et simplement tragiques – plutôt que de les faire dégénérer en véritables enfers. Peut-être votre angoisse, votre désespoir, votre ressentiment et votre colère – si meurtrière ait-elle été par le passé – s'estomperont-ils. Peut-être votre âme corrompue considérera-t-elle alors son existence comme une chose digne d'être célébrée malgré votre vulnérabilité. Peut-être deviendrez-vous une force de paix encore plus puissante.

Peut-être comprendrez-vous enfin que si tout le monde faisait comme vous, le monde cesserait d'être si maléfique. Et, en poursuivant vos efforts, peut-être finirait-il même par cesser d'être si tragique. Qui sait à quoi pourrait ressembler la vie si nous décidions tous de faire de notre mieux ? Qui sait quel paradis éternel notre esprit, purifié par la vérité et incité à viser haut, pourrait créer ici, sur notre Terre déchue ?

Balayez devant votre porte avant de critiquer les autres.

RÈGLE 7

CONCENTREZ-VOUS
SUR L'ESSENTIEL
(ET NON LE PLUS OPPORTUN)

Partez tant qu'il en est encore temps

Vivre, c'est souffrir. C'est une évidence. Il n'existe vérité plus élémentaire, plus irréfutable. C'est dans les grandes lignes ce que Dieu a annoncé à Adam et Ève juste avant de les mettre à la porte du paradis.

« Dieu dit à la femme : "Je rendrai tes grossesses très pénibles, et tu mettras tes enfants au monde dans la souffrance. Ton désir se portera vers ton mari, mais lui te dominera."

Il dit à Adam : "Puisque tu as écouté ta femme et que tu as mangé du fruit de l'arbre dont je t'avais défendu de manger, le sol est maudit à cause de toi. C'est avec beaucoup de peine que tu en tireras ta nourriture tout au long de ta vie.

Il te produira des épines et des chardons. Et tu mangeras des produits du sol.

Oui, tu en tireras ton pain à la sueur de ton front jusqu'à ce que tu retournes au sol dont tu as été tiré, car tu es poussière et tu retourneras à la poussière." »

Genèse 3:16-19*

---

* D'après la traduction de La Bible du Semeur (N.d.T.)

Que pouvons-nous bien faire de cela ?

La réponse la plus simple, la plus évidente et la plus directe ? Continuez à prendre du plaisir. Laissez libre cours à vos envies. Prenez la vie comme elle vient. Choisissez la solution de facilité. Mentez, trichez, volez, trompez, manipulez... mais évitez de vous faire prendre. Dans un monde finalement dénué de sens, quelle différence cela ferait-il ? L'idée n'est pas nouvelle. Voilà longtemps qu'on se sert de la tragédie de la vie et de la souffrance qui l'accompagne pour justifier la recherche égoïste du plaisir immédiat.

« Courte et triste est notre vie ; il n'y a pas de remède lors de la fin de l'homme et on ne connaît personne qui soit revenu de l'Hadès.

Nous sommes nés du hasard, après quoi nous serons comme si nous n'avions pas existé. C'est une fumée que le souffle de nos narines, et la pensée, une étincelle qui jaillit au battement de notre cœur.

Qu'elle s'éteigne, le corps s'en ira en cendre et l'esprit se dispersera comme l'air inconsistant.

Avec le temps, notre nom tombera dans l'oubli, nul ne se souviendra de nos œuvres ; notre vie passera comme les traces d'un nuage, elle se dissipera comme un brouillard que chassent les rayons du soleil et qu'abat sa chaleur.

Oui, nos jours sont le passage d'une ombre, notre fin est sans retour, le sceau est apposé et nul ne revient.

Venez donc et jouissons des biens présents, usons des créatures avec l'ardeur de la jeunesse.

Environs-nous de vins de prix et de parfums, ne laissons point passer la fleur du printemps,

Couronnons-nous de boutons de rose, avant qu'ils ne se fanent,

Qu'aucune prairie ne soit exclue de notre orgie, laissons partout des signes de notre liesse, car telle est notre part, tel est notre lot !

Opprimons le juste qui est pauvre, n'épargnons pas la veuve, soyons sans égard pour les cheveux blancs chargés d'années du vieillard.

Que notre force soit la loi de la justice, car ce qui est faible s'avère inutile. »

Livre de la Sagesse 2:1-11*

Le plaisir de la facilité est peut-être fugace, mais cela n'en demeure pas moins un plaisir à la hauteur de la terreur et de la douleur de l'existence. « Chacun pour soi, et malheur au vaincu », comme le dit le vieux dicton. Pourquoi ne pas prendre le maximum chaque fois que l'occasion se présente ? Pourquoi ne pas adopter ce mode de vie ?

Existe-t-il une autre possibilité, plus puissante et plus convaincante ?

Nos ancêtres ont trouvé des réponses très ambitieuses à ce genre de questions, mais nous ne les comprenons pas toujours très bien. C'est parce qu'elles sont en grande partie implicites. Elles sont encore ancrées dans le rituel et le mythique et, jusqu'à présent, n'ont pas vraiment eu l'occasion d'exprimer pleinement leur potentiel. Nous les interprétons et les représentons dans des histoires, mais nous ne sommes pas encore suffisamment sages pour les énoncer explicitement. Nous sommes encore des chimpanzés dans leur groupe, ou des loups dans leur meute. Nous savons comment nous conduire. Nous connaissons le rôle de chacun. Nous le savons d'expérience. C'est en interagissant avec les autres que nous acquérons nos connaissances. Nous avons pris des habitudes et mis en place des comportements prévisibles, mais nous ne les comprenons pas vraiment et ignorons leur origine. Ils ont évolué sur de longues périodes. Personne ne les exprimait clairement (du moins, aussi loin que remonte notre mémoire), ce qui ne

---

* Traduction La Bible de Jérusalem (N.d.T.)

nous a jamais empêchés de nous dire les uns les autres de quelle manière il fallait se conduire.

Un jour, cependant, il n'y a pas très longtemps, nous avons ouvert les yeux. Nous nous sommes mis à réfléchir à ce que nous faisions. Nous avons commencé à nous servir de nos corps pour représenter nos actes. Pour imiter et jouer la comédie. Nous avons inventé les rituels. Nous avons interprété nos propres expériences, raconté des histoires. Nous avons intégré les observations de notre propre vie dans ces histoires. Ainsi, nous avons pu représenter dans nos récits les informations qui, jusqu'alors, nous concernaient personnellement. Sans pour autant comprendre ce que tout cela signifiait.

Le récit biblique du paradis et de la chute est l'une de ces histoires. Issu de l'imaginaire collectif, il a traversé les siècles. Il en dit beaucoup sur la nature de l'Être et pose les premières pierres d'un mode de conceptualisation et d'action parfaitement assorti à cette nature. Au jardin d'Éden, avant que l'on prenne soudain conscience de soi – comme on le raconte –, les humains ne commettaient pas de péchés. Nos premiers ancêtres, Adam et Ève, marchaient auprès de Dieu. Puis, tenté par le serpent, le premier couple a mangé le fruit de l'arbre de la connaissance du bien et du mal, a découvert la mort et la vulnérabilité, et s'est détourné de Dieu. Chassés du paradis, les humains ont entamé dans l'effort leur existence en tant que mortels. L'idée de sacrifice naît peu après, dans l'histoire d'Abel et Caïn, et prend forme tout au long des aventures d'Abraham et de l'Exode : après une longue période de contemplation, l'humanité en difficulté découvre qu'il est possible d'obtenir les grâces de Dieu et d'échapper à son courroux en consentant à des sacrifices adéquats, et aussi que ceux qui ne sont pas disposés à réussir de cette façon, ou qui en sont incapables, n'hésitent pas à commettre des meurtres sanglants.

La gratification différée

En se livrant à des sacrifices, nos ancêtres ont posé les fondements de certains principes, en particulier qu'il est « possible d'améliorer sa situation future en renonçant à quelque chose de valeur dans le présent ». Rappelons-nous que la nécessité de travailler est l'une des malédictions que Dieu a jetées sur Adam et sa descendance à la suite du péché originel. L'éveil d'Adam aux contraintes fondamentales de son Être – sa vulnérabilité, sa mort éventuelle – correspond à sa découverte de l'existence de l'avenir. C'est là que vous mourrez (avec un peu de chance, pas trop tôt). Vous pourriez y échapper grâce au travail. Grâce au sacrifice de l'instant présent en vue de l'avenir. C'est pour cette raison – parmi d'autres, sans nul doute – que le concept de sacrifice est présenté dans le chapitre de la Bible qui suit la tragédie de la chute. Il existe peu de différences entre le sacrifice et le travail. Ils sont tous deux propres à l'homme. Il arrive parfois que des animaux donnent l'impression de travailler, mais ils se contentent de suivre ce que leur dicte leur propre nature. Les castors construisent des barrages. Ils le font parce que ce sont des castors. Ce faisant, ils ne se disent pas : « Ouais, mais je préférerais être sur une plage au Mexique avec ma copine. »

Dans les faits, un tel sacrifice – le travail – est une gratification différée, mais il serait absurde de réduire à cette définition un concept si profond. On s'est aperçu que l'on pouvait différer ses gratifications lorsqu'on a découvert le temps et, avec lui, la causalité (du moins, la relation de cause à effet de nos actes). Il y a bien longtemps, en des temps immémoriaux, nous nous sommes aperçus que la réalité était structurée de telle sorte qu'il était possible de marchander avec elle. Nous avons appris qu'en nous conduisant convenablement aujourd'hui, dans le présent – en contenant nos ardeurs, en tenant compte de la situation des autres –, il était possible d'être récompensé à l'avenir, en un lieu et un temps qui n'existaient pas encore. Pour cesser d'interférer avec notre futur et celui des autres, nous nous sommes efforcés de contenir, maîtriser et organiser nos pulsions. Cela s'est fait de pair avec l'organisation de la société : la découverte de la relation de cause à effet entre nos efforts actuels et la qualité de notre avenir a grandement favorisé la mise en place d'un contrat social, l'organisation qui permet d'engranger le fruit du travail d'aujourd'hui de manière fiable (principalement sous la forme de promesses pour les autres).

La compréhension est souvent interprétée avant qu'elle puisse être exprimée, de la même manière qu'un enfant interprète le sens des termes « père » et « mère » avant de pouvoir exprimer ce que ces rôles signifient réellement[116]. Le concept de gratification différée s'est concrétisé, de manière aussi précoce que recherchée, sous la forme de sacrifices rituels à Dieu. Le cheminement conceptuel est long entre le fait de festoyer voracement et celui d'apprendre à mettre de côté un peu de viande fumée, pour le soir ou pour un absent. Il faut du temps pour accepter de garder quelque chose « pour plus tard », ou de le partager avec un autre (ce qui revient plus ou moins au même, puisque, dans le premier cas, vous partagez avec votre « moi » futur). Il est nettement plus facile de se jeter égoïstement sur tout ce qui est à portée de main. Pour de nombreux progrès culturels, le cheminement est tout aussi long en ce qui concerne la gratification différée et sa conceptualisation : le partage à court terme, les provisions pour plus tard, la représentation de ces réserves sous la forme de registres, puis de monnaie, et enfin l'épargne dans une banque ou une autre institution sociale. Sans certaines conceptualisations en guise d'intermédiaires, une partie de nos pratiques et de nos idées relevant du sacrifice, du travail et de leur représentation n'auraient jamais pu voir le jour.

Nos ancêtres ont joué une pièce de théâtre, une fiction : ils ont représenté la force qui régit le destin comme un esprit avec lequel il est possible de marchander et de commercer, comme s'il s'agissait d'un autre être humain. Le plus merveilleux, c'est que cela a fonctionné ! En partie parce que l'avenir est principalement composé d'autres êtres humains – souvent ceux, d'ailleurs, qui ont observé dans les moindres détails et évalué votre attitude passée. Ils font penser à Dieu, du reste, épiant vos moindres faits et gestes du haut de leur piédestal, et les inscrivant dans un grand livre pour pouvoir vous les rappeler le moment venu. Voici une idée symbolique puissante : « L'avenir est un père toujours prompt à la critique. » C'est un bon début. Mais, avec la découverte du sacrifice et du travail, deux questions fondamentales se posent. Elles sont toutes les deux liées à l'objectif ultime du travail : « Sacrifie-toi maintenant pour pouvoir en profiter plus tard. »

Première question : « Que doit-on sacrifier ? » De petits sacrifices seront peut-être suffisants pour résoudre des soucis ponctuels. Mais il est possible que de plus importants soient nécessaires pour remédier simultanément à toute une gamme de problèmes complexes. C'est plus difficile, mais plus gratifiant. Le fait de vous soumettre, par exemple, à la discipline indispensable pour réussir l'école de médecine va inévitablement interférer avec votre mode de vie de fêtard invétéré. Y renoncer est un sacrifice. Mais, comme le dirait George W. Bush, les médecins « ont vraiment les moyens de pourvoir aux besoins de leurs familles ». Cela permet de régler un grand nombre de problèmes, et pour longtemps. Alors, les sacrifices sont nécessaires pour améliorer l'avenir, et généralement, plus ils sont importants, mieux c'est.

Seconde question (plusieurs questions liées, en fait). Nous avons déjà établi le principe fondamental : « Les sacrifices permettent d'améliorer l'avenir. » Mais cela mérite qu'on s'y attarde un moment afin d'en saisir pleinement la portée.

Qu'implique cette idée, dans le cas le plus extrême ? Où sont les limites de ce principe de base ? Commençons par nous demander : « Quel serait le plus grand, le plus efficace, le plus satisfaisant de tous les sacrifices ? » Puis : « Si l'on faisait le sacrifice le plus efficace, à quel point l'avenir serait-il meilleur ? »

Comme je l'ai déjà fait remarquer, l'histoire biblique d'Abel et Caïn, les fils d'Adam et Ève, suit directement celle de l'expulsion du paradis. Caïn et Abel sont les premiers vrais humains, leurs parents ayant été conçus par Dieu et n'étant pas nés de manière classique. Les deux frères vivent dans la réalité, et non dans l'Éden. Ils doivent travailler et faire des sacrifices pour satisfaire Dieu. Des sacrifices qui suivent un rituel précis et se font sur un autel. Mais les choses se compliquent. Dieu est comblé par les offrandes d'Abel, mais pas par celles de Caïn. Il récompense le premier à de nombreuses reprises, mais pas son frère. Il n'est pas vraiment précisé pourquoi, même si le texte laisse fortement entendre que Caïn n'y mettait pas tout son cœur. Peut-être la qualité de ce que proposait Caïn laissait-elle à désirer. Peut-être agissait-il à contrecœur. À moins que Dieu n'ait été vexé, pour une raison connue de Lui seul. Et tout cela est très réaliste, y compris le caractère vague de l'explication du texte. Tous les sacrifices ne sont pas de qualité équivalente. De plus, il apparaît souvent que les sacrifices en apparence de grande qualité ne sont pas récompensés par un meilleur avenir. Sans que l'on sache vraiment pourquoi. Pour quelle raison Dieu n'est-Il pas content ? Que faudrait-il modifier pour y remédier ? Ces questions sont difficiles. Pourtant, tout le monde se les pose à longueur de temps sans même s'en apercevoir.

Se poser ces questions équivaut simplement à réfléchir.

Nous avons difficilement pris conscience que le plaisir pouvait être différé, ce qui était très utile. C'était absolument contraire à nos vieux instincts bestiaux, qui exigeaient une satisfaction immédiate, notamment dans des conditions de privation à la fois inévitables et banales. Et pour compliquer les choses, cet ajournement ne devient utile que lorsque la civilisation s'est suffisamment stabilisée pour garantir l'existence de la récompense différée, qui survient plus tard encore. Si tout ce que vous mettez de côté est détruit, ou pire, dérobé, il n'y a aucun intérêt à se priver. C'est pour cette raison que les loups peuvent avaler dix kilos de viande crue en une seule fois. Ils ne se disent pas : « Bon sang, je déteste faire des excès. Je vais mettre ça de côté pour la semaine prochaine. » Alors, comment ces deux exploits (différer la gratification et donner de la stabilité à la société pour lui assurer un avenir) aussi improbables que nécessairement simultanés ont-ils pu se produire ?

Voici différentes étapes de l'évolution, de l'animal à l'homme. Cette progression est sans doute fausse si on la regarde dans le détail, mais elle reste suffisamment juste pour la démonstration qui nous intéresse. Tout d'abord, il y a un excès de nourriture. Sans doute grâce à de grandes carcasses de mammouths et de grands herbivores. (On a mangé beaucoup de mammouths. La totalité d'entre eux, probablement.) Lorsqu'on tue une proie, surtout s'il s'agit d'un gros animal, il en reste toujours pour plus tard. Ce n'est pas prévu de prime abord, mais finalement, on est heureux de pouvoir en garder « pour plus tard ». En même temps, la notion de sacrifice commence à se dessiner : « Si j'en laisse un peu, même si j'en ai envie tout de suite, ça m'évitera d'être affamé plus tard. » Cette notion évolue jusqu'à l'étape suivante : « Si j'en laisse pour plus tard, je ne serai pas affamé, et mes proches non plus. » Puis celle d'après : « Impossible que je mange ce mammouth en entier, mais je ne peux pas stocker le reste trop longtemps non plus. Je ferais peut-être bien d'en donner un peu à ceux qui en manquent. Ils s'en souviendront peut-être et me donneront de leur mammouth quand j'en manquerai. Ainsi, j'en aurai un peu tout de suite, et encore un peu plus tard. C'est une bonne affaire. Peut-être que ceux avec qui je vais partager me feront alors davantage confiance. Nous pourrons éventuellement prolonger notre accord. » Par conséquent, « un mammouth » devient « un futur mammouth », et ce dernier devient « une réputation personnelle ». C'est l'apparition du contrat social.

« Partager » ne signifie en aucun cas « donner une chose à laquelle on attache de la valeur sans rien recevoir en retour ». Cela, c'est ce que croient les enfants qui ont peur de partager. Non, « partager » veut dire « s'engager dans un processus d'échange ». Un enfant qui ne sait ni partager ni échanger ne peut pas avoir d'amis, parce qu'il s'agit d'une forme de transaction. Un jour, Benjamin Franklin raconta qu'un nouveau venu dans son quartier demanda à l'un de ses voisins de lui rendre service en citant une vieille maxime : « Celui qui vous a déjà fait une faveur sera plus prompt à vous en faire une autre que celui que vous avez vous-même obligé[117]. » D'après lui, demander quelque chose à quelqu'un (rien de trop extrême, bien sûr) était le meilleur moyen de créer du lien social. La requête du nouvel arrivant offrait au voisin l'occasion de passer de prime abord pour quelqu'un de bien. Cela signifiait aussi que ce dernier pouvait à son tour demander un service au premier, pour s'acquitter de sa dette, ce qui améliorerait leur relation et augmenterait leur confiance mutuelle. Ainsi, les deux parties pouvaient surmonter leurs réticences et leur crainte des inconnus.

Il est préférable d'avoir quelque chose plutôt que rien. Il est encore mieux de partager généreusement ce que vous avez. Le fin du fin, néanmoins, est de se faire connaître comme quelqu'un qui partage généreusement. C'est quelque chose de durable. De fiable. À ce degré d'abstraction, nous pouvons constater que le terrain a bien été préparé pour l'apparition des concepts de fiabilité, d'honnêteté et de générosité. Les fondations pour une morale construite sont en place. Le prototype du bon citoyen, de l'homme bien, est partageur, honnête et productif. C'est curieux comme de grands principes moraux peuvent naître de la simple notion que « garder les restes est une bonne idée ».

Voici ce qui s'est sans doute produit durant le développement de l'humanité. Tout d'abord se sont écoulées les dizaines ou les centaines de milliers d'années avant l'apparition de l'histoire et de l'art dramatique. À cette époque sont apparus les concepts de gratification différée et d'échange, qui se sont développés aussi lentement que difficilement. Puis on les a représentés de manière métaphorique, comme des rituels et des histoires de sacrifice : « C'est comme si, dans le ciel, une entité omnisciente vous jugeait. Le fait de renoncer à ce que vous appréciez semble Lui plaire, et vous souhaitez Le satisfaire car, dans le cas contraire, cela risque d'être l'enfer sur Terre. Alors, faites des sacrifices et partagez jusqu'à ce que cela devienne une habitude, et tout se passera bien pour vous*. » Personne n'a jamais dit une chose pareille, du moins pas de façon si franche et si directe. Mais elle était sous-entendue dans la pratique, puis dans les histoires.

L'action est venue en premier – nécessairement, puisque les animaux que nous étions jadis pouvaient agir, mais étaient incapables de réfléchir. Ce fut ensuite au tour de la valeur sous-entendue, mais non reconnue, car les actes qui précédaient la pensée incarnaient la valeur, sans pour autant la faire apparaître de manière explicite. Durant des milliers d'années, nous avons compté les réussites et les échecs. Après mûre réflexion, nous en avons tiré une conclusion : « Ceux d'entre nous qui réussissent diffèrent leurs gratifications. Ils négocient avec l'avenir. » Une grande idée est

---

* Ce qui est vrai, que cette entité omnisciente « dans le ciel » existe ou non.

en train de voir le jour. Elle prend progressivement forme, dans des récits de plus en plus clairs : quelle est la différence entre ceux qui réussissent et les autres ? « Ceux qui réussissent font des sacrifices. » Grâce à ces sacrifices, la situation s'améliore. Bien que plus générales, les questions se font de plus en plus précises : « Quel est le plus grand sacrifice possible ? Pour quel résultat ? » Les réponses sont proportionnellement plus sérieuses, plus profondes.

Comme tant d'autres, le Dieu de l'Occident réclame des sacrifices. Nous savons déjà pourquoi. Mais, il arrive parfois qu'il aille encore plus loin. Qu'il exige le sacrifice de ce que nous chérissons le plus. C'est très bien décrit, et avec une évidence déconcertante, dans le récit d'Abraham et d'Isaac. Abraham, bien-aimé de Dieu, désirait un fils depuis longtemps. Dieu promit de lui en donner un. Après une longue attente, et malgré des conditions en apparence difficiles – sa femme était âgée et stérile –, le miracle se produisit. Toutefois, peu de temps après, alors qu'Isaac est encore enfant, Dieu se ravise et, de manière aussi excessive que barbare, exige que Son fidèle serviteur lui offre son fils en sacrifice. L'histoire se termine bien : Dieu envoie un ange retenir la main du dévoué Abraham et accepte un bélier à la place d'Isaac. Tant mieux, mais cela ne résout rien : pourquoi est-il nécessaire que Dieu exagère ? Pourquoi impose-t-Il – pourquoi la vie impose-t-elle – de pareilles exigences ?

Nous entamerons notre réflexion avec un lieu commun qui, s'il est aussi évident que flagrant, est souvent sous-estimé : « Parfois, les choses ne se passent pas bien. » Il semblerait que ce soit lié à la nature effroyable de l'existence, avec ses épidémies, ses famines, ses tyrannies et ses trahisons. Mais il y a un hic : quand les choses se passent mal, on ne peut pas toujours le reprocher à des éléments extérieurs. Il arrive au contraire que ce soit dû à ce qui a le plus de valeur à nos yeux, autant d'un point de vue subjectif que personnel. Pourquoi ? Parce que le monde se manifeste, à un degré indéterminé, à travers la gamme de nos valeurs (nous nous pencherons plus précisément sur la question dans la règle 10). Par conséquent, si le monde qui vous entoure n'est pas celui que vous désirez, il est temps de vous interroger sur vos valeurs. De vous débarrasser de vos préjugés. De lâcher prise. Il est peut-être même temps de sacrifier ce que vous aimez par-dessus tout, afin de devenir celui que vous pourriez être, plutôt que de rester celui que vous êtes.

Un ancien récit – probablement apocryphe –, sur le meilleur moyen d'attraper un singe illustre à merveille ce genre d'idées. Tout d'abord, il vous faut trouver un grand bocal à col étroit, de diamètre juste assez grand pour qu'un singe puisse y introduire la main. Remplissez ensuite ce bocal de pierres pour qu'il soit trop lourd à transporter. Enfin, déposez quelques friandises près du bocal pour attirer l'animal, et quelques autres à l'intérieur. Quand le singe se présentera, il plongera la main dans l'ouverture étroite du bocal, mais sera alors incapable de la ressortir. Pas sans desserrer le poing, ni sans renoncer à sa prise. Ce qu'il refusera de faire. Ne restera donc plus au chasseur qu'à récupérer l'animal pris au piège. Ce dernier n'aura pas l'idée de sacrifier une partie de son butin pour préserver l'ensemble.

Renoncer à quelque chose de précieux permet de garantir une prospérité future. Les sacrifices de grande valeur satisfont le Seigneur. Qu'est-ce qui a la plus grande valeur ? Que vaut-il mieux sacrifier ? Ou, du moins, quel serait le sacrifice le plus emblématique ? Un morceau de viande de premier choix. Le plus bel animal du troupeau. Un bien précieux. Que pourrait-il y avoir d'encore mieux ? Quelque chose d'extrêmement personnel dont on aurait beaucoup de mal à se défaire. C'est ce qui est sans doute évoqué lorsque Dieu insiste pour que la circoncision fasse partie de la routine sacrificielle d'Abraham. Lors de cet acte, une « partie » symbolique est offerte pour sauver « l'ensemble ».

Que pourrait-il y avoir d'encore plus précieux ? Qu'est-ce qui pourrait mieux figurer la personne qu'une partie de ladite personne ? Quel pourrait être le sacrifice ultime pour remporter le trophée absolu ?

Cela se joue à peu de chose entre son enfant et soi-même. Le sacrifice de la mère, qui offre son enfant au reste du monde, est notamment illustré par la magnifique sculpture de *La Pietà*, de Michel-Ange. L'artiste a modelé Marie pleurant son fils, descendu de la Croix avant sa mise au tombeau. C'est sa faute à elle. C'est grâce à elle qu'il a pu s'immiscer dans ce monde et dans la grande tragédie de l'Être. Est-ce une bonne chose d'avoir un enfant dans ce monde effroyable ? Toutes les femmes se posent la question. Certaines pensent que non, et elles ont leurs raisons. Marie répond délibérément par l'affirmative, sachant pertinemment ce qui va se produire. Comme toutes les mères qui s'autorisent à ouvrir les yeux. Lorsqu'il est accompli volontairement, c'est un acte de courage ultime.

Pour sa part, Jésus, le fils de Marie, s'offre à Dieu et au monde, à la trahison, la torture et la mort. Désespéré, sur la Croix, il prononce même ces terribles paroles : « Mon Dieu, mon Dieu, pourquoi m'as-tu abandonné ? » (Matthieu 27:46). C'est l'histoire caractéristique de l'homme qui se sacrifie pour la bonne cause. Qui offre sa vie pour l'évolution de l'Être. Qui permet à la volonté de Dieu de se manifester pleinement par l'intermédiaire d'un unique mortel. C'est le modèle de l'homme respectable. Dans le cas de Jésus, cependant, lorsqu'il se sacrifie, Dieu, Son père, en fait de même. C'est pour cette raison que la tragédie sacrificielle du fils et de soi est un archétype chez les chrétiens. On a atteint la limite. Impossible d'imaginer plus extrême ou plus beau. C'est la définition même de l'archétype. C'est le cœur de ce que représente la religion.

Ce sont la douleur et la souffrance qui définissent le monde. Cela ne fait aucun doute. À des degrés divers, les sacrifices permettent de retarder leur apparition, et, dans ce domaine, les sacrifices les plus grands sont naturellement plus efficaces que les plus petits. Chacun détient ce savoir en son âme. Par conséquent, celui qui souhaite atténuer la douleur – c'est-à-dire corriger les défauts de l'Être, préparer le meilleur avenir possible, créer le paradis sur Terre – fera le plus grand des sacrifices, de lui-même, de son enfant, de tout ce qu'il aime pour pouvoir mener une existence qui tend vers le bien. Il renoncera à la facilité. Il suivra le chemin du sens ultime. Il apportera ainsi le salut à un monde toujours plus désespéré.

Mais une telle chose est-elle envisageable ? N'est-ce pas trop demander ? On pourrait me rétorquer que cela n'a posé aucun problème à Jésus. Mais il était le fils de Dieu. Nous avons toutefois d'autres exemples, dont certains tiennent moins de la mythologie ou de l'archétype. Prenons celui du cas de Socrate, le philosophe grec. Après avoir passé sa vie à chercher la vérité et à éduquer ses compatriotes, il s'est vu traîner en justice pour des crimes contre la cité-État d'Athènes, sa ville natale. À plusieurs reprises, ses accusateurs lui ont laissé l'occasion de partir pour éviter les ennuis[118]. Mais le sage avait déjà réfléchi, et ce plan d'action ne lui convenait pas. Hermogène, son compagnon, raconte qu'il discutait à l'époque « de tout et de rien[119] », de préférence quand cela n'avait aucun rapport avec son procès. Il lui demanda pourquoi il semblait si peu préoccupé. Socrate lui répondit d'abord qu'il s'était préparé toute sa vie à se défendre[120], avant d'ajouter quelque chose de plus mystérieux, mais aussi de plus significatif : lorsqu'il tentait de réfléchir à des stratégies pour se faire acquitter « par tous les moyens[121] » – ou même lorsqu'il songeait simplement à ce qu'il pourrait dire au tribunal[122] –, il était interrompu par un propre signal divin, son esprit, sa voix ou son démon intérieur. Socrate évoqua cette petite voix durant son procès[123]. Il déclara que, contrairement aux autres[124], il était parfaitement disposé à écouter ces avertissements, à se taire et à cesser toute activité quand ils le mettaient en garde. D'après la Pythie, à qui l'on pouvait s'en remettre pour ce genre de questions[125], c'était la principale raison pour laquelle les dieux eux-mêmes l'avaient jugé plus sage que les autres.

La petite voix à laquelle il se fiait invariablement l'ayant dissuadé de fuir et même de se défendre, Socrate changea radicalement de point de vue sur le sens de son procès, le considérant comme une bénédiction, et non plus comme une malédiction. Il raconta à Hermogène qu'il avait pris conscience que l'esprit qu'il avait toujours écouté lui offrirait peut-être le moyen d'échapper à la vie « plus facilement pour lui, mais plus difficilement pour ses amis[126] », avec « un corps sain et un esprit capable de bienveillance[127] », et sans les « affres de la maladie » ni les contrariétés d'une vieillesse avancée[128]. Dès qu'il eut accepté son sort, il n'eut plus aucune raison d'avoir peur de la mort, que ce soit avant ou pendant le procès, après que le verdict fut rendu[129], ni même plus tard, au moment de son exécution[130]. Ayant mené une existence riche et entière, il pouvait lâcher prise avec dignité. On lui laissa l'occasion de mettre de l'ordre dans ses affaires. Il comprit qu'il pouvait échapper à la lente et terrible déchéance qui vient avec l'âge. Que tout ce qui lui arrivait était un don des dieux. Il n'avait donc aucune raison de se défendre contre les attaques de ses accusateurs. Du moins pas dans le but de prouver son innocence, ni d'échapper à son destin. Au contraire, il inversa les rôles, s'adressant aux juges de manière à faire comprendre avec précision pour quelle raison le Conseil d'Athènes souhaitait sa mort. Puis il absorba son poison.

Socrate rejeta la facilité et la nécessaire manipulation qui allait de pair. Malgré sa situation désespérée, il préféra au contraire poursuivre sa quête de sens et de vérité. Deux mille cinq cents ans plus tard, nous nous souvenons de sa décision, et elle nous rassure. Que nous apprend-elle ? Si vous cessez de vous mentir et choisissez de vivre selon ce que vous dicte votre conscience, vous conserverez votre grandeur, même face à la menace suprême. Si vous vous pliez avec courage et sincérité aux idéaux les plus nobles, vous jouirez d'une plus grande sécurité et d'une plus grande force qu'en vous concentrant sur votre propre sécurité à court terme. Si vous vivez convenablement, pleinement, vous découvrirez un sens si profond à votre existence qu'il vous protégera même de la crainte de la mort.

Tout cela est-il bien crédible ?

La mort, le dur labeur et le mal

La conscience de soi engendre la souffrance. Une souffrance inévitable qui, à son tour, suscite un désir égoïste de gratification immédiate. La facilité. Mais, pour chasser la douleur, le sacrifice et le travail sont nettement plus efficaces que les plaisirs impulsifs. Toutefois, la tragédie en soi – la rudesse arbitraire de la société et de la nature face à la vulnérabilité de l'individu – n'est pas l'unique source de souffrance, et sans doute même pas la principale. Nous devons également tenir compte du problème du mal. La vie n'est pas simple, c'est une certitude, mais l'inhumanité de l'homme envers ses congénères est pire encore. Le problème du sacrifice souffre de sa propre complexité : il ne s'agit pas simplement de limites dues à notre nature de mortels et de privations susceptibles d'être atténuées par le travail, notre volonté d'offrir et notre capacité à renoncer. Il faut aussi régler la question du mal.

Étudions de nouveau le récit d'Adam et Ève. Après la chute et l'éveil de nos premiers ancêtres, la vie devient très dure pour leurs enfants (nous). Tout d'abord, un horrible destin nous attend dans le monde d'après le paradis.

C'est ce que Goethe appelle « notre interminable travail créatif[131] ». Comme nous l'avons vu, les humains travaillent. Parce que nous nous sommes éveillés à la vérité de notre vulnérabilité, de notre assujettissement à la maladie et à la mort, et parce que nous désirons nous en protéger le plus longtemps possible. À moins de vivre dans le déni et la terreur, dès que nous pouvons voir l'avenir, nous devons nous y préparer. Nous sacrifions par conséquent les plaisirs d'aujourd'hui pour que le lendemain soit meilleur. Mais lorsque Adam et Ève mordent dans le fruit défendu, s'éveillent et ouvrent les yeux, la prise de conscience de la mortalité et de la nécessité de travailler n'est pas leur unique révélation. On leur accorde également – à moins qu'il ne s'agisse d'une malédiction – la connaissance du bien et du mal.

Il m'a fallu des dizaines d'années pour comprendre ce que cela signifiait, ne serait-ce même qu'une partie : dès que vous prenez conscience de votre vulnérabilité, vous saisissez la nature de la fragilité des hommes au sens large. Vous concevez que l'on puisse être effrayé, en colère, amer et plein de ressentiment. Vous comprenez ce que signifie la souffrance. Dès que vous avez imaginé que l'on puisse éprouver de tels sentiments et que vous savez comment les susciter, vous êtes en mesure de les provoquer chez autrui. C'est pourquoi les créatures conscientes que nous sommes ne se privent pas de tourmenter les autres (et nous-mêmes, bien sûr, mais pour le moment nous nous préoccupons surtout des autres). Comme nous pouvons le constater, ce nouveau savoir a en particulier des conséquences sur Abel et Caïn, les fils d'Adam et Ève.

À leur naissance, l'humanité a déjà appris à faire des sacrifices à Dieu. Sur des autels de pierre conçus à ces fins, on procède à un rituel collectif : l'immolation d'un élément de valeur, qu'il s'agisse d'un animal de choix ou d'une partie de celui-ci et, dans les flammes, sa transformation en fumée

– en esprit – qui monte jusqu'au ciel. Ainsi, l'idée d'ajournement est théâtralisée, de sorte que l'avenir puisse être meilleur. Dieu accepte les sacrifices d'Abel, qui s'épanouit. Il refuse en revanche ceux de Caïn, qui devient jaloux et rancunier, et on le serait à moins. Si, après son échec, quelqu'un est rejeté parce qu'il refuse de faire des sacrifices, c'est compréhensible. Il a beau éprouver du ressentiment et un désir de vengeance, il sait au fond de lui qu'il est le seul fautif. Ce qui limite généralement son indignation. Toutefois, s'il est rejeté alors qu'il a effectivement renoncé aux plaisirs du moment – fait des efforts, travaillé dur et que rien de tout cela ne fonctionne –, c'est bien pire. Il a alors perdu le présent et l'avenir. Son sacrifice, son travail est inutile. Dans de telles conditions, son univers s'assombrit et il se rebellera.

Caïn est révolté par ce rejet. Il affronte Dieu. Il L'accuse et maudit Sa création. Une réaction déplorable. Dieu lui répond sans ménagement qu'il ne peut s'en prendre qu'à lui-même. Pire, que Caïn a flirté avec le péché[132] en toute connaissance de cause et qu'il en paie les conséquences. Ce n'est pas du tout ce que Caïn souhaitait entendre. Il ne s'agit en aucun cas d'excuses de la part de Dieu. Non, ce sont bien des avanies qui viennent s'ajouter au tort qu'il a subi. Aigri au plus profond de son être par la réponse de Dieu, Caïn prépare sa vengeance. Avec une certaine audace, il défie le Créateur. C'est osé. Caïn sait faire le mal. En raison de sa souffrance et de son sentiment de honte, il a plus que jamais conscience de lui. Alors, il tue Abel de sang-froid. Il assassine son frère, son idéal, Abel étant tout ce que Caïn souhaitait devenir. Il commet le plus terrible des crimes pour se blesser, blesser l'humanité tout entière et Dieu lui-même. Pour semer la pagaille et se venger. Pour manifester son opposition totale à l'existence, pour protester contre les caprices insupportables de l'Être. Et les enfants de Caïn – sa progéniture, comme s'il s'agissait à la fois de son corps et de son choix – sont pires. Dans sa fureur existentielle, Caïn tue une fois. Mais Lémek, son descendant, va beaucoup plus loin. « J'ai tué un homme pour une blessure, déclare-t-il, et un jeune enfant pour ma plaie. Caïn sera vengé sept fois, et Lémek soixante-dix-sept fois* » (Genèse 4:23-24). Toubal-Caïn, « qui forgeait tous les instruments de bronze et de fer** » (Genèse 4:22) est, d'après la tradition, un descendant de Caïn de la septième génération. Et le premier à fabriquer des armes de guerre. S'ensuit, dans la Genèse, le récit du Déluge. Tout cet enchaînement ne doit rien au hasard.

Le mal se manifeste à l'apparition de la conscience de soi. Dieu condamne Adam à travailler, ce qui n'est pas rien. En ce qui concerne Ève, l'enfantement dans la douleur et la dépendance à son mari qui en découlent ne sont pas non plus des broutilles. Ces malédictions sont révélatrices des tragédies absolues et souvent insoutenables que sont le manque, la privation, le dénuement et l'assujettissement à la maladie et à la mort qui, simultanément, définissent et empoisonnent l'existence. Leur réalité suffit parfois à pousser au crime même les plus courageux. Toutefois, je sais d'expérience que les humains sont suffisamment robustes pour supporter sans faillir – sans craquer, ou au moins sans s'effondrer – les tragédies absolues de l'Être. J'en ai eu la preuve à maintes reprises, aussi bien dans ma vie privée que dans ma carrière d'enseignant et de clinicien. Les tremblements de terre, les inondations, la pauvreté, le cancer... nous sommes suffisamment résistants pour affronter tout cela. Mais le mal causé par les hommes est un fléau d'un autre genre. C'est pour cette raison que l'accroissement de la conscience de soi, la connaissance de la mortalité et la distinction du bien et du mal qui s'ensuivent sont présentés

---

* Traduction La Bible du Semeur (N.d.T.)
** *Ibid.*

dans les premiers chapitres de la Genèse (et dans la tradi-tion) comme une catastrophe d'ampleur sidérale.

La malveillance délibérée est susceptible de vaincre les esprits que les catastrophes les plus terribles ne sauraient ébranler. Je me rappelle avoir découvert qu'une de mes patientes souffrait d'un grave trouble de stress posttrau-matique – des crises d'épouvante et des tremblements quotidiens, ainsi que des insomnies chroniques – provoqué par le simple fait d'avoir vu l'air enragé de son conjoint alors qu'il était ivre. Son « visage assombri » (Genèse 4:5) trahissait son désir manifeste et conscient de lui faire du mal. C'était une femme particulièrement naïve, ce qui la prédisposait au traumatisme, mais ce n'est pas le sujet : le mal délibéré que nous nous faisons les uns aux autres peut avoir des conséquences graves et irréversibles, même chez les plus robustes. Mais, diable, qu'est-ce qui peut nous inciter à faire tant de mal ?

Il ne s'agit pas d'une simple conséquence de la rudesse de notre existence. Cela ne se manifeste même pas en raison d'un échec, ni de la déception et de l'amertume qu'il pourrait provoquer. Mais par la cruauté de la vie, à laquelle s'ajoutent les conséquences de sacrifices sans cesse rejetés (si mal conçus et si peu enthousiastes soient-ils). Cela peut en pousser certains à se tourner délibérément vers le mal. À se faire souffrir et à faire souffrir les autres. Gratuitement. Un cercle vicieux se met alors en place : un sacrifice offert à contrecœur, sans la moindre conviction ; le rejet de ce sacrifice par Dieu ou la réalité (faites votre choix) ; le ressentiment et la colère provoqués par ce rejet ; une plongée dans l'amertume et un désir de vengeance ; un sacrifice offert de plus mauvaise grâce encore, voire pas de sacrifice du tout. Cette spirale infernale mène tout droit aux enfers.

La vie est effectivement « dangereuse, animale et brève », comme le fit remarquer de façon si mémorable le philosophe anglais Thomas Hobbes. Mais la faculté de l'homme de faire le mal la rend plus terrible encore. Cela signifie que le problème majeur de l'existence – la gestion de ses réalités élémentaires –, ne consiste pas à chercher comment atténuer la seule souffrance, mais aussi le mal, origine consciente, délibérée et vengeresse de la pire des souffrances. Le récit d'Abel et Caïn est l'une des manifestations de l'histoire emblématique des frères ennemis, héros et adversaires : les deux éléments du psychisme, l'un tourné vers le haut et le bien, et l'autre vers le bas et l'enfer. Abel est un héros, c'est vrai, mais un héros finalement vaincu par Caïn. Abel est en mesure de satisfaire Dieu – un exploit improbable, loin d'être insignifiant –, mais est incapable de venir à bout de la malveillance humaine. Pour cette raison, Abel est symboliquement incomplet. Sans doute était-il naïf, même si un frère vengeur peut se révéler extraordinairement perfide et aussi « rusé » que le serpent de Genèse 3:1. Mais qu'importent les prétextes, et même les raisons, si bonnes soient-elles. Elles n'ont en fin de compte aucune importance. Malgré les sacrifices d'Abel, le problème du mal n'était toujours pas résolu. Il fallut des milliers d'années supplémentaires pour que l'humanité finisse par découvrir une solution. Le même problème se présenta de nouveau sous sa forme ultime, dans l'histoire où Satan soumet Jésus à la tentation. Mais cette fois, il est exposé de manière plus détaillée, et le héros l'emporte.

Face au mal

Dans le récit, Jésus est conduit dans le désert « pour qu'il y soit tenté par le diable » (Matthieu 4:1), avant sa crucifixion. C'est l'histoire de Caïn, reformulée de manière abstraite. Comme nous l'avons vu, Caïn n'est pas heureux. Il travaille dur, du moins le croit-il, mais Dieu n'est pas satisfait. Dans le même temps, Abel mène apparemment une existence comblée. Ses récoltes sont abondantes. Il a du succès auprès des femmes. Pour couronner le tout, c'est quelqu'un de bien. Tout le monde le sait. Il mérite sa bonne fortune. Autant de raisons pour le jalouser et le haïr. En revanche, les choses ne se passent pas bien pour Caïn, qui rumine son malheur. Dans sa souffrance, il imagine des choses épouvantables et, ce faisant, s'aventure dans le désert de son esprit. Il est obsédé par son infortune, par la trahison de Dieu. Il alimente son ressentiment. Il rêve d'une vengeance encore plus implacable. Son arrogance prend des proportions colossales. « On me maltraite et on m'opprime, songe-t-il. Fichue planète. En ce qui me concerne, elle peut aller au diable. »

Dans le désert, Caïn tombe pour ainsi dire sur Satan et cède à la tentation. Il fait tout ce qui est en son pouvoir pour que rien ne s'arrange, poussé par cet être, comme le dit si bien John Milton*, « d'une profonde malice, [capable] de frapper la race humaine dans sa racine, de mêler et d'envelopper la terre avec l'enfer, tout cela en dédain du grand Créateur...[133] » Caïn se tourne – délibérément, sciemment, avec malveillance et préméditation – vers le mal, pour obtenir ce que Dieu lui a refusé.

Jésus prend une autre voie. Son séjour dans le désert symbolise les ténèbres de l'âme, un sentiment universel et profondément humain. C'est là où nous allons quand tout part à vau-l'eau, quand les amis et la famille sont loin, quand règne le désespoir, quand le nihilisme le plus noir frappe à nos portes. Et permettez-nous de croire qu'au bout de quarante jours et quarante nuits dans le désert – si le récit est fidèle –, seul et affamé, il puisse s'agir du seul endroit où l'on soit en mesure d'aller. C'est ainsi que les mondes

---

* John Milton, *Le Paradis perdu*, traduction de François-René de Chateaubriand, Renault et Cie, 1861 (N.d.T.)

objectif et subjectif se télescopent. La durée de quarante jours est très symbolique, puisqu'elle fait écho aux quarante années durant lesquelles les Hébreux ont erré dans le désert après avoir échappé au joug des pharaons d'Égypte. Dans le monde souterrain des idées noires, de la confusion et de la peur, quarante jours, c'est long. Suffisamment pour en atteindre le cœur, l'enfer. Dès lors que l'on est disposé à prendre le mal au sérieux, n'importe qui peut faire le voyage par simple curiosité. Pour y parvenir, une petite connaissance de l'histoire peut se révéler utile. On peut commencer par un séjour au milieu des horreurs totalitaires du XXᵉ siècle, comme les camps de concentration, le travail forcé et les idéologies mortifères. Sans perdre de vue que les gardes les plus implacables des camps de concentration étaient aussi des humains. Tout cela concourt à rendre cette histoire de désert parfaitement plausible, et à l'actualiser pour la remettre au goût du jour.

« Après Auschwitz, dit Theodor Adorno, qui suivait alors des études sur la personnalité autoritaire, il devrait être interdit de faire de la poésie. » Il se trompait. La poésie doit s'emparer d'Auschwitz. Dans le noir sillage du siècle dernier, l'épouvantable pouvoir destructeur de l'homme est devenu un problème dont la gravité éclipse même celui de la souffrance non traitée. Et aucun de ces deux problèmes ne sera résolu en l'absence de solution à l'un ou à autre. C'est là que l'idée de Jésus – endosser les péchés de l'humanité comme s'il s'agissait des siens – prend tout son sens, nous permettant de mieux comprendre sa rencontre avec le diable dans le désert. *Homo sum, humani nihil a me alienum puto*, prétend le dramaturge romain Terence : « Je suis humain, rien d'humain ne m'est étranger. »

« Aucun arbre ne pourra pousser jusqu'au paradis, ajoute Carl G. Jung – ce génial psychanalyste toujours un peu terrifiant – sans plonger ses racines jusqu'aux profondeurs de l'enfer[134]. » Cette citation donne à réfléchir. D'après ce grand psychiatre, il était impossible de tendre vers le haut sans un mouvement équivalent vers le bas. C'est pour cette raison que les illuminations sont si rares. Qui serait prêt à faire une chose pareille ? Qui aurait envie de faire face au cloaque de nos idées les plus abjectes ? Qu'a donc écrit Éric Harris, le tueur de masse du lycée de Columbine, de manière si inconcevable, la veille du massacre de ses camarades de classe ? « Intéressant, lorsque j'ai mon apparence humaine, de savoir que je vais mourir. Chaque chose a un côté futile[135]. » Qui oserait expliquer une telle lettre ? Pire, qui oserait la justifier ?

Dans le désert, Jésus rencontre Satan (voir Luc 4:1-13 et Matthieu 4:1-11). En plus de tout ce qu'il peut signifier d'un point de vue aussi bien matériel que métaphysique, ce récit a clairement un sens psychologique, métaphorique. Il révèle que Jésus est à tout jamais Celui qui se résout à endosser la responsabilité de la dépravation humaine. Celui qui est prêt à affronter, étudier attentivement et risquer les tentations soumises par les individus les plus malveillants. Celui qui est prêt à braver le mal sciemment, pleinement et délibérément, sous la forme qui réside simultanément en Lui et dans le monde. Ce n'est rien de simplement abstrait, malgré les apparences. Rien qui puisse être généralisé, il ne s'agit pas d'une question purement intellectuelle.

Si des soldats souffrent d'un trouble de stress post-traumatique, ce n'est pas à cause de ce qu'ils ont vu, mais de ce qu'ils ont fait[136]. Les démons pullulent, pour ainsi dire, sur le champ de bataille. La guerre est une porte ouverte sur l'enfer. De temps à autre, quelque chose la franchit et prend possession d'un jeune fermier naïf de l'Iowa qu'il transforme en monstre. Il commet des actes épouvantables. Il viole et tue des femmes, massacre les nouveau-nés de My Lai. Il se regarde faire. Quelque part, ça lui plaît. Cela restera gravé dans son esprit. Plus tard, il se demandera comment se réconcilier avec la réalité et ce qu'elle a révélé de lui. Ce qui n'est guère étonnant.

Dans les principaux mythes de l'Ancienne Égypte, le dieu Horus – souvent considéré comme un précurseur de Jésus, aussi bien d'un point de vue historique que conceptuel[137] – connut le même genre de mésaventure, lorsqu'il fit face à Seth*, son oncle maléfique, usurpateur du trône d'Osiris, père d'Horus. Horus, le dieu faucon omniscient, l'œil de l'attention suprême et éternelle, a le courage d'affronter la véritable nature de Seth, le bravant en combat singulier. Cependant, il est blessé pendant le duel et perd un œil. Et ce en dépit de sa stature divine et de sa vision sans égale. Que pourrait bien perdre un humain qui tenterait de l'imiter ? Mais il gagnerait sans doute en vision interne et en compréhension, proportionnellement à ce qu'il perdrait en perception du monde extérieur.

Satan figure le refus de sacrifice. Il est l'arrogance incarnée, la méchanceté, la tromperie, la cruauté et la malveillance délibérée. Il hait l'homme, Dieu et l'Être. Jamais il ne fera preuve d'humilité, quand bien même il le devrait. Par ailleurs, obnubilé par sa volonté de destruction, il sait parfaitement ce qu'il fait et agit de manière délibérée, réfléchie et radicale. C'est par conséquent à lui, l'archétype du mal, d'affronter et de tenter le Christ, l'archétype du bien. C'est à lui aussi, en dépit de conditions difficiles, d'offrir au Sauveur de l'humanité ce que les hommes désirent avec ardeur.

Satan incite tout d'abord Jésus à apaiser Sa faim en transformant les pierres du désert en pains. Puis il Lui suggère de se jeter d'une falaise et d'appeler Dieu et les anges pour qu'ils interrompent Sa chute. À la première tentation,

---

* Dans le même genre d'idée, notons que le nom « Seth » est un précurseur étymologique de « Satan », cf. MURDOCK, D. M., *Christ in Egypt : the Horus-Jesus Connection*, Seattle, WA, Stellar House, 2009, p. 75

Jésus répond : « L'homme ne vivra pas seulement de pain, mais aussi de toute parole que Dieu prononce*. » Ce que cela signifie ? Que même dans des conditions de privation extrême, il existe des choses plus importantes que la nourriture. Autrement dit, l'homme qui a trahi son âme n'a que faire de pain, même s'il est en train de mourir de faim**. Jésus pourrait évidemment user de son pouvoir presque infini, comme le Lui souffle Satan, pour créer du pain, pour rompre son jeûne, mais aussi, au sens large, pour créer de la richesse (ce qui lui permettrait en théorie de résoudre son problème de faim de manière plus pérenne). Mais à quel prix ? Et dans quel intérêt ? De la gourmandise en plein désert moral ? Ce serait le plus pitoyable des festins. Jésus vise plus haut : un Être de taille à résoudre pour de bon le problème de la faim. Et si nous choisissions tous de nous nourrir de la parole de Dieu ? Cela exigerait de chacun de nous que nous vivions, produisions, nous sacrifiions, parlions et partagions de manière à empêcher définitivement toute famine. C'est ainsi que serait résolu le problème de la faim et des privations dans le désert.

On en trouve d'autres indications dans les Évangiles, sous une forme plus romancée. Jésus est sans cesse décrit comme celui qui apporte la nourriture. Il multiplie miraculeusement le pain et le poisson. Il transforme l'eau en vin. Encore une fois, qu'est-ce que cela signifie ? Comme nous vivons mieux et de manière plus pragmatique, c'est un appel à la recherche d'un sens supérieur. Cet appel est dépeint de

---

* Matthieu 4:4, traduction La Bible du Semeur (N.d.T.)

** À ceux qui trouvent cela peu réaliste, compte tenu de la réalité matérielle de la privation et de la souffrance authentique qui en découle, je leur recommande une nouvelle fois *L'Archipel du goulag*, de Soljenitsyne, dans lequel on peut lire une série de discussions d'une profondeur exceptionnelle à propos de la morale et de l'importance qu'elle prend dans des situations de manque et de souffrance extrêmes.

manière littéraire, voire théâtrale : prenez exemple sur le Sauveur, et vous et vos proches n'aurez plus jamais faim. Les bienfaits du monde se révèlent à ceux qui vivent de manière appropriée. C'est encore mieux que du pain. Que l'argent qui vous permettra d'acheter du pain. Ainsi, Jésus, l'être symboliquement parfait, résiste à la première des trois tentations.

« Jette-toi de cette falaise, Lui suggère Satan en guise de nouvelle tentation. Si Dieu existe, il te sauvera certainement. Si tu es vraiment Son fils, Il te sauvera. » Pourquoi Dieu ne se manifeste-t-il pas en personne pour préserver Son fils unique de la faim, de l'isolement et de la présence du mal ? Parce qu'il n'y aurait là aucune leçon de vie. Même en littérature, cela ne fonctionnerait pas. Le *deus ex machina*, l'apparition d'une force divine qui sauve comme par magie le héros d'une situation difficile, est l'astuce la plus facile à la disposition des écrivains de seconde zone. Cela représente une parodie d'indépendance, de courage, de destinée, de libre arbitre et de responsabilité. Du reste, Dieu n'est en aucun cas un filet de protection pour les aveugles. Ce n'est pas quelqu'un à qui l'on peut demander de réaliser des tours de magie, que l'on peut forcer à se révéler. Même si c'est Son fils qui le sollicite.

« Tu ne forceras pas la main au Seigneur, ton Dieu* » (Matthieu 4:7). Malgré sa concision, cette réponse permet à Jésus de résister à la seconde tentation. Il évite de demander à Dieu d'intervenir en Son nom. Il refuse de se décharger de Sa responsabilité en ce qui concerne les événements de Sa propre existence. D'exiger de Dieu qu'il prouve Sa présence. De résoudre aussi personnellement les problèmes de vulnérabilité des mortels en obligeant Dieu à Le sauver, car cela ne résoudrait rien à long terme. On perçoit, dans la résistance à cette tentation, un vrai rejet du confort de la

---

* Traduction La Bible du Semeur (N.d.T.)

démence. Il Lui aurait été facile, mais tout aussi psychotique, de s'identifier à une sorte de messie magique. Toutefois, compte tenu des conditions épouvantables de Son séjour dans le désert, cela était assimilable à une véritable tentation. Au contraire, il repousse l'idée que le salut – ou la survie, autrement dit – puisse dépendre de la manifestation de la supériorité de Dieu, même si elle est demandée par Son fils.

Vient ensuite la troisième tentation, la plus séduisante de toutes. Jésus se voit proposer l'ensemble des royaumes du monde. C'est le symbole du pouvoir terrestre, l'occasion de diriger tout et tout le monde. On Lui offre le sommet de la hiérarchie de domination, le rêve de tout grand singe : l'obéissance de tous, le plus merveilleux des territoires, le pouvoir de construire et de se développer, la possibilité de faveurs sexuelles illimitées. C'est la facilité poussée à l'extrême. Mais ce n'est pas tout. Un tel changement de statut peut inciter les ténèbres intérieures à se manifester. La soif de sang, de sexe et de destruction fait partie intégrante de l'attrait du pouvoir. Les hommes ne désirent pas simplement le pouvoir pour cesser de souffrir. Ni pour mettre un terme à leur assujettissement au manque, à la maladie et à la mort. Le pouvoir donne également la faculté de se venger, d'assurer la soumission et d'écraser ses ennemis. Donnez suffisamment de pouvoir à Caïn, et il ne se contentera pas de tuer Abel. Il le torturera longuement et avec imagination. Après, et seulement après, il le tuera. Ensuite, il s'en prendra à d'autres.

Il existe quelque chose au-dessus de la hiérarchie de domination, et il vaudrait mieux éviter d'en sacrifier l'accès pour un succès plus immédiat. C'est également un lieu réel, même s'il est impossible de le conceptualiser géographiquement comme un point de repère classique.

Un jour, j'ai eu la vision d'un vaste paysage qui s'étendait sur des kilomètres vers l'horizon. Volant en altitude, je bénéficiais de la vue panoramique des oiseaux. Dans toutes les directions, j'apercevais de grandes pyramides de verres de plusieurs niveaux, certaines petites, d'autres grandes, certaines se chevauchant, d'autres indépendantes, toutes semblables à nos gratte-ciel modernes. Elles étaient toutes peuplées d'individus s'efforçant d'en atteindre le sommet. Mais il existait quelque chose au-dessus de ces sommets, un territoire extérieur à chacune des pyramides. C'était la position privilégiée de l'œil qui pouvait, ou qui avait choisi de s'élever librement au-dessus de la mêlée, de renoncer à dominer tel groupe ou telle cause afin de les transcender tous. C'était l'attention en soi, pure et sans entraves, vigilante et indépendante, attendant le bon moment et le bon endroit pour agir. Comme on le lit dans le *Tao te king* :

> « Celui qui agit échoue,
> Celui qui s'attache à une chose la perd.
> De là vient que le Saint n'agit pas,
> C'est pourquoi il n'échoue point.
> Il ne s'attache à rien, c'est pourquoi il ne perd point[138*]. »

Dans l'histoire de la troisième tentation, on découvre un puissant appel à l'Être. Pour obtenir la plus grande récompense possible, l'établissement du Royaume de Dieu sur la Terre et la résurrection du paradis, chacun doit refuser les gratifications immédiates, contenir ses désirs, qu'ils soient naturels ou pervers, même s'ils sont offerts avec insistance de manière convaincante et réaliste, et résister aux tentations du mal. Celui-ci amplifie la tragédie de l'existence, incitant considérablement à la facilité, déjà présente en raison de la tragédie fondamentale de l'Être. Le plus banal des sacrifices permet, avec plus ou moins de réussite, d'éloigner cette tragédie, mais il faut un sacrifice d'un genre particulier pour vaincre le mal. C'est la description de ce sacrifice qui a hanté

---

* Lao Tseu, *Tao te king. Le livre de la voie et de la vertu*, traduction de Stanislas Julien, Imprimerie Royale, Paris, 1842 (N.d.T.)

l'imagination des chrétiens, mais aussi d'autres, des siècles durant. Pourquoi n'a-t-il pas eu l'effet désiré ? Pourquoi n'est-on toujours pas convaincu qu'il n'existe pas de meilleure solution que de se tourner vers le ciel, de viser le bien et de tout sacrifier à cette ambition ? Quelque chose nous a-t-il simplement échappé, ou avons-nous quitté le chemin ?

Le christianisme et ses problèmes

Carl G. Jung a émis l'hypothèse selon laquelle les Européens se sont vus encouragés à développer les sciences cognitives pour explorer le monde matériel, après avoir conclu que le christianisme – qui insiste sur le salut spirituel –, avait échoué à résoudre le problème de la souffrance dans le monde des vivants. Cette prise de conscience s'est faite particulièrement aiguë durant les trois ou quatre cents ans avant la Renaissance. En conséquence, et en compensation, un curieux fantasme a surgi du plus profond du psychisme des Occidentaux, se manifestant d'abord dans les étranges théories de l'alchimie puis, après plusieurs siècles, sous la forme parfaitement définie de la science[139]. Ce sont les alchimistes qui, les premiers, ont commencé à étudier sérieusement les transformations de la matière, espérant découvrir les secrets de la santé, de la richesse et de la longévité. Ces grands rêveurs, dont le plus important est Newton[140], ont compris intuitivement, puis imaginé que le monde matériel, maudit par l'Église, détenait des secrets dont la mise au jour pourrait affranchir l'humanité de ses limites et de ses douleurs terrestres. C'est cette vision, alimentée par le doute, qui a fourni la motivation à la fois collective et individuelle nécessaire au développement de la science, avec ses exigences extraordinaires auprès des chercheurs en termes de concentration et de gratifications différées.

Cela ne signifie pas pour autant que le christianisme, même dans sa forme inaccomplie, soit un échec. Au contraire, il a presque réussi l'impossible. La religion chrétienne a permis d'élever l'âme de chacun, plaçant l'esclave, le maître, le roturier et le noble sur un pied d'égalité métaphysique, les rendant égaux devant Dieu et la loi. D'après le christianisme, même les rois étaient des individus comme les autres. Pour qu'une idée si peu évidente puisse trouver sa place, il fallut minimiser le fait que, dans ce monde, plus on était puissant, plus on avait les faveurs de Dieu.

Ce fut en partie atteint grâce à l'insistance des chrétiens sur le fait qu'il était impossible d'obtenir le salut simplement par des efforts et du mérite, grâce au « labeur[141] ». Malgré ses limites, cette doctrine empêchait les rois, les aristocrates et les riches marchands de prendre de haut le simple roturier. Par conséquent, la conception métaphysique de la valeur transcendantale absolue de chaque âme s'établit, contre toute attente, comme fondement du droit et de la société occidentale. Cela n'avait jamais été le cas par le passé, et ce ne l'est toujours pas dans la plupart des pays aujourd'hui. Le fait que les sociétés hiérarchiques fondées sur l'esclavage de nos ancêtres se soient réorganisées sous l'influence d'une révélation éthico-religieuse et que la propriété et la domination absolue d'un autre individu soient considérées comme inacceptables est en réalité un miracle que nous ne devrions jamais oublier.

Nous ferions bien de nous rappeler également que l'utilité immédiate de l'esclavage est évidente. Et que l'idée selon laquelle les forts devraient dominer les faibles est alléchante, commode et pragmatique, du moins pour les forts. Cela signifie qu'il fallut exercer une critique inédite de l'ensemble des valeurs des sociétés esclavagistes. Et ce avant même de contester l'esclavage. Sans parler d'y mettre un terme et de s'opposer à l'idée que l'esclavagiste est noble parce qu'il détient le pouvoir et l'autorité ; et au principe fondamental qui veut que le pouvoir détenu par l'esclavagiste soit légitime, voire vertueux. Grâce au christianisme, on put affirmer que même les individus de la plus basse extraction avaient des droits, et que les souverains et les États avaient la responsabilité morale de reconnaître ces droits. Le christianisme imposa ouvertement l'idée encore plus incompréhensible que le fait de posséder quelqu'un avilissait l'esclavagiste autant, si ce n'est davantage, que l'esclave en personne. Tandis que, jusque-là, c'était considéré avec noblesse et admiration. Nous avons aujourd'hui du mal à comprendre la réticence à accepter une telle idée. Nous oublions que le contraire était une évidence depuis les origines de l'histoire humaine. Nous estimons que c'est le désir de réduire en esclavage et de dominer qui requiert une explication. Une fois encore, nous réfléchissons à l'envers.

Cela ne signifie pas pour autant que le christianisme ait été exempt de tout problème. Mais nous pouvons affirmer sans nous tromper qu'il s'agissait simplement de difficultés apparues après qu'on eut résolu une série de problèmes plus graves. La société issue du christianisme était bien moins barbare que la société païenne – y compris celle des Romains – à laquelle elle se substituait. Au moins, quand bien même de nombreuses pratiques barbares subsistaient, elle reconnaissait qu'il était inadmissible de nourrir des lions affamés avec des esclaves à des fins de simple divertissement populaire. Elle s'opposait à l'infanticide, à la prostitution et au fait que cela puisse être considéré comme normal. Elle soutenait que les femmes avaient autant de valeur que les hommes, même si nous cherchons encore aujourd'hui comment exprimer cette idée d'un point de vue politique. Elle exigeait que même les ennemis de la société soient considérés comme des humains. Enfin, elle faisait la distinction entre l'Église et l'État, afin que des empereurs aux faiblesses bien humaines ne puissent plus exiger qu'on les vénère comme des dieux. C'était demander l'impossible, mais cela s'est néanmoins produit.

Toutefois, au fur et à mesure de la progression de la révolution chrétienne, on oublia rapidement les problèmes insolubles qu'elle était parvenue à résoudre. C'est le lot des problèmes résolus. Après qu'elle en eut trouvé la solution, on oublia jusqu'à leur existence. Ce n'est qu'à ce moment-là que les problèmes qui subsistaient, moins susceptibles d'être rapidement résolus par la doctrine chrétienne, vinrent occuper une place centrale dans la conscience occidentale. Encourageant, par exemple, le développement de la science, destinée à atténuer la souffrance physique et matérielle qui était encore loin d'avoir totalement disparu des sociétés passées au christianisme avec succès. Le fait que les voitures polluent ne devient un problème suffisamment important pour attirer l'attention qu'à partir du moment où l'on a oublié tous ceux qui ont trouvé une solution grâce au principe du moteur à combustion interne. Les plus pauvres d'entre nous se moquent éperdument du gaz carbonique. Cela ne signifie pas que les niveaux de CO_2 soient insignifiants, mais qu'ils le sont pour ceux qui se tuent à la tâche et qui meurent de faim. Et qu'ils l'étaient jusqu'à ce qu'on invente le tracteur, et que des centaines de millions de personnes sortent de la famine. Quoi qu'il en soit, à l'époque de Nietzsche, à la fin du XIXe siècle, les problèmes que le christianisme n'avait pas su résoudre ont pris une importance capitale.

Nietzsche considérait, sans trop exagérer, qu'il philosophait avec un marteau[142]. Sa critique dévastatrice du christianisme – déjà affaibli par son antagonisme avec cette même science à laquelle il avait donné naissance – suivait deux lignes d'attaque principales. Il prétendait tout d'abord que c'était le sentiment de vérité porté aux nues par le christianisme qui avait fini par mettre en doute, puis saper les fondements de la foi. Surtout parce que la différence entre la vérité morale ou narrative et la vérité objective n'était pas encore totalement appréhendée (on avait tendance à les opposer, alors que rien ne les séparait vraiment), mais cela ne suffit pas à infirmer l'argument. Même quand les athées modernes opposés au christianisme dénigrent les fondamentalistes qui soutiennent que le récit de la Création dans la Genèse est objectivement vrai, ils font appel pour leur argumentation à leur sentiment de vérité, développé au fil des siècles dans la culture chrétienne. Plusieurs dizaines d'années plus tard, Carl G. Jung continua de développer les arguments de Nietzsche, faisant remarquer que, à l'époque des Lumières, l'Europe s'était comme réveillée d'un rêve chrétien, constatant que tout ce qu'elle avait jusqu'alors considéré comme acquis pouvait et devait être remis en question. « Dieu est mort ! Dieu reste mort ! Et c'est nous qui l'avons tué ! Comment nous consolerons-nous, nous, les meurtriers des meurtriers ? Ce que le monde a possédé jusqu'à présent de plus sacré et de plus puissant a perdu son sang sous notre couteau, qui effacera de nous ce sang[143]* ? »

D'après Nietzsche, une fois que les Occidentaux s'étaient intéressés à la vérité, les principaux dogmes de la foi n'avaient plus été crédibles. Mais c'est sa seconde attaque – sur la suppression du véritable fardeau moral du christianisme au cours du développement de l'Église – qui fut la plus dévastatrice. Le philosophe au marteau se lança à l'assaut d'une ligne de pensée chrétienne aussi influente qu'ancienne, selon laquelle les chrétiens devaient accepter l'idée que c'était le sacrifice du Christ, et uniquement ce sacrifice qui avait sauvé l'humanité. Naturellement, cela ne signifiait pas qu'un chrétien qui croyait que Jésus était mort sur la Croix pour le salut de l'humanité était libéré de toute obligation morale. Mais cela impliquait fortement que le Sauveur avait

---

* Friedrich Nietzsche, *Le Gai Savoir*, traduction d'Henri Albert, Société du Mercure de France, 1901 (N.d.T.)

déjà assumé la principale responsabilité de la rédemption, et que les humains déchus n'avaient plus grand-chose à faire.

Nietzsche pensait que Paul, et plus tard les protestants qui suivaient Luther, avaient ôté toute responsabilité morale aux disciples de Jésus. Qu'ils avaient édulcoré l'idée d'« imitation du Christ ». Cette imitation était un des devoirs sacrés du croyant. Plutôt que d'adhérer et de professer un ensemble d'affirmations à propos de croyances abstraites, il évoque l'esprit du Sauveur dans des conditions particulières de son existence afin de réaliser et d'incarner l'archétype, comme le dit Carl G. Jung, et de reproduire le modèle éternel. Nietzsche écrivit : « Les chrétiens n'ont jamais pratiqué les actes que Jésus leur avait prescrits, et l'impudente fable de la "justification par la foi" et de la signification supérieure et unique de celle-ci n'est que la conséquence du manque de courage et de volonté que l'Église met à revendiquer les œuvres que Jésus demandait[144*]. » Nietzsche était un critique sans égal.

La croyance dogmatique au cœur des principaux axiomes du christianisme (le fait que la crucifixion de Jésus avait sauvé le monde, que le salut était réservé à l'au-delà et qu'il ne pouvait être obtenu par le travail) eut trois conséquences se renforçant entre elles : la première fut la diminution de l'importance de la vie terrestre, puisque seul l'au-delà comptait. Cela signifiait également qu'il était devenu acceptable de se dérober à la responsabilité des souffrances du monde terrestre. La deuxième, l'acceptation passive du *statu quo*, car le salut ne pouvait être obtenu par l'effort (une conséquence que même Marx a tournée en dérision, notamment en prétendant que la religion était l'opium du peuple). Enfin, la troisième, le droit du croyant de refuser tout véritable devoir moral (en dehors de la croyance établie que le salut

---

* Friedrich Nietzsche, *La Volonté de puissance*, traduction d'Henri Albert, Société du Mercure de France, 1903 (N.d.T.)

ne pouvait venir que du Christ), puisque le fils de Dieu avait déjà fait le gros du travail. C'est pour ce genre de raisons que Dostoïevski, qui a eu une grande influence sur Nietzsche, a également critiqué le christianisme institutionnel (bien qu'il y soit sans doute parvenu d'une manière à la fois plus ambiguë et plus raffinée). Dans son chef-d'œuvre *Les Frères Karamazov*, Dostoïevski fait raconter une petite histoire, « Le Grand Inquisiteur », à son surhomme athée[145]. Arrêtons-nous un moment sur ce récit.

Ivan évoque avec son frère Alyosha – dont il méprise le noviciat dans un monastère – un éventuel retour du Christ sur Terre du temps de l'Inquisition espagnole. Comme on peut s'y attendre, le retour du Sauveur provoque un sacré raffut. Il guérit les malades et ressuscite les morts. Ses exploits attirent bientôt l'attention du Grand Inquisiteur en personne, qui Le fait aussitôt arrêter et jeter dans une cellule. Plus tard, l'Inquisiteur va Lui rendre visite. Il lui annonce qu'on n'a plus besoin de Lui. Son retour est une trop grande menace pour l'Église. L'Inquisiteur Lui apprend que le fardeau qu'Il a laissé à l'humanité – le fardeau de l'existence dans la foi et la vérité – est trop lourd à porter pour de simples mortels. L'Inquisiteur déclare que, dans sa grande bonté, l'Église a adouci le message, renonçant à exiger de ses fidèles l'Être parfait, se contentant de leur laisser les échappatoires miséricordieuses de la foi et de la vie après la mort. Il ajoute que ce travail a pris des siècles, et qu'après tant d'efforts, l'Église n'a aucune envie de voir revenir celui qui a jadis insisté pour que le peuple supporte à lui seul tout le poids du fardeau. Jésus l'écoute en silence. Puis, lorsque l'Inquisiteur s'apprête à partir, il l'étreint et l'embrasse sur la bouche. Sous le choc, l'Inquisiteur blêmit. Puis il s'éloigne en laissant la porte de la cellule ouverte.

Difficile d'exagérer la profondeur de cette histoire et la grandeur d'esprit nécessaire à son élaboration. Dostoïevski, l'un des plus grands génies littéraires de tous les temps, a abordé dans son œuvre la plupart des problèmes existentiels les plus graves. Il l'a fait avec courage, sans se poser de questions, sans se soucier des conséquences. Indiscutablement chrétien, il refuse néanmoins catégoriquement de faire de ses adversaires athées et rationalistes des faire-valoir. Au contraire, dans *Les Frères Karamazov*, son personnage athée, Ivan, s'oppose aux préalables du christianisme avec une clarté et une passion incomparables. Alyosha, aligné sur l'Église aussi bien par son tempérament que par sa propre volonté, est incapable de contrer un seul des arguments de son frère, même si sa foi demeure inébranlable. Dostoïevski savait et reconnaissait que le christianisme avait été vaincu par la logique rationnelle – par l'intelligence, même –, mais (et c'est d'une importance capitale), il ne s'en cachait pas. Jamais il ne tenta, que ce soit par déni, tromperie ou même satire, d'affaiblir la position qui s'opposait à la sienne, qu'il estimait la plus vraie et la plus valable. Il plaça au contraire les actes au-dessus des paroles, et résolut le problème avec succès. À la fin de son roman, Dostoïevski fait gagner la grande bonté morale d'Alyosha – la courageuse imitation du Christ du novice – contre l'intelligence critique spectaculaire, mais finalement nihiliste d'Ivan.

L'Église chrétienne décrite par le Grand Inquisiteur est la même que celle que Nietzsche cloue au pilori. Puérile, moralisatrice, servante de l'État, cette Église corrompue représente tout ce à quoi s'opposent encore les critiques modernes du christianisme. Malgré son génie, Nietzsche se laisse aller à la colère, et ne la tempère sans doute pas suffisamment pour éclaircir son jugement.

C'est à mon avis là que Dostoïevski surpasse véritablement Nietzsche, où la grande littérature du premier surpasse la philosophie du second. L'Inquisiteur de l'écrivain russe est authentique dans tous les sens du terme. C'est un interrogateur opportuniste, cynique, manipulateur et cruel, prêt à persécuter les hérétiques, voire à les torturer et à les tuer. Il tente d'imposer un dogme qu'il sait mensonger. Mais Dostoïevski pousse néanmoins Jésus, l'archétype de l'homme parfait, à l'embrasser. Tout aussi important, après ce baiser, le Grand Inquisiteur laisse la porte entrebâillée pour que Jésus puisse échapper à son exécution imminente.

Dostoïevski a compris que le grand édifice corrompu du christianisme parvenait encore à faire une place à l'esprit de son fondateur. C'est la reconnaissance d'une âme réfléchie envers la sagesse durable de l'Occident, et ce en dépit de tous ses défauts.

Pourtant, Nietzsche ne refusait pas de reconnaître des qualités à la foi et plus particulièrement au catholicisme. Il était convaincu que la longue tradition de « non-liberté » qui caractérisait le christianisme dogmatique – le fait que tout s'expliquait dans le cadre d'une seule théorie métaphysique cohérente – était une condition préalable nécessaire à l'apparition de l'esprit moderne, discipliné, mais libre.

Comme il l'écrivit dans *Par-delà le bien et le mal* :

« La longue servitude de l'esprit, la défiante contrainte dans la communicabilité des pensées, la discipline que s'imposait le penseur de méditer selon une règle d'Église et de cour, ou selon des hypothèses aristotéliciennes, la persistante volonté intellectuelle d'expliquer tout ce qui arrive conformément à un schéma chrétien, de découvrir et de justifier le Dieu chrétien en toute occurrence, – tous ces procédés violents, arbitraires, durs, terribles et contraires à la raison se sont révélés comme des moyens d'éducation par quoi l'esprit européen est parvenu à sa vigueur, à sa curiosité impitoyable, à sa mobilité subtile. Il faut accorder qu'en même temps une bonne part de force et d'esprit, comprimée, étouffée et gâtée, a été perdue sans rémission[146]. »

Pour Nietzsche comme pour Dostoïevski, la liberté – et même la simple faculté d'agir – a besoin de restrictions. Pour cette raison, ils reconnaissaient tous deux la nécessité absolue du dogme de l'Église. Avant de pouvoir agir librement et de façon satisfaisante, l'individu doit être bridé, façonné – voire amené tout près de la destruction – à l'aide d'une structure disciplinaire cohérente et restrictive. Avec une grande générosité d'esprit, Dostoïevski accordait à l'Église, si corrompue soit-elle, une certaine compassion et un certain pragmatisme. Il reconnaissait que l'esprit du Christ, le Logos qui avait engendré le monde, avait trouvé un havre de paix, voire son autorité au sein de cette structure dogmatique.

Quand un père punit son fils, il interfère évidemment avec sa liberté. Il pose des limites à l'expression volontaire de son Être. Il l'oblige à trouver sa place en tant que membre d'une société. Il demande à son fils de canaliser tout ce potentiel puéril dans une seule direction. En le voyant imposer de telles limites, et remplacer comme il le fait la diversité miraculeuse de l'enfance par une réalité unique et étriquée, on pourrait le considérer comme une force destructrice. Mais en se dispensant d'agir de la sorte, il inciterait son fils à demeurer une sorte de Peter Pan, éternel adolescent, roi des Enfants perdus, souverain du Pays imaginaire. Cette possibilité n'est pas acceptable d'un point de vue moral.

Le dogme de l'Église fut déstabilisé par l'esprit de vérité qu'elle avait elle-même fortement développé. Cette déstabilisation aboutit à la mort de Dieu. Mais la structure dogmatique de l'Église était une structure disciplinaire indispensable. Une longue période de non-liberté – d'adhésion à une structure interprétative singulière – est nécessaire à la formation d'un esprit libre. Le dogme chrétien permet cette non-liberté. Mais il a disparu, du moins dans l'esprit des Occidentaux modernes. Il a péri en même temps que Dieu. Il a toutefois résulté de cette disparition – et il s'agit là d'un problème de première importance – quelque chose d'encore plus mort. Quelque chose qui n'avait jamais été vivant, même par le passé, le nihilisme, ainsi qu'une vulnérabilité tout aussi dangereuse à de nouvelles idées à la fois utopiques et totalitaires. C'est après la mort de Dieu qu'ont surgi les grandes horreurs collectives du communisme et du fascisme (comme Dostoïevski et Nietzsche l'avaient prédit). Pour sa part, Nietzsche avançait qu'après la mort de Dieu, chacun devrait s'inventer ses propres valeurs. Mais c'est l'élément de sa réflexion qui semble le plus discutable, d'un point de vue psychologique : nous ne pouvons pas inventer nos propres valeurs, parce qu'il nous est impossible d'imposer nos croyances à notre âme. Ce fut la grande découverte de Carl G. Jung, en partie grâce à son étude approfondie des problèmes soulevés par Nietzsche.

On se rebelle autant contre son propre totalitarisme que contre celui des autres. Je suis incapable de m'obliger à agir. Et vous aussi. J'ai beau dire : « Je vais cesser de remettre les choses au lendemain », « Je vais faire attention à ce que je mange », « Je vais arrêter de mal me conduire quand j'ai bu »... rien ne se passe. Je suis dans l'impossibilité de me conformer à l'image que je me suis forgée en esprit (surtout si cet esprit est obsédé par une idéologie). Comme tout le monde, j'ai une nature et vous aussi. Avant de faire la paix avec nous-mêmes, il nous faut découvrir cette nature et l'affronter. Que sommes-nous vraiment ? Que pouvons-nous vraiment devenir ? Avant de pouvoir répondre à ces questions, il nous faut aller au fond des choses.

Le doute après le simple nihilisme

Trois cents ans avant Nietzsche, le grand philosophe français René Descartes s'est efforcé de réfléchir à ses doutes, de les décortiquer pour parvenir à l'essentiel, déterminer s'il pouvait établir ou découvrir une seule proposition imperméable à son scepticisme. Il chercha la première pierre qui pourrait servir de fondation à l'Être. Il la trouva. Dans le « je » qui pense – le « je » conscient –, comme il l'exprime dans sa fameuse maxime *cogito ergo sum* (« je pense donc je suis »). Mais ce « je » avait été conceptualisé bien avant lui. Des milliers d'années auparavant, le « je » conscient était l'œil omniscient d'Horus, le dieu égyptien qui renouvela l'État en s'en occupant avant de combattre son inévitable corruption. Auparavant, c'était Marduk, le dieu créateur des Mésopotamiens, dont les yeux faisaient le tour de la tête, et qui prononça les paroles magiques qui donnèrent naissance au monde. À l'époque chrétienne, le « je » fit place au Logos, le mot qui mit de l'ordre dans l'Être au commencement des temps. On pourrait dire que Descartes s'est contenté de séculariser le Logos, le transformant de manière plus explicite en « ce qui est conscient et pense ». En gros, c'est le « soi » moderne. Mais qu'est-ce exactement que ce « soi » ?

À un certain degré, et si nous le souhaitons, nous sommes capables de comprendre ses horreurs, mais il est encore très difficile de définir sa bonté. Le soi est le grand acteur du mal qui a incarné aussi bien le nazi que le stalinien sur la scène de l'Être. Qui est à l'origine d'Auschwitz, Buchenwald, Dachau et des innombrables goulags soviétiques. Il faut considérer tout cela avec gravité. Quel est son opposé ? Quel bien est la nécessaire contrepartie de ce mal dont l'existence même incite à devenir plus concret et compréhensible ? Nous pouvons affirmer avec autant de conviction que de clarté que même l'intelligence rationnelle – cette faculté tant appréciée de ceux qui méprisent la sagesse traditionnelle – est au minimum apparentée à l'archétype du dieu mort et ressuscité, éternel sauveur de l'humanité, le Logos lui-même. Le philosophe des sciences Karl Popper, pas vraiment un mystique, considérait la pensée comme une extension logique du processus darwinien. Une créature incapable de penser doit se contenter d'incarner son Être. Elle peut simplement exprimer sa nature de manière concrète, à l'instant présent. Quand elle n'est pas en mesure de s'adapter à son environnement, elle meurt. Ce qui n'est pas le cas des êtres humains. Nous savons produire des représentations abstraites de l'Être, imaginer des idées que nous pouvons confronter à d'autres, et à la réalité. Si elles ne sont pas à la hauteur, rien ne nous empêche d'y renoncer. D'après la formulation de Popper, nous pouvons laisser mourir nos idées à notre place[147]. Ensuite, l'essentiel — le créateur de ces idées — peut poursuivre sa route, désormais débarrassé de ses erreurs. La foi dans cette partie de nous qui subsiste malgré ces morts est un préalable à la pensée.

Mais une idée n'est pas un fait. Un fait est quelque chose de mort. Il n'a ni conscience, ni volonté de puissance, ni moteur, ni initiative. Il existe des milliards de faits morts. Internet est un cimetière de faits morts. Or une idée qui se crampone à quelqu'un est vivante. Elle veut s'exprimer, se concrétiser. C'est pour cette raison que les spécialistes de la psychologie des profondeurs — dont Freud et Jung sont les meilleurs représentants — insistaient sur le fait que le psychisme humain était un champ de bataille pour les idées. Chaque idée a un but. Elle veut quelque chose. Elle propose une structure de valeurs. Une idée est convaincue que son objectif est meilleur que la situation actuelle. Elle réduit son environnement à ces choses qui l'aideront à se réaliser ou l'en empêcheront, le reste n'ayant que peu d'importance. Une idée distingue la figure du fond. Une idée est une personnalité, pas un fait. Lorsqu'elle se manifeste chez quelqu'un, elle a tendance à faire de cette personne son avatar, à l'obliger à l'interpréter. Parfois, cette impulsion (ou possession) est si forte que la personne en meurt, plutôt que de laisser périr l'idée. C'est généralement un mauvais choix, car souvent seule l'idée doit mourir, et la personne qui a eu l'idée peut cesser d'être son avatar pour modifier ses habitudes et poursuivre son chemin.

Comme le disaient nos ancêtres : lorsque notre relation avec Dieu est interrompue, par exemple, quand la présence d'une souffrance injustifiée et souvent insupportable nous indique qu'il faut modifier quelque chose, ce sont nos convictions les plus essentielles qui doivent mourir et que nous devons sacrifier. Cela signifie uniquement que l'on peut rendre l'avenir meilleur si l'on fait aujourd'hui les sacrifices adéquats. Aucun autre animal ne l'a jamais compris, et il nous a fallu des centaines de milliers d'années pour le saisir. Il fallut encore une éternité d'observation et de vénération du héros, puis des millénaires d'étude, pour introduire cette idée dans une histoire. Il fallut encore longtemps pour évaluer ce récit et l'assimiler pour que nous puissions affirmer : « Si vous êtes disciplinés et que vous privilégiez l'avenir au présent, vous pourrez modifier la structure de la réalité à votre avantage. »

Mais comment y parvenir au mieux ?

En 1984, j'ai suivi la même réflexion que Descartes. J'ignorais que c'était le cas, à l'époque, et je me garderai bien d'établir la moindre comparaison avec lui, considéré à juste titre comme l'un des plus grands philosophes de tous les temps. Mais j'étais véritablement assailli par le doute. J'étais capable de comprendre les principes de base de la théorie darwinienne, et il m'était devenu impossible de continuer à m'intéresser au christianisme superficiel de ma jeunesse. Après cela, je n'étais plus en mesure de faire la différence entre les éléments essentiels de la foi chrétienne et ce qui tenait du vœu pieux.

Le socialisme, qui me sembla bientôt une possibilité fort séduisante, se révéla tout aussi peu concluant : avec le temps, je finis par comprendre, notamment grâce au grand George Orwell, qu'une grande partie de ce courant de pensée trouvait son inspiration non pas dans le respect des plus démunis, mais dans la haine des riches et de ceux qui réussissent. De plus, les socialistes étaient intrinsèquement plus capitalistes que les capitalistes. Ils croyaient tout autant dans le pouvoir de l'argent. Ils étaient simplement convaincus que si c'étaient d'autres personnes qui détenaient cet argent, les problèmes qui empoisonnaient l'humanité disparaîtraient comme par magie.

C'est simplement faux. L'argent ne résout pas tous les problèmes, il en aggrave même certains. Les riches continuent à divorcer, leurs enfants à leur tourner le dos. Ils souffrent toujours de crises d'angoisse, de cancers et de démence. Il leur arrive encore de mourir sans amour, dans la solitude. Les anciens toxicomanes qui gagnent beaucoup d'argent le dépensent sans compter dans la drogue et l'alcool. Et l'ennui pèse lourd sur ceux qui n'ont rien à faire.

À la même époque, j'étais très préoccupé par la guerre froide. C'était une obsession. J'en faisais des cauchemars. Cela m'a conduit dans le désert, dans la longue nuit de l'âme humaine. Je ne comprenais pas comment on avait pu en arriver au stade où les deux plus grandes nations du monde visaient leur destruction réciproque. Leurs systèmes étaient-ils aussi corrompus l'un que l'autre ? S'agissait-il d'une simple question d'opinion ? Toutes les structures de valeurs n'étaient-elles que des déguisements du pouvoir ?

Tout le monde était-il fou ?

Qu'avait-il bien pu se passer au XXe siècle, au juste ? Pourquoi des dizaines de millions de personnes avaient trouvé la mort, sacrifiées aux nouveaux dogmes et idéologies ? Comment avons-nous pu découvrir quelque chose de pire, bien pire, que l'aristocratie et les croyances religieuses corrompues, que le fascisme et le communisme cherchaient tant à supplanter ? À ma connaissance, personne n'a encore répondu à ces questions. Comme Descartes, j'étais assailli par le doute. Je cherchais une chose, n'importe quoi, que je puisse considérer comme incontestable. Je voulais un roc sur lequel bâtir ma maison. C'est le doute qui m'a permis de le trouver.

Un jour, j'ai lu un texte sur une pratique particulièrement insidieuse, à Auschwitz. Un garde forçait un détenu à porter un sac de sel de cinquante kilos d'un bout à l'autre du camp, puis à le rapporter. *Arbeit macht frei* (« le travail libère »), pouvait-on lire à l'entrée du camp, et la liberté était la mort. Porter le sel était un supplice dénué de sens. C'était de la pure malveillance. Cela me permit de comprendre avec certitude que certaines choses étaient inacceptables.

Alexandre Soljenitsyne a écrit de façon péremptoire sur les horreurs du XXe siècle, sur les dizaines de millions de personnes privées de leur travail, de leur famille, de leur identité et de leur existence. Dans la seconde partie du deuxième tome de *L'Archipel du goulag*, il évoque le procès de Nuremberg, qu'il considérait comme l'événement le plus important du XXe siècle. La conclusion de ce procès ? Certains actes sont intrinsèquement si épouvantables qu'ils vont à l'encontre de la nature humaine. Cela se vérifie, pour l'essentiel, dans n'importe quelle culture, quels que soient le lieu et l'époque. Ce sont des actes mauvais. Ils sont inexcusables. Déshumaniser un autre être humain, le réduire à l'état de parasite, torturer et massacrer sans considération d'innocence ou de culpabilité individuelle, faire souffrir pour le plaisir... c'est mal.

Que pourrais-je trouver d'incontestable ? La réalité de la souffrance. Sans contestation possible. Les nihilistes ne peuvent pas la réduire avec leur scepticisme. Les dictateurs ne peuvent pas la proscrire. Les cyniques ne peuvent pas échapper à sa réalité. La souffrance est réelle, et l'infliger à autrui par pur plaisir est inacceptable. C'est devenu la pierre angulaire de ma philosophie. Fouillant dans les tréfonds de l'esprit humain, tentant de me mettre à la place d'un gardien de prison nazi, d'un administrateur de goulags ou d'un tortionnaire d'enfants dans une cave, je saisis ce que cela signifiait d'« endosser tous les péchés du monde ». Les êtres humains ont tous une incroyable faculté à faire le mal. Ils ne comprennent peut-être pas *a priori* ce qui est bien, mais perçoivent parfaitement ce qui ne l'est pas. Et s'il existe quelque chose de mauvais, alors il existe aussi quelque chose de bon. Si le pire des péchés consiste à faire souffrir les autres par plaisir, alors le bien est tout ce qui est diamétralement opposé. Le bien est ce qui empêche que cela se produise.

Le sens comme bien supérieur

C'est de ce raisonnement que j'ai tiré mes conclusions morales fondamentales. Visez haut. Écoutez. Réparez ce qui peut l'être. Évitez de vous montrer arrogant avec vos connaissances. Recherchez l'humilité, parce que la fierté totalitaire s'exprime dans l'intolérance, l'oppression, la torture et la mort. Prenez conscience de vos faiblesses, de votre lâcheté, de votre malveillance, de votre ressentiment et de votre haine. Tenez compte du caractère meurtrier de votre esprit avant d'oser accuser les autres et de vouloir refaire le monde. Ce ne sont peut-être pas les autres qui sont fautifs. C'est peut-être vous. Vous n'avez pas atteint votre objectif. Vous avez manqué votre cible. Vous n'avez pas été à la hauteur de la gloire de Dieu. Vous avez péché. C'est votre contribution à l'insuffisance et au mal du monde. Et, par-dessus tout, ne mentez pas. Jamais. Mentir conduit droit en enfer. Ce sont les grands et les petits mensonges des États nazis et communistes qui sont à l'origine de millions de morts.

Le fait d'envisager ensuite de réduire la souffrance inutile est positif. Faites-en un axiome : « Au mieux de mes capacités, j'agirai de manière à soulager la souffrance inutile. »

Vous avez désormais placé au sommet de votre hiérarchie morale un ensemble de préalables et d'actes destinés à améliorer l'Être. Pourquoi ? Parce que nous connaissons l'autre possibilité. L'autre possibilité, c'était le XXe siècle. On était si proche de l'enfer qu'il serait vain de chercher les différences. L'opposé de l'enfer est le paradis. Placer la réduction de la souffrance inutile au sommet de votre hiérarchie de valeurs équivaut à travailler à l'avènement du Royaume de Dieu sur la Terre. C'est à la fois un état et un état d'esprit.

C. G. Jung fit remarquer que la mise en place d'une telle hiérarchie morale était inévitable, bien qu'elle puisse être mal organisée et contradictoire. Pour lui, tout ce qui se trouvait au sommet était pour ainsi dire la valeur ultime, le dieu. C'était l'exemple que l'on suit. Ce en quoi on croit au plus profond de son âme. Une interprétation n'est pas un fait, ni même un ensemble de faits. C'est au contraire l'expression d'une personnalité, ou plus précisément un choix entre deux personnalités opposées. C'est Sherlock Holmes ou Moriarty. Batman ou le Joker. Superman ou Lex Luthor, Charles Francis Xavier ou Magnéto, Thor ou Loki. C'est Abel ou Caïn. Le Christ ou Satan. Si la personne œuvre pour l'anoblissement de l'Être, pour l'avènement du paradis, alors, c'est le Christ. Si elle travaille pour la destruction de l'Être, pour la production et la propagation de souffrances inutiles, alors, c'est Satan. C'est une réalité implacable.

La facilité est ce qui vient après une impulsion aveugle. C'est un bénéfice à court terme, aussi limité qu'égoïste. Elle fait mentir pour s'imposer, ne tenir compte de rien, être immature et irresponsable. Le sens est son équivalent mature. Il apparaît quand les impulsions sont jugulées, organisées et unifiées. Il surgit de l'interaction entre les possibilités offertes par le monde et la structure de valeurs en œuvre au sein de ce même monde. Si la structure de valeurs a pour objectif l'amélioration de l'Être, le sens révélé sera essentiel à la vie. Il fournira l'antidote au chaos et à la souffrance. Il donnera de l'importance à tout. Il améliorera tout.

Si vous vous conduisez convenablement, vos actes vous permettent de vous intégrer d'un point de vue psychologique. C'est valable pour aujourd'hui, mais aussi pour demain et dans un avenir plus lointain. Vous en profiterez, ainsi que votre famille et ceux qui vous entourent. Tout va s'empiler et s'aligner le long d'un seul axe. Toutes les pièces du puzzle vont s'assembler. C'est ce qui produira le plus de sens. Cet empilement est un lieu dans l'espace et le temps dont nous pouvons repérer l'emplacement, grâce à notre faculté de ressentir davantage que ce qui nous est simplement révélé ici et maintenant par nos sens – qui sont naturellement limités par leurs capacités de collecte d'informations et de représentation. Le sens éclipse la facilité. Il satisfait toutes les impulsions, aujourd'hui et à jamais, raison pour laquelle il nous est possible de le repérer.

Si vous avez l'impression que votre ressentiment envers l'Être n'est pas justifié, en dépit de son iniquité et de la souffrance qu'il provoque, cherchez ce que vous pouvez réparer pour réduire, ne serait-ce qu'un peu, la souffrance inutile. Vous vous demanderez peut-être « Que faudrait-il que je fasse aujourd'hui ? », c'est-à-dire : « Que pourrais-je faire de mon temps pour améliorer les choses, plutôt que de les aggraver ? » Ce genre de tâches peut avoir l'apparence de la pile de paperasse à remplir à laquelle vous pourriez vous atteler, d'une pièce que vous pourriez rendre un peu plus accueillante, ou d'un repas qui pourrait être plus délicieux et offert avec encore plus de générosité à vos proches.

Si vous remplissez ces obligations morales, dès que vous aurez collé l'étiquette « améliorer le monde » au sommet de votre hiérarchie de valeurs, vous découvrirez peut-être un sens plus profond à vos actes. Ni de l'extase ni de la joie, mais un sentiment plus proche de l'expiation pour avoir endommagé votre Être. C'est le remboursement de ce que vous devez pour le miracle aussi insensé qu'horrible de votre existence. C'est votre façon de vous souvenir de la Shoah. De faire amende honorable pour tous les maux de l'histoire. D'adopter la responsabilité d'être un résident potentiel de l'enfer. C'est votre volonté de devenir un ange du paradis.

La facilité, c'est de faire des cachotteries. De dissimuler toute la poussière sous le tapis. D'éviter les responsabilités. C'est la lâcheté, la superficialité et le mal. C'est le mal, car la facilité, répétée à l'envi, produit une nature de démon. C'est le mal, parce que la facilité vous permet simplement de transférer la malédiction qui plane au-dessus de vous sur quelqu'un d'autre, ou sur votre « moi » futur, de sorte que vous dégraderez votre avenir et l'avenir en général, au lieu de l'améliorer.

La facilité ne requiert ni foi, ni courage, ni sacrifice. Rien ne laisse à penser que les actes et les préalables aient la moindre importance, ni que le monde soit constitué d'éléments uniquement importants. Mieux vaut avoir du sens dans sa vie que d'avoir ce que l'on veut, car il arrive qu'on ne sache pas ce que l'on souhaite, ni ce dont on a réellement besoin. Le sens se présente à vous de lui-même. Il vous est possible de lui préparer le terrain, vous pouvez le suivre quand il se manifeste, mais malgré toute votre volonté, vous n'êtes pas à même de le produire. Le sens signifie que vous êtes au bon endroit au bon moment, bénéficiant d'un équilibre idéal entre l'ordre et le chaos, où tout s'aligne le mieux possible.

La facilité ne fonctionne qu'à court terme. Elle est immédiate, impulsive et limitée. En revanche, le sens est l'organisation de ce qui ne serait utile que dans une symphonie de l'Être. C'est ce qui est mis en avant par l'*Ode à la joie* de Beethoven avec encore plus de puissance qu'avec des mots, surgissant triomphalement du néant de chacune des mesures, les instruments jouant chacun sa partie, des voix disciplinées s'y superposant, le tout couvrant la gamme complète des émotions humaines, du désespoir à l'euphorie.

Le sens est ce qui se manifeste lorsque les différents niveaux de l'Être se combinent en une harmonie parfaite, du microcosme atomique au cosmos en passant par la cellule, l'organe, l'individu, la société et la nature, de sorte que l'action de chaque niveau facilite avec beauté et perfection l'action générale, comme si le passé, le présent et l'avenir étaient tout à coup sauvés et réconciliés. Le sens est ce qui jaillit avec autant de beauté que de profondeur, comme un nouveau bourgeon s'ouvrant du néant à la lumière du soleil et de Dieu. Le sens, c'est le lotus qui s'élance vers les eaux claires depuis les profondeurs ténébreuses d'un lac, finissant par fleurir à la surface, révélant le bouddha doré qu'il renferme en son sein, lui-même parfaitement intégré, comme s'il était, dans chacun de ses gestes et chacune de ses paroles, la manifestation de la révélation de la volonté divine.

Le sens, c'est lorsque tout s'assemble dans une danse extatique dont l'unique objectif est la glorification d'une réalité qui, même si elle est soudain devenue acceptable, peut encore s'améliorer à l'avenir. Le sens se produit quand cette danse devient si intense que toutes les horreurs du passé, toutes les luttes dans lesquelles l'humanité s'est engagée jusqu'à présent deviennent une part nécessaire et utile de la tentative de plus en plus fructueuse de bâtir quelque chose de réellement puissant et bon.

Le sens est l'équilibre suprême entre d'une part le chaos de la transformation et de la possibilité, et d'autre part la discipline de l'ordre immaculé, dont le but est de produire à partir du chaos qui l'accompagne un nouvel ordre encore plus immaculé, capable d'engendrer un chaos et un ordre encore plus équilibrés et productifs... Le sens, c'est la Voie, un chemin de vie plus opulent, le lieu où vous vivez quand vous vous laissez guider par l'amour et la vérité, et que rien de ce que vous voulez ou pourriez vouloir n'est plus important.

Concentrez-vous sur l'essentiel, et non le plus opportun.

RÈGLE 8

DITES LA VÉRITÉ,
OU DU MOINS NE MENTEZ PAS

La vérité dans un no man's land

J'ai suivi une formation de psychologue clinicien à l'université McGill, à Montréal. Il m'arrivait souvent de retrouver mes camarades de promotion à l'hôpital Douglas, où nous avons eu nos premiers contacts directs avec des malades mentaux. La dizaine de bâtiments de l'institut est répartie sur plusieurs hectares. Un certain nombre d'entre eux sont reliés par des galeries souterraines afin de protéger les employés et les patients des hivers interminables. L'hôpital accueillait jadis des centaines de patients de longue durée. C'était avant l'avènement des traitements neuroleptiques et les mouvements de désinstitutionnalisation de la fin des années 1960, qui ont été à l'origine de la fermeture de la plupart des asiles, condamnant le plus souvent les patients « libérés » à une existence beaucoup plus difficile dans la rue. Au début des années 1980, lors de ma première visite, seuls les malades les plus gravement atteints étaient encore présents. Des individus étranges qui avaient subi de gros dégâts. Ils étaient regroupés devant les distributeurs automatiques disposés ici et là dans les galeries de l'hôpital. Ils me rappelaient les photos de Diane Arbus et les toiles de Jérôme Bosch.

Un jour, mes camarades et moi nous tenions en ligne. Nous attendions les instructions du psychologue allemand responsable de la formation clinique de Douglas. Une patiente de longue durée, fragile et vulnérable, s'approcha d'une des étudiantes, une jeune fille classique à l'abri du besoin. Elle lui demanda d'un ton à la fois amical et enfantin : « Pourquoi vous faites tous la queue ? Qu'est-ce que vous faites ? Je peux venir avec vous ? » Ma camarade se tourna vers moi et me demanda d'un ton mal assuré : « Qu'est-ce qu'il faut que je lui réponde ? » J'étais aussi surpris qu'elle par la requête de cette femme si isolée et blessée. Nous n'avions ni l'un ni l'autre envie de lui adresser une réponse qu'elle aurait pu interpréter comme un rejet ou une réprimande.

Nous avions temporairement pénétré dans une sorte de *no man's land* où la société ne propose aucune règle de base, et ne prodigue aucun conseil. Nouveaux étudiants, nous n'étions pas préparés à ce que dans un hôpital psychiatrique un patient schizophrène nous pose une question aussi naïve sur la possibilité d'établir un lien social. Il n'était pas possible non plus dans cette situation d'établir un échange verbal naturel entre personnes attentives aux signaux contextuels. Quelles étaient les règles, précisément, dans ce genre de situation, loin du cadre d'une interaction sociale normale ? Quelles étaient les possibilités ?

Je n'en trouvai que deux, sur le moment. Je pouvais soit lui raconter une histoire pour que tout le monde puisse sauver la face, soit lui répondre avec sincérité. « Nous ne pouvons être que huit dans le groupe » serait tombé dans la première catégorie, de même que : « Nous sommes sur le point de quitter l'hôpital. » L'une ou l'autre de ces réponses aurait permis d'éviter de froisser les susceptibilités, du moins en surface, et elle n'aurait pas relevé la différence de statut qui nous séparait. Mais aucune de ces réponses n'était vraie. Je ne lui proposai donc ni l'une ni l'autre.

Je lui expliquai simplement, et aussi franchement que possible, que nous étions de nouveaux étudiants en psychologie, et que pour cette raison elle ne pouvait pas se joindre à nous. Cette réponse souligna la différence entre nos situations, agrandissant le fossé qui nous séparait. Elle était plus sévère qu'un petit mensonge bien tourné. Mais j'avais déjà l'intuition que le mensonge, si bien intentionné soit-il, pouvait avoir des conséquences inattendues. Elle sembla déçue, et blessée, mais cela ne dura pas. Elle finit par comprendre, et tout se termina bien. C'était comme ça.

J'avais vécu des choses étranges, quelques années avant de me lancer dans ma formation clinique[148]. J'avais été sujet à de violentes compulsions (je n'étais jamais passé à l'acte), et j'avais de ce fait développé la conviction que je ne savais pas grand-chose sur moi et sur ce dont j'étais capable. J'ai donc commencé à faire beaucoup plus attention à mes actes et paroles. Le moins que l'on puisse dire, c'est que l'expérience fut déconcertante. Rapidement, je devins deux personnes : une qui s'exprimait, et une autre, plus distante, qui écoutait et jugeait. Je ne tardai pas à m'apercevoir que la quasi-totalité de ce que je disais était fausse. J'avais mes raisons : je souhaitais avoir le dernier mot, gagner en prestige social, impressionner et obtenir ce que je désirais. Je me servais du langage pour tordre la réalité et offrir ce que je croyais nécessaire. Mais c'était une imposture. Quand je m'en suis rendu compte, je me suis entraîné à m'exprimer sans que ma petite voix intérieure puisse me contester. Je me suis entraîné à dire la vérité. Ou, tout du moins, à ne pas mentir. Je n'ai pas tardé à comprendre qu'une telle compétence pouvait se révéler très utile quand je ne savais pas quoi faire. Que peut-on faire, dans ce cas-là ? Dire la vérité. C'est donc ce qui s'est passé lors de mon premier jour à l'hôpital Douglas.

Plus tard, j'ai eu un patient paranoïaque et dangereux. Travailler avec des gens paranoïaques est un véritable défi.

Ils sont persuadés d'être la cible de mystérieuses forces conspiratrices qui œuvrent avec malveillance en coulisse. Les paranoïaques sont hypervigilants et hyperconcentrés. Ils sont à l'affût du moindre signal non verbal avec un sérieux généralement absent des interactions humaines ordinaires. Ils commettent des erreurs d'interprétation (c'est la paranoïa), mais ils n'en demeurent pas moins troublants dans leur capacité à détecter les sentiments mitigés, les jugements et les mensonges. Si vous souhaitez qu'un paranoïaque s'ouvre à vous, il faut l'écouter attentivement et lui dire la vérité.

C'est ce que j'ai fait avec mon patient. De temps à autre, il me décrivait des fantasmes à glacer le sang : il souhaitait se venger de certaines personnes en les écorchant. Je fis attention à mes réactions. Je prêtais attention aux idées et aux images qui me venaient à l'esprit quand il s'exprimait, et lui faisais part de mes observations. Je ne tentais en aucun cas d'orienter ses pensées ou ses actions. Ni les miennes, d'ailleurs. Je tentais simplement de lui faire savoir de manière aussi transparente que possible combien ce qu'il faisait avait des répercussions sur au moins une personne, moi. Ce n'était pas parce que je l'écoutais et que je lui répondais sincèrement que cela ne me touchait pas, et que je l'approuvais. Quand il me terrifiait (souvent), je le lui faisais remarquer et lui expliquais qu'il se fourvoyait et risquait de s'attirer de gros ennuis.

Même si je n'étais guère encourageant dans mes réactions, il continuait néanmoins à se livrer, parce que je l'écoutais et lui répondais honnêtement. En dépit (ou, plus précisément, en raison) de mes objections, il me faisait confiance. Il était paranoïaque, pas stupide. Il savait parfaitement que son attitude était inacceptable d'un point de vue social. Il savait que n'importe qui aurait réagi avec effroi à la démence de ses fantasmes. Il me faisait confiance et me parlait parce que je réagissais normalement. Il m'aurait été impossible de le comprendre sans cette confiance.

En général, pour lui, les ennuis commençaient dès qu'il était question de bureaucratie, comme dans une banque. Lorsqu'il pénétrait dans un établissement pour tenter d'effectuer une tâche simple – ouvrir un compte, payer une facture ou faire rectifier une erreur –, il lui arrivait, comme à tout le monde dans ce genre de lieu, de tomber sur un employé peu serviable. Cette personne lui refusait sa pièce d'identité, ou lui demandait des renseignements inutiles et difficiles à obtenir. J'imagine que cette paperasserie était parfois inévitable, mais souvent, il se trouvait face à des abus de pouvoir bureaucratiques mesquins et inutilement complexes. Mon patient était très sensible à ce genre de chose. Il était obsédé par l'honneur. C'était plus important pour lui que la sécurité, la liberté et le sentiment d'appartenance. En partant de cette logique (les paranoïaques sont d'une logique implacable), il n'acceptait jamais de se laisser rabaisser, insulter, humilier, ne serait-ce qu'un peu, par qui que ce soit. Il était incapable de faire le dos rond. À cause de son attitude rigide et inflexible, il avait déjà fait l'objet de plusieurs ordonnances restrictives. Toutefois, ce type d'injonctions fonctionne mieux avec ceux qui n'en auraient jamais besoin.

Dans ce genre de situation, « Je serai ton pire cauchemar » était sa phrase préférée. Après avoir dû surmonter de nombreux obstacles bureaucratiques inutiles, il m'est souvent arrivé de rêver pouvoir lâcher quelque chose de ce genre, mais il vaut généralement mieux laisser tomber. En revanche, mon patient était sincère. Il lui arrivait parfois de devenir le pire cauchemar de quelqu'un. C'était le méchant dans *No Country for Old Men*. C'était le type que vous croisiez toujours au mauvais endroit, au mauvais moment. Si vous aviez le malheur de l'énerver, même par accident, il vous traquait pour vous rappeler ce que vous lui aviez fait, et vous flanquait une peur bleue. Mieux valait éviter de lui mentir. Je lui ai dit la vérité, et cela l'a rassuré.

Mon propriétaire

À cette époque, j'avais un propriétaire qui avait été président d'un gang local de motards. Ma femme, Tammy, et moi étions ses voisins de palier. Le petit immeuble appartenait à ses parents. Sa copine portait les marques de blessures qu'elle s'était infligées elle-même, caractéristiques du trouble de la personnalité borderline. Elle se tua à cette période.

Denis, Franco-Canadien bien bâti qui arborait une barbe grise, était un électricien amateur très doué. Il avait aussi un certain talent artistique, et gagnait sa vie en fabriquant des panneaux en bois laminé ornés de néons personnalisés. Depuis sa sortie de prison, il s'efforçait d'éviter de boire. Pourtant, environ tous les mois, il disparaissait plusieurs jours durant lesquels il ne dessaoulait pas. Il faisait partie de ces hommes qui tiennent miraculeusement l'alcool. Il pouvait boire cinquante ou soixante bières en deux jours sans jamais s'écrouler. Cela peut sembler difficile à croire, mais c'est pourtant le cas. À l'époque, j'effectuais des recherches sur l'alcoolisme familial, et il n'était pas rare que mes sujets d'étude me racontent que leurs pères consommaient entre un litre et un litre et demi de vodka par jour. Ces patriarches achetaient une bouteille tous les après-midi, du lundi au vendredi, puis deux le samedi en prévision de la fermeture du magasin le dimanche.

Denis avait un petit chien. Il nous arrivait, à Tammy et à moi, de les entendre tous les deux dans le jardin à quatre heures du matin, durant l'une des séances de beuverie marathon de Denis, hurlant tous deux à la lune. De temps à autre, lorsque Denis avait dépensé toutes ses économies jusqu'au dernier cent, il venait frapper chez nous. La nuit. Il oscillait dangereusement devant notre porte, miraculeusement conscient.

Il se tenait là, un grille-pain, un four à micro-ondes ou un de ses panneaux à la main. Il souhaitait nous les vendre pour pouvoir continuer à boire. Il m'arriva de lui acheter des babioles, me donnant l'impression d'être quelqu'un de charitable. Finalement, Tammy me convainquit d'arrêter. Cela la rendait nerveuse, et ce n'était pas bon pour Denis, qu'elle appréciait. Si raisonnable et nécessaire sa requête soit-elle, cela me plaça dans une situation périlleuse.

Que dites-vous à l'ex-président d'un gang de motards prompt à la violence qui tente de vous vendre son micro-ondes à deux heures du matin dans un anglais laborieux ? La situation était encore plus difficile qu'avec la patiente internée et l'écorcheur paranoïaque. Mais la réponse était la même : la vérité. Mais vous avez intérêt à être sûr de vous.

Peu après la discussion que j'avais eue avec mon épouse, Denis frappa de nouveau à notre porte. Il me dévisagea d'un air sceptique, les yeux plissés, à sa manière caractéristique de gros buveur habitué à provoquer des problèmes. Dans son regard, je pouvais lire : « Prouve ton innocence. » Tanguant légèrement, il me demanda poliment si cela m'intéressait d'acheter son grille-pain. Je repoussai du fond de mon âme tout instinct de domination et toute idée de supériorité morale. Je lui répondis avec autant de franchise et de prudence que possible que je ne lui achèterais rien. Je ne jouais à aucun jeu. À cet instant, je n'étais pas un jeune homme heureux, anglophone et éduqué en pleine ascension sociale, et ce n'était pas un motard québécois avec 2,4 g d'alcool dans le sang qui avait fait de la prison. Non, nous étions deux hommes de bonne volonté tentant de nous aider mutuellement dans notre lutte commune pour faire ce qu'il fallait. Je lui fis remarquer qu'il m'avait expliqué qu'il tentait d'arrêter de boire. Je lui assurai que, pour son bien, il valait mieux que je ne lui donne pas d'argent. Je lui fis comprendre que quand il venait si tard, complètement ivre, pour tenter de me vendre des choses, il rendait Tammy, qu'il respectait, nerveuse.

Il me fusilla du regard durant une quinzaine de secondes, sans dire un mot. Cela me sembla une éternité. Je le savais, il était à l'affût de la moindre micro-expression qui aurait trahi du sarcasme, de la perfidie, du mépris ou de l'autosatisfaction. Mais j'y avais suffisamment réfléchi, et je lui avais tenu un discours sincère. Ayant l'impression de traverser un marécage piégeux, j'avais choisi mes mots avec soin, comme si j'avais suivi un chemin de pierre en partie submergé. Il finit par tourner les talons et s'éloigner. En outre, malgré son alcoolémie élevée, il se rappela notre conversation. Il n'essaya plus jamais de me vendre quoi que ce soit. Notre relation, plutôt bonne en dépit du fossé culturel qui nous séparait, s'en retrouva renforcée.

Choisir la facilité ou dire la vérité, ce ne sont pas simplement deux choix différents. Ce sont deux voies distinctes dans l'existence. Deux façons de vivre.

Manipuler tout le monde

Grâce à vos paroles, vous pouvez manœuvrer n'importe qui pour obtenir ce que vous voulez. C'est ce que l'on appelle « agir politiquement ». C'est de la manipulation. C'est la spécialité des négociants, vendeurs et publicitaires peu scrupuleux, des séducteurs professionnels, des utopistes endoctrinés et des psychopathes. C'est le discours que tiennent certains lorsqu'ils tentent d'influencer et de manipuler les autres. C'est ce que font les étudiants quand ils rédigent une dissertation pour satisfaire leur professeur plutôt que d'exprimer et d'organiser leurs propres idées. C'est ce que tout le monde fait pour obtenir quelque chose, quand on décide de se dénaturer en faisant plaisir à quelqu'un ou en le flattant. C'est intriguer, imaginer des slogans, faire de la propagande.

Mener ce genre d'existence, c'est se laisser posséder par un désir difforme, puis façonner son discours et ses actes de telle sorte qu'ils apparaissent plausibles et rationnels afin d'arriver à ses fins. Parmi les objectifs les plus révélateurs, on trouve : « imposer mes croyances idéologiques », « prouver que j'ai ou que j'avais raison », « paraître compétent », « me hisser dans la hiérarchie de domination », « échapper aux responsabilités », ou son jumeau « récolter les lauriers à la place des autres », « avoir une promotion », « attirer toute l'attention », « se faire aimer de tous », « passer pour un martyr et profiter de la situation », « justifier mon cynisme », « légitimer mon attitude antisociale », « minimiser le conflit en cours », « préserver ma naïveté », « capitaliser sur ma vulnérabilité », « toujours passer pour un saint » et le particulièrement malveillant « faire en sorte que ce soit toujours la faute de l'enfant que j'aime le moins ». Ce sont tous des exemples de ce que le psychologue autrichien Alfred Adler, compatriote peu connu de Sigmund Freud, appelait des « mensonges de la vie[149] ».

Quelqu'un qui profère un mensonge de la vie tente de manipuler la réalité à l'aide de la perception, de la pensée et de l'action, de sorte qu'il ne puisse exister qu'une seule issue prédéfinie et rigoureusement désirée. Pour mener une telle existence, consciemment ou non, il faut satisfaire à deux prémisses. La première est que le savoir actuel suffit à définir ce qui sera bon, sans condition, dans un futur lointain. La seconde est que la réalité serait insupportable si elle était livrée à elle-même. La première supposition est injustifiable d'un point de vue philosophique. Il se peut très bien que ce que vous êtes en train de viser ne mérite pas d'être atteint, tout comme ce que vous êtes en train de faire pourrait être une erreur. La seconde est pire encore. Elle n'est valable que si la réalité est intrinsèquement insupportable et si, en même temps, elle peut être manipulée et déformée avec succès. Un tel discours et une telle pensée requièrent une arrogance et des certitudes que le génial poète anglais John Milton identifie à Satan, le meilleur ange de Dieu qui a basculé de façon spectaculaire du mauvais côté. La faculté de rationaliser tend dangereusement vers la fierté : « Je sais tout ce qu'il faut savoir. » Mais la fierté a tendance à tomber amoureuse de ses propres créations, et tente de les rendre les plus parfaites possible.

Il m'est arrivé de voir des gens définir leur utopie, puis tordre leur existence dans tous les sens pour la faire correspondre à la réalité. Il peut s'agir d'un étudiant de gauche qui adopte une position à la mode contre l'autorité, et qui, avec ressentiment, passe les vingt années suivantes à tenter de renverser les moulins à vent de son imagination. Ou d'une jeune fille de dix-huit ans qui décide arbitrairement qu'elle va prendre sa retraite à cinquante-deux ans. Elle travaille pendant trente ans pour que sa volonté puisse se concrétiser, sans prendre la peine de remarquer qu'elle a pris cette décision alors qu'elle était encore une enfant. Que savait-elle de la vie à cinquante-deux ans, quand elle était adolescente ? Aujourd'hui encore, tant d'années plus tard, elle n'a qu'une vague idée de son paradis posttravail. Elle refuse d'ouvrir les yeux. Quel serait le sens de sa vie, si son objectif principal était erroné ? Elle redoute d'ouvrir la boîte de Pandore, qui renferme tous les problèmes du monde. Mais aussi l'espoir. Au contraire, elle déforme son existence pour qu'elle corresponde aux fantasmes d'une adolescente gâtée.

Avec le temps, un objectif formulé en toute naïveté prend la forme d'un sinistre mensonge de la vie. Un patient d'une quarantaine d'années m'a fait part de ce qu'il avait imaginé quand il était jeune : « Je me vois à la retraite, sur une plage tropicale, sirotant des margaritas au soleil. » Ce n'est pas un projet de vie. C'est une affiche d'agence de voyages. Au bout de huit margaritas, vous ne pouvez plus espérer qu'une seule chose, la gueule de bois. Après trois semaines passées à boire des margaritas, s'il vous reste encore un peu de bon sens, vous devez vous ennuyer ferme et vous dégoûter. Si vous tenez un an, vous êtes pathétique. Ce n'est pas une conception viable du troisième âge. Ce genre de simplification excessive est particulièrement représentative des idéologues. Ils ne retiennent qu'un seul axiome : le gouvernement, c'est mal, l'immigration, c'est mal, le capitalisme, c'est mal, le patriarcat, c'est mal. Ensuite, ils passent leur vécu au filtre et soutiennent que tout s'explique par ce simple axiome. Ils sont convaincus, avec un certain narcissisme, que malgré leur mauvaise théorie il est possible de remettre le monde sur la bonne trajectoire, si tant est qu'on leur en donne les clés.

Le mensonge de la vie pose un autre problème fondamental, surtout lorsqu'il est fondé sur l'évitement. Lorsqu'on fait quelque chose de mal en toute connaissance de cause, il s'agit d'un péché de commission (péché commis par acte). Quand vous laissez se produire quelque chose de mal alors que vous auriez pu l'en empêcher, c'est un péché par omission. Traditionnellement, le premier est considéré comme étant plus grave que le second. Je n'en suis pas si sûr.

Imaginons une personne qui prétend que tout va bien dans sa vie. Elle évite les conflits, sourit et fait ce qu'on lui demande. Elle trouve un refuge et y reste cachée. Elle ne conteste pas l'autorité, évite de donner son avis et refuse de se plaindre quand on la maltraite. Elle aspire à l'invisibilité, tel un nouvel élève dans les couloirs grouillants de son école. Mais un secret la tourmente. Elle souffre, car la vie est souffrance. Elle se sent seule, isolée et insatisfaite. Mais son obéissance et son effacement ôtent tout sens à son existence. C'est devenu une esclave, un outil à la disposition des autres. Cette personne n'a jamais ce qu'elle veut, ou ce dont elle a besoin, parce que, pour que ce soit le cas, il lui faudrait révéler le fond de sa pensée. Ainsi, rien n'a suffisamment de valeur dans sa vie pour compenser ses problèmes. Et cela la rend malade.

Ce sont peut-être les fauteurs de troubles les plus bruyants qui sont mis à la porte les premiers quand la société où vous travaillez connaît des difficultés. Mais ce sont ensuite les plus invisibles qui sont sacrifiés. Quelqu'un qui se cache n'est pas quelqu'un de primordial. La vitalité s'acquiert grâce à des contributions originales. Se cacher n'a jamais protégé le conformiste de la maladie, de la démence, de la mort et des impôts. Se cacher des autres, c'est aussi inhiber et dissimuler le potentiel du moi non réalisé. Et ça, c'est un problème.

Sans vous révéler aux autres, vous ne pouvez pas vous révéler à vous-même. Cela ne signifie pas seulement que vous refoulez votre nature. On ne vous obligera jamais à exprimer la totalité de ce que vous pourriez devenir. C'est une vérité à la fois biologique et conceptuelle. Lorsque vous faites des explorations audacieuses, quand vous affrontez délibérément l'inconnu, vous recueillez des informations et forgez votre moi à partir de ces renseignements. C'est l'élément conceptuel. Toutefois, des chercheurs ont récemment découvert que de nouveaux gènes dans le système nerveux central s'activaient quand on plaçait un organisme (ou quand il se plaçait de lui-même) dans une nouvelle situation. Ces gènes codent pour de nouvelles protéines. Ces protéines sont les cubes qui servent à bâtir de nouvelles structures dans le cerveau. Cela implique qu'un certain nombre d'entre vous sont encore naissants, au sens physique, et seront épargnés par l'immobilisme. Pour vous activer, il faut que vous disiez ou fassiez quelque chose, que vous alliez quelque part. Dans le cas contraire... vous demeurerez incomplet. Et l'existence est trop difficile pour quelqu'un d'incomplet.

Si vous dites « non » à votre patron, à votre épouse ou à votre mère quand vous en ressentez la nécessité, vous vous transformerez en quelqu'un qui sait dire « non » quand c'est justifié. En revanche, si vous dites « oui » quand il faut dire « non », vous vous transformerez en quelqu'un qui ne sait pas dire « non ». Si jamais vous vous demandez comment des gens convenables et tout à fait ordinaires peuvent se retrouver à faire des choses terribles, comme les gardes d'un goulag, vous avez désormais votre réponse. Personne ne s'est révélé capable de dire « non » quand il le fallait.

Quand vous vous trahissez, quand vous ne dites pas la vérité, quand vous jouez la comédie, vous affaiblissez votre caractère. Si vous avez un caractère faible, l'adversité vous fauchera à la première occasion. Vous vous cacherez, mais il finira par ne plus rester un seul endroit où se terrer. Alors, vous vous retrouverez à faire des choses épouvantables.

Seule la philosophie la plus cynique et la plus désespérée peut prétendre qu'il est possible d'améliorer la réalité grâce à la falsification. Ce genre de philosophie juge de façon semblable l'Être et le devenir, et les considère comme étant imparfaits. Elle accuse la vérité d'être insuffisante et l'honnête homme de se bercer d'illusions. C'est une philosophie qui provoque la corruption endémique du monde avant de la justifier.

Dans de telles circonstances, ce n'est ni la vision en tant que telle, ni le plan imaginé pour accomplir cette vision qui sont fautifs. Il est nécessaire d'avoir une vision de l'avenir, de l'avenir désirable. Elle donne à l'action entreprise aujourd'hui une valeur fondamentale et à long terme. Elle lui confère de l'importance. Elle fournit un cadre qui permet de réduire l'incertitude et l'angoisse.

Ce n'est pas une vision. C'est au contraire de l'aveuglement volontaire. C'est la pire espèce de mensonge. C'est subtil. Elle se sert de prétextes faciles. L'aveuglement volontaire, c'est le refus de savoir ce que l'on pourrait apprendre. De reconnaître que les coups qu'on entend sont ceux d'une personne qui frappe à la porte. D'admettre la présence d'un gorille de 400 kg dans la pièce, d'un éléphant sous le tapis, d'un squelette dans le placard. C'est le refus de reconnaître ses erreurs et la volonté de poursuivre le plan. Chaque jeu a ses règles. Certaines parmi les plus importantes sont implicites. En acceptant de jouer, vous signifiez que vous les acceptez. La première de ces règles est que le jeu est crucial. Si ce n'était pas le cas, vous n'y joueriez pas. Le fait de jouer à un jeu le définit comme étant important. La seconde est que les actions entreprises durant la partie sont valables uniquement si elles vous permettent de l'emporter. Si votre coup ne vous aide pas à gagner, c'est par définition un mauvais choix. Vous devez tenter autre chose. Comme le dit Einstein : « La folie, c'est de faire toujours la même chose et de s'attendre à un résultat différent. »

Avec un peu de chance, si vous tentez autre chose après avoir échoué, vous progresserez. Si cela ne fonctionne pas, essayez encore quelque chose de différent. Parfois, une simple modification suffit. Il est par conséquent prudent de commencer par de légers changements pour déterminer s'ils sont suffisants. Il arrive toutefois que l'ensemble de la hiérarchie des valeurs soit défectueuse, et il faut se résoudre à l'abandonner. Il faut changer de jeu. C'est une révolution, avec le chaos et la terreur que cela implique. Ce n'est pas une décision qui se prend à la légère, mais c'est parfois nécessaire. L'erreur requiert un sacrifice pour la rectifier, et plus elle est grave, plus celui-ci est conséquent. Accepter la vérité implique un sacrifice. Et si vous avez longtemps repoussé la vérité, vous avez accumulé une dette sacrificielle importante. Les incendies de forêt brûlent le bois mort et le rendent à la terre. On parvient néanmoins de temps à autre à les éteindre de manière artificielle. Cela n'empêche pas le bois mort de s'accumuler. Tôt ou tard, un nouveau feu se déclenchera. Quand ce sera le cas, il brûlera si fort qu'il détruira tout sur son passage, y compris la terre qui permet à la forêt de pousser.

L'esprit rationnel et orgueilleux, empli de certitudes, épris de son propre génie, est facilement tenté de fermer les yeux sur ses erreurs et de cacher la poussière sous le tapis. Des philosophes existentialistes, à commencer par Søren Kierkegaard, qualifient ce genre d'Être d'« inauthentique ». Quelqu'un d'inauthentique refuse de modifier son comportement, alors que son expérience lui a prouvé qu'il se trompait. Il ne s'exprime pas avec sa propre voix.

« Ai-je atteint mon but ? Non. Alors, mon objectif ou mes méthodes sont à revoir. Il me reste encore des choses à apprendre. » Voilà la voix de l'authenticité.

« Ai-je atteint mon but ? Non. Alors, le monde est injuste. Les gens sont jaloux et trop bêtes pour comprendre. C'est la faute de quelque chose ou de quelqu'un d'autre. » Cela, c'est la voix de l'inauthenticité. Il n'y a qu'un pas entre ça et : « Il faudrait les empêcher de nuire », « Il faut les faire souffrir » ou « Il faut les anéantir ». Chaque fois que vous entendez parler de quelque chose d'incroyablement violent, des hommes ont exprimé ces idées.

Inutile de tout mettre sur le dos de l'inconscience et du refoulement. Quand quelqu'un ment, il le sait. Il peut refuser de voir les conséquences de ses actes. Mal analyser et mal structurer son passé, de sorte qu'il ne le comprend pas. Il peut même oublier qu'il a menti et ne plus en avoir conscience. Mais il en était conscient, au moment de commettre chacune de ses erreurs, et quand il a menti par omission. Il savait alors ce qu'il faisait. Les péchés de l'individu inauthentique aggravent la situation et la corrompent.

Imaginons qu'une personne avide de pouvoir établisse une nouvelle règle sur votre lieu de travail. Une règle inutile, contre-productive, source d'agacement. Elle ôte une partie du plaisir et du sens de votre travail. Mais vous vous persuadez que ce n'est pas grave. Que cela ne vaut pas la peine de se plaindre. Puis la personne recommence. Vous avez déjà permis que cela se produise une fois, en vous abstenant de toute réaction. Cette fois, vous êtes encore moins courageux. En l'absence d'opposition, votre adversaire se sent plus fort. Votre société est plus corrompue. Le processus de stagnation bureaucratique et d'oppression est en place et, en faisant mine que tout allait bien, vous y avez contribué. Pourquoi ne pas vous plaindre ? Pourquoi refuser de vous opposer ? Si cela avait été le cas, d'autres, aussi effrayés que vous, auraient sans doute pris votre défense. Et sinon, c'est peut-être qu'il est temps de faire la révolution. Vous pourriez trouver du travail ailleurs, où votre âme risquera moins de se faire corrompre.

« Et que sert-il à un homme de gagner tout le monde, s'il perd son âme* ? » (Marc 8:36)

Parmi les contributions majeures d'Alexandre Soljenitsyne, on peut compter dans son chef-d'œuvre *L'Archipel du goulag* sur son analyse de la relation causale directe entre le caractère pathologique de l'État soviétique dépendant des camps de travail où des millions de personnes ont souffert et trouvé la mort, et l'inclination de la majeure partie des ressortissants de l'URSS à falsifier leur vécu personnel au quotidien, à nier la souffrance que l'État leur inflige et, par conséquent, à soutenir les diktats du système rongé par l'idéologie communiste. D'après Soljenitsyne, c'est cette mauvaise foi et ce déni qui ont aidé et encouragé dans ses crimes ce tueur de masse paranoïaque qu'était Joseph Staline. Soljenitsyne a écrit la vérité, sa vérité, apprise aux dépens de son expérience dans les camps, révélant les mensonges du régime soviétique. Aucun érudit n'osa plus défendre cette idéologie après avoir lu *L'Archipel du goulag*. Plus personne ne put affirmer : « Ce que Staline a fait, ce n'était pas le vrai communisme. »

---

* Traduction La Bible du Semeur (N.d.T.)

Le psychiatre Viktor Frankl a survécu aux camps de concentration nazis et écrit le classique *Découvrir un sens à sa vie avec la logothérapie**. De son expérience, il tire une conclusion sociopsychologique fort approchante : l'existence individuelle inauthentique et trompeuse conduit au totalitarisme social. Pour sa part, Sigmund Freud était convaincu que le « refoulement » contribuait de manière non négligeable à l'apparition de maladies mentales (et la différence entre « refouler la vérité » et « mentir » n'est qu'une question de degré et non de genre). Pour Alfred Adler, les mensonges engendraient la maladie. Tandis que C. G. Jung constatait que ses patients étaient assaillis par les problèmes moraux dus aux contrevérités. Ces penseurs, qui s'intéressaient tous à la pathologie, qu'elle soit individuelle ou culturelle, en étaient parvenus à la même conclusion : les mensonges pervertissent la structure de l'Être. Les contrevérités corrompent aussi bien l'âme que l'État, et une forme de corruption alimente l'autre.

À cause de trahisons et de tromperies, j'ai observé à de nombreuses reprises la transformation de simples souffrances existentielles en un véritable enfer. Lorsque la maladie encore gérable d'un parent en phase terminale se mue en une situation épouvantable à cause des querelles mesquines et déplacées des enfants adultes du patient. Obsédés par un passé non résolu, ils se rassemblent comme des vampires à son chevet, ajoutant de la lâcheté et du ressentiment à la tragédie.

Une mère déterminée à prémunir son fils de toute déception et de toute souffrance profitera de son incapacité à s'épanouir en toute indépendance. Il ne partira jamais, et elle ne sera jamais seule. C'est un complot malveillant qui prend lentement forme, au fur et à mesure que la pathologie se développe, à l'aide de milliers de hochements de tête et de clins d'œil complices. Elle joue les martyres, condamnée à

---

* J'ai Lu, n° 10205

subvenir aux besoins de son fils et, tel un vampire, engrange la compassion nourricière des amies qui la soutiennent. Cet autre rumine dans son sous-sol, s'estimant opprimé. Il imagine avec délices les souffrances qu'il pourrait infliger à ceux qui le rejettent pour sa couardise, son côté étrange et son incapacité. Il lui arrive parfois d'infliger ces souffrances. Tout le monde se demande alors : « Pourquoi ? » Ils auraient pu le savoir, mais ils ont refusé.

Même ceux qui mènent une existence sans accrocs peuvent bien sûr voir leur vie basculer du jour au lendemain à cause d'une maladie, d'une infirmité ou d'une catastrophe contre laquelle on ne peut rien. Le cancer, la dépression, le trouble bipolaire et la schizophrénie sont en partie dus à des facteurs biologiques sur lesquels l'humain n'a aucune maîtrise immédiate. Les difficultés intrinsèques de l'existence suffisent à affaiblir et accabler chacun de nous, à nous pousser au-delà de nos limites, à profiter de nos points faibles pour nous abattre. Même ceux qui ont bien vécu ne peuvent se targuer d'être à l'abri de la moindre vulnérabilité. Mais la famille qui lutte dans les ruines de sa maison anéantie par un tremblement de terre aura moins de chance de se reconstruire que celle qui est renforcée par le dévouement et une confiance mutuelle entre ses membres. Lorsque sont impliqués des individus, une famille ou une culture suffisamment perfides, toute faiblesse naturelle, tout défi existentiel, quelle que soit son importance, peut se transformer en crise grave.

L'esprit honnête peut échouer durablement dans ses tentatives d'amener le paradis sur Terre. Il peut en revanche parvenir à réduire à des niveaux acceptables la souffrance liée à l'existence. La tragédie de l'Être est la conséquence de nos limites et de la vulnérabilité qui définit l'expérience humaine. Il peut même s'agir du prix à payer pour l'Être en soi, puisque pour pouvoir être, l'existence doit être limitée.

J'ai eu l'occasion de voir un homme s'adapter avec sincérité et courage tandis que sa femme sombrait dans la phase terminale d'une démence. Il procédait pas à pas aux ajustements nécessaires. Il acceptait de recevoir de l'aide quand il en avait besoin. Il refusait de nier la triste dégradation de son état, et pouvait ainsi s'y adapter avec dignité. J'ai vu la famille de cette même femme s'unir et se soutenir pendant qu'elle agonisait. Ils retissaient des liens entre eux – le frère, les sœurs, les petits-enfants et le père –, comme une sorte de compensation dérisoire, mais authentique à sa disparition. J'ai vu ma fille, adolescente, surmonter la destruction de sa hanche et de sa cheville, survivre à deux années de douleur intense et continue, et en ressortir l'esprit intact. Son petit frère a renoncé volontairement et sans le moindre ressentiment à de nombreuses occasions de voir ses amis et d'aller à des soirées pour rester auprès d'elle avec nous pendant qu'elle souffrait. Avec de l'amour, des encouragements et un caractère intact, les êtres humains peuvent se révéler endurants au-delà de tout entendement. Ce qu'ils sont incapables de supporter, en revanche, c'est la ruine absolue engendrée par la tragédie et la tromperie.

La capacité de l'esprit rationnel à tromper, manipuler, comploter, escroquer, falsifier, minimiser, induire en erreur, trahir, atermoyer, nier, omettre, se justifier, influencer, exagérer et obscurcir est si extraordinaire, si infinie que, durant des siècles, avant l'avènement de la pensée scientifique, alors qu'on cherchait à déterminer la nature du devoir moral, on la considérait comme étant démoniaque. Ce n'est pas dû à la rationalité en soi, en tant que procédé. Cette dernière est à même de produire de la clarté et du progrès. C'est parce que la rationalité est sujette à la pire des tentations : ériger en absolu ce qu'elle sait sur le moment.

Pour comprendre ce que cela signifie, nous pouvons de nouveau nous tourner vers le poète John Milton. Durant des milliers d'années, le monde occidental a enveloppé la nature du mal d'une sorte de fantasme onirique fondé sur des principes purement religieux. Ce fantasme mettait en scène un antagoniste totalement dévoué à la corruption de l'Être. Milton prit la responsabilité d'organiser, d'adapter et de structurer l'essence de ce songe collectif et de lui donner vie sous les traits de Satan, Lucifer, le « Porteur de lumière ». Il écrit à propos de la principale tentation de Lucifer et de ses conséquences directes[150] :

> « Il se flatta d'égaler le Très-Haut, si le Très-Haut s'opposait à lui. Plein de cet ambitieux projet contre le trône et la monarchie de Dieu, il alluma au ciel une guerre impie et un combat téméraire, dans une attente vaine.
>
> Le Souverain Pouvoir le jeta flamboyant, la tête en bas, de la voûte éthérée ; ruine hideuse et brûlante, il tomba dans le gouffre sans fond de la perdition, pour y rester chargé de chaînes de diamant, dans le feu qui punit*... »

Aux yeux de Milton, Lucifer – l'esprit de la raison – était l'ange le plus merveilleux que Dieu ait engendré du néant. Cela peut se comprendre d'un point de vue psychologique. La raison est quelque chose de vivant. Elle vit en chacun de nous. Elle est plus ancienne qu'aucun de nous. Mieux vaut la considérer comme un aspect de la personnalité plutôt qu'une faculté. Elle a ses propres buts, ses tentations et ses faiblesses. Elle vole plus haut et voit plus loin que n'importe quel autre esprit. Mais la raison s'entiche rapidement d'elle-même, voire pire. Elle tombe amoureuse de ses propres productions. Elle les érige en absolus et les vénère. Lucifer est par conséquent l'esprit du totalitarisme. Il s'est fait expulser du paradis, car une telle élévation, une telle rébellion contre le Très-Haut et l'Incompréhensible engendre inévitablement l'enfer.

---

* John Milton, *Le Paradis perdu*, traduction de François-René de Chateaubriand, Renault et Cie, 1861 (N.d.T.)

Je le répète : la plus grande tentation de la faculté rationnelle est d'encenser sa propre capacité et ses productions et de prétendre que, face à ses théories, rien ne mérite d'exister. Cela signifie que tous les faits importants ont été révélés. Qu'il ne reste rien de notable à découvrir. Surtout, cela nie la nécessité d'une confrontation individuelle courageuse avec l'Être. Qu'est-ce qui va vous sauver ? En substance, le totalitaire dit : « Ayez foi dans ce que vous savez déjà. » Mais ce n'est pas ce qui sauve. Ce qui sauve, c'est la volonté d'apprendre ce que vous ignorez encore. C'est la foi dans la possibilité de la transformation humaine. Dans le sacrifice du moi présent pour le moi à venir. Le totalitaire nie la nécessité pour l'individu de prendre ses ultimes responsabilités pour améliorer l'Être.

La rébellion contre « le Très-Haut » s'explique par ce déni. C'est ce que signifie le totalitarisme : tout ce qui doit être découvert a été découvert. Tout se déroulera exactement comme prévu. Dès qu'on aura adopté le système parfait, les problèmes se dissiperont à jamais.

Le poème de Milton était une prophétie. Née des cendres du christianisme, la rationalité s'accompagnait de la grande menace des systèmes totalitaires. Le communisme, en particulier, ne séduisait pas tant les travailleurs opprimés, ses bénéficiaires hypothétiques, que les intellectuels, ceux si fiers de leur intelligence que leur arrogance leur garantissait qu'ils avaient toujours raison. Mais l'utopie promise ne s'accomplit jamais. Au contraire, l'humanité connut l'enfer de la Russie de Staline, de la Chine de Mao, du Cambodge de Pol Pot. Les résidents de ces pays furent contraints de trahir leur vécu, de se retourner contre leurs compatriotes et envoyés à la mort par dizaines de millions.

Cela me rappelle une vieille plaisanterie de l'époque soviétique. Un Américain meurt et va en enfer. Satan en personne lui fait faire le tour du propriétaire. Ils passent devant un énorme chaudron. L'Américain jette un coup d'œil à l'intérieur. Il déborde d'âmes en souffrance plongées dans du goudron brûlant. Lorsqu'ils tentent de s'enfuir, des diables de rang inférieur assis sur le bord les repoussent à coups de fourche. L'Américain est scandalisé. Satan lui dit : « C'est là où nous mettons les pécheurs anglais. » La visite se poursuit. Bientôt, ils approchent d'un deuxième chaudron, légèrement plus grand et plus chaud. L'Américain regarde à l'intérieur. Il est également plein d'âmes en souffrance, toutes coiffées d'un béret. Des diables repoussent ceux qui veulent s'échapper. « C'est là où nous mettons les pécheurs français », annonce Satan. Plus loin se trouve un troisième chaudron. Il est encore beaucoup plus gros, et chauffé à blanc. L'Américain a du mal à s'en approcher. Néanmoins, sur l'insistance de Satan, il risque un coup d'œil à l'intérieur. Il est rempli à ras bord d'âmes, tout juste visibles, sous la surface d'un liquide bouillonnant. De temps à autre, cependant, l'une d'elles se hisse hors du goudron et tente vainement de se cramponner au bord. Curieusement, aucun diable ne le repousse, mais le grimpeur disparaît de nouveau sous la surface. L'Américain demande : « Pourquoi aucun démon ne les empêche de s'échapper, ici ? » Satan répond : « C'est là où nous mettons les Russes. Quand l'un d'eux tente de s'enfuir, les autres le retiennent. »

Milton considérait que le refus obstiné de changer face à l'erreur impliquait non seulement l'expulsion du paradis et la déchéance qui en résultait dans un enfer toujours plus profond, mais aussi le rejet de la rédemption en soi. Satan sait très bien que, même s'il accepte de se réconcilier et que Dieu lui accorde son pardon, il ne tardera pas à se rebeller de nouveau, parce qu'il ne changera pas. Sans doute est-ce cet entêtement orgueilleux, le mystérieux péché impardonnable contre le Saint-Esprit :

« Adieu, champs fortunés où la joie habite pour toujours ! Salut, horreurs ! Salut, monde infernal ! Et toi, profond enfer, reçois ton nouveau possesseur. Il t'apporte un esprit que ne changeront ni le temps ni le lieu[151]*. »

Il ne s'agit pas d'un fantasme de l'au-delà. Ni d'un royaume pervers où l'on pourrait torturer ses adversaires politiques après la mort. C'est une idée abstraite, et les abstractions sont souvent plus concrètes que ce qu'elles représentent. L'idée que l'enfer puisse exister d'un point de vue métaphysique n'est pas seulement ancienne et largement répandue, elle est vraie. L'enfer est éternel. Il a toujours existé. Il existe encore. C'est la partie la plus aride, la plus désespérée et la plus malveillante du monde souterrain où règne le chaos et où les déçus et les aigris résident à jamais.

« L'esprit est à soi-même sa propre demeure ; il peut faire en soi un ciel de l'enfer, un enfer du ciel[152]. [...] Ici nous pourrons régner en sûreté ; et, à mon avis, régner est digne d'ambition, même en enfer ; mieux vaut régner dans l'enfer que servir au ciel[153]**. »

Ceux qui ont beaucoup menti, en paroles comme en actes, vivent désormais là. En enfer. Promenez-vous dans les rues d'une ville débordante d'activité. Gardez les yeux ouverts et regardez. Vous les verrez, vous aussi. Ce sont ceux que vous évitez d'instinct. Ceux qui vous agressent dès que vous croisez leur regard, ou qui, parfois, détournent les yeux de honte. J'ai vu un sans-abri fortement alcoolisé avoir cette attitude en présence de ma fille. Il voulait à tout prix éviter de voir dans son regard le reflet incontestable de son état de délabrement.

---

* John Milton, *Le Paradis perdu*, traduction de François-René de Chateaubriand, Renault et Cie, 1861 (N.d.T.)
** John Milton, *Le Paradis perdu*, traduction de François-René de Chateaubriand, Renault et Cie, 1861 (N.d.T.)

C'est la tromperie qui met les gens dans un état si épouvantable qu'ils ont peine à se supporter. Qui emplit l'âme humaine de ressentiment et d'un désir de vengeance. Qui engendre l'effroyable souffrance de l'humanité : les camps de la mort des nazis, les salles de torture et les génocides de Staline et de Mao, ce monstre encore plus épouvantable. C'est la tromperie qui a tué des centaines de millions de personnes au XXe siècle. Qui a failli condamner la civilisation elle-même. Qui continue à nous menacer sans faiblir aujourd'hui encore.

La vérité, plutôt

Que se passe-t-il quand on cesse de mentir ? Quelle signification cela peut-il avoir ? Nous sommes limités dans notre savoir, après tout. Nous devons prendre des décisions, de temps à autre, même s'il nous est impossible de distinguer avec certitude les meilleurs objectifs et les meilleurs moyens pour y parvenir. Un but, une ambition suffisent à fournir la structure nécessaire à l'action. Un but offre une destination, un sujet de comparaison par rapport au présent et un cadre dans lequel il est possible de tout évaluer. Un but définit la marge de progression et rend nos avancées stimulantes. Un but nous permet d'être moins angoissés car, lorsqu'on n'en a pas, chaque chose peut signifier tout ou rien, et aucune de ces deux possibilités n'est à même de nous tranquilliser l'esprit. Par conséquent, pour vivre, il nous faut réfléchir, planifier, limiter et proposer. Comment, alors, envisager l'avenir et déterminer notre direction sans céder à la tentation de la certitude totalitaire ?

Pour nous aider à établir nos buts, rien ne nous empêche d'avoir recours à la tradition. À moins d'avoir une bonne raison de ne pas le faire, il est parfaitement raisonnable de reproduire ce que d'autres ont déjà accompli. De s'instruire, de travailler, de trouver l'amour et de fonder un foyer. C'est ainsi que la culture se perpétue. Mais il est nécessaire de bien viser sa cible, si traditionnelle soit-elle, et de garder les yeux bien ouverts. Vous avez une direction, mais elle est peut-être mauvaise. Vous avez un plan, mais il est peut-être bancal. Votre ignorance, ou pire, votre corruption vous a probablement fourvoyé. Par conséquent, vous devez vous familiariser avec ce que vous ne connaissez pas, plutôt qu'avec ce que vous connaissez. Il vous faut rester éveillé pour rester vigilant. Mieux vaut ôter la poutre dans votre œil avant de vous soucier de la brindille dans celui de votre frère. Ainsi, vous renforcez votre esprit afin qu'il puisse supporter le fardeau de l'existence, et vous vous revitalisez.

Les Égyptiens l'avaient déjà compris des milliers d'années auparavant, bien que leur savoir ait conservé un caractère spectaculaire[154]. Ils vénéraient Osiris, fondateur mythologique du royaume et dieu de la tradition. La divinité craignait cependant de se faire déposer par Seth, son frère aussi malfaisant qu'intrigant, et exiler dans le monde souterrain. Les Égyptiens considéraient que les organisations sociales se sclérosaient avec le temps et allaient dans le sens d'un aveuglement volontaire. Bien qu'il en eût l'occasion, Osiris ne vit pas le véritable caractère de son frère, qui prit son mal en patience et, le moment venu, passa à l'offensive. Il tailla Osiris en pièces et dispersa ses restes à travers l'ensemble du royaume. Puis envoya l'esprit de son frère dans le monde souterrain, faisant tout son possible pour qu'il ne puisse pas revenir.

Par chance, le grand roi ne fut pas contraint d'affronter Seth seul. Les Égyptiens vénéraient aussi Horus, fils d'Osiris. Horus prit la forme à la fois d'un faucon, l'animal doté de la meilleure vision, et du célèbre œil égyptien hiéroglyphique (nous y avons fait allusion dans la règle 7). Osiris, âgé et volontairement aveugle, symbolise la tradition. En revanche, Horus, son fils, peut voir, et voit. C'est le dieu de l'attention. C'est différent de la rationalité. Parce qu'il y prête attention, Horus perçoit la méchanceté de Seth et peut en triompher, même si le prix à payer est élevé. Quand Horus affronte Seth, le combat est terrible. Avant d'être battu et banni du royaume, Seth arrache un œil à son neveu. Mais, finalement victorieux, Horus le récupère. Puis il fait une chose véritablement inattendue : il se rend dans le monde souterrain et remet l'œil à son père.

Qu'est-ce que cela signifie ? Premièrement, que la lutte contre le mal est d'une telle violence que même un dieu peut y perdre la vue. Deuxièmement, que le fils attentif est en mesure de rendre la vue à son père. La culture est en permanence dans un état moribond, quand bien même elle a été établie par l'esprit de grands hommes par le passé. Le présent n'est pas le passé. La sagesse du passé se dégrade, se fait désuète, proportionnellement à la véritable différence entre les conditions d'aujourd'hui et celles d'hier. C'est simplement une des conséquences du passage du temps, tout comme l'inévitable changement qu'il apporte. Mais il est également vrai que la culture et la sagesse qui en découlent sont vulnérables à la corruption, à l'aveuglement volontaire et aux manigances méphistophéliennes. Ainsi, le déclin fonctionnel inévitable des institutions qui nous ont été léguées par nos ancêtres est accéléré par notre mauvaise conduite – le fait qu'on manque notre cible – aujourd'hui.

Il est de notre responsabilité de voir avec courage ce qui se trouve sous notre nez, et d'en tirer les leçons, même si elles nous paraissent horribles, même si elles sont si atroces qu'elles abîment notre conscience et manquent de nous aveugler. L'acte de voir est particulièrement important quand il remet en question ce que nous savons et ce à quoi nous nous fions, ce qui ne manque pas de nous déstabiliser. C'est l'acte de voir qui nous permet de nous informer et d'ajuster notre situation. C'est pour cette raison que Nietzsche a déclaré que la valeur d'un homme était déterminée par la dose de vérité qu'il pouvait supporter. En aucun cas vous n'êtes que ce que vous savez déjà. Vous êtes aussi tout ce que vous pourriez savoir, si seulement vous vous en donniez la peine. Vous feriez donc mieux d'éviter de sacrifier ce que vous pourriez être à ce que vous êtes déjà. Vous ne devriez jamais renoncer au meilleur pour une sécurité dont vous bénéficiez dans le présent, surtout quand vous avez eu un aperçu irréfutable de ce qui se trouve au-delà.

Dans la tradition chrétienne, le Christ est identifié au *Logos*, la parole de Dieu. Celle qui a transformé le chaos en ordre au commencement des temps. Sous son apparence humaine, Jésus s'est sacrifié de son plein gré à la vérité, au bien, à Dieu. De ce fait, Il est mort et ressuscité. La parole qui produit de l'ordre à partir du chaos sacrifie tout à Dieu, elle inclut. Cette phrase, la sagesse au-delà de la compréhension, résume à elle seule le christianisme. Chaque nouvelle chose apprise est une petite mort. Chaque nouvelle information remet en question une ancienne conception, l'obligeant à se dissoudre dans le chaos avant de pouvoir renaître comme quelque chose de meilleur. Parfois, de telles morts nous détruisent presque entièrement. Il arrive que nous ne nous en remettions jamais. Au mieux, cela nous change énormément. Un de mes meilleurs amis découvrit que la femme avec qui il était marié depuis des dizaines d'années avait une liaison. Il n'avait rien vu venir. Cela le plongea dans une grave dépression. Il descendit dans le monde souterrain. Un jour, il m'avoua : « J'ai toujours cru que, pour s'en sortir, il suffisait de se secouer un peu. Je ne savais pas du tout de quoi je parlais. » Il finit par refaire surface. D'une certaine manière, c'est un autre homme, plus sage, une meilleure personne. Il a perdu vingt kilos, a couru un marathon, est allé en Afrique et a gravi le Kilimandjaro. Il a choisi de ressusciter plutôt que de descendre aux enfers.

Fixez-vous des objectifs, même si vous vous demandez de quelle nature ils devraient être. Les meilleurs buts sont liés à l'amélioration de son propre caractère et de ses compétences, plutôt qu'au prestige et au pouvoir. Il est toujours possible de perdre son prestige. Votre caractère vous suit partout et vous permet de vaincre l'adversité. À présent, accrochez une corde à un rocher. Soulevez la grosse pierre, maintenez-la devant vous et dirigez-vous vers elle. Tout en avançant, regardez autour de vous et observez. Structurez votre expérience avec le plus de soin et de clarté possible. De cette manière, vous apprendrez à agir avec plus d'efficacité pour atteindre votre but. Surtout, évitez de mentir. De vous mentir.

Si vous prêtez attention à ce que vous faites et dites, vous apprendrez à ressentir un état de division interne et de faiblesse lorsque vous vous conduisez ou parlez mal. C'est une sensation physique, pas une pensée. Quand je suis imprudent dans mes paroles ou mes actes, plutôt que de ressentir de la force et de la solidité, j'éprouve un serrement de cœur et une sensation interne de division. Cela semble provenir de mon plexus solaire, où se trouve un nœud de tissus nerveux. En fait, j'ai appris à reconnaître quand je mentais, puis à repérer un mensonge grâce à ces sensations. Il me fallait souvent un certain temps pour dénicher l'imposture. Parfois, j'employais certains termes pour l'apparence. Parfois, je tentais de dissimuler mon ignorance sur le sujet de la conversation en cours. Parfois, je répétais les paroles d'un autre pour éviter de réfléchir par moi-même.

Si vous prêtez attention en réfléchissant, vous vous rapprocherez de votre objectif, et surtout, vous obtiendrez les informations qui vous permettront de modifier votre but. Un totalitaire ne demande jamais : « Et si j'étais en train de me tromper d'objectif ? » Il le considère au contraire comme un absolu. C'est son Dieu, pour ainsi dire. C'est ce qu'il a de plus précieux. Il régule ses émotions et ses états émotionnels. Il détermine son mode de pensée. Tout le monde sert ses propres ambitions. Dans ce domaine, il n'y a pas d'athées qui tiennent. Il n'y a que des gens qui savent, ou qui ne savent pas quel dieu ils servent.

Si vous tordez complètement la réalité, aveuglément et volontairement, pour qu'elle corresponde à vos objectifs et uniquement à eux, vous ne découvrirez jamais s'il existe un but plus satisfaisant pour vous et pour le reste du monde. C'est cela même que vous sacrifiez lorsque vous mentez. Si, au contraire, vous dites la vérité, vos valeurs évoluent durant votre progression. Si, dans votre lutte pour avancer, vous vous efforcez de rester informé des transformations de la réalité, votre point de vue sur ce qui est important ou non se modifiera. Vous ajusterez votre cap, parfois par petites touches, parfois de manière brusque et radicale.

Imaginez que vous fréquentez une école d'ingénieurs parce que c'est ce que vos parents désiraient, et non parce que c'était votre souhait. En travaillant à contresens de vos envies, vous vous démotiverez et finirez par échouer. Vous lutterez pour rester concentré et vous discipliner, mais cela ne fonctionnera pas. Votre âme rejettera le diktat de votre volonté (comment pourrait-on le formuler autrement ?). Pourquoi avez-vous accepté ? Peut-être pour éviter de décevoir vos parents, mais si vous échouez, le résultat sera le même. Parce que vous n'avez pas eu le courage de déclencher le conflit nécessaire à votre libération. Parce que vous n'aviez aucune envie de sacrifier votre croyance puérile en l'omniscience parentale, souhaitant pieusement continuer à croire que quelqu'un vous connaissait mieux que vous et savait tout sur tout. Vous souhaitez ainsi vous prémunir contre la solitude existentielle de l'Être et ses responsabilités. Rien là que de très banal et compréhensible. Mais vous souffrez parce que vous n'êtes vraiment pas fait pour être ingénieur.

Un jour, vous en aurez assez. Vous laisserez tout tomber. Vous décevrez vos parents. Vous apprendrez à vivre avec. Vous cesserez d'écouter les autres, même si cela signifie que vous ne devrez plus compter que sur vos décisions.

Vous passerez un diplôme de philosophie. Vous accepterez le fardeau de vos erreurs. Vous deviendrez une personne à part entière. En rejetant la vision de votre père, vous développerez la vôtre. Et puis, quand vos parents seront âgés, vous serez suffisamment adulte pour être là pour eux lorsqu'ils auront besoin de vous. Eux aussi y auront gagné. Mais le prix à payer pour ces deux victoires est le conflit provoqué par votre vérité. Comme il l'est écrit dans Matthieu 10:34, citant Jésus à propos du rôle de l'expression de la vérité : « Ne croyez pas que je sois venu apporter la paix sur Terre : je ne suis pas venu apporter la paix, mais l'épée*. »

En continuant à vivre conformément à la vérité telle qu'elle se révèle à vous, vous devrez accepter et gérer les conflits qu'implique cette façon d'être. Si c'est le cas, vous mûrirez et deviendrez plus responsable à tous les niveaux. Vous vous rapprocherez progressivement de vos objectifs les plus récents et les plus sagement formulés et, lorsque vous aurez découvert et rectifié vos inévitables erreurs, vous deviendrez encore plus sage dans leur formulation. En intégrant la sagesse de votre vécu, votre conception de ce qui est important ou non se précisera. Vous cesserez d'avancer au jugé et mettrez directement le cap sur le bien. Un bien que vous n'auriez sans doute jamais compris si vous aviez insisté, alors que tout indiquait que vous aviez raison depuis le départ.

Si l'existence est bonne, alors la relation avec elle la plus correcte, la plus claire et la plus pure la sera également. Si ce n'est pas le cas, en revanche, vous êtes fichu. Rien ne vous sauvera, surtout pas les rébellions insignifiantes, les réflexions obscures et l'aveuglement obscurantiste qui ne sont que perfidie. L'existence est-elle bonne ? Il va vous falloir prendre un risque considérable pour le découvrir. Vivre

---

* Traduction La Bible du Semeur (N.d.T.)

dans la vérité, ou vivre dans la tromperie, en admettre les conséquences et en tirer vos conclusions.

C'est l'« acte de foi » sur la nécessité duquel insistait le philosophe danois Kierkegaard. Vous ne pouvez pas le déterminer à l'avance. Compte tenu des différences entre chaque individu, aucun exemple, si bon soit-il, ne pourra faire office de preuve. On pourra toujours attribuer à la chance la validation d'un bon exemple. Il vous faudra donc risquer votre propre vie pour le découvrir. C'est ce risque que les anciens décrivaient comme un sacrifice de la volonté personnelle à la volonté de Dieu. Il ne s'agit pas d'un acte de soumission, du moins au sens où on l'entend aujourd'hui, mais de courage. C'est la foi dans le fait que le vent poussera votre embarcation vers un port meilleur. Que l'Être peut être rectifié par le devenir. C'est l'esprit d'exploration à proprement parler.

Peut-être vaut-il mieux le concevoir de cette façon : pour réduire le chaos et donner un sens intelligible à sa vie, tout le monde a besoin d'un objectif aussi spécifique que concret. Mais tous ces buts peuvent et doivent être subordonnés à ce que l'on pourrait qualifier de « métaobjectif », ce qui est une façon de les approcher et de les formuler. Le métaobjectif pourrait être de « vivre dans la vérité ». Autrement dit, dirigez-vous consciencieusement vers une fin structurée, définie et temporaire. Déterminez de façon claire et précise, du moins pour vous – et c'est encore mieux si les autres peuvent comprendre ce que vous faites et l'analyser avec vous –, vos critères d'échec et de réussite. Pendant que vous exprimez et structurez la vérité, n'oubliez pas de permettre à votre esprit et au monde de s'épanouir comme ils l'entendent. Il s'agit à la fois d'une ambition pragmatique et du plus courageux des actes de foi.

L'existence n'est que souffrance. Bouddha l'a déclaré sans détour. Chez les chrétiens, le crucifix illustre le même sentiment. La foi juive est imprégnée de son souvenir. L'équivalence de la vie et de ses contraintes est un fait majeur et inévitable de l'existence. La vulnérabilité de notre Être nous rend sensibles au jugement social, au mépris et à l'inévitable effondrement physique. Mais toutes ces façons de souffrir, si épouvantables soient-elles, ne suffisent pas à corrompre le monde, à le transformer en enfer comme ce fut le cas des nazis, des maoïstes et des staliniens. Pour cela, comme Hitler l'a déclaré si clairement, vous avez besoin du mensonge[155] :

> « Du plus grand des mensonges, l'on croit toujours une certaine partie. La grande masse du peuple laisse en effet plus facilement corrompre les fibres les plus profondes de son cœur qu'elle ne se lancera volontairement et consciemment dans le mal : aussi, dans la simplicité primitive de ses sentiments, sera-t-elle plus facilement victime d'un grand mensonge que d'un petit. Elle ne commet elle-même, en général, que de petits mensonges, tandis qu'elle aurait trop de honte à en commettre de grands.
>
> Elle ne pourra pas concevoir une telle fausseté et elle ne pourra pas croire, même chez d'autres, à la possibilité de ces fausses interprétations d'une impudence inouïe : même si on l'éclaire, elle doutera, hésitera longtemps et, tout au moins, elle admettra encore pour vraie une explication quelconque qui lui aura été proposée*. »

Pour un gros mensonge, il vous en faut d'abord un petit. Le petit mensonge, d'un point de vue métaphorique, est l'appât employé par le « père de tous les mensonges » pour hameçonner ses victimes. Notre imagination nous permet d'inventer des mondes alternatifs. C'est notre principale source de créativité. Cette capacité singulière s'accompagne

---

* Adolf Hitler, *Mein Kampf* (« Mon combat »), traduction de J. Gaudefroy-Demombynes et A. Calmettes, Paris, Nouvelles Éditions latines, 1934 (N.d.T.)

toutefois d'une contrepartie, le revers de la médaille : nous pouvons parvenir à nous tromper nous-mêmes, en plus des autres, en nous conduisant comme si les choses étaient différentes de ce que nous savons qu'elles sont.

Et pourquoi ne pas mentir ? Pourquoi ne pas tordre la réalité, que ce soit pour en tirer un avantage, pour arrondir des angles, pour maintenir la paix ou pour éviter de blesser les autres ? La réalité a un aspect effroyable. Souhaitons-nous vraiment nous retrouver face à sa tête de serpent à tout moment de notre conscience éveillée et de notre vie ? Pourquoi ne pas détourner les yeux, tout du moins, lorsque le fait de regarder est trop douloureux ?

La raison en est simple, tout part à vau-l'eau. Ce qui fonctionnait hier ne marchera peut-être pas aujourd'hui. Nos ancêtres nous ont transmis cette grande machine de la culture et de l'État, mais ils ne sont plus là et beaucoup de choses ont changé. Seuls les vivants sont en mesure de gérer ces changements. Nous pouvons ouvrir les yeux et modifier des choses lorsque c'est nécessaire afin de continuer à faire tourner la machine sans heurts. Sinon, nous pouvons toujours faire comme si tout allait bien, ne pas nous donner la peine d'effectuer les réparations nécessaires, puis maudire le sort dès que quelque chose nous déplaît.

Tout part à vau-l'eau, c'est l'une des grandes découvertes de l'humanité. Et à cause de notre aveuglement, de notre passivité et de notre fourberie, nous accélérons la dégradation naturelle de grandes choses. Sans attention de notre part, la culture dégénère et meurt, et le mal l'emporte.

Ce que vous distinguez d'un mensonge lorsque vous en interprétez un – la plupart des mensonges sont interprétés plutôt que proférés – est bien en deçà de ce qu'il est réellement. Les mensonges sont reliés à tout le reste. Ils produisent le même effet sur le monde qu'une goutte d'eaux usées dans une flûte de champagne en cristal.

Mieux vaut les considérer comme des organismes vivants en pleine croissance.

Lorsque les mensonges sont suffisamment gros, le monde entier est contaminé. Mais quand on y regarde d'assez près, les mensonges les plus gros se décomposent en plus petits, qui eux-mêmes sont constitués de mensonges encore plus insignifiants. C'est de ces derniers que naissent les plus importants. Il ne s'agit pas de la simple expression erronée d'un fait. C'est au contraire un acte qui a l'aspect de la conspiration la plus grave qui ait jamais ébranlé l'humanité. Son apparente innocence, sa méchanceté insignifiante, l'arrogance négligeable dont il est issu, le renoncement de responsabilité au premier abord anodin qu'il vise... tout cela contribue de manière efficace à dissimuler sa nature véritable, sa dangerosité réelle, et son équivalence avec les grands actes de barbarie que l'homme a toujours aimé perpétrer. Les mensonges corrompent le monde. Pire, ils sont faits pour cela.

Tout d'abord un petit mensonge, puis plusieurs autres pour l'étayer. Ensuite, une réflexion faussée pour éviter la honte engendrée par ces histoires, puis encore quelques mensonges pour masquer les conséquences de la réflexion faussée. Enfin, plus effroyable encore, la transformation de ces mensonges désormais nécessaires en une croyance et une action automatisées, spécialisées, structurelles et neurologiquement « inconscientes ». Ensuite, l'action écœurante fondée sur le mensonge ne produit pas les résultats escomptés. Si vous ne croyez pas aux murs de brique, vous ne vous en ferez pas moins mal en en percutant un de plein fouet. Puis vous maudirez la réalité d'avoir érigé le mur.

S'ensuivent l'arrogance et le sentiment de supériorité qui accompagnent inévitablement la production de mensonges réussis. Réussis en théorie, et c'est l'un des plus grands dangers : apparemment, tout le monde s'est fait avoir, donc tout le monde est idiot, sauf moi. Je suis parvenu à berner tout le monde, alors, quoi que je fasse, je pourrai m'en tirer en toute impunité. Finalement, on en arrive à la conclusion suivante : « L'Être en soi est susceptible de se faire manipuler. Il ne mérite par conséquent aucun respect. »

C'est se désagréger, comme Osiris taillé en pièces. C'est voir sa structure ou sa condition se désintégrer sous l'influence d'une force néfaste. C'est le chaos qui surgit du monde souterrain, tel un raz-de-marée, pour s'emparer d'un terrain connu. Mais ce n'est pas encore l'enfer.

L'enfer vient plus tard. Quand les mensonges ont détruit la relation entre un individu ou un État et la réalité. Tout part à vau-l'eau. L'existence dégénère. Tout finit par se résumer à de la frustration et de la déception. L'espoir trahit sans cesse. Le menteur fait désespérément des sacrifices, comme Caïn, mais ne parvient pas à satisfaire Dieu. Puis c'est le dernier acte de la pièce.

Tourmenté par ses échecs incessants, l'individu se fait amer. La déception et l'échec se mêlent l'un à l'autre pour engendrer un fantasme : le monde est déterminé à me faire souffrir, à causer ma perte, ma destruction. J'ai besoin de me venger. Je le mérite, il faut que je le fasse. Voilà les portes de l'enfer. C'est lorsque le monde souterrain, un lieu inconnu terrifiant, devient l'agonie.

À l'origine des temps, d'après la grande tradition occidentale, la parole de Dieu transforma le chaos en Être. Il est dit, dans cette tradition, que l'homme et la femme ont été conçus à l'image de ce Dieu. Grâce à la parole, nous transformons également le chaos en Être, et les multiples possibilités de l'avenir en réalités du passé et du présent.

Dire la vérité, c'est offrir à l'Être la réalité la plus viable. La vérité permet de bâtir des édifices qui durent mille ans. Elle nourrit et habille les pauvres, enrichit les pays et les rend plus sûrs. Elle réduit l'effroyable complexité d'un homme à la simplicité de sa parole, afin qu'il puisse devenir un partenaire plutôt qu'un ennemi. La vérité renvoie le passé au passé, et fait le meilleur usage des possibilités futures. C'est une ressource naturelle absolue et inépuisable. C'est la lumière dans les ténèbres.

Voyez la vérité. Dites la vérité.

Impossible de la confondre avec une opinion, car la vérité n'est ni un recueil de slogans ni une idéologie. Elle est personnelle. Vous seul pouvez dire votre vérité, puisqu'elle est fondée sur les circonstances uniques de votre existence. Efforcez-vous de comprendre votre vérité personnelle. Exposez-la soigneusement, de façon distincte, aussi bien à vous-même qu'aux autres. Tant que vous résiderez dans la structure de vos croyances actuelles, cela vous permettra de garantir votre sécurité et votre vie, ainsi que la bienveillance de l'avenir, si différent soit-il des certitudes du passé.

La vérité jaillit toujours du plus profond de l'Être. Lorsque vous êtes face à l'inévitable tragédie de la vie, elle empêche votre âme de dépérir et de mourir. Elle vous aidera à renoncer à l'épouvantable désir de vengeance suscité par cette tragédie, même si ce désir fait partie du terrible péché de l'Être, que l'on doit tous supporter de bonne grâce pour qu'il puisse exister.

Si votre vie ne ressemble pas à ce qu'elle devrait être, essayez de dire la vérité. Si vous vous cramponnez désespérément à une idéologie, ou si vous vous complaisez dans le nihilisme, essayez de dire la vérité. Si vous vous sentez faible, exclu, désespéré ou perdu, essayez de dire la vérité. Au paradis, tout le monde dit la vérité. C'est ce qui en fait le paradis.

Dites la vérité, ou du moins ne mentez pas.

RÈGLE 9

PARTEZ DU PRINCIPE QUE CELUI QUE VOUS ÉCOUTEZ EN SAIT PLUS QUE VOUS

Pas un conseil

La psychothérapie n'est pas un conseil. Un conseil, c'est ce que vous donne la personne avec qui vous discutez d'un sujet aussi complexe qu'épouvantable lorsqu'elle souhaite que vous la fermiez et alliez voir ailleurs. Lorsqu'elle désire se repaître de la supériorité de son intelligence. Si vous n'étiez pas si bête, après tout, vous n'auriez pas vos stupides problèmes.

La psychothérapie est une conversation sincère faite d'exploration, d'organisation et d'élaboration de stratégies. Quand vous êtes engagé dans une conversation sincère, vous écoutez et vous vous exprimez, mais vous écoutez surtout. Écouter, c'est prêter attention. C'est fascinant ce qu'on peut vous raconter, quand vous écoutez. Parfois, certains vous révéleront ce qui ne tourne pas rond chez eux. Ils vous expliqueront même de quelle manière ils envisagent d'y remédier. Il arrive que cela puisse vous aider à rectifier ce qui ne va pas chez vous. Un jour (et ce n'est qu'une occasion parmi d'autres, car cela s'est produit de nombreuses fois), j'écoutais une femme très attentivement et, au bout de quelques minutes, elle me raconta (a) qu'elle était une

325

sorcière et (b) qu'elle passait beaucoup de temps de son sabbat à réfléchir à la paix dans le monde. Elle était fonctionnaire de base dans un bureau depuis très longtemps. Jamais je n'aurais deviné que c'était une sorcière. J'ignorais également que pendant les sabbats on passait du temps à réfléchir sur la paix dans le monde. Je me demandais que faire de toutes ces informations, mais c'était loin d'être ennuyeux, ce qui était déjà quelque chose.

Dans mon cabinet, je m'exprime et j'écoute. Je parle plus à certaines personnes et j'en écoute plus d'autres. Une grande partie de ceux que j'écoute n'ont personne d'autre à qui s'adresser. Quelques-uns sont vraiment seuls au monde. Ils sont plus nombreux qu'on ne pourrait le croire. On ne les voit jamais, parce qu'ils sont seuls. D'autres sont entourés de tyrans, de narcissiques, d'alcooliques, d'individus traumatisés ou de victimes professionnelles. Certains ne sont pas doués pour organiser leurs propos. Ils partent dans tous les sens. Ils se répètent. Ils énoncent des faits vagues et contradictoires. Ils sont difficiles à écouter. D'autres vivent dans des conditions effroyables. Ils ont des parents atteints d'Alzheimer ou des enfants malades. Ils n'ont plus beaucoup le temps de s'occuper de leurs propres soucis.

Un jour, une patiente que je suivais depuis quelques mois est venue à mon cabinet* pour honorer son rendez-vous et, après quelques banalités, elle m'annonça : « Je crois que je me suis fait violer. » Il n'est pas facile de savoir comment réagir à une telle déclaration, car les situations de ce genre sont bien souvent auréolées de mystère. Souvent l'alcool est impliqué, comme dans la plupart des cas d'agression sexuelle. L'alcool peut créer des situations ambiguës. C'est en partie la raison pour laquelle certains boivent. Il permet

---

* Ici encore, j'ai travesti de nombreux détails afin de préserver l'intimité des personnes impliquées sans pour autant dénaturer le sens des faits exposés.

d'alléger le terrible fardeau de la conscience de soi. Les gens ivres savent ce qui va se produire à l'avenir, mais cela leur est égal. C'est exaltant. Euphorisant. Ils peuvent faire la fête comme si c'était le dernier jour de leur existence. Mais comme ce n'est pas le dernier jour de leur vie, généralement, ils s'attirent aussi des ennuis. Ils perdent connaissance. Ils se rendent en des lieux dangereux avec des personnes imprudentes. Ils s'amusent. Mais ils se font aussi violer. J'ai aussitôt imaginé que c'était ce qui s'était passé. Sinon, comment interpréter son « je crois que » ? Mais ce n'était pas tout. Elle ajouta un détail important : « À cinq reprises. » La première phrase était déjà affreuse, mais la seconde suscita chez moi une certaine incompréhension. Cinq fois ? Comment est-ce possible ?

Ma patiente me raconta qu'il lui arrivait d'aller boire quelques verres dans un bar. Des hommes engageaient la conversation avec elle. Elle finissait chez eux ou chez elle et ils couchaient ensemble. Le lendemain, au réveil, elle ne savait plus vraiment ce qui s'était passé. Ce qu'ils avaient voulu, l'un et l'autre. Elle se demandait où elle était. Mlle S., comme nous l'appellerons, était dans la confusion la plus totale. C'était un fantôme. Elle portait cependant des tailleurs chic. Elle présentait bien.

Ses parents ne lui avaient jamais accordé la moindre minute d'attention. Elle avait quatre frères qui lui en faisaient voir de toutes les couleurs. Elle n'avait pas d'amis, et n'en avait jamais eu. Elle était célibataire. Elle n'avait personne à qui parler, et ignorait comment réfléchir par elle-même (ce qui n'est pas rare). Elle n'avait pas de « moi ». C'était au contraire une cacophonie ambulante d'expériences non assimilées. Mlle S. ne savait rien d'elle. Ni des autres. Ni de la vie. C'était un film flou. Et elle attendait désespérément qu'un scénario sur elle lui donne du sens.

Quand vous versez du sucre dans de l'eau froide et que vous remuez, il se dissout. Si vous faites chauffer l'eau, vous pourrez en dissoudre davantage. Si vous faites bouillir l'eau, encore mieux. Ensuite, si vous faites refroidir lentement cette eau bouillante chargée de sucre, sans le moindre heurt ni le moindre choc, vous pouvez la convaincre (je ne vois pas comment l'exprimer autrement) d'accepter encore plus de sucre dissous que cela aurait été le cas si l'eau était restée froide depuis le début. C'est ce qu'on appelle une solution sursaturée. Si vous laissez tomber le moindre cristal de sucre dans cette solution, la totalité de l'excès de sucre se cristallisera brusquement de façon spectaculaire. Comme si elle réclamait de l'ordre. C'était ma patiente. C'est pour des personnes comme elle que les nombreuses formes de psychothérapies actuellement proposées ont été imaginées. Certains sont si désorientés que le moindre système de classement leur permet de remettre de l'ordre dans leur psychisme et d'améliorer leur quotidien. Le fait de rassembler des éléments disparates de leur vie d'une façon disciplinée, quelle qu'elle soit, leur suffit. Alors, si vous sentez que vous commencez à vous perdre ou si vous avez toujours eu l'impression d'être perdu, il vous est possible de réorganiser votre existence en suivant les principes freudien, jungien, adlérien, rogérien et comportemental. Cela vous permet au moins de retrouver une certaine logique. Une certaine cohérence. L'impression d'être bon à quelque chose, si ce n'est bon à tout. Il est impossible de réparer une voiture avec une hache, mais vous pouvez toujours abattre un arbre. Ce n'est pas rien.

À peu près à la même époque que celle où je suivais cette patiente, c'était la mode dans les médias d'évoquer des histoires où des individus recouvraient la mémoire, notamment des souvenirs d'agression sexuelle. Le débat faisait rage : s'agissait-il de récits authentiques de trauma-tismes passés ? Ou de constructions imaginées après coup à la suite de pressions volontaires ou non de la part de thérapeutes imprudents, entraînés par des patients un peu trop désireux de trouver des causes simples à leurs problèmes ? Cela dépendait des cas. Toutefois, dès que ma patiente me révéla son incertitude quant à ses expériences sexuelles, je compris un peu mieux combien il pouvait être aisé d'inoculer de faux souvenirs dans l'esprit de certaines personnes. Le passé peut sembler figé, mais ce n'est pas le cas. Pas d'un point de vue psychologique. Le passé est horriblement dense, après tout, et notre façon de l'organiser peut nous pousser à en avoir une relecture totalement différente.

En vous souvenant du passé, vous n'en sélectionnez que quelques parties et oubliez tout le reste. Vous avez des souvenirs précis de certaines choses, mais pas d'autres, potentiellement d'égale importance. De la même façon que dans le présent, vous ne prêtez attention qu'à certains aspects de votre environnement, négligeant les autres. Vous catégorisez votre expérience, regroupant certains éléments, les séparant du reste. De façon mystérieusement arbitraire. Vous ne créez pas une archive exhaustive et objective. C'est impossible. Vous n'avez simplement pas suffisamment d'éléments à votre portée, vous ne percevez pas tout et vous n'êtes pas objectif non plus. Vous êtes vivant. Subjectif. Vous avez des intérêts particuliers, du moins la plupart du temps. Que vous faudrait-il intégrer à l'histoire, au juste ? Où, précisément, la limite entre différents événements se situe-t-elle ?

C'est désolant, mais les violences sexuelles sur mineurs sont monnaie courante[156]. Pas si fréquentes, toutefois, que peuvent le penser certains psychothérapeutes peu ou mal formés. Les thérapeutes qui connaissent mal Freud partent souvent du principe qu'un adulte en détresse dans leur cabinet a forcément subi une agression sexuelle durant son enfance. Sinon, pourquoi serait-il dans cet état ? Alors, ils creusent, tirent des conclusions hâtives, donnent leur avis, suggèrent, dramatisent, influencent et perdent tout sens commun. Ils exagèrent l'importance de certains événements et minimisent la portée d'autres. Ils tordent les faits pour qu'ils correspondent à leurs théories[157]. Ils convainquent leurs patients qu'ils ont été victimes d'agressions sexuelles. Si seulement ils pouvaient se rappeler... Et puis, les patients retrouvent progressivement la mémoire. Ils se mettent à porter des accusations. Parfois, ce dont ils se souviennent ne s'est jamais produit, et les personnes qu'ils accusent sont innocentes. La bonne nouvelle ? Au moins, la théorie du thérapeute se vérifie. C'est bien. Pour le thérapeute. Mais les dommages collatéraux sont nombreux. Certains ne rechignent pas à en provoquer, tant que leur théorie en sort indemne.

J'étais au courant de tout cela, quand Mlle S. est venue me parler de ses expériences sexuelles. Lorsqu'elle m'a raconté ses excursions dans des bars pour célibataires et leurs conséquences récurrentes, plusieurs idées me sont venues simultanément. Je me suis dit : « Vous êtes une personne confuse. N'importe qui peut vous prendre par la main et vous entraîner sur le chemin de son choix. » Je songeai aussi : « Vous avez des désirs sexuels normaux. Vous êtes extrêmement seule. Vous êtes insatisfaite d'un point de vue sexuel. Vous avez peur des hommes, ignorez tout du monde qui vous entoure et ne savez rien de vous. Vous errez comme un accident attendant de se produire. Puis l'accident se produit. »

Je me dis aussi : « Une partie de vous rêve de se faire enlever. Une autre de replonger en enfance. Vos frères vous ont maltraitée, votre père vous a délaissée, alors une partie de vous souhaite se venger des hommes. Une partie de vous culpabilise, une autre a honte. Une autre encore est enthousiaste. Qui êtes-vous ? Qu'avez-vous fait ? Que s'est-il passé ? »

« Je pourrais lui simplifier la vie, songeai-je. Lui annoncer que ses soupçons de viol sont entièrement justifiés et que ses doutes ne sont qu'une preuve supplémentaire des mauvais traitements qu'on lui a infligés. Je pourrais soutenir que ses partenaires sexuels avaient l'obligation légale de vérifier qu'elle n'était pas trop diminuée par l'alcool pour donner son consentement. Lui confirmer qu'elle avait incontestablement été victime de violences, à moins qu'elle ait consenti de façon verbale et claire à chacun des actes sexuels de ses partenaires. Je pourrais lui certifier que c'était une victime innocente. » J'aurais pu lui dire tout cela. Et cela aurait été vrai. Elle l'aurait pris comme une vérité, et s'en serait souvenue pour le restant de ses jours. Elle serait devenue une nouvelle personne, avec une nouvelle histoire et une nouvelle destinée.

Mais je me suis également dit : « Je pourrais dire à Mlle S. qu'elle est une catastrophe ambulante. Qu'elle est un danger pour elle-même et pour les autres, qu'il faut qu'elle se réveille, et que si elle boit trop dans des bars pour célibataires, qu'on la ramène chez elle et qu'on lui fait sauvagement l'amour (ou même de manière tendre et attentionnée), eh bien, à quoi diable s'attendait-elle ? » Autrement dit, j'aurais pu lui expliquer dans des termes un peu plus philosophiques qu'elle était le « pâle criminel » de Nietzsche, la personne qui ose enfreindre la loi sacrée et refuse d'en payer le prix. Cela aurait été vrai également, et elle l'aurait accepté comme tel. Et elle s'en serait souvenue.

Si j'avais été partisan d'une idéologie de justice sociale progressiste, je lui aurais raconté la première histoire. La seconde, si j'avais été adepte d'une idéologie conservatrice. Et ses réponses après l'une ou l'autre de ces versions auraient prouvé, à ma grande satisfaction comme à la sienne, que l'histoire que je lui aurais racontée était vraie. Totalement, incontestablement vraie. Il se serait agi d'un conseil.

Découvrez-le par vous-même

Je décidai plutôt d'écouter. J'ai appris à éviter de m'approprier les problèmes de mes patients. Je n'ai aucune envie d'être le héros, le sauveur, ni le *deus ex machina*. Pas dans l'histoire de quelqu'un d'autre. Je ne veux pas de leurs existences. Je lui ai donc demandé de me raconter ce qu'elle en pensait, et je l'ai écoutée. Elle me parla longuement. Lorsqu'on en eut terminé, elle se demandait encore si elle s'était fait violer ou non. Moi aussi. La vie est complexe.

Afin de comprendre une seule situation, il faut parfois modifier totalement sa façon de voir les choses. « Me suis-je fait violer ? » peut être une question très compliquée. Le simple fait qu'elle se présente sous cette forme révèle l'existence d'une infinité de couches de complexité. Sans parler du « à cinq reprises ». Cette question « Me suis-je fait violer ? » en cache une foule d'autres : qu'est-ce que le viol ? Qu'est-ce que le consentement ? Quelles sont les précautions à prendre ? Comment doit-on se défendre ? Où la faute se situe-t-elle ? La question « Me suis-je fait violer ? » est une véritable hydre. Si vous lui coupez la tête, sept autres la remplacent. C'est la vie. Il aurait fallu que Mlle S. s'exprime vingt ans d'affilée pour comprendre si elle s'était fait violer ou non. Et il aurait fallu quelqu'un pour l'écouter. J'ai commencé le processus, mais les circonstances ont fait qu'il m'a été impossible de le mener à son terme. Elle a interrompu sa thérapie juste un peu moins confuse qu'à notre première séance. Mais, au moins, elle n'est pas partie comme l'incarnation vivante de ma fichue idéologie.

Les patients que j'écoute ont besoin de s'exprimer, parce que c'est ce qui leur permet de réfléchir. Les gens ont besoin de réfléchir. Sinon, ils errent aveuglément dans les ténèbres. Quand ils réfléchissent, ils simulent la réalité et considèrent de quelle manière ils doivent s'y conduire. Si leur simulation est bonne, cela leur permet de déterminer quelles erreurs ils doivent éviter de réitérer. Ensuite, ils ne les font plus. Et ils ne sont plus obligés d'en subir les conséquences. C'est le but de la réflexion. Mais il est impossible de s'y adonner seul. Nous simulons la réalité et y projetons nos actes. Seuls les humains en sont capables. Cela démontre à quel point nous sommes des êtres brillants. Nous nous fabriquons de petits avatars, nous les disposons dans des mondes fictifs, et nous observons ce qu'il en ressort. Si notre avatar s'épanouit, alors nous l'imitons dans la réalité. Et nous nous épanouissons à notre tour, ou du moins l'espérons-nous. Si notre avatar échoue, nous évitons de suivre la même voie que lui. Nous le laissons mourir dans le monde fictif afin de ne pas avoir à disparaître réellement dans le présent.

Imaginons deux enfants en train de discuter. Le plus jeune déclare : « Ça ne serait pas amusant de monter sur le toit ? » Il vient de positionner un de ses petits avatars dans un monde fictif. Mais sa grande sœur proteste. Elle intervient : « C'est stupide, lui fait-elle remarquer. Et si tu tombes du toit ? Et si papa te surprend ? » Le garçon a la possibilité de modifier sa simulation originale, d'en tirer les conclusions qui s'imposent, et de laisser disparaître son monde fictif. Ou pas. Peut-être le jeu en vaut-il la chandelle. Mais au moins il peut désormais en tenir compte. Son monde fictif devient un peu plus précis, et son avatar un peu plus intelligent.

On croit réfléchir, mais ce n'est pas vrai. C'est surtout de l'autocritique que l'on fait passer pour de la réflexion. La véritable réflexion est rare. De même que la véritable écoute. Réfléchir, c'est s'écouter. C'est difficile. Pour réfléchir, il faut être au moins deux. Puis il faut laisser ces deux personnes exprimer leurs désaccords. La réflexion est un dialogue intérieur entre deux visions du monde ou davantage. Point de vue numéro Un est un avatar dans une simulation. Il a sa propre représentation du passé, du présent et de l'avenir, et sa propre idée de la meilleure façon d'agir. Il en va de même des Points de vue numéro Deux, Trois et Quatre. La réflexion est le procédé par lequel ces avatars imaginent et organisent leurs mondes en fonction des uns et des autres. Vous ne pouvez pas non plus opposer des arguments épouvantails les uns aux autres, parce que sinon vous ne réfléchissez plus. Vous vous contentez de vous justifier après coup. Vous opposez ce que vous voulez à un opposant faible afin de ne pas avoir à changer d'avis. Vous faites de la propagande. Vous employez un double langage. Vous vous servez de vos conclusions pour justifier vos démonstrations. Vous vous cachez de la vérité.

La véritable réflexion est complexe et exigeante. Elle requiert de vous que vous soyez à la fois un orateur organisé et un auditeur attentif et raisonné. Elle génère des conflits. Il vous faut donc tolérer le conflit. Le conflit implique des négociations et des compromis. Il vous faut donc apprendre à donner et à recevoir, à modifier vos postulats de départ et à ajuster vos idées, voire votre perception du monde. Il en résulte parfois la défaite et l'élimination d'au moins un avatar. Eux non plus n'aiment pas perdre, ni se faire éliminer. Ils sont difficiles à concevoir. Ils sont précieux. Vivants. Ils aiment rester en vie. Ils se battront pour rester vivants. Vous feriez mieux de les écouter. Sinon, ils vont se réfugier sous terre, se transforment en démons et se mettent à vous torturer. De ce fait, la réflexion est douloureuse d'un point de vue émotionnel, et exigeante d'un point de vue physiologique. Plus que tout, à l'exception de la non-réflexion. Mais il faut être extrêmement bien organisé et sourcilleux pour que tout cela puisse se produire dans son esprit. Que faire, alors, quand on n'est pas très doué pour réfléchir, pour être les deux personnes en même temps ? Facile. On parle. Mais il faut quelqu'un pour écouter. Un auditeur vous servira de collaborateur et d'adversaire.

Un auditeur met à l'épreuve votre discours et votre réflexion sans avoir à prononcer la moindre parole. L'auditeur est un individu lambda. Il symbolise la foule, bien que la foule n'ait pas toujours raison. Mais elle a généralement raison, elle a normalement raison. Si vous déconcertez tout le monde, vous feriez bien de revoir votre position. Je dis cela, sachant pertinemment qu'il arrive que les avis divergents soient corrects, parfois au point que la foule risque d'en périr si elle refuse d'écouter. C'est pour cette raison, parmi d'autres, que chacun est moralement tenu de partager sa propre expérience. Mais une idée neuve et radicale est presque toujours une mauvaise idée. Il vous faut une bonne raison, voire mieux encore, pour ne pas tenir compte de l'avis général et le braver. C'est votre culture, c'est un chêne majestueux, vous êtes perché sur une de ses branches. Si celle-ci vient à céder, la chute sera longue, plus longue, sans doute, que vous ne l'imaginez. Si vous lisez ce livre, il est fort probable que vous soyez une personne privilégiée. Vous savez lire, vous avez le temps de lire. Vous êtes haut dans les nuages. Il faut un nombre incalculable de générations pour parvenir où vous êtes. Un peu de gratitude ne nuirait pas. Si vous comptez tordre la réalité pour qu'elle corresponde à votre façon de penser, mieux vaut avoir de bonnes raisons. Si vous envisagez de camper sur vos positions, mieux vaut avoir de bonnes raisons. Vous avez tout intérêt à y avoir bien réfléchi. Mieux vaut faire comme les autres, à moins que vous ayez une bonne raison de faire l'inverse. Si vous êtes dans une ornière, vous savez au moins que d'autres ont déjà suivi ce chemin. Hors de ce sillon, c'est trop souvent du hors-piste, et dans le désert de chaque côté de la route attendent des bandits de grand chemin et des monstres. C'est ce que dicte la sagesse.

L'auditeur

L'auditeur symbolise la foule. Sans prendre la parole, simplement en laissant s'écouter la personne qui s'exprime. C'est ce que Freud recommandait, il demandait à ses patients de s'étendre sur un divan, de contempler le plafond, de laisser leur esprit vagabonder et de dire tout ce qui leur passait par la tête. C'est la méthode de l'association libre. C'est ce qui permet au psychanalyste freudien d'éviter de transférer ses biais personnels et ses opinions à son patient. C'est pour cette raison que Freud ne se tenait pas face à eux. Il refusait que leurs méditations spontanées soient gâtées par l'expression de ses sentiments, si insignifiante soit-elle. Il redoutait légitimement que ses propres opinions, et pire, ses propres problèmes non résolus, transparaissent de manière incontrôlable dans ses réponses et ses réactions, aussi bien conscientes qu'inconscientes. Il craignait que cela porte préjudice à l'évolution de ses patients. C'est pour ces raisons, également, que Freud insistait pour que les psychanalystes se fassent eux-mêmes analyser. Il souhaitait que ceux qui suivaient sa méthode aient mis au jour et éliminé certains de leurs pires préjugés afin d'éviter de pratiquer de manière corrompue. Freud avait raison. Après tout, c'était un génie – la preuve, certains le détestent encore. Mais cette approche quelque peu distante recommandée par Freud a des inconvénients. La plupart de ceux qui désirent suivre une thérapie souhaitent une relation plus proche et plus personnelle, même si cela comporte également des risques. C'est en partie la raison pour laquelle j'ai personnellement opté, comme la majeure partie des psychologues, pour la conversation plutôt que pour la méthode freudienne.

J'estime que cela peut valoir la peine pour mes patients de voir mes réactions. Pour les protéger de l'influence excessive que cela pourrait avoir, je m'efforce de définir correctement mes objectifs, de sorte que mes réactions soient le plus appropriées possible. Je veux ce qu'il y a de mieux pour eux, quoi que cela puisse être, je veux aussi ce qu'il y a de mieux tout court, parce que mon client ne peut qu'en bénéficier. J'essaie de me vider l'esprit, de laisser mes propres soucis de côté. Ainsi, je suis concentré sur cela, tout en demeurant à l'affût du moindre signal m'indiquant que j'ai peut-être mal compris ce qui était le mieux pour eux. C'est une décision qui se négocie, que je ne dois pas prendre seul de mon côté, il faut que ce soit géré avec précaution, afin d'atténuer les risques d'interactions personnelles. Mes patients s'expriment. J'écoute, parfois je leur réponds. La plupart du temps, la réponse est subtile. Pas nécessairement verbale. Nous sommes face à face. Nous nous regardons dans les yeux. Nous voyons parfaitement les expressions de l'autre. Mes patients peuvent observer les effets que leurs paroles ont sur moi, et vice versa, ils peuvent réagir à mes réactions.

Un patient peut m'avouer : « Je hais ma femme. » Une fois que c'est dit, c'est dit. C'est dans l'air. Cela a surgi du monde souterrain, du chaos, et s'est manifesté. C'est devenu perceptible et concret, on ne peut plus ne pas en tenir compte. Mon interlocuteur s'est même surpris lui-même, il devine le même sentiment dans mon regard. Le constatant, il poursuit sur la route vers le bon sens. « Attendez, ajoute-t-il, je retire. C'est trop dur, il m'arrive parfois de haïr ma femme. Je la déteste quand elle ne me dit pas ce qu'elle veut. Ma mère faisait pareil, ça me rendait dingue, ça nous rendait tous dingues, à vrai dire. Même ma mère ! C'était quelqu'un de bien, mais elle était très rancunière. Enfin, au moins, ma femme n'est pas aussi terrible, non, pas du tout, même. Attendez ! En fait, ma femme me dit souvent ce qu'elle veut, mais ça m'ennuie vraiment quand elle ne le fait pas, parce que c'était une vraie torture, quand ma mère se faisait passer pour un martyr. Ça me touchait vraiment. Je réagis peut-être de manière excessive, et à présent, quand ça se produit ne serait-ce qu'un peu, je réagis exactement comme mon père envers ma mère. Ce n'est pas moi, ça n'a rien à voir avec ma femme ! Je ferais mieux de lui en parler. » Je retiens de tout cela que mon patient n'était pas parvenu à distinguer clairement sa femme de sa mère. Et qu'il était possédé, inconsciemment, par l'esprit de son père. Il s'en aperçoit aussi. À présent, il se dissocie un peu plus, c'est un peu moins un bloc de pierre et il cherche moins à se dissimuler dans la brume. Il a raccommodé une petite déchirure dans le tissu de sa culture. Il me dit : « C'était une bonne séance, docteur Peterson. » J'acquiesce. On peut paraître très intelligent, quand on sait se taire.

Je suis un collaborateur et un adversaire, même quand je ne dis rien. Je n'y peux rien, je transmets mes émotions au moyen de mes expressions, si subtiles soient-elles. Ainsi, je communique, comme Freud le soulignait si justement, même en gardant le silence. Mais il m'arrive aussi de prendre la parole durant mes séances. Comment je sais quand m'exprimer ? Tout d'abord, comme je l'ai dit, je me mets dans un état d'esprit approprié. Je vise soigneusement. Mon but est d'améliorer les choses. J'oriente mon esprit en fonction de cet objectif. Je tente d'avoir des réactions au dialogue thérapeutique qui favorisent la poursuite de cet objectif. Je surveille ce qui se passe, et seulement après je réagis. C'est la première règle. Parfois, par exemple, un patient dit quelque chose, et il me vient une idée. Souvent, c'est à propos de ce qu'il a raconté plus tôt durant la séance, ou lors d'une entrevue précédente. Je lui révèle alors ce qui m'est passé par la tête. De manière totalement désintéressée. Je lui dis : « Vous m'avez déclaré ceci, ce qui m'a fait prendre conscience de cela. » Puis nous en discutons. Nous tentons de déterminer la pertinence de ma réaction. Il arrive que ce soit lié à moi. C'est l'argument de Freud. Mais la plupart du temps, il s'agit simplement de la réponse d'un humain neutre, mais complaisant, à la révélation d'un autre humain. Cette réaction a du sens, elle peut parfois même rectifier certaines choses. Il arrive néanmoins que ce soit moi qui me fasse rectifier.

Il faut bien s'entendre avec les autres. Un thérapeute est l'un de ces autres. Un bon thérapeute vous dira franchement ce qu'il pense, ce qui ne veut pas dire que ce qu'il pense est la vérité. Vous aurez ainsi l'avis sincère d'au moins une personne. Une denrée plutôt rare, ce n'est pas rien, c'est un élément primordial du processus psychothérapeutique : deux personnes qui se disent la vérité, et qui écoutent toutes les deux.

Comment devriez-vous écouter ?

Carl Rogers, l'un des plus grands psychothérapeutes du XXᵉ siècle, savait écouter. Il écrivit : « La grande majorité d'entre nous ne sait pas écouter ; nous nous sentons obligés de juger, parce qu'il est trop risqué d'écouter. Cela demande avant tout du courage, ce dont nous manquons cruellement[158]. » Il savait que le fait d'écouter pouvait transformer les gens. À ce sujet, il déclara : « Certains d'entre vous ont peut-être le sentiment de bien écouter, mais n'ont pas pour autant obtenu ce genre de résultat. Il est hautement probable que votre écoute ait été différente de celle que j'ai décrite. » Il suggère à ses lecteurs de réaliser une petite expérience dès le prochain désaccord : « Interrompez la discussion un moment, et établissez cette règle : ''Chacun ne peut prendre la parole qu'après avoir reformulé correctement l'idée et les sentiments de son interlocuteur, et lorsque ce dernier en est satisfait.'' » J'ai trouvé cette technique très utile, aussi bien dans ma vie privée que dans mon cabinet. J'ai pris l'habitude de résumer ce qu'on me dit et de demander si j'ai bien compris. Parfois, mes interlocuteurs acceptent mon résumé, parfois, ils effectuent de légères corrections. Il arrive que je sois totalement dans le faux, c'est toujours bon à savoir.

Cette méthode a plusieurs avantages majeurs. Le premier est que je comprends véritablement ce que mon interlocuteur est en train de m'expliquer. À ce sujet, Rogers écrit : « Cela paraît simple, non ? En tentant l'expérience, vous découvrirez que c'est l'une des choses les plus difficiles que vous ayez jamais entreprises. Pour véritablement comprendre quelqu'un, il faut être prêt à s'introduire dans son intimité et à voir l'existence comme lui la voit. Vous courrez alors le risque de ressortir changé de cette expérience. Vous vous mettrez peut-être à voir les choses comme lui, votre comportement et votre personnalité s'en verront peut-être modifiés. Ce risque est l'une des éventualités les plus effrayantes auxquelles nous puissions nous voir confrontés. » On a rarement écrit paroles plus salutaires.

Le deuxième avantage du fait de résumer est d'aider la personne à utiliser, et donc à consolider sa mémoire. Imaginez la situation suivante : un de mes patients me raconte une période difficile de sa vie. Son récit est long, sinueux et chargé d'émotion. Nous le résumons à tour de rôle. L'exposé se fait plus court. Il est à présent résumé dans la mémoire du patient et dans la mienne. D'une certaine manière, c'est désormais un souvenir différent. Avec un peu de chance, un meilleur souvenir. Il est moins pesant. Il est comme distillé, réduit à l'essentiel. Nous en avons extrait la morale. C'est dorénavant la description de la cause et du résultat de ce qui s'est produit, formulée de telle sorte que la répétition de la tragédie et de la souffrance se fasse moins probable à l'avenir. « Voilà ce qui s'est passé. Voici pourquoi. Et voilà ce qu'il faut que je fasse pour éviter que cela se reproduise. » Il s'agit là d'un souvenir efficace, c'est le but. Je me répète, la mémoire ne sert pas à se souvenir du passé, mais à préparer l'avenir.

Le troisième avantage de la méthode rogérienne est qu'elle limite la construction inconsidérée d'arguments épouvantails. Lorsque quelqu'un s'oppose à vous, il est très tentant de vouloir trop simplifier, de parodier ou de déformer ses prises de position. Ce petit jeu contre-productif est destiné à dénigrer votre contestateur pour pouvoir élever votre statut de manière arbitraire. En revanche, si on vous demande de résumer la position de quelqu'un, de sorte que l'orateur soit satisfait de votre proposition, il vous faudra formuler ses arguments de manière encore plus claire et succincte que lui. Si vous jouez le jeu et étudiez ses arguments de son point de vue, vous pourrez (1) en trouver certains intéressants et apprendre quelque chose, et (2) affûter vos propres arguments contradictoires, si vous considérez toujours que les siens sont fallacieux. Cela vous rendra beaucoup plus fort. Vous ne serez plus obligé de déformer les positions de votre adversaire, et réduirez au moins une partie du fossé qui vous sépare. Cela vous permettra également de mieux résister à vos propres doutes.

Il faut parfois du temps pour comprendre ce que quelqu'un souhaite réellement exprimer. C'est souvent la première fois qu'ils exposent leurs idées. Ils sont incapables de le faire sans s'attarder sur des points noirs, sans faire de déclarations contradictoires, voire absurdes. C'est en partie dû au fait que dans la parole (et la réflexion), il est souvent plus question d'oublier que de se souvenir. Discuter d'un événement, particulièrement lorsqu'il s'agit de quelque chose d'émouvant, comme la mort d'un proche ou une maladie grave, c'est commencer à choisir ce à quoi on souhaite renoncer. Au début, il faut cependant exprimer une grande partie de ce qui n'est pas nécessaire. Malgré ses émotions, le patient doit raconter l'ensemble de son expérience dans le détail. Seulement alors, on peut s'attarder sur le récit central, ses causes et ses conséquences, et les renforcer. Seulement alors, on peut tenter d'en extraire une morale.

Imaginez que quelqu'un possède une liasse de billets de cent dollars, dont certains sont des faux. Il faut étaler l'ensemble d'entre eux sur la table, afin de pouvoir tous les voir et d'en répertorier les différences avant de pouvoir distinguer les vrais des faux. C'est le genre d'approche méthodique qu'il faut suivre pour véritablement écouter quelqu'un, tenter de résoudre un problème ou exprimer quelque chose d'important. Si, en apprenant qu'une partie des billets sont faux, vous les jetez tous – comme vous le feriez si vous étiez pressé ou si vous n'aviez aucune envie de fournir les efforts nécessaires –, votre interlocuteur n'apprendra jamais à séparer le bon grain de l'ivraie.

Si, au contraire, vous écoutez sans jugement hâtif, la personne en face de vous vous dira tout ce qu'elle a sur le cœur. Sans tenter de vous tromper outre mesure. Les gens vous raconteront des choses intéressantes, fabuleuses et absurdes. Vos conversations seront rarement ennuyeuses.

Vous pourrez ainsi déterminer si oui ou non vous écoutez. Si vous trouvez la discussion assommante, c'est que vous n'écoutez probablement pas.

La domination chez les primates, manœuvres hiérarchiques et présence d'esprit

Parler n'est pas forcément synonyme de réfléchir, pas plus qu'écouter n'encourage nécessairement à la transformation. On peut avoir d'autres raisons, dont certaines nettement moins utiles peuvent avoir pour conséquence une issue contre-productive, voire dangereuse. Dans certaines conversations, par exemple, l'un des participants peut se contenter de parler pour gagner sa place, ou la conforter dans la hiérarchie de domination. Une personne commence à raconter une histoire sur un événement intéressant, passé ou récent, dont certains passages sont suffisamment bons, mauvais ou surprenants pour rendre l'écoute agréable. L'autre personne, qui craint à présent de voir son statut se dégrader, envisage aussitôt de raconter une histoire meilleure, pire ou encore plus surprenante. Il ne s'agit pas d'une de ces situations où deux participants s'amusent à jouer sur les mêmes thèmes pour leur plaisir réciproque et celui des personnes qui les écoutent. Il est ici question de manœuvrer pour bien se placer. Purement et simplement. Lorsque se déroule l'une de ces conversations, on le devine rapidement. Elles sont accompagnées d'un sentiment de gêne chez les orateurs et chez tous ceux qui savent que l'un d'eux vient de proférer une inexactitude ou une exagération.

Dans une autre forme de conversation tout aussi inutile, aucun des deux orateurs n'écoute l'autre. Chacun d'eux se sert du temps où l'autre s'exprime pour réfléchir à ce qu'il va dire ensuite, ce qui sera la plupart du temps hors sujet, car celui qui attend impatiemment de prendre la parole n'a rien écouté. Cela peut mettre un terme à la discussion. À ce stade, ceux qui ont assisté à la scène gardent générale-ment le silence et se consultent du regard d'un air gêné. Puis tout le monde s'en va, à moins que quelqu'un lâche un trait d'esprit et que l'orateur se ressaisisse.

Dans certaines conversations, l'un des participants peut tenter de faire gagner à tout prix son point de vue. C'est encore une variante de la conversation « hiérarchie de domination ». Au cours d'une telle discussion, qui tend souvent vers l'idéologie, l'orateur (1) cherche à dénigrer ou ridiculiser le point de vue de tous ceux qui tiennent une position contraire à la sienne, (2) emploie pour ce faire des preuves sélectives, et enfin (3) tente d'impressionner ceux qui l'écoutent – dont une grande partie est déjà adepte de la même idéologie que lui – avec le bien-fondé de ses arguments. L'objectif est d'obtenir du soutien pour une vision du monde exhaustive, unitaire et simpliste. Ainsi, le but de la conversation est de démontrer que la bonne approche est de ne pas réfléchir. La personne qui s'exprime de cette manière est convaincue que le fait de remporter un débat lui donne raison, et que cela valide nécessairement la hiérarchie de domination à laquelle il s'identifie. C'est souvent, comme on peut s'y attendre, la hiérarchie au sein de laquelle il a connu le plus de succès, ou celle qui lui correspond le mieux d'un point de vue psychologique. Presque toutes les discussions politiques ou économiques se déroulent de cette façon : chacun des participants tente de justifier des positions arrêtées et des *a priori*, plutôt que d'essayer d'apprendre quelque chose ou d'adopter un point de vue différent, ne serait-ce que pour changer. C'est pour cette raison que les conservateurs comme les libéraux sont convaincus que leurs idées sont évidentes, d'autant plus qu'elles sont extrêmes. Compte tenu de certaines hypothèses fondées sur le caractère, cela débouche sur une conclusion prévisible, mais uniquement quand on ne tient pas compte du fait que les hypothèses en soi sont mouvantes.

Ces conversations sont très différentes de celles où l'on écoute. Lors d'une de ces dernières, les orateurs prennent la parole à tour de rôle, et tout le monde écoute. La personne qui s'exprime a l'occasion de discuter sérieusement d'un événement, souvent malheureux, voire dramatique. Les autres réagissent avec compassion. Ces conversations sont importantes, car l'orateur organise l'événement en question dans son propre esprit en racontant l'histoire. Le fait est suffisamment important pour qu'on le répète, les gens organisent leurs idées grâce à la conversation. S'ils n'ont personne à qui raconter leur histoire, ils perdent la raison. Comme les individus qui entassent de manière compulsive, ils sont incapables de faire le vide. Pour l'intégrité de leur psychisme, il leur faut l'aide de la communauté. En d'autres termes, il faut tout un village pour organiser un esprit.

Une grande partie de ce que nous considérons comme des facultés mentales saines résulte de notre capacité à nous servir des réactions des autres pour que nos « moi » complexes demeurent opérationnels. Nous sous-traitons le problème de notre santé mentale. Raison pour laquelle il est de la responsabilité des parents de rendre leurs enfants sociables. Si quelqu'un se conduit de telle sorte que les autres le tolèrent, alors, il lui suffit de s'intégrer à un contexte social. Alors, les gens lui indiqueront, en se montrant intéressés ou non par ce qu'il raconte, en riant ou non à ses plaisanteries, en le taquinant, en le ridiculisant ou même en haussant un sourcil, si ses actes et ses déclarations correspondent à ce qu'ils devraient être. Tout le monde transmet à tout le monde son désir d'idéal. Nous nous sanctionnons et nous récompensons en fonction de notre attitude vis-à-vis de ce désir, sauf, bien entendu, quand nous cherchons les ennuis.

Les démonstrations de sympathie qu'on offre à l'orateur au cours d'une véritable conversation indiquent combien ce dernier est apprécié, et dans quelle mesure l'histoire racontée est importante, sérieuse, digne d'intérêt et compréhensible. Les hommes et les femmes ont souvent du mal à se comprendre lorsque ces conversations traitent d'un problème en particulier. On accuse généralement les hommes de vouloir « réparer les choses » un peu trop tôt dans la discussion. Cela les contrarie, car ils aiment résoudre les problèmes avec efficacité, et les femmes font fréquemment appel à eux dans ce but précis. Il pourrait toutefois être plus facile pour mes lecteurs masculins de comprendre pourquoi cela ne fonctionne pas, s'ils s'apercevaient, puis se rappelaient qu'avant qu'un problème puisse être résolu, il faut le formuler avec précision. Les femmes sont souvent résolues à formuler le problème lorsqu'elles discutent de quelque chose, et il faut les écouter, voire les interroger, pour bien cerner l'origine du problème. Ensuite, quel que soit le problème qui reste, le cas échéant, il est possible de le résoudre utilement. Notons tout d'abord qu'une résolution de problème trop précoce peut aussi indiquer un désir d'éviter les efforts nécessaires à une conversation où l'orateur formule le problème.

Curieusement, la conférence est une autre variante de la conversation. L'orateur s'exprime, et son auditoire communique avec lui de façon non verbale. De cette manière, par l'intermédiaire des postures physiques et des expressions du visage, comme nous l'avons vu dans notre discussion sur Freud, les interactions sont incroyablement nombreuses, même s'il s'agit surtout d'informations émotionnelles. Un bon conférencier ne se contente pas de livrer des faits, ce qui est sans doute la partie la moins importante d'une conférence. Il raconte également des histoires à propos de ces faits, les plaçant au bon niveau de compréhension du public en fonction de l'intérêt qu'il manifeste. Au travers des histoires qu'il raconte, il communique non seulement les faits, mais aussi pourquoi ils sont pertinents, pourquoi il est important de savoir certaines choses que les auditeurs ignorent. Pour faire la démonstration de l'importance de certains ensembles de faits, il suffit d'expliquer aux membres du public en quoi de telles connaissances pourraient modifier leur comportement, ou influencer leur façon d'interpréter la réalité, de sorte qu'ils puissent éviter certains obstacles et atteindre plus rapidement de meilleurs objectifs.

Ainsi peut-on dire qu'un bon conférencier discute avec son auditoire. Pour y parvenir, il doit être à l'affût du moindre mouvement, du moindre geste, du moindre bruit. Paradoxalement, il est impossible d'y réussir en observant le public en tant que tel. On ne présente pas un discours au public. Tout dans cette expression est faux, vous ne présentez rien, vous parlez, et il n'y a pas non plus de discours, à moins qu'il soit tout prêt, ce qui ne devrait pas être le cas. Il n'y a pas de public non plus, il n'y a que des individus qui demandent à faire partie de la conversation.

Un bon conférencier, un orateur bien rodé et compétent s'adresse directement à une personne unique et identifiable*, et étudie ses réactions, la regarde hocher ou secouer la tête, froncer les sourcils, prendre un air déconcerté, et il réagit de la façon la plus appropriée à ces gestes et à ces expressions. Puis, après quelques phrases, lorsqu'il change d'idée, il passe à un autre membre du public et fait la même chose. Il réagit ainsi en fonction de l'attitude de l'ensemble du groupe (dans la mesure où une telle chose puisse exister).

D'autres types de conversation fonctionnent avant tout comme des démonstrations d'intelligence. On y décèle aussi un élément de domination, mais l'objectif de l'orateur est d'être le plus divertissant, réussite qui fera plaisir à l'ensemble des participants. Le but de ces conversations, comme me l'a fait remarquer un de mes amis spirituels, était d'exprimer « tout ce qui était soit vrai, soit drôle ». La vérité et l'humour allant souvent de pair, cette association fonctionne parfaitement. Je pense qu'il pourrait s'agir d'une conversation d'ouvriers intelligents. Parmi ceux avec qui j'ai grandi en Alberta du Nord et, plus tard, des Navy SEALs que j'avais rencontrés en Californie. Ils étaient les amis d'un auteur que je connais, auteur de fiction populaire quelque peu effrayante, et j'ai participé à leurs nombreuses joutes

---

* La stratégie qui consiste à s'adresser en particulier à quelques individus est non seulement primordiale pour livrer son message, mais il s'agit également d'un antidote utile contre la peur de s'exprimer en public. Personne n'a envie d'être scruté par des centaines de paires d'yeux inamicaux et prompts à la critique. En revanche, presque tout le monde est capable de s'adresser à une personne attentive. Alors, si vous devez livrer un discours (encore une formulation atroce), suivez ce conseil. Adressez-vous à des membres distincts du public, et évitez de vous cacher derrière l'estrade en baissant les yeux, en vous exprimant à voix basse ou en marmonnant, en vous excusant pour votre manque de talent ou de préparation, derrière des idées qui ne sont pas les vôtres ou derrière des clichés.

de sarcasme, de satire, d'insultes et d'échanges comiques généralement débridés. Ils étaient tous ravis de pouvoir raconter n'importe quoi, si épouvantable cela soit-il, tant que c'était amusant.

Peu après, je fus invité à L.A. au quarantième anniversaire de cet écrivain. Il avait convié l'un des SEALs dont il est question plus haut. Mais quelques mois auparavant, on avait diagnostiqué à sa femme une maladie grave nécessitant une opération du cerveau. Il appela son ami SEAL, l'informa de la situation, et le prévint que la soirée serait peut-être annulée. « Je ne crois pas que ça va être possible, les gars, lui rétorqua son ami. Je viens d'acheter un billet d'avion non remboursable ! » Je me demande quel pourcentage de la population mondiale trouverait cette réponse amusante. Je racontai récemment l'anecdote à un groupe de nouvelles connaissances, et elles semblèrent plus atterrées et consternées qu'amusées. Je tentai de défendre la plaisanterie du SEAL, de la désigner comme une marque de respect pour la capacité du couple à résister à la tragédie et à la surmonter, mais sans succès. Je suis convaincu qu'il tentait véritablement d'exprimer ce respect, faisant preuve d'une intelligence terrifiante. Sa plaisanterie était osée, anarchique jusqu'à l'insouciance, ce qui est exactement le point où cela devient drôle. Mon ami et sa femme le prirent en tout cas comme un compliment. Leur ami savait qu'ils étaient suffisamment coriaces pour encaisser ce... appelons cela de l'« humour combatif ». C'était un test de personnalité, qu'ils ont passé haut la main.

À force d'aller d'université en université en gravissant l'échelle sociale et éducative, je trouve ce genre de conversation de plus en plus rare. Ce n'est peut-être pas un marqueur de classe, mais j'ai des doutes. Sans doute suis-je simplement plus âgé. À moins que les amis que l'on se fait plus tardivement, après l'adolescence, n'aient pas l'intimité, la folie et l'espièglerie de ceux avec qui on a tissé des liens tribaux dans notre jeunesse. Pourtant, quand je suis remonté chez moi pour mon cinquantième anniversaire, mes vieux amis m'ont tellement fait rire que je dus changer de pièce à plusieurs reprises pour recouvrer mon souffle. Ces conversations sont les plus amusantes et elles me manquent. Si on souhaite éviter d'être sérieusement humilié, il faut tenir le rythme, mais rien n'est plus gratifiant que de faire mieux que la dernière histoire, plaisanterie, insulte ou malédiction. Une seule règle s'applique, ne pas être ennuyeux. Même si c'est également une très mauvaise façon d'humilier quelqu'un, quand on fait simplement mine d'être humiliant.

Conversation exploratoire

Le dernier type de conversation comparable à l'écoute est une forme d'exploration mutuelle. Elle requiert une véritable réciprocité de la part de ceux qui écoutent et s'expriment. Elle permet à tous les participants d'exprimer et d'organiser leur point de vue. Une conversation d'exploration mutuelle respecte un thème, généralement complexe, d'un intérêt réel pour les participants. Ces derniers tentent de résoudre un problème, plutôt que d'insister sur le bien-fondé *a priori* de leurs propres positions. Tous partent du principe qu'ils ont quelque chose à apprendre. Ce genre de conversation forme une sorte de philosophie active, la forme optimale de réflexion, et la meilleure préparation possible pour une existence correcte.

Les personnes impliquées dans ce genre de conversation doivent discuter d'idées qu'elles utilisent réellement pour structurer leur perception et guider leurs actions et leurs paroles. Elles doivent être impliquées de toutes leurs forces dans leur philosophie : autrement dit, elles doivent non seulement y croire et la comprendre, mais il faut également qu'elles la vivent. Elles ont également dû inverser, du moins temporairement, la préférence humaine pour l'ordre sur le chaos (et je ne parle pas du chaos de la rébellion antisociale). Les autres types de conversation, à l'exception de l'écoute, tentent tous de renforcer un ordre existant. La conversation d'exploration mutuelle, quant à elle, se déroule entre individus qui préfèrent l'inconnu au connu.

On sait déjà ce que l'on sait, après tout, et, à moins d'avoir une existence parfaite, ce que l'on sait ne suffit pas. La maladie, l'aveuglement, l'insatisfaction, la malveillance, la trahison, la corruption, la souffrance et la limitation continuent de menacer. En fin de compte, si vous êtes sujet à toutes ces choses, c'est parce que vous êtes trop ignorant pour vous protéger. Si vous en saviez davantage, vous seriez en meilleure santé, et plus honnête. Vous souffririez moins. Vous pourriez reconnaître la malveillance et le mal, y résister et même les vaincre. Vous cesseriez de trahir vos amis, d'être un escroc en affaires, en politique et en amour. Toutefois, votre savoir actuel ne vous a pas rendu parfait et ne vous a pas protégé. Par définition, il est donc insuffisant. Totalement, irrémédiablement insuffisant.

Avant de pouvoir converser de façon philosophique, plutôt que de tenter de convaincre, d'opprimer, de dominer ou même d'amuser, il faut avoir accepté ce fait. Avant, aussi, de pouvoir supporter une conversation où la parole qui sert éternellement d'arbitre entre l'ordre et le chaos est opérationnelle d'un point de vue psychologique. Pour avoir ce genre de conversation, il est nécessaire de respecter l'expérience personnelle de vos interlocuteurs. Vous devez partir du principe qu'ils sont parvenus à des conclusions prudentes, réfléchies et authentiques, et qu'ils ont sans doute fait le travail nécessaire pour pouvoir justifier de telles hypothèses. Comprenez bien que s'ils partagent leurs conclusions avec vous, vous souffrirez moins en apprenant les mêmes choses. De même, apprendre de l'expérience des autres peut se révéler plus rapide et nettement moins dangereux.

Réfléchissez aussi, au lieu de définir des stratégies pour l'emporter. En refusant, vous vous contenterez de refaire ce en quoi vous croyez déjà, cherchant une confirmation pour pouvoir insister sur sa pertinence. Mais si vous conversez en réfléchissant, vous écoutez votre interlocuteur et exprimez des idées aussi nouvelles qu'originales qui surgissent des méandres de votre esprit de leur propre initiative.

C'est comme si vous vous écoutiez, en plus de votre interlocuteur. Vous décrivez de quelle manière vous réagissez aux nouvelles informations communiquées par l'orateur. Vous révélez l'impact que cette information a eu sur vous, les nouvelles choses qu'elle a fait apparaître, la façon dont elle a bousculé vos certitudes, dont elle a fait naître de nouvelles interrogations. Vous exposez ces choses directement à votre interlocuteur. Puis elles ont le même effet sur lui. Ainsi, vous avancez tous deux vers un territoire nouveau, plus vaste et plus agréable. En renonçant tous les deux à vos anciennes convictions, en muant, vous changez.

Dans ce genre de conversations, c'est le désir même de vérité de la part des deux participants qui écoute et s'exprime. C'est la raison pour laquelle elles sont si fascinantes, essentielles, intéressantes et utiles. Ce sentiment d'importance est un signal venu des profondeurs, des régions les plus anciennes de votre Être. Vous êtes à votre place, un pied dans l'ordre, l'autre temporairement dans le chaos et l'inconnu. Vous êtes plongé en plein Tao, suivant la grande Voie de la vie. Votre position est suffisamment stable pour être sûre, mais aussi assez souple pour autoriser votre transformation. Vous acceptez de nouvelles informations qui vous donneront davantage de stabilité, vous permettront de réparer et d'améliorer sa structure, d'étendre son influence. Les éléments constitutifs de votre Être s'assemblent alors de manière plus gracieuse. Ce genre de conversation a le même impact sur vous que la musique, et ce pour des raisons similaires. Ce genre de conversation vous pousse en un lieu où les âmes s'unissent, et c'est un endroit magnifique. Vous vous dites : « Ça en valait vraiment la peine. Nous avons appris à nous connaître. » Les masques sont tombés, et les chercheurs se sont révélés.

Alors, écoutez. Écoutez-vous et ceux avec qui vous parlez. Votre sagesse n'est pas liée à la connaissance dont vous disposez déjà, mais à votre quête perpétuelle de savoir, qui en est la forme optimale. C'est pour cette raison que la Pythie, dans la Grèce antique, disait tant de bien de Socrate qui cherchait constamment la vérité. Elle le décrivait comme l'homme le plus sage qui soit, parce qu'il savait qu'il ne savait rien.

Partez du principe que votre interlocuteur en sait plus que vous.

RÈGLE 10

SOYEZ PRÉCIS
DANS VOTRE DISCOURS

Pourquoi mon ordinateur portable est-il obsolète ?

Que voyez-vous, quand vous regardez un ordinateur ?
Votre ordinateur portable, plus précisément ? Une boîte
plate noire et grise. En y prêtant un peu plus attention, vous
devinez un appareil sur lequel on peut écrire et sur lequel
on peut visionner. Néanmoins, même après réflexion, ce
n'est pas l'ordinateur dans son ensemble que vous voyez.
Cette boîte noire et grise se trouve être un ordinateur
actuellement, et peut-être même un ordinateur coûteux,
mais elle sera bientôt si différente d'un ordinateur qu'il sera
difficile d'en faire cadeau à quelqu'un.

Nous nous débarrasserons tous de nos portables dans les
cinq années qui viennent, même s'ils fonctionnent encore
parfaitement. Même si l'écran, le clavier, la souris et la
connexion à Internet remplissent encore leur rôle à la perfection. Dans cinquante ans, les machines du début du
XXIᵉ siècle seront des curiosités, au même titre que les outils
scientifiques en laiton de la fin du XIXᵉ siècle. Ceux-ci nous
font penser à des ustensiles ésotériques d'alchimie conçus
pour mesurer des phénomènes dont nous ne reconnais-
sons même plus l'existence. Comment ces appareils de
haute technologie, qui sont chacun dotés d'une puissance

de calcul supérieure à l'ensemble du programme spatial Apollo, peuvent-ils perdre toute leur valeur en si peu de temps ? Comment des machines si utiles, valorisantes et formidables peuvent-elles se transformer si rapidement en camelote ? C'est à cause de la nature de notre perception et de l'interaction souvent invisible entre cette perception et la complexité sous-jacente du monde.

Votre ordinateur portable est une note dans une symphonie interprétée par un orchestre d'une taille phénoménale. C'est une infime partie d'un ensemble beaucoup plus grand. La plupart de ses capacités ne se trouvent pas sous sa carapace. S'il demeure fonctionnel, c'est uniquement grâce à un vaste éventail de technologies à l'œuvre de façon harmonieuse. Il est alimenté par un réseau électrique dont le fonctionnement invisible pour l'utilisateur dépend de la stabilité d'une multitude de systèmes complexes, qu'ils soient physiques, biologiques, économiques ou relationnels. Les usines qui fabriquent ses composants sont encore opérationnelles. Le système d'exploitation qui permet son fonctionnement s'appuie sur ces composants, et non sur d'autres qui n'existent pas encore. Sa carte vidéo exploite les technologies utilisées par les créatifs, qui mettent leur contenu en ligne sur le Web. Votre portable communique avec les écosystèmes spécifiques d'autres appareils, et des serveurs Internet.

Enfin, tout cela est rendu possible par un élément encore moins visible : le contrat social de confiance, c'est-à-dire les systèmes politiques et économiques interconnectés et intrinsèquement intègres qui font de la fiabilité du réseau électronique une réalité. Cette interdépendance, invisible dans les systèmes qui fonctionnent, devient absolument évidente dans les autres. Les systèmes de pointe qui rendent possible l'informatique personnelle n'existent pratiquement pas dans les pays corrompus du tiers-monde, puisque les lignes électriques, les interrupteurs, les prises et tous les éléments nécessaires à un tel réseau sont soit absents, soit dangereux et ne permettent pas, en réalité, de fournir en électricité les logements et les usines. Cela nous donne l'impression que les appareils électroniques ou autres qui fonctionnent en théorie grâce à l'électricité sont des unités distinctes au minimum frustrantes, au pire inutilisables. C'est en partie dû à des insuffisances techniques : les systèmes ne fonctionnent pas comme par magie. Mais c'est aussi largement attribuable au manque de confiance caractéristique des sociétés systématiquement corrompues.

Autrement dit, ce que vous percevez comme votre ordinateur est comme l'une des feuilles d'un arbre dans une forêt ou, plus précisément, comme vos doigts frottant brièvement cette feuille. On peut arracher une feuille d'un arbre. On peut la percevoir, sommairement, comme une entité à part entière, mais cette perception induit en erreur plus qu'elle ne clarifie la situation. Dans quelques semaines, la feuille va tomber et se décomposer. Elle n'aurait jamais existé sans l'arbre. Elle ne peut plus continuer à exister en son absence. C'est la situation de nos portables par rapport au monde. Une grande partie de ce qu'ils sont n'est pas contenue dans leur enveloppe, au point qu'ils ne peuvent conserver leur image d'ordinateur que durant quelques années.

Presque tout ce que nous voyons et possédons obéit aux mêmes lois, bien que ce ne soit souvent pas si évident.

Des outils, des obstacles et un prolongement dans la réalité

Lorsque nous observons la réalité, nous partons du principe que nous voyons des objets ou des choses, mais ce n'est pas exactement le cas. Nos systèmes perceptifs évolués transforment plus le monde interconnecté multiniveau dans lequel nous vivons en choses utiles – ou en leurs ennemis jurés, les obstacles – qu'en choses en soi. C'est la nécessaire réduction pratique du monde, la transformation de la complexité quasi infinie des choses en fonction de l'étroite spécificité de nos objectifs. C'est de cette manière que la précision rend la réalité raisonnablement évidente. Cela n'a rien à voir avec le fait de percevoir des objets.

Nous n'attribuons pas du sens à des entités après avoir constaté qu'elles étaient dépourvues de toute valeur. Nous percevons directement leur sens[159]. Nous voyons le sol, sur lequel nous pouvons marcher, des portes que nous pouvons franchir, et des chaises sur lesquelles nous pouvons nous asseoir. C'est pour cette raison que les poufs et les souches d'arbre appartiennent à cette dernière catégorie, même s'ils n'ont objectivement que peu de chose en commun. Nous voyons des pierres parce que nous pouvons les jeter, des nuages parce qu'ils sont annonciateurs de pluie, des pommes parce qu'on peut les manger, et les voitures des autres, parce qu'elles forment des embouteillages et nous cassent les pieds. Nous voyons des outils et des obstacles, et non des objets ou des choses. D'autre part, nous voyons des outils et des obstacles au niveau « pratique » de l'analyse qui les rend utiles (ou dangereux), compte tenu de nos besoins, de nos compétences et de nos limites de perception. Le monde se révèle à nous comme une chose utilisable dans laquelle nous pouvons évoluer, et non comme une chose qui se contente d'être.

Nous voyons le visage des personnes à qui nous nous adressons, parce que nous avons besoin de communiquer et de coopérer avec elles. Nous ne voyons pas leur organisme microcosmique, leurs cellules, les organites, les molécules et les atomes qui constituent ces cellules. Nous ne voyons pas non plus le macrocosme qui les entoure : les membres de leurs familles, les amis qui constituent leurs cercles sociaux immédiats, les économies dans lesquelles elles sont intégrées ou l'écologie dans laquelle elles évoluent. Finalement, et de manière tout aussi importante, nous ne les voyons pas dans le temps. Nous les voyons dans le présent immédiat et dans un passé ou un avenir qui pourrait être plus important pour elles que l'évidence actuelle. Et si nous ne voulons pas être submergés, c'est de cette façon qu'il nous faut les voir.

Quand nous observons le monde, nous ne percevons que ce qui suffit à nos projets, à nos actes et à ce qui nous permettra de nous en tirer. Nous vivons par conséquent dans un « assez ». Il s'agit d'une simplification inconsciente, fonctionnelle et radicale du monde, et il est presque impossible de ne pas la confondre avec la réalité. Mais les objets que nous voyons ne sont pas simplement là, dans la réalité, pour notre perception directe*. Ils existent dans une relation mutuelle complexe et multidimensionnelle, et non comme objets distincts, limités et indépendants. Ce n'est pas eux que nous percevons mais leur utilité fonctionnelle, et ce faisant, nous les simplifions suffisamment pour les comprendre. C'est pour cette raison qu'il nous faut être précis dans notre objectif. Sinon, nous nous noierons dans la complexité du monde.

C'est également vrai pour la perception que nous avons de nous en tant qu'individus. À cause de la façon dont nous

---

* C'est, par exemple, la raison pour laquelle il nous a fallu beaucoup plus longtemps que prévu pour concevoir des robots capables de fonctionner de façon autonome. Le problème de la perception est bien plus complexe que notre accès immédiat à nos sens nous le laisse croire. En fait, il est si complexe qu'il a presque condamné les premiers progrès de l'intelligence artificielle (du point de vue de l'époque), car nous avons découvert que la logique abstraite désincarnée n'était même pas capable de résoudre les problèmes concrets les plus simples. À la fin des années 1980 et au début des années 1990, des pionniers comme Rodney Brooks ont suggéré que des corps en action devaient être un préalable nécessaire à la déconstruction de la réalité en éléments gérables, et la révolution de l'IA a pu retrouver son assurance et son élan.

nous percevons, nous partons du principe que nous nous terminons à la surface de notre peau. Mais, avec un peu de réflexion, on peut aisément comprendre le caractère provisoire de cette limite. À mesure que l'environnement dans lequel nous vivons évolue, nous modifions ce qui est sous notre peau, pour ainsi dire. Même lorsque nous faisons quelque chose d'apparemment aussi simple que de saisir un tournevis, notre cerveau s'ajuste automatiquement pour que notre corps intègre l'outil[160]. Nous sentons vraiment ce que nous touchons avec l'extrémité du tournevis. Quand nous tendons la main en tenant le tournevis, nous prenons aussitôt en compte la taille de ce dernier. Nous pouvons sonder des coins et des recoins avec cet outil, et comprendre ce que nous explorons. Du reste, nous considérons aussitôt le tournevis que nous tenons comme « notre » tournevis et sommes possessifs à son égard. Nous en faisons autant avec des outils plus complexes, dans des situations plus délicates. Les voitures que nous conduisons font instantanément partie de nous. Pour cette raison, lorsque quelqu'un abat son poing sur notre capot après qu'on l'a agacé à un passage piéton, on le prend personnellement. Ce qui n'est pas toujours raisonnable. Néanmoins, si nous ne nous prolongions pas dans la machine, il nous serait impossible de conduire.

Il arrive aussi à nos limites extensibles d'inclure d'autres personnes, qu'il s'agisse de membres de la famille, de l'être aimé ou d'amis. Une mère n'hésitera pas à se sacrifier pour ses enfants. Notre père, notre fils, notre femme ou notre mari font-ils moins partie de nous qu'un de nos bras ou qu'une de nos jambes ? Nous pouvons répondre en partie en nous demandant : « Que préférerions-nous perdre ? Pour éviter laquelle de ces pertes serions-nous prêts à faire le plus gros sacrifice ? » Nous réalisons également ce prolongement – cet attachement – en nous identifiant aux personnages fictifs de livres et de films. Leurs malheurs et leurs réussites deviennent rapidement les nôtres. Sans quitter notre fauteuil, nous sommes présents dans une multitude de réalités alternatives, nous prolongeant de manière expérimentale, testant de nombreux chemins possibles, avant de déterminer celui que nous allons prendre. Absorbés par un monde imaginaire, nous pouvons même devenir des choses qui n'existent pas vraiment. En un clin d'œil, dans la salle magique d'un cinéma, nous pouvons devenir n'importe quelle créature fantastique. Assis dans le noir devant des images qui défilent à toute vitesse, nous sommes bientôt des sorcières, des superhéros, des extraterrestres, des vampires, des lions, des elfes ou des marionnettes de bois. Nous éprouvons les mêmes émotions qu'eux et sommes particulièrement heureux de payer pour avoir ce privilège, même quand nous cherchons à ressentir de la tristesse, de la peur ou de l'effroi.

Il se produit quelque chose de semblable, en un peu plus extrême, quand nous nous identifions non pas à un personnage de fiction, mais à un groupe dans son entier, lors d'une compétition. Réfléchissez à ce qui se produit quand votre équipe favorite gagne ou perd une rencontre importante contre son meilleur ennemi. Le point victorieux fera se dresser l'ensemble des supporters de concert, sans qu'ils y aient réfléchi. Comme si leurs systèmes nerveux étaient directement reliés au match qui se déroule sous leurs yeux. Les supporters prennent de manière très personnelle les victoires et les défaites de leur équipe, portant même les maillots de leurs héros, fêtant souvent plus leurs victoires et leurs défaites que celles qui se produisent « réellement » dans leur quotidien. Cette identification se produit dans les tréfonds de notre esprit. Au niveau biochimique et neurologique. Ces victoires et ces défaites par procuration, par exemple, font monter et descendre les taux de testostérone des supporters qui « participent » à l'épreuve[161]. Notre capacité à nous identifier se manifeste à tous les niveaux de notre Être.

De la même façon, en fonction de notre degré de patriotisme, notre pays compte plus ou moins à nos yeux. Il fait partie de nous. Nous sommes même capables de sacrifier nos vies au combat pour maintenir l'intégrité de notre pays. Tout au long de notre histoire, ou presque, cette disposition à mourir a été considérée comme étant quelque chose d'admirable et de courageux faisant partie de notre devoir. Paradoxalement, c'est une conséquence directe non pas de notre agressivité, mais de notre sociabilité extrême et de notre volonté de coopérer. Si nous pouvons devenir non seulement nous-mêmes, mais aussi nos familles, nos équipes et notre pays, nous coopérons facilement, nous fiant aux mêmes mécanismes innés que ceux qui nous incitent (et d'autres créatures) à nous protéger individuellement.

Le monde n'est simple que lorsque tout se passe bien

Il est très difficile de comprendre le chaos interconnecté de la réalité simplement en le regardant. C'est un acte compliqué qui réclame toute notre attention. Dans le monde réel, tout change en permanence. Chaque chose en théorie distincte est composée d'éléments plus petits et fait en même temps partie de choses en théorie distinctes. Objectivement, les limites entre les niveaux, et entre différentes choses à un niveau donné, ne sont ni claires ni évidentes. Il faut les établir de façon concrète et pragmatique, et elles ne conservent leur bien-fondé que dans des cas bien spécifiques. L'illusion consciente d'une perception totale et suffisante ne peut perdurer ou demeurer suffisante pour nos objectifs que lorsque tout se passe comme prévu.

Dans ce cas, ce que nous voyons est suffisamment fidèle pour qu'il soit inutile d'aller chercher plus loin. Pour bien conduire, il n'est pas nécessaire de comprendre, ni même de percevoir la complexité du moteur de nos voitures. Nous ne nous y intéressons que lorsque nous tombons en panne ou quand nous avons un accident. Même dans le cas d'une simple panne, sans parler d'un accident grave, ce genre d'ingérence génère toujours une certaine dose d'angoisse, du moins au départ. C'est dû au fait que nous pénétrons dans le domaine de l'incertitude.

Une voiture telle que nous la percevons n'est ni une chose ni un objet. C'est au contraire quelque chose qui nous emmène où nous souhaitons nous rendre. Ce n'est que lorsqu'elle cesse de nous transporter que nous la percevons dans son ensemble. Ce n'est que lorsqu'une voiture tombe soudain en panne, ou quand elle est impliquée dans un accident et que l'on doit la garer sur le bas-côté, que nous sommes contraints d'appréhender et d'analyser la multitude d'éléments dont « la voiture qui nous conduit d'un point à un autre » dépend. Quand on tombe en panne, notre incompétence face à sa complexité est aussitôt mise au jour. Cela a des conséquences pratiques, puisque nous n'allons pas pouvoir atteindre notre destination – aussi bien que psychologiques, car nous perdons notre sérénité au moment même où notre véhicule cesse de fonctionner. Nous devons généralement faire appel à des spécialistes pour qu'ils réparent notre voiture et simplifient nos perceptions. Le garagiste se fait alors psychologue.

Bien que nous ne posions que rarement la question, c'est à ce moment précis que nous pouvons saisir la qualité incroyablement basse de notre vision et l'inadéquation de notre compréhension. En temps de crise, lorsque nos appareils ne fonctionnent plus, nous faisons appel à ceux dont l'expertise surpasse la nôtre pour qu'ils fassent de nouveau correspondre la réalité à nos désirs. Tout cela signifie que la panne de notre voiture peut aussi nous obliger à faire face à l'incertitude d'un contexte social plus vaste qui nous est généralement invisible, et dont le moteur et le garagiste ne sont que de simples éléments. Trahis par notre véhicule, nous nous heurtons à tout ce que nous ne connaissons pas. Le moment est-il venu de changer de voiture ? Ai-je commis une erreur en achetant celle-ci ? Le mécanicien est-il compétent, honnête et fiable ? Le garage pour lequel il travaille est-il digne de confiance ? Il peut aussi nous arriver de nous poser des questions plus graves, plus profondes : les routes sont-elles devenues dangereuses ? Suis-je devenu (ou ai-je toujours été) un chauffard ? Trop dissipé et inattentif ? Trop vieux ? Les limites de notre perception des choses et de nous-mêmes se manifestent lorsqu'une chose sur laquelle nous pouvons compter dans notre monde simplifié tombe en panne. Alors, le monde complexe qui a toujours été présent, invisible et dont nous n'avons commodément pas tenu compte, se révèle à nous. C'est à ce moment-là que, dans le jardin muré dans lequel nous vivons, surgissent les serpents jusqu'alors cachés, mais toujours présents.

Vous et moi ne sommes simples que lorsque tout se passe bien

Quand quelque chose tombe en panne, ce à quoi on ne prêtait pas attention ressurgit. Quand les choses ne marchent pas comme nous l'avions prévu, les murs s'écroulent et le chaos se manifeste. Quand nous avons été négligents et que nous avons laissé faire, ce que nous avons repoussé prend une forme de serpent et frappe, souvent au plus mauvais moment possible. C'est à ce moment-là que nous voyons tout ce dont nos interprétations ciblées, et les buts que nous nous étions fixés et l'attention nous protégeaient.

Imaginez une femme fidèle qui a soudain la preuve que son mari la trompe. Voilà des années qu'ils vivent ensemble. Elle le voyait comme elle l'imaginait : fiable, travailleur, aimant. Elle avait l'impression que son couple était solide. Mais il se fait moins attentionné, plus distrait. Comme souvent, il commence à travailler plus tard le soir. Tout ce qu'elle peut dire et faire l'agace sans raison. Un jour, elle l'aperçoit dans un café du centre-ville avec une autre femme, se conduisant avec elle d'une manière difficilement justifiable. Les imprécisions de sa perception passée deviennent brusquement évidentes.

L'idée qu'elle s'était forgée de son mari s'effondre. Que se passe-t-il, par conséquent ? Premièrement, celui-ci fait place à quelque chose, quelqu'un d'autre : un inconnu aussi complexe qu'effrayant. Mais ce n'est que la moitié du problème. Après cette trahison, l'idée qu'elle se faisait d'elle-même s'effondre aussi. Ainsi, ce n'est plus un inconnu, le problème, mais deux. Son mari n'est plus celui qu'elle croyait, mais elle, la femme trompée, non plus. Ce n'est plus la « compagne bien-aimée, estimée et en sécurité ». D'ailleurs, l'a-t-elle jamais été ?

Même s'il a été, le passé n'est pas nécessairement ce qu'elle croyait. Le présent est chaotique et indéterminé. De même, le futur, qui n'est pas encore là, se transforme en ce qu'il n'était pas censé être. La femme jadis heureuse est-elle désormais une « innocente trompée », ou une « imbécile crédule » ? Doit-elle se considérer comme une victime ou la complice d'une illusion commune ? Son mari est... un amant insatisfait, un séducteur, un menteur psychopathe ou le diable incarné ? Dans quel genre de foyer a-t-elle vécu, comment a-t-elle pu être si naïve, comment est-ce possible ? Elle se regarde dans le miroir. Qui est-elle, que se passe-t-il ? Ses autres relations sont-elles aussi peu authentiques ? À quoi l'avenir va-t-il ressembler ? Quand la réalité se manifeste de façon si inattendue, on remet tout en cause.

Tout est lié. On n'imagine même pas à quel point. Tout a un effet sur tout. Bien que nous n'ayons aucune envie de le savoir, nous ne percevons qu'un fragment de la matrice des causalités interconnectées. La fine couche de suffisance perceptive craque cependant dès que quelque chose d'essentiel se passe mal. Nous prenons alors conscience de la terrible inadéquation de nos sens. Tout ce à quoi nous sommes attachés se voit réduit en poussière. Nous nous figeons. Nous sommes pétrifiés. Que voyons-nous, alors ? Où regarder quand c'est précisément notre vue qui nous fait défaut ?

Que voyons-nous quand nous ne savons pas ce que nous regardons ?

Qu'est devenu le monde après la chute des Tours jumelles ? Que reste-t-il, si tant est qu'il reste quelque chose ? Que voit-on quand on se retrouve au cœur d'un spectaculaire rassemblement national-socialiste ou, recroquevillé, pétrifié de peur au cœur d'un massacre au Rwanda ? Quand on ne comprend pas ce qui nous arrive, quand on ne sait plus où on est, qui on est, quand on ne saisit plus notre environnement ? Ce que nous ne voyons pas, c'est l'univers bien connu et réconfortant que nous connaissons. Nous ne voyons même pas les obstacles auxquels nous sommes habitués, et qu'en temps normal il nous suffit de contourner.

Ce que nous percevons quand tout s'écroule n'a plus rien à voir avec l'ordre dans lequel nous vivions. C'est l'éternel tohu-bohu larmoyant, le vide informe et le *tehom*, l'abîme, pour reprendre les termes bibliques. Le chaos à jamais tapi sous la fine couche de sécurité. D'après les plus anciens écrits de l'humanité, c'est de ce chaos que la Sainte Parole de Dieu tire l'ordre à l'aube des temps – et, d'après les mêmes écrits, c'est à l'image de cette parole que nous avons été créés, homme et femme. C'est de ce chaos qu'est issue la stabilité que nous avons eu la chance d'avoir dans notre vie, pour un temps limité, lorsque nous avons appris à percevoir pour la première fois. C'est le chaos que nous voyons quand tout s'écroule, même s'il nous est impossible de le voir vraiment. Que signifie tout cela ?

C'est la soudaine émergence en un lieu inconnu d'un phénomène (du grec *phainesthai*, « resplendir ») tout aussi inconnu. C'est l'éternel dragon qui, une fois réveillé, ressurgit de sa caverne. C'est le monde souterrain, avec ses monstres issus des profondeurs. Comment réagir dans l'urgence quand on ignore ce qui a émergé, et d'où ? À une catastrophe, quand on ne sait pas à quoi s'attendre, ni quoi faire ? On se détourne de son esprit, pour ainsi dire, trop lent, trop lourd, pour se fier à son corps. Notre corps réagit bien plus vite que notre esprit.

Lorsque tout s'écroule autour de nous, notre perception disparaît, et nous passons à l'action. D'anciens réflexes, devenus automatiques et efficaces durant des centaines de millions d'années, nous protègent dans ces moments difficiles, quand non seulement notre réflexion, mais aussi notre perception nous font défaut. Dans ces circonstances, notre corps se prépare à toute éventualité[162]. D'abord, nous nous figeons. Les réflexes du corps se mêlent aux émotions, l'étape suivante de la perception. Est-ce quelque chose d'effrayant ? D'utile ? Qui doit être combattu ? Occulté ? Comment le déterminer ? Et quand ? Nous l'ignorons. Nous sommes à présent dans un état de préparation éprouvant et exigeant. Notre corps est gorgé de cortisol et d'adrénaline. Notre cœur bat plus vite. Notre souffle s'accélère. Nous nous apercevons cruellement que notre sentiment de compétence et de complétude s'est dissipé. Ce n'était qu'un rêve. Nous puisons dans nos ressources aussi bien physiques que psychiques, que nous avons soigneusement épargnées pour cet instant, si nous avons la chance de les avoir. Nous nous préparons pour le pire. Ou le meilleur. Nous appuyons rageusement sur l'accélérateur et les freins en même temps. Nous hurlons, ou rions. Nous avons l'air écœuré, ou terrifié. Nous pleurons. Et nous commençons alors à analyser le chaos.

Ainsi, la femme trompée, de plus en plus déboussolée, ressent le besoin de tout révéler – à elle-même, à sa sœur, à sa meilleure amie, à un inconnu dans le bus –, ou de se réfugier dans le silence et de ruminer de manière obsessionnelle. Pour le même résultat. Que s'est-il passé ? Qu'a-t-elle fait de si impardonnable ? Avec qui a-t-elle donc vécu pendant tout ce temps ? Quel est ce monde qui peut accepter que de telles choses se produisent ? Quel genre de Dieu créerait un endroit pareil ? Quel genre de conversation pourrait-elle avoir avec cet individu horripilant qui a l'apparence de son ex-mari ? Quelle forme de vengeance pourrait assouvir sa colère ? Qui pourrait-elle tenter de séduire en contrepartie ? Elle est tour à tour furieuse, terrifiée, abattue par la souffrance et grisée par les possibilités que lui offre sa nouvelle liberté.

Ses dernières fondations n'étaient pas stables. Ce n'étaient d'ailleurs pas des fondations du tout. Elle avait construit son foyer sur une couche de glace sur laquelle elle patinait, mais la couche était trop mince : elle avait chuté dans l'eau et était en train de couler. Le coup qu'elle avait reçu était si puissant que sa colère, sa terreur et sa peine l'avaient consumée. Son sentiment de trahison s'était accru, jusqu'à ce que son monde s'écroule. Où est-elle ? Dans le monde souterrain, avec toutes ses terreurs. Comment en est-elle arrivée là ? Cette expérience, ce voyage au fond des choses, c'est aussi de la perception dans sa forme naissante. Cette préparation, cette considération de ce qui aurait pu être fait et de ce qui pourrait encore être, c'est toute la perception profonde qui lui est désormais nécessaire, face aux objets familiers qui, elle en avait jadis été certaine, réapparaîtraient, si tant est qu'ils réapparaissent, sous leur apparence simplifiée et agréable. C'est la perception avant que le chaos des possibilités soit réorganisé en réalités fonctionnelles de l'ordre.

« Était-ce réellement si inattendu ? » se demande-t-elle, demande-t-elle à d'autres. Doit-elle se sentir coupable d'avoir négligé les avertissements, si subtils aient-ils été, poussée comme elle l'était à les éluder ? Elle se rappelle les débuts de son mariage, quand elle rejoignait son mari avec empressement tous les soirs pour faire l'amour. Puis une fois tous les deux ou trois mois pendant des années, et juste une fois, au cours des six derniers mois... Pourrait-elle respecter quelqu'un – y compris elle – qui accepterait une telle situation ?

J'aime beaucoup There's No Such Thing as a Dragon, le conte pour enfants de Jack Kent. C'est une histoire très simple, du moins en surface. Un jour, j'ai lu ses quelques pages à un groupe d'anciens étudiants de l'université de Toronto désormais retraités, et je leur en ai expliqué la portée symbolique*. C'est l'histoire d'un garçonnet, Billy Bixbee qui, un matin, espionne un dragon assis sur son lit. Il fait la taille d'un chat domestique et semble inoffensif. Billy en parle à sa mère, mais elle lui soutient que les dragons n'existent pas. Alors, la créature grossit et se met à dévorer tous les pancakes du garçon. Elle prend bientôt toute la place dans la maison. La mère de Billy tente de passer l'aspirateur, mais à cause du dragon il lui faut entrer et sortir par les fenêtres. Ensuite, le dragon s'enfuit avec la maison. En rentrant chez lui, le père de Billy découvre que sa maison a disparu, mais apprend où elle est par le facteur. Il se lance à sa poursuite, grimpe sur la tête du

---

* L'enregistrement est disponible chez J. B. Peterson (2002), *Slaying the Dragon Within Us*, conférence initialement diffusée par TVO. Disponible sur : www.youtube.com/watch?v=REjUkEj1O_0

dragon qui occupe à présent toute la rue, et rejoint son fils et sa femme. Celle-ci soutient toujours que le dragon n'existe pas, mais Billy, qui commence à en avoir assez, insiste : « Il y a un dragon, maman. » Aussitôt, la créature rétrécit. Bientôt, elle a recouvré sa taille de chat. Tout le monde reconnaît que les dragons de cette taille (1) existent, et (2) qu'on les préfère à leurs congénères gigantesques. La mère, qui avait ouvert les yeux malgré sa réticence, demande d'un ton plaintif pourquoi il fallait qu'il devienne si gros. Billy lui répond tranquillement : « Sans doute voulait-il qu'on le remarque. »

Peut-être ! C'est la morale de nombreuses histoires. Le chaos survient dans un foyer, progressivement. Le mécontentement et le ressentiment grondent. Mais personne ne dit quoi que ce soit quand l'organisation commune et l'ordre négocié de la maisonnée se révèlent inadéquats ou se désagrègent face à l'imprévu et à la menace. On glisse la poussière sous le tapis : tout le monde fait comme si de rien n'était. Car la communication demanderait la reconnaissance d'émotions épouvantables : le ressentiment, la terreur, la solitude, le désespoir, la jalousie, la frustration, la haine, l'ennui... Sur le moment, c'est facile pour entretenir la paix. Mais dans le fond, chez Billy et dans toutes les maisons qui ressemblent à la sienne, le dragon grandit. Un jour, il surgit sous une apparence dont personne ne peut faire abstraction. Il soulève la maison de terre. Il s'agit parfois d'une liaison, ou d'une dispute de plusieurs dizaines d'années pour avoir la garde des enfants, qui devient ruineuse d'un point de vue à la fois économique et psychologique. Ou alors de la version concentrée de l'animosité qui aurait pu être déversée problème après problème, de manière tolérable, au fil des années de ce mariage pseudo-paradisiaque. Chacun des trois cent mille problèmes non révélés, à propos desquels on a menti, que l'on a évités, justifiés, dissimulés leur éclate à la figure, tel le Déluge de Noé, engloutissant tout sur son passage. Il n'y a pas d'arche, parce que personne n'en a construit, même si tout le monde sentait la tempête arriver.

Ne sous-estimez jamais le pouvoir destructeur des péchés par omission.

Sans doute le couple anéanti aurait-il pu avoir une conversation ou deux, ou deux cents, à propos de leur vie sexuelle. Peut-être auraient-ils dû faire correspondre, comme c'est rarement le cas, une intimité psychologique équivalente à l'intimité physique qu'ils avaient sans nul doute partagée au début. Ils auraient certainement pu se battre chacun dans son rôle. Contrairement au chaos, au conflit et à l'incertitude, cette destruction n'a cependant pas laissé dans son sillage une grande absence de restrictions. Lorsqu'on échappe à la tyrannie, ce n'est pas aussitôt le paradis. Cela se traduit souvent par un séjour dans le désert, sans but, perdu, démuni.

En outre, en l'absence de tradition et des contraintes, souvent pénibles et déraisonnables, que cela implique, il n'existe que trois options difficiles : l'esclavage, la tyrannie et la négociation. L'esclave ne fait que ce qu'on lui ordonne – heureux, peut-être, de se dégager d'une responsabilité –, et résout de cette manière le problème de la complexité. Mais ce n'est qu'une solution temporaire. L'esprit de l'esclave se rebelle. Le dictateur, lui, se contente de dire à l'esclave ce qu'il doit faire, et résout de cette manière le problème de la complexité. Mais ce n'est là aussi qu'une solution temporaire. Le dictateur se lasse de l'esclave. Il n'y a rien à attendre de cette possibilité, si ce n'est une obéissance aussi prévisible que réticente. Qui peut vivre à jamais avec cela ? Mais la négociation requiert une reconnaissance sincère de l'existence du dragon de la part des deux parties. Cette réalité est difficile à affronter, même quand elle est encore trop petite pour ne serait-ce que dévorer le chevalier qui ose l'attaquer.

Peut-être le couple détruit aurait-il pu définir avec plus de précision l'Être qu'il souhaitait. Peut-être auraient-ils pu ainsi éviter conjointement d'être submergés par le chaos. Peut-être est-ce ce qu'ils auraient pu faire, plutôt que de se dire avec autant de nonchalance que de lâcheté : « Tout va bien. Inutile de se battre. » Dans un couple, rien n'est assez insignifiant pour ne pas valoir la peine de se battre. Dans un couple, vous êtes tous les deux dans le même bateau, jusqu'à ce que la mort vous sépare, d'après le serment que vous avez prêté. Ce serment est fait pour vous faire prendre cette fichue situation au sérieux. Souhaitez-vous vraiment que les mêmes petits tracas vous tourmentent quotidiennement jusqu'à la fin de vos jours ?

« Oh, je pourrais le supporter », songez-vous. C'est peut-être effectivement le cas. Vous n'êtes pas un modèle de tolérance, mais si vous déclariez à votre compagne que son rire commence à vous faire le même effet que des crissements d'ongles sur un tableau noir, sans doute, à juste titre, vous enverrait-elle promener. Mais ce n'est pas en braillant comme un âne au beau milieu d'une soirée que votre partenaire laissera une bonne impression, et vous risquez de vouloir défendre votre point de vue. Dans ces circonstances, le conflit – dont l'objectif est la paix – est inéluctable, et finira par rétablir la vérité. Vous gardez le silence et parvenez à vous convaincre que c'est parce que vous êtes quelqu'un de bien, de pacifique et de patient alors que rien n'est plus éloigné de la réalité. Et le monstre sous le tapis a encore pris quelques kilos.

Avec une discussion franche sur leur insatisfaction sexuelle, ils auraient peut-être pu éviter ce drame, même si ce n'est jamais facile. Peut-être madame souhaitait-elle secrètement la fin de leur intimité parce qu'elle est indécise sur sa sexualité. Peut-être monsieur était-il un amant exécrable ou égoïste, peut-être l'étaient-ils tous les deux. Régler ce problème mérite bien une dispute, c'est important, non ?

On ne sait jamais, mais peut-être que le fait de tirer cette affaire au clair et de résoudre le problème vaudrait la peine de souffrir deux mois durant lesquels on se dirait mutuellement la vérité...

Ce n'était peut-être pas dû au sexe. Il est possible que leurs conversations soient devenues ennuyeuses, leur vie de couple suivant une certaine routine. Peut-être était-il plus facile de détruire cette relation peu à peu, jour après jour, que de prendre la responsabilité de la faire vivre. Il est impossible de trouver la personne parfaite, qui n'aurait besoin ni de cette attention ni de ce travail continus, et d'ailleurs si c'était le cas, cette personne fuirait avec horreur quelqu'un d'aussi imparfait que vous. À vrai dire, ce dont vous avez besoin, ce que vous méritez, après tout, c'est quelqu'un d'aussi imparfait que vous.

Sans doute le mari qui a trompé sa femme était-il effroyablement immature et égoïste. Peut-être cet égoïsme a-t-il pris le dessus. Probablement ne s'est-elle pas opposée à son attitude avec suffisamment de force et de vigueur. Peut-être n'était-elle pas d'accord avec lui sur l'éducation de leurs enfants et, par conséquent, aurait-elle voulu l'éloigner de leurs vies. Peut-être cela lui a-t-il permis d'esquiver ce qu'il considérait comme une responsabilité déplaisante. Peut-être la haine couvait-elle dans le cœur de ses enfants, qui assistaient à cette lutte souterraine, punis par le ressentiment de leur mère et peu à peu rejetés par leur bon vieux père. Peut-être tous ces conflits non résolus leur avaient-ils laissé de l'amertume à tous les deux, de manière inexprimée mais bien réelle. Peut-être tous ces problèmes non formulés ont-ils commencé à saper les fondations invisibles qui soutenaient leur mariage.

Tout ce qui est clarifié et organisé devient visible. Sans doute ni l'épouse ni le mari ne souhaitaient-ils le voir, et encore moins le comprendre. Probablement avaient-ils délibérément laissé pourrir la situation. Au point de dissimuler ce qu'ils ne désiraient pas voir. Qu'a gagné madame quand elle est passée du rôle de maîtresse à celui de bonne ou de mère ? Fut-elle soulagée de voir s'éteindre sa vie sexuelle ? Peut-être, en secret, trouvait-elle cela plus confortable que tout ce que l'on pouvait attendre d'un mariage, si parfait soit-il. Qu'y avait-il de comparable aux plaisirs d'un martyre raffiné et bien mené ? « C'est vraiment une sainte, son mari est odieux. Elle mérite beaucoup mieux. » C'est une situation confortable à vivre, même si on l'a choisi inconsciemment. Peut-être n'a-t-elle jamais aimé son mari. Ni les hommes de manière générale. Peut-être est-ce la faute de sa mère. Ou de sa grand-mère. Peut-être les a-t-elle imitées, reproduisant leurs problèmes, transmis inconsciemment, de manière implicite, de génération en génération. Peut-être se vengeait-elle de son père, de son frère ou de la société ?

Quant à lui, qu'a-t-il gagné quand sa vie sexuelle s'est éteinte ? S'est-il pris au jeu lui aussi comme martyr, s'en plaignant amèrement auprès de ses amis ? S'en est-il servi comme prétexte pour trouver une nouvelle conquête ? Pour justifier son ressentiment général à l'égard des femmes, après s'être fait régulièrement éconduire avant de tomber sur la sienne ? En a-t-il profité pour se laisser aller et devenir gros et paresseux parce qu'il n'était pas désiré, de toute façon ?

Dans ce domaine, la vérité est terrible : en ce qui concerne l'échec d'un couple, toute raison volontairement écartée alors qu'elle n'est pas comprise risque de dégénérer, de prendre de l'ampleur, avant de hanter cette femme trahie pour le restant de ses jours. Il en va de même pour son mari. Pour en arriver à de telles extrémités, il suffit de ne rien remarquer, ne rien dire, ne pas réagir, ne pas réfléchir, ne pas chercher à obtenir la paix, ne prendre aucune responsabilité. Ne pas faire face au chaos pour le changer en ordre. Attendre, naïf et innocent, que le chaos vous submerge.

Pourquoi cet évitement, alors que ce n'est qu'un poison pour l'avenir ? À cause de la possibilité qu'un monstre soit tapi sous chaque désaccord et chaque erreur. Peut-être que le différend que vous avez avec votre femme ou votre mari signifie le début de la fin de votre relation. Du moins en partie, non ? Pour parvenir à résoudre un véritable problème, il faut la volonté de faire face à deux possibilités aussi épouvantables que dangereuses : le chaos (la fragilité potentielle de toutes les relations) ou l'enfer (vous et votre partenaire pourriez chacun être la personne suffisamment malfaisante pour tout anéantir par méchanceté). Vous avez toutes les raisons d'essayer de vous y soustraire. Mais cela ne vous sera d'aucune aide.

Pourquoi rester approximatif, quand cela fige et trouble l'existence ? Si vous ne savez pas qui vous êtes, vous pouvez vous réfugier dans le doute. Surtout si vous refusez d'y réfléchir. Vous avez d'ailleurs toutes les raisons de ne pas le faire. Mais ce n'est pas parce que vous ne réfléchissez pas à ce que vous ne souhaitez pas savoir que cela le fera disparaître. Vous êtes simplement en train de troquer un savoir spécifique sur la liste probablement limitée de vos véritables défauts contre une liste beaucoup plus longue de faiblesses et d'insuffisances au potentiel indéterminé.

Pourquoi refuser d'en apprendre davantage quand la connaissance de la réalité permet de maîtriser cette dernière (ou, du moins, de l'appréhender comme un amateur de niveau honnête) ? Eh bien, et s'il y avait réellement quelque chose de pourri au royaume du Danemark ? Et après ? Ne vaut-il pas mieux, dans ces conditions, vivre dans l'aveuglement volontaire et profiter des joies de l'ignorance ? Pas si le monstre est réel ! Vous croyez vraiment que ce serait une bonne idée de battre en retraite, de renoncer à pouvoir vous préparer à l'approche des problèmes et de vous rabaisser à vos propres yeux ? Vous trouvez vraiment judicieux de laisser le drame prendre de l'ampleur, pendant que vous rapetissez et prenez de plus en plus peur ? Ne vaudrait-il pas mieux qu'en scrutant les ténèbres vous affûtiez votre épée pour pouvoir aller taquiner le lion dans sa tanière ? Il est fort probable que vous n'en ressortiez pas indemne. Après tout, l'existence n'est que souffrance. Mais sans doute la blessure ne se révélera-t-elle pas fatale.

Si, au contraire, vous attendez que ce que vous refusez d'apprendre vienne frapper à votre porte, les choses ne se passeront certainement pas bien pour vous. Ce que vous appréhendez le plus se produira inévitablement, et quand vous y serez le moins préparé. Ce que vous souhaitez le moins affronter se manifestera lorsqu'il sera fort et que vous serez le plus affaibli. Et vous serez vaincu.

> « Tournant, tournant dans la gyre toujours plus large,
> Le faucon ne peut plus entendre le fauconnier.
> Tout se disloque. Le centre ne peut tenir.
> L'anarchie se déchaîne sur le monde
> Comme une mer noircie de sang : partout
> On noie les saints élans de l'innocence.
> Les meilleurs ne croient plus à rien, les pires
> Se gonflent de l'ardeur des passions mauvaises[163*]. »
> William Butler Yeats, *The Second Coming*

Pourquoi refuser de déterminer le problème alors que cela favoriserait sa solution ? Parce que cela signifie reconnaître son existence. C'est se permettre de savoir ce que l'on attend, disons, d'un ami ou de son partenaire. Vous le saurez alors sans conteste possible quand vous ne l'aurez pas, et cela vous fera particulièrement souffrir. Mais vous pourrez en tirer les leçons et vous en servir à l'avenir. L'autre possibilité, c'est la douleur sourde du désespoir permanent

---

* William Butler Yeats, *La Seconde Venue*, traduction d'Yves Bonnefoy, *Anthologie bilingue de la poésie anglaise*, La Pléiade, 2005 (N.d.T.)

et de l'échec confus, et l'impression que le temps file, si précieux soit-il.

Pourquoi refuser de le déterminer ? Parce que en étant incapable de définir le succès – le rendant alors impossible –, vous renoncez également à définir l'échec, de sorte que, lorsque vous échouez, vous ne le remarquez pas, et cela ne vous fait pas souffrir. Mais cela ne fonctionne pas ! À moins que vous soyez tombé bien bas, impossible de vous berner si facilement ! Au contraire, vous éprouverez en permanence un profond sentiment de déception, le mépris de soi qui l'accompagne, et une haine de plus en plus tenace pour l'environnement que cela génère, ou dégénère.

> « Sûrement que quelque révélation, c'est pour bientôt.
> Sûrement que la Seconde Venue, c'est pour bientôt.
> La Seconde Venue ! À peine dits ces mots,
> Une image, immense, du *Spiritus Mundi*
> Trouble ma vue : quelque part dans les sables du désert,
> Une forme avec corps de lion et tête d'homme
> Et l'œil nul et impitoyable comme un soleil
> Se meut, à cuisses lentes, tandis qu'autour
> Tournoient les ombres d'une colère d'oiseaux...
> La ténèbre, à nouveau ; mais je sais, maintenant,
> Que vingt siècles d'un sommeil de pierre, exaspérés
> Par un bruit de berceau, tournent au cauchemar,
> Et quelle bête brute, revenue l'heure,
> Traîne la patte vers Bethléem, pour naître enfin* ? »

Et si celle qui a été trompée, désormais poussée par le désespoir, était à présent déterminée à faire face à toutes les incohérences du passé, du présent et de l'avenir ? Et si, se décidant enfin à mettre de l'ordre dans cette pagaille, quand bien même elle aurait évité de le faire jusqu'alors,

---

* William Butler Yeats, *La Seconde Venue*, traduction d'Yves Bonnefoy, *Anthologie bilingue de la poésie anglaise*, La Pléiade, 2005 (N.d.T.)

elle était désormais trop faible et trop désorientée pour s'y consacrer ? Sans doute l'effort la tuerait-il, mais elle est à présent sur un chemin pire que la mort, de toute façon. Pour sortir la tête de l'eau, s'échapper et renaître, elle doit organiser avec soin la réalité à laquelle elle a jusqu'à présent renoncé par facilité, mais à ses risques et périls, la laissant dissimulée derrière le voile de l'ignorance et d'un simulacre de paix. Dans un monde où tout se désagrège, il lui faut distinguer les détails de son drame personnel de l'insupportable condition générale de l'Être. Ce sont des choses spécifiques qui se sont effondrées, pas tout, tout, c'est beaucoup trop. Des croyances bien déterminées, des actes insincères et inauthentiques. De quoi s'agissait-il, comment corriger le tir à présent, comment peut-elle s'améliorer à l'avenir ? Elle ne regagnera jamais la terre ferme, si elle refuse de tout mettre à plat, ou si elle en est incapable. Avec un peu de précision dans sa pensée et dans son discours, de confiance dans sa propre parole et dans la parole divine, elle peut tout remettre sur pied. Mais peut-être vaut-il mieux tout laisser dans le brouillard. Peut-être qu'après avoir dissimulé une trop grande part d'elle-même, il ne lui reste plus grand-chose. Peut-être n'a-t-elle simplement plus l'énergie nécessaire...

Avec un peu d'attention, de courage et d'honnêteté, par le passé, elle aurait pu s'épargner tous ces tracas. Et si elle avait fait part de son désarroi au moment du déclin de sa vie sentimentale, lorsque celle-ci avait entamé sa chute ? D'ailleurs, quand ce déclin avait-il commencé à l'ennuyer ? Ou, dans le cas contraire, si elle avait communiqué le fait que cela ne la dérangeait pas autant que cela aurait dû... Et si elle avait franchement fait face au mépris de son mari pour les tâches ménagères dont elle s'occupait ? Aurait-elle découvert son ressentiment envers son père et le reste de la société, qui avait fini par contaminer sa relation ? Et si elle avait rectifié tout cela, serait-elle devenue plus forte, cela lui aurait-il permis d'éviter de faire face à ces difficultés ? De quelle manière aurait-elle alors pu être utile à elle-même, à sa famille et au reste du monde ?

Et si elle avait pris le risque de provoquer un conflit pour faire ressurgir la vérité et la paix à long terme ? Et si, plutôt que de fermer les yeux sur les microcrises de son couple, de les accepter ou de les supporter avec le sourire, elle les avait considérées comme autant de signes d'une instabilité sous-jacente parfaitement digne d'attention ? Sans doute serait-elle différente, et son mari aussi. Il est possible qu'ils seraient encore mariés, dans les faits comme en esprit. Physiquement et mentalement, ils seraient tous les deux plus jeunes qu'aujourd'hui, leur foyer serait assis sur des fondations solides, et non sur du sable.

Quand tout s'écroule et que le chaos ressurgit, il est possible, grâce à notre parole, de l'organiser, de rétablir l'ordre. En nous exprimant avec attention et précision, nous pouvons faire du tri, remettre des choses à leur place, nous fixer de nouveaux objectifs et tenter de les remplir. Souvent collectivement, si nous négocions, si nous atteignons un consensus. En revanche, si nous nous exprimons à la légère et de façon vague, la situation demeure imprécise. La destination reste inconnue. Le brouillard de l'incertitude ne se lève pas pour autant, et il est impossible de négocier avec le monde.

La construction de l'âme et du monde

Le psychisme (l'âme) et le monde sont tous deux structurés aux plus hauts niveaux de l'existence humaine, grâce au langage et à la communication. Quand l'issue n'est ni prévue ni désirée, les choses ne sont pas telles qu'elles apparaissent. Quand l'Être ne se conduit pas bien, c'est qu'il n'a pas été organisé correctement. Lorsque quelque chose tourne mal, il faut contester sa propre perception, ainsi que sa capacité d'évaluation, son raisonnement et son action. Quand l'erreur survient, le chaos indifférencié est à portée de main. Sa forme reptilienne est paralysante et déroutante, mais les dragons, qui existent vraiment, peut-être plus que tout ce qui existe, accumulent aussi de l'or. Dans cet effondrement menant à l'horrible pagaille de l'Être incompris, est tapie la possibilité d'un ordre nouveau et bienveillant. Pour l'appeler, il est nécessaire d'avoir les idées claires.

Il faut également reconnaître l'existence du problème le moins de temps possible après son apparition. « Je suis malheureux » est un bon début, contrairement à « J'ai le droit d'être malheureux », parce que c'est encore contestable au début du processus de résolution de problème. Dans les circonstances actuelles, peut-être que votre malheur est justifié. À votre place, une personne raisonnable serait sans doute contrariée et peinée. Mais vous n'êtes peut-être qu'un pleurnichard immature. Si terrible cette idée puisse-t-elle vous sembler, considérez ces deux options aussi probables l'une que l'autre. À quel point pourriez-vous être immature ? Il n'existe potentiellement aucune limite. Mais au moins, si vous l'admettiez, vous pourriez rectifier le tir.

Nous analysons la complexité du chaos et spécifions la nature des choses, y compris la nôtre. C'est ainsi que notre exploration communicative et créative peut générer et régé-nérer le monde en permanence. Nous sommes façonnés et informés par ce que nous décidons d'affronter, et nous donnons également forme à ce que nous sommes durant cet affrontement. C'est difficile, mais il ne faut pas fuir à cause de cela, car l'autre possibilité est pire.

Peut-être notre époux infidèle n'a-t-il pas tenu compte de la conversation qu'il a eue avec sa femme durant le dîner parce qu'il détestait son travail, était las et plein de ressentiment. Peut-être haïssait-il son travail parce que c'était son père qui l'avait poussé à s'engager dans cette carrière et qu'il s'était montré trop faible ou « loyal » pour protester. Peut-être a-t-elle supporté son manque d'attention parce qu'elle était convaincue qu'il aurait été grossier de protester franchement. Peut-être en voulait-elle encore à son propre père pour ses colères et, très jeune, avait décrété que toute agressivité et marque de fermeté était moralement inacceptable. Peut-être croyait-elle que son mari ne l'aimerait pas à cause de ses idées. Il est très difficile de résoudre ce genre de problème, mais les machines endommagées continuent à mal fonctionner quand leurs pannes ne sont ni diagnostiquées ni réparées.

Le bon grain de l'ivraie

La précision permet de définir. Quand il se produit quelque chose d'horrible, c'est elle qui permet de séparer ce qui s'est déjà passé du reste, tout aussi effroyable, qui aurait pu arriver. Si vous souffrez en vous réveillant, vous êtes peut-être en train de mourir d'une terrible maladie. De façon lente et douloureuse. Si vous refusez de parler de votre souffrance à votre médecin, ce que vous avez demeure indéfini : il peut s'agir de n'importe quelle maladie, et puisque vous avez évité le diagnostic, l'acte structurant, elle est innommable. Mais si vous en parlez à votre médecin, toutes ces terribles maladies possibles s'élimineront, avec un peu de chance, pour n'en laisser qu'une – peut-être pas si terrible –, voire aucune. Alors, vous pourrez vous moquer de vos craintes, et si quelque chose ne va pas, vous êtes paré à l'affronter. La précision peut ne pas remédier au drame, mais elle permet de repousser toutes les goules et tous les démons.

Lorsqu'un bruit retentit dans la forêt, il peut s'agir d'un tigre. Voire d'une meute de tigres, tous plus affamés et féroces les uns que les autres, menés par un crocodile. Mais peut-être pas. Si vous jetez un coup d'œil par-dessus votre épaule, vous constaterez qu'il s'agit d'un simple écureuil. (Je connais quelqu'un qui s'est fait pourchasser par un écureuil.) Il y a quelque chose dans les bois, cela ne fait aucun doute, mais souvent ce n'est qu'un écureuil. Si vous refusez d'en avoir le cœur net, en revanche, alors il s'agit d'un dragon, et vous n'êtes pas chevalier, vous êtes une souris face à un lion. Un lapin paralysé par le regard d'un loup. Je ne dis pas que c'est toujours un écureuil. Souvent, c'est quelque chose de vraiment affreux. Mais même ce qui est terrible dans la réalité est souvent insignifiant par rapport à ce qui l'est dans notre imagination. Et souvent ce qu'il est impossible d'affronter à cause de son horreur dans notre imagination est parfaitement à notre mesure dans la réalité.

Si vous fuyez la responsabilité d'affronter l'inconnu, même lorsque cela semble dans des proportions gérables, la réalité se désorganise et devient chaotique au point qu'on ne puisse plus la supporter. Ensuite, elle grossit et engloutit toute trace d'ordre, de sentiment et de prédictibilité. La réalité que l'on délaisse se transforme en grande déesse du Chaos, le monstre reptilien de l'Inconnu, le grand prédateur contre lequel l'humanité se bat depuis la nuit des temps. Si vous négligez le fossé entre le faux et le réel, il s'agrandira, vous tomberez dedans, et les conséquences seront loin d'être bénéfiques. La réalité négligée se manifeste dans un abîme de chaos et de souffrance.

Surveillez vos paroles, qu'elles soient destinées à vous-même ou à quelqu'un d'autre, lorsqu'elles concernent vos actes passés et présents, et même votre avenir. Trouvez les bons termes. Organisez-les en phrases correctes, et celles-ci en paragraphes compréhensibles. Réduit à l'essentiel par un langage précis, le passé peut être sauvé. Si la réalité est exprimée clairement, le présent peut s'écouler sans déposséder l'avenir. Avec une réflexion et un langage prudents, le destin singulier et exceptionnel qui justifie l'existence peut être extrait de la multitude des futurs troubles et désagréables qui ont de grandes probabilités de se produire d'eux-mêmes. C'est de cette façon que l'œil et la parole constituent un ordre habitable.

Évitez de dissimuler des bébés monstres sous les tapis. Ils s'y épanouiront. Ils grossiront dans le noir. Et puis quand vous vous y attendrez le moins, ils jailliront et vous dévoreront. Plutôt que de vous élever vers le paradis, fait de vertu et de clarté, vous sombrerez dans un enfer indéterminé et déconcertant. Des paroles courageuses et sincères simplifieront votre réalité, la rendront impeccable, clairement définie et habitable.

En identifiant des choses grâce à votre parole et à une attention soutenue, vous les présentez comme des objets viables et obéissants, les détachant de leur interconnectivité sous-jacente quasi universelle. Vous les simplifiez. Vous les rendez spécifiques et utiles et atténuez leur complexité. Vous permettez de vivre avec elles et de les employer sans mourir de cette complexité, ni de l'incertitude et de l'angoisse qui vont avec. En laissant les choses floues, vous n'êtes jamais en mesure de déterminer de quoi elles sont faites. Tout déteint sur le reste. Cela rend le monde trop complexe à gérer.

Il vous faut sciemment définir le sujet d'une conversation, surtout lorsqu'elle est difficile, sinon elle risque de devenir tout le reste aussi, ce qui est beaucoup trop. C'est souvent la raison pour laquelle des couples cessent de communiquer. Toutes les disputes dégénèrent avec le rappel des problèmes du passé, ceux qui existent actuellement, et toutes les horribles choses qui risquent de se produire à l'avenir. Personne ne peut avoir de discussion sur « tout ». À la place, vous pouvez dire : « C'est cette chose, précisément, qui me rend malheureux. C'est cette autre chose que je veux comme alternative à ma situation – bien que je reste ouvert à toutes suggestions si elles sont spécifiques. C'est ce que tu pourrais proposer pour que je cesse de rendre nos deux vies épouvantables. » Mais pour ce faire, il faut réfléchir : qu'est-ce qui ne va pas, précisément ? Qu'est-ce que je veux, précisément ? Il faut vous exprimer franchement et extraire le monde habitable du chaos. Pour ce faire, il vous faut employer un discours à la fois honnête et précis. Si, au lieu de cela, vous reculez et vous cachez, ce que vous dissimulez se transformera en dragon géant tapi sous votre lit, dans votre forêt et dans les recoins les plus obscurs de votre esprit. Et vous dévorera.

Pour savoir où vous êtes aujourd'hui dans votre vie, vous devez d'abord déterminer où vous étiez. Si vous ignorez où vous êtes précisément, c'est que vous pouvez vous trouver n'importe où. C'est-à-dire à trop d'endroits différents, dont certains très mal famés. Il vous faut déterminer où vous étiez dans votre existence, car sinon vous ne pourrez jamais atteindre votre destination. Vous ne pouvez aller du point A au point B que si vous êtes déjà au point A. Si vous êtes « n'importe » où, les chances que vous vous trouviez au point A sont vraiment très minces.

Vous devez déterminer où vous comptez aller car, pour atteindre votre destination, vous devez vous déplacer dans sa direction. Errer au hasard ne vous permettra pas d'avancer. Au contraire, cela vous décevra, vous frustrera, vous angoissera, vous rendra malheureux et difficile à vivre. Puis amer, vindicatif, voire pire.

Laissez sortir ce que vous avez sur le cœur, cela vous permettra de découvrir ce que vous voulez dire. Extériorisez pour pouvoir découvrir ce qui se passe. Puis prêtez attention, relevez vos erreurs, organisez-les, efforcez-vous de les rectifier. C'est ce qui vous permettra de découvrir le sens de votre vie. Cela vous protégera de la tragédie de votre existence. Comment pourrait-il en être autrement ?

Affrontez le chaos de l'Être. Prenez pour cible un ensemble de problèmes. Spécifiez votre destination et tracez votre voie. Révélez tout ce que vous voulez. Racontez qui vous êtes à ceux qui vous entourent. Affinez, scrutez attentivement et avancez franchement.

Soyez précis dans votre discours.

NE DÉRANGEZ PAS LES ENFANTS QUAND ILS FONT DU SKATE-BOARD

Danger et maîtrise

Il fut un temps où les enfants faisaient du skate-board du côté ouest du Sidney Smith Hall, à l'université de Toronto, où je travaille. Il m'arrivait de cesser toute activité pour les observer. De grandes marches en béton mènent de la rue à l'entrée principale. Elles sont équipées de rampes en acier tubulaire de plus de six centimètres de diamètre et de six mètres de long. Les gamins, presque toujours des garçons, prenaient leur élan sur une quinzaine de mètres, en haut de l'escalier. Ils s'élançaient alors comme des fous pour gagner de la vitesse. Juste avant d'atteindre la rampe, ils attrapaient leur planche d'une main et bondissaient sur la barre, se laissant glisser jusqu'en bas et se réceptionnant (parfois) avec grâce sur leurs planches. Ou, lorsque la réussite n'était pas au rendez-vous, de façon plus douloureuse. Dans un cas comme dans l'autre, ils réitéraient l'expérience au plus vite.

On aurait pu trouver cela stupide. C'était peut-être le cas. Mais c'était aussi très courageux. Je trouvais ces gamins formidables, ils méritaient qu'on les admire et qu'on les félicite. Bien sûr, c'était risqué. Mais c'était le but, vaincre le danger. Ils auraient été plus en sécurité avec un équipement de protection adéquat, mais cela aurait tout gâché. Ils n'avaient aucune envie d'être prudents, ils souhaitaient devenir compétents. C'est la compétence qui offre la plus grande des sécurités.

Jamais je n'oserais reproduire les figures de style de ces gamins. De plus, j'en aurais été bien incapable. Contrairement à certains casse-cou des temps modernes dont on peut visionner les exploits sur YouTube (et, bien sûr, contrairement aux personnes dont c'est le métier), j'aurais également été dans l'incapacité de grimper au sommet d'une grue. Bien que je ne ressente rien du tout dans les avions de ligne qui volent à 25 000 pieds, j'ai un peu le vertige. J'ai déjà eu l'occasion, à plusieurs reprises, de monter dans un avion de voltige en fibre de carbone, j'ai même pris part à un renversement, et même si c'était très exigeant aussi bien d'un point de vue physique que mental, cela ne m'a causé aucun souci. Pour mener à bien un renversement, on fait monter l'avion à la verticale jusqu'à ce que la pesanteur le fasse décrocher. Quand il a basculé à la renverse, on le laisse chuter en vrille jusqu'à ce qu'il redresse le nez, moment où l'on remet les gaz (si on souhaite éviter de s'écraser). Mais je ne sais pas faire de skate-board, encore moins sur une rampe d'escalier, ni monter en haut d'une grue.

De l'autre côté, à l'est, le Sidney Smith Hall donne sur une autre rue. Le long de celle-ci, St. George Street, l'université a fait installer au bord des marches une série de jardinières en béton. Les garçons s'y amusaient également, glissant sur le rebord, comme sur le béton qui supportait la sculpture devant le bâtiment. Cela ne dura pas longtemps. On ne tarda pas à y poser des petits taquets en acier, des *stop-skate*, tous les cinquante centimètres. La première fois que je les ai vus, cela me rappela ce qui s'était passé à Toronto plusieurs années auparavant. Deux semaines avant la rentrée des classes, on avait retiré tous les équipements des aires de jeux. La législation qui les régissait avait été modifiée, et la municipalité craignait de ne pouvoir s'assurer. On les avait démontés en toute hâte, même quand ils étaient suffisamment sûrs, parfaitement assurables et financés, souvent depuis peu, par des parents. Cela impliqua une fermeture de ces terrains de jeu pour plus d'un an. Durant ce laps de temps, il m'arriva souvent de croiser des jeunes qui s'ennuyaient sur le toit de l'école de notre quartier. Quand ils ne traînaient pas dans la terre avec les moins aventureux d'entre eux.

Je dis « suffisamment sûres » à propos des aires de jeux, parce que lorsqu'elles le sont trop, on cesse d'y jouer ou trouve le moyen de s'y amuser de façon non prévue par leurs concepteurs. Elles doivent être suffisamment dangereuses pour paraître intéressantes. Personne ne cherche le risque zéro, pas même les enfants (qui sont également des personnes, après tout). Les gens cherchent à optimiser le risque. Ils conduisent, marchent, aiment et jouent de sorte à assouvir leurs désirs, mais dans le même temps, ils se poussent aussi un peu pour pouvoir continuer à se développer. Par conséquent, s'ils se sentent un peu trop en sécurité, tout le monde finit par retrouver le moyen de braver le danger[164].

Livrés à nous-mêmes et encouragés, nous préférons vivre sur le fil du rasoir. Cela nous permet à la fois de garder confiance et d'affronter le chaos qui nous aide à nous développer. Pour cette raison, nous sommes programmés (et certains plus que d'autres) à aimer le risque. Lorsque nous travaillons à optimiser nos performances futures tout en nous amusant dans le présent, nous nous sentons revigorés. Sinon, nous nous traînons, paresseux, inconscients, informes et peu intéressés. Surprotégés, nous échouerons inévitablement dès que se présentera quelque chose de dangereux regorgeant de possibilités inattendues.

Les stop-skate sont peu attrayants. Il aurait fallu que des skateurs acharnés endommagent gravement le socle de la statue pour que celui-ci devienne aussi hideux qu'il l'est actuellement, hérissé de métal comme le collier d'un pitbull. Les grands parterres, déjà usés par leurs passages, sont à présent cernés de taquets métalliques à intervalles irréguliers, ce qui donne une impression désastreuse de mal conçu et de rajouts mal rapportés. Cela donne à ce lieu, censément sublimé par la présence d'une sculpture entourée de végétation, l'allure générale d'un camp de travail *industrialo-carcéralo-psychiatrique,* du genre de ce que l'on découvre quand des ouvriers ou des fonctionnaires n'aiment pas les gens pour qui ils travaillent et ne leur font pas confiance.

La grande laideur de la solution mise en œuvre est absolument contre-productive.

Réussite et ressentiment

En lisant les ouvrages de spécialistes de la psychologie des profondeurs comme Freud et Jung, ainsi que de leur précurseur Friedrich Nietzsche, vous découvrirez que chaque chose a sa face obscure. Freud explorait le contenu caché et implicite des rêves qui, pour lui, exprimaient souvent des désirs inavoués. Jung était convaincu que toute solidarité cachait son jumeau maléfique, son ombre inconsciente. Nietzsche étudia le rôle joué par ce qu'il nommait le « ressentiment* » dans les motivations d'actes ostensiblement désintéressés et souvent rendus publics d'une manière bien trop tapageuse[165].

« Car il faut que l'homme soit sauvé de la vengeance : ceci est pour moi le pont qui mène aux plus hauts espoirs. C'est un arc-en-ciel après de longs orages. Cependant, les tarentules veulent qu'il en soit autrement. ''C'est précisément

---

* En français dans le texte (N.d.T.)

ce que nous appelons justice, quand le monde se remplit des orages de notre vengeance", c'est ainsi que parlent entre elles les tarentules. "Nous voulons exercer notre vengeance sur tous ceux qui ne sont pas à notre mesure et les couvrir de nos outrages", c'est ce que jurent en leurs cœurs les tarentules.

Et encore : "Volonté d'égalité, c'est ainsi que nous nommerons dorénavant la vertu ; et nous voulons élever nos cris contre tout ce qui est puissant ! Prêtres de l'égalité, la tyrannique folie de votre impuissance réclame à grands cris l'"égalité" : votre plus secrète concupiscence de tyrans se cache derrière des paroles de vertu* ! »

L'incomparable essayiste britannique George Orwell connaissait très bien ce genre de chose. En 1937, il écrivit *Le Quai de Wigan*, une attaque acerbe contre les socialistes de la grande bourgeoisie de Grande-Bretagne (alors qu'il était lui-même partisan du socialisme). Dans la première moitié de son livre, il décrivait les conditions de vie exécrables des mineurs anglais dans les années 1930[166].

« Plusieurs dentistes m'ont dit que dans les zones industrielles, il était devenu presque anormal de rencontrer une personne de plus de trente ans ayant gardé une trace de sa denture d'origine. À Wigan, des gens m'ont confié qu'il valait mieux se faire arracher les dents le plus tôt possible. "Les dents, c'est une vraie plaie", m'a dit une femme**. »

À Wigan, les mineurs de fond devaient marcher à quatre pattes, compte tenu de la hauteur des puits de mine, plus de cinq kilomètres sous terre dans l'obscurité, se cognant

---

* Friedrich Nietzsche, *Ainsi parlait Zarathoustra*, traduction d'Henri Albert, Société du Mercure de France, 1903 (N.d.T.)
** *Le Quai de Wigan*, traduit par Michel Pétris, Ivrea, 1982 (N.d.T.)

la tête et s'arrachant le dos, avant de pouvoir commencer à se tuer à la tâche durant sept heures et demie. Ensuite, ils devaient revenir par le même chemin. « Un effort comparable à celui que vous devriez fournir pour escalader une petite montagne au début et à la fin de votre journée de travail* », précisait Orwell. Bien entendu, le temps du trajet n'était pas décompté des heures de travail.

Orwell écrivit *Le Quai de Wigan* pour le Left Book Club, un groupe d'édition socialiste qui publiait une sélection d'ouvrages mensuels. Après avoir lu la première moitié du livre, qui traite directement des conditions de vie des mineurs, il est impossible de ne pas éprouver de compassion pour ces travailleurs pauvres. Il faudrait être un monstre pour garder un cœur de pierre à la description de l'existence de ces gens :

> « Le temps n'est pas tellement éloigné où le travail à la mine se faisait dans des conditions bien pires que celles qui prévalent aujourd'hui. On trouve encore en vie de très vieilles femmes qui, étant jeunes, ont travaillé au fond avec un harnais autour de la taille et une chaîne passant entre leurs jambes, se déplaçant à quatre pattes pour tirer des wagonnets chargés de charbon. Et elles ne s'arrêtaient même pas quand elles étaient enceintes**. »

Dans la seconde partie du livre, Orwell se penche sur un tout autre problème : l'impopularité relative du socialisme au Royaume-Uni de l'époque, en dépit des inégalités frappantes que l'on observait un peu partout. Il en conclut que, bien souvent, les réformateurs sociaux vêtus de tweed philosophant dans leurs salons, désignant des victimes qui suscitaient autant leur pitié que leur mépris, n'aimaient en réalité pas les pauvres comme ils le prétendaient. Ils haïssaient

---

* *Ibid.*
** *Ibid.*

simplement les riches. Ils dissimulaient leur ressentiment et leur jalousie sous une couche de piété, d'infatuation et de fausse vertu. De nos jours, dans notre inconscient – et chez les gauchistes assoiffés de justice sociale –, la situation n'a guère évolué. À cause de Freud, Jung, Nietzsche et Orwell, chaque fois que j'entends quelqu'un affirmer un peu trop fort : « Je soutiens telle cause ! », je me demande *in petto* : « Alors, contre quoi tu te bats ? » La question semble particulièrement pertinente lorsque les mêmes se plaignent du comportement de personnes qu'ils critiquent et tentent de faire changer.

Je crois que c'est Jung qui a trouvé la formule psychanalytique la plus machiavélique : « Si vous ne comprenez pas le sens des actes de quelqu'un, observez-en les conséquences et vous découvrirez ses intentions. » Il s'agit d'un scalpel psychologique. Ce n'est pas toujours l'instrument le plus approprié. Il peut provoquer des entailles trop profondes ou au mauvais endroit. Disons plutôt que c'est une option de dernier recours. Néanmoins, il arrive que son utilisation se révèle des plus instructives.

Si l'installation de stop-skate autour de parterres de fleurs et de sculptures non seulement témoigne d'un violent mépris esthétique de la beauté, mais rend aussi des jeunes gens malheureux, peut-être était-ce réellement l'objectif recherché. Quand quelqu'un prétend agir dans l'intérêt général au nom de grands principes, rien ne nous oblige à penser que ses intentions sont sincères. Ceux qui ont envie d'améliorer les choses ne cherchent pas habituellement à modifier des comportements. Ou si c'est le cas, ils commencent par s'appliquer personnellement ces changements. Derrière la mise en place de règles pour priver les skateurs d'exploits aussi talentueux que dangereusement courageux, je devine l'opération d'un esprit sournois et profondément antihumain.

Le retour de Chris

Mon ami Chris, que j'évoquais plus haut, était possédé par ce genre d'esprit, au grave détriment de sa santé mentale. Il était en partie rongé par la culpabilité. Avant de se retrouver à Fairview, dans les prairies des confins septentrionaux de l'Alberta, il avait fréquenté les écoles primaires et les collèges de plusieurs villes. À ces différents endroits, il s'était régulièrement battu avec des enfants d'Amérindiens. Il n'est pas exagéré de souligner que ces gamins étaient en moyenne plus bagarreurs que les Blancs, et qu'ils étaient plus susceptibles (ils avaient leurs raisons). J'ai moi-même eu l'occasion de le constater.

En primaire, j'avais eu une amitié mouvementée avec un métis, Rene Heck*. C'était mouvementé, parce que la situation était complexe. Un fossé culturel immense nous séparait. Ses vêtements étaient plus sales. Il exprimait une plus grande dureté dans ses paroles et son attitude. Non seulement j'avais sauté une classe, mais en plus j'étais petit pour mon âge. Rene était grand, intelligent, beau et rugueux. Nous étions ensemble en sixième. Dans un cours donné par mon père, il fut surpris en train de mâcher du chewing-gum. « Rene, ordonna mon père, crache ce chewing-gum. On dirait une vache. » Je me suis mis à ricaner entre mes dents. « Rene la vache... » Il avait beau être une vache, il n'en était pas sourd pour autant. « Peterson, me menaça-t-il, après les cours, tu es mort. »

Plus tôt dans la matinée, Rene et moi avions convenu d'aller au cinéma le soir même. Un cinéma de quartier, The Gem. Quelque chose me disait que ce n'était plus d'actualité. Quoi qu'il en soit, le reste de la journée s'écoula aussi rapidement que désagréablement, comme c'est le cas

---

* Pour des questions de vie privée, j'ai modifié des noms et certains détails.

lorsqu'on est sous le coup d'un danger. Rene était plus que capable de me mettre une bonne raclée. Après les cours, je courus aussi vite que possible vers le garage à vélos devant l'établissement, mais il me rattrapa. On tourna autour des vélos, lui d'un côté, moi de l'autre. On avait l'impression de jouer dans un épisode des Keystone Cops*. Tant que je courais, il ne pouvait pas m'attraper, mais ma stratégie ne pourrait pas durer éternellement. Je lui hurlai que j'étais désolé, mais cela ne l'apaisa pas pour autant. Je l'avais blessé dans sa fierté, et il voulait me le faire payer.

Je m'accroupis derrière des vélos, gardant Rene à l'œil. « Rene, m'écriai-je. Je m'excuse de t'avoir traité de vache. Arrêtons de nous battre. » Il continua néanmoins de s'approcher. Je repris : « Je te présente toutes mes excuses, Rene. Vraiment. Et je veux toujours aller au cinéma avec toi. » Ce n'était pas simplement une tactique, j'étais sincère. Sinon ce qui se produisit ensuite ne se serait pas passé. Il cessa de contourner les vélos. Il se tourna vers moi et fondit en larmes. Puis il s'enfuit. Le résumé parfait des relations entre Amérindiens et Blancs dans notre petite ville. On n'eut jamais plus l'occasion d'aller au cinéma ensemble.

Quand mon ami Chris se retrouvait aux prises avec des Amérindiens, il refusait de riposter. Il trouvait moralement injustifié de se défendre contre eux. Alors il prenait des raclées. « On a pris leurs terres, écrivit-il plus tard. Ce n'était pas bien. Inutile de se demander pourquoi ils sont furieux. » Au fil du temps, progressivement, Chris se retira du monde. En partie à cause de sa culpabilité. Il cultiva une haine profonde envers la virilité et toute activité masculine. Il considérait que le fait d'aller en cours, de travailler et de trouver une copine faisait partie du même processus

---

* Les Keystone Cops forment une troupe de policiers loufoques qui apparaît dans les différents films burlesques de la Keystone entre 1912 et 1917 (N.d.T.).

que celui qui avait conduit à la colonisation de l'Amérique du Nord, à l'épouvantable impasse nucléaire de la guerre froide et au pillage environnemental de la planète. Ayant lu quelques livres sur le bouddhisme, il avait l'impression que, à la lumière de la situation actuelle du monde, la négation de son propre Être était requise d'un point de vue éthique. Il en vint à penser que c'était également le cas pour les autres.

En premier cycle, Chris fut, pour une période, l'un de mes camarades de chambrée. Un soir, on se rendit dans un bar du quartier. Ensuite on rentra à pied. Il se mit à casser les uns après les autres les rétroviseurs des véhicules stationnés. « Arrête ça, Chris, lui demandai-je. Qu'est-ce que ça t'apporte de faire souffrir les gens à qui ces voitures appartiennent ? » Il me répondit qu'ils faisaient tous partie de l'activité humaine frénétique qui détruisait tout, et qu'ils méritaient leur sort. Je lui rétorquai que ce n'était pas en se vengeant d'individus qui menaient une vie normale qu'il allait changer quelque chose.

Des années plus tard, alors que j'étais en troisième cycle à Montréal, Chris vint me rendre visite. Il n'avait aucun but et semblait perdu. Il me demanda si je pouvais l'aider. Il finit par s'installer chez moi. J'étais déjà marié à l'époque, et je vivais avec ma femme Tammy et Mikhaila, notre fille de un an. Chris connaissait aussi Tammy, de Fairview (il avait même espéré que leur relation irait plus loin qu'une simple amitié). Cela compliqua la situation davantage, mais pas comme vous pourriez l'imaginer. Chris avait commencé à détester les hommes, mais il avait fini par haïr aussi les femmes. Il avait envie d'elles, mais il avait renoncé à l'éducation, à une carrière et au désir. Il fumait beaucoup et était au chômage. Par conséquent, comme on pouvait s'y attendre, il n'intéressait pas vraiment la gent féminine. Cela le rendait amer. Je tentai de le convaincre que la voie qu'il avait choisie ne pouvait le conduire qu'à la destruction.

Il fallait qu'il fasse preuve d'un peu plus d'humilité. Qu'il change de vie.

Un soir, c'était au tour de Chris de préparer le dîner. Quand ma femme rentra de son travail, l'appartement était enfumé. Des steaks hachés brûlaient dans la poêle. Chris était à quatre pattes, tentant de réparer quelque chose qui s'était détaché du pied de la cuisinière. Ma femme le connaissait. Elle savait qu'il brûlait le dîner à dessein. Cela ne lui plaisait pas de cuisiner. D'endosser un rôle féminin (quand bien même les tâches domestiques étaient réparties de manière équitable, et il le savait parfaitement). Il réparait la cuisinière pour pouvoir fournir un prétexte plausible, voire louable, pour avoir fait brûler le repas. Lorsqu'elle le lui fit remarquer, il joua les victimes, mais il était furieux. Au fond, il était convaincu d'être plus intelligent que tout le monde. Le fait qu'elle l'ait percé à jour l'atteignit dans sa fierté. La situation était extrêmement inconfortable.

Le lendemain, Tammy m'accompagna au parc non loin. Il nous fallait fuir l'appartement. Même s'il faisait presque – 40 °C, avec un froid mordant, humide, et du brouillard. Le vent s'était levé, aussi. C'était un temps hostile à toute forme de vie. Tammy m'annonça qu'elle ne supportait plus de vivre avec Chris. Nous sommes entrés dans le parc. Les arbres tendaient leurs branches nues vers le ciel gris et moite. Un écureuil noir, la queue sans poils à cause de la gale, cramponné à une branche sans feuilles, tremblait de tout son corps, luttant pour résister au vent. Que faisait-il là dans le froid ? Les écureuils hibernent partiellement. L'hiver, ils ne sortent que lorsqu'il fait chaud. Puis on en vit un autre, et un autre... Nous étions cernés par les écureuils, tous à moitié sans poils, tous agrippés à leurs branches, tous grelottant dans le froid glacial. Nous étions seuls. C'était impossible. Inexplicable. Mais c'était très adapté à la situation : nous jouions dans une comédie absurde.

C'était Dieu qui mettait en scène. Peu de temps après, Tammy partit quelques jours avec notre fille.

Aux alentours de Noël, la même année, mon petit frère et sa nouvelle femme vinrent nous rendre visite depuis l'Ouest canadien. Mon frère aussi connaissait Chris. Ils étaient en train de mettre leurs tenues d'hiver pour aller se promener dans le centre-ville de Montréal. Chris enfila un long manteau noir et une toque de la même couleur, un bonnet de laine sans visière qu'il vissa sur ses oreilles. Son pantalon et ses bottes étaient également noirs. Il était très grand, élancé et légèrement voûté. « Chris, plaisantai-je. On dirait un tueur en série ! » Très drôle. À leur retour, Chris était à prendre avec des pincettes. Il y avait des étrangers sur son territoire. Un couple ravi, c'était encore du sel sur sa plaie.

Le dîner fut suffisamment agréable. On passa la soirée à discuter. Mais j'eus du mal à trouver le sommeil. Quelque chose dans l'air n'allait pas. À quatre heures du matin, j'en eus assez. Je me levai. Je frappai doucement à la porte de Chris et entrai dans sa chambre sans attendre sa réponse. Étendu sur son lit, il contemplait le plafond. J'en étais sûr. Je pris place à côté de lui. Je le connaissais bien. Je tentai d'atténuer sa fureur meurtrière. Ensuite, je retournai me coucher et m'endormis. Le lendemain matin, mon frère me prit à l'écart. Il souhaitait me parler. On prit un siège. « Qu'est-ce qui s'est passé, hier soir ? Je n'ai pas réussi à m'endormir. Il y avait un problème ? » J'avouai à mon frère que Chris n'allait pas si bien que cela. Je m'abstins de lui faire remarquer qu'il avait de la chance d'être encore en vie, que nous avions tous de la chance. L'esprit de Caïn nous avait rendu visite, mais nous nous en étions sortis indemnes.

Sans doute avais-je senti l'odeur de la mort. Chris dégageait un parfum très âcre. Il se douchait régulièrement, mais les serviettes et les draps avaient pris son odeur. Impossible de les en débarrasser. C'était le résultat d'un psychisme et d'un corps qui ne fonctionnaient pas en harmonie. Une amie assistante sociale, qui le connaissait également, m'avoua que ce phénomène lui était familier. Même s'ils n'en parlaient qu'à voix basse, tous ses collègues savaient de quoi il s'agissait. Ils appelaient cela « l'odeur de l'inemployable ».

Ensuite, je terminai mes études postdoctorales. Tammy et moi avions quitté Montréal pour Boston et eu notre deuxième enfant. De temps à autre, je téléphonais à Chris. Il est venu nous rendre visite, un jour. Cela s'est bien passé. Il avait trouvé un emploi chez un revendeur de pièces détachées pour automobiles. Il tentait de se reprendre en main. Il allait bien, à ce moment-là. Mais cela ne dura pas. Je n'eus plus l'occasion de le revoir à Boston. Près de dix ans plus tard, la veille de ses quarante ans, il me téléphona. À l'époque, nous avions emménagé à Toronto. Il y avait du nouveau. Il avait écrit un livre qu'une petite maison d'édition avait accepté de publier. Il souhaitait me l'annoncer. Il écrivait des nouvelles de qualité. Je les avais toutes lues. Nous en avions longuement discuté. Il était aussi un excellent photographe. Il avait l'œil. Le lendemain, il prit son vieux pick-up, le même tas de ferraille qu'à Fairview, et conduisit au hasard dans le maquis. Il fixa alors un tuyau à son pot d'échappement et glissa l'autre extrémité dans l'habitacle. Je l'imagine très bien, scrutant l'horizon par le pare-brise fêlé, une cigarette aux lèvres. On retrouva son corps quelques semaines plus tard. J'appelai son père. « Mon beau garçon », sanglota-t-il.

Récemment, je fus invité à donner une conférence TEDx dans une université voisine. Un autre professeur s'exprima avant moi. On lui avait demandé d'intervenir dans le cadre de son travail avec les surfaces intelligentes (comme des écrans tactiles, que l'on pourrait disposer n'importe où), un travail technique mais véritablement fascinant. Il évoqua plutôt la menace que représentaient les êtres humains pour la survie de la planète. Comme Chris, comme beaucoup trop de monde, il était devenu profondément antihumain. Il n'était pas allé aussi loin que mon ami, mais il était animé du même esprit.

Il se tenait devant un écran où l'on diffusait un lent panoramique d'une gigantesque usine high-tech chinoise. Des centaines d'employés en tenue blanche se tenaient devant leurs chaînes de montage tels des robots stériles inhumains, insérant sans bruit la pièce A dans la fente B. Il révéla à l'auditoire, composé de jeunes gens brillants, que sa femme et lui avaient pris la décision de n'avoir qu'un seul enfant. Il leur soutint qu'ils feraient bien d'y réfléchir, s'ils voulaient qu'on les considère comme des individus éthiques. Je trouvais qu'il avait pris la bonne décision. Mais seulement en ce qui le concernait (même s'il aurait encore mieux valu qu'il n'ait aucun enfant du tout). Les nombreux étudiants chinois présents écoutèrent son discours moralisateur d'un air impassible. Peut-être songeaient-ils à leurs parents qui avaient fui les horreurs de la Révolution culturelle de Mao et sa politique de l'enfant unique. À l'incroyable amélioration de leur niveau de vie et à la liberté que leur avaient procurées ces mêmes usines. Deux d'entre eux évoquèrent ces idées durant la séance de questions-réponses qui s'ensuivit.

L'enseignant aurait-il changé d'avis s'il avait su où menait ce genre d'idées ? J'aurais aimé pouvoir répondre par l'affirmative, mais je n'en suis pas convaincu. Je pense qu'il aurait pu être au courant, s'il l'avait voulu. Pire, peut-être même qu'il le savait, mais que cela lui était égal, et qu'il agissait en parfaite connaissance de cause.

Les juges autoproclamés de la race humaine

Il y a peu de temps encore, la Terre nous semblait infiniment plus grande que nécessaire. À la fin du XIXe siècle, le brillant biologiste Thomas Huxley (1825-1895), fervent défenseur de Darwin et grand-père d'Aldous Huxley, déclara même devant le Parlement britannique qu'il serait impossible à l'humanité d'épuiser les ressources des océans. Leur pouvoir de régénération était simplement trop puissant, avait-il déterminé, par rapport aux pêches les plus assidues des hommes. Cinquante ans plus tard, avec son *Printemps silencieux*, Rachel Carson lançait le mouvement écologiste[167]. Cinquante ans ! Ce n'est rien. Ce n'est même pas hier.

Nous venions simplement de mettre au point les technologies et les outils conceptuels qui nous permirent de comprendre la vie, certes de façon encore imparfaite. Nous méritons par conséquent un peu d'indulgence pour notre comportement destructeur. Il nous arrive de ne pas toujours faire preuve de bon sens. Et, quand nous nous montrons plus avisés, il se peut que nous n'ayons pas encore découvert de solution pratique de rechange. Après tout, on ne peut pas vraiment dire que les humains aient la vie facile. Encore aujourd'hui. Et, il y a quelques dizaines d'années de cela, la majorité des hommes étaient illettrés[168], mouraient encore de faim et d'épidémies. Si riches soyons-nous devenus, de plus en plus, partout, nous ne vivons guère plus de cent ans. De nos jours, rares et chanceuses sont les familles dont l'un des membres n'est pas atteint d'une maladie grave. Et tout le monde finit par devoir affronter ce problème. Nous nous efforçons de faire de notre mieux malgré notre vulnérabilité et notre fragilité, et la planète est plus dure envers nous que nous ne le sommes envers elle. Soyons indulgents envers nous-mêmes.

Après tout, les humains sont des créatures vraiment remarquables. Nous n'avons pas d'égal, et il semblerait que nous n'ayons aucune véritable limite. Ce qui nous semblait encore impossible il y a peu, alors que nous découvrions nos responsabilités envers la planète, est parfaitement réalisable aujourd'hui. Quelques semaines avant de rédiger ces lignes, je suis tombé sur deux vidéos juxtaposées, sur YouTube. L'une montrait la médaille d'or olympique de saut de cheval en 1956, l'autre la médaille d'argent en 2012. On aurait dit qu'il s'agissait d'un autre sport. Et d'un autre animal. Dans les années 1950, on aurait qualifié de surhumain le saut réalisé par McKayla Maroney en 2012. Le Parkour, inspiré du parcours du combattant de l'armée française, est un sport formidable, au même titre que son dérivé, le free-running. Il m'arrive de visionner des compilations de ces exploits avec admiration. Certains jeunes bondissent d'immeubles de deux étages sans se blesser. C'est dangereux. Et fabuleux. Ceux qui escaladent les grues sont si courageux qu'on en frissonne. C'est également le cas des adeptes du vélo de montagne extrême, le snowboard freestyle, ou de ceux qui surfent sur des vagues de quinze mètres de haut...

Les tireurs du lycée de Columbine dont on parlait plus tôt s'étaient érigés en juges de la race humaine. De même que ce professeur du TEDx, mais en plus extrême. Comme mon ami Chris. Pour Éric Harris, le plus instruit des deux tueurs, les êtres humains appartenaient à une espèce ratée et corrompue. Lorsqu'on a accepté ce genre d'hypothèse, sa logique interne finit inévitablement par se manifester. Si l'on considère quelque chose comme un fléau, comme l'a déclaré David Attenborough[169], ou un cancer, comme le prétendait le Club de Rome[170], celui qui l'éradique est un héros, en l'occurrence un véritable sauveur pour la planète. Un messie pourrait suivre sa logique rigoureuse et se supprimer aussi. C'est ce que font généralement les tueurs de masse, poussés par un immense ressentiment. Même leur propre Être ne justifie pas l'existence de l'humanité. En fait, ils se donnent précisément la mort pour faire la démonstration de la pureté de leur engagement dans un processus d'anéantissement.

Personne dans le monde d'aujourd'hui ne pourrait exprimer sans contestation l'opinion selon laquelle on vivrait mieux sans les juifs, les Noirs, les musulmans ou les Anglais. En quoi alors serait-il vertueux de suggérer que la planète serait en meilleure posture si elle hébergeait moins de gens ? Je vois derrière de telles déclarations un squelette au visage grimaçant, jubilant à l'idée de l'avènement de l'Apocalypse. Et pourquoi a-t-on si souvent l'impression que ce sont ceux qui luttent ostensiblement contre les préjugés qui se sentent obligés de dénoncer l'humanité ?

À l'université, j'ai vu des étudiants, surtout en sciences humaines, sur le point de craquer après que de tels défenseurs de la planète leur ont reproché, philosophiquement parlant, leur existence en tant que membres de l'espèce humaine. C'est pire, à mon avis, pour les jeunes hommes. Comme on juge que ce sont des bénéficiaires privilégiés du patriarcat, on estime que leurs réussites sont imméritées. En tant qu'adhérents possibles de la culture du viol, ils sont sexuellement suspects. Leur ambition fait d'eux des pilleurs de la planète. Ils ne sont pas les bienvenus. Au collège, au lycée et à l'université, ils prennent du retard. Quand mon fils avait quatorze ans, nous avons discuté de ses notes. Il s'en sortait bien pour un garçon, me rétorqua-t-il comme si de rien n'était. Je lui demandai de m'en dire davantage. Tout le monde savait, d'après lui, que les filles avaient de meilleurs résultats scolaires que les garçons. Il était étonné que je ne sache pas quelque chose de si évident. En écrivant cela, j'ai reçu le dernier numéro de *The Economist*. En couverture : « Le sexe faible », c'est-à-dire les hommes. De nos jours, à l'université, les femmes représentent plus de la moitié des étudiants dans deux tiers des disciplines.

Dans le monde moderne, les garçons souffrent. Ils sont plus désobéissants (ou indépendants, selon qu'on a un point de vue négatif ou positif sur la question) que les filles, et ils en pâtissent tout au long de leur scolarité. Ils sont moins agréables, ce trait de caractère étant associé à la compassion, à l'empathie et au fait de fuir les conflits. Et moins sujets à l'angoisse et à la dépression[171], du moins après la puberté[172]. Les garçons s'intéressent plutôt aux choses, les filles aux gens[173]. Curieusement, ces différences, fortement influencées par des facteurs biologiques, sont plus prononcées en Scandinavie, où l'égalité des sexes est poussée à l'extrême : l'inverse de ce qu'auraient espéré ceux qui soutiennent, de plus en plus fort, que le genre est une construction sociale. Ce n'est pas le cas. Fin de la discussion. Les données sont là[174].

Les garçons aiment la compétition et détestent obéir, surtout à l'adolescence. Durant cette période, ils sont poussés à quitter le domicile familial et à s'établir de manière indépendante. C'est leur façon de défier l'autorité. L'école, instaurée à la fin du XIXe siècle précisément pour inculquer l'obéissance[175], n'accepte pas les comportements provocants et téméraires, quand bien même cela pourrait être le signe d'un garçon (ou d'une fille) compétent aux idées claires. D'autres facteurs sont également responsables du déclin des garçons. Par exemple, les filles n'hésitent pas à jouer à des jeux de garçons, mais ces derniers sont nettement plus réticents à l'idée de participer à des jeux de filles. C'est en partie dû au fait qu'il est admirable pour une fille de l'emporter face à des garçons, et qu'on ne lui reprochera pas d'avoir perdu. Pour un garçon, il est en revanche peu moral de battre une fille, et encore moins de se faire battre. Imaginez qu'un garçon et une fille de neuf ans se disputent. Le garçon est soupçonné d'avoir commencé. S'il l'emporte, il sera jugé pathétique. S'il perd, c'est la fin du monde. Battu par une fille...

Les filles peuvent gagner en l'emportant dans leur propre hiérarchie, en étant douées dans les domaines qu'elles prisent. S'ils sont doués dans les domaines prisés par les filles, les garçons verront leur prestige diminuer à la fois chez les filles et chez les garçons, leur réputation en pâtira chez les garçons, et les filles s'intéresseront moins à eux. Elles ne sont pas attirées par des liens d'amitié masculine, même si elles les aiment bien, mais elles sont attirées par des garçons qui gagnent en prestige auprès des autres garçons. Si vous êtes un garçon, en revanche, impossible d'écraser une fille comme vous l'auriez fait avec l'un de vos semblables. Les garçons ne peuvent pas (ou ne veulent pas) participer à des jeux purement compétitifs avec des filles, car il leur est presque impossible de gagner. Et quand le jeu devient un jeu de filles, les garçons s'en vont. Les universités, et particulièrement les sciences sociales, sont-elles sur le point de devenir des jeux de filles, et est-ce réellement ce que l'on souhaite ?

La situation dans les universités (et dans l'éducation de manière générale) est bien plus problématique que les statistiques de base ne l'indiquent[176]. Si on élimine les filières scientifique, technologique, d'ingénierie et de mathématiques, le rapport hommes-femmes est encore plus déséquilibré[177]. Près de 80 % des étudiants se spécialisant dans la santé, l'administration publique, la psychologie et l'éducation – ce qui comprend un quart de l'ensemble des autres diplômes –, sont des femmes. L'écart continue à s'accroître rapidement. À ce rythme, dans quinze ans il ne restera que très peu d'hommes dans les disciplines universitaires. Ce n'est pas une bonne nouvelle pour les hommes. C'est même catastrophique. Mais ce n'est pas une bonne nouvelle non plus pour les femmes.

La carrière et le mariage

Dans les filières d'éducation supérieure dominées par la présence de femmes, ces dernières trouvent de plus en plus difficile d'établir des relations sérieuses avec des hommes, même pour une durée moyenne. Elles doivent donc se contenter, si elles y sont disposées, de relations éphémères ou en pointillés. Peut-être est-ce un progrès en termes de libération sexuelle, mais j'en doute. Je trouve cela affreux pour les filles[178]. Les relations amoureuses stables sont aussi souhaitables pour les hommes que pour les femmes. C'est même ce que ces dernières recherchent en priorité. De 1997 à 2012, d'après le Pew Research Centre[179], le nombre de femmes âgées de 18 à 34 ans pour qui l'une des choses les plus importantes dans la vie était un mariage réussi est passé de 28 % à 37 %, soit une augmentation de plus de 30 %. Dans le même temps, le nombre de jeunes hommes à penser la même chose a chuté de 15 %, passant de 35 % à 29 %. En même temps, la proportion de personnes mariées de plus de dix-huit ans continua à décliner, passant des trois quarts en 1960 à la moitié aujourd'hui[180]. Enfin, parmi les adultes âgés de 30 à 59 ans jamais mariés, les hommes sont trois fois plus nombreux que les femmes à déclarer qu'ils n'ont aucune envie de convoler (27 %, contre 8 %).

Qui a décidé, de toute façon, qu'il était plus important de faire carrière que d'avoir une vie sentimentale et de fonder une famille ? Est-ce que le fait de travailler quatre-vingts heures par semaine dans un cabinet juridique haut de gamme vaut vraiment les sacrifices requis pour ce genre de réussite ? Si c'est le cas, pourquoi ? Une minorité d'individus (surtout des hommes qui, je le répète, ne font pas de bons scores en aménité) sont hypercompétitifs et tendent à vouloir gagner à tout prix. Une minorité va trouver le fait de travailler intrinsèquement fascinant. Mais ce n'est pas le cas des autres, et l'argent ne semble pas améliorer la qualité de vie des gens, une fois qu'ils en ont assez pour éviter les factures impayées. De plus, la plupart des femmes très performantes aux revenus élevés ont des partenaires qui leur ressemblent. Ce qui est plus important pour les femmes. Les données du Pew indiquent également que 80 % des femmes jamais mariées, mais qui aimeraient se marier (en regard de moins de 50 % des hommes) cherchent en priorité un partenaire avec une situation intéressante.

À leurs trente ans, la plupart des femmes avocats de haut niveau renoncent à leur carrière stressante[181]. Seuls 15 % des associés aux bénéfices des deux cents plus gros cabinets d'avocats américains sont des femmes[182]. Ce chiffre n'a guère évolué au cours des quinze dernières années, même si les femmes associées et les avocates sont nombreuses. Ce n'est pas non plus parce que les cabinets ne veulent pas que les femmes réussissent. Les cabinets manquent cruellement d'avocats talentueux, quel que soit leur sexe, et ils font tout leur possible pour les retenir.

Les femmes qui démissionnent veulent un emploi, et une vie qui leur laisse un peu de temps libre. Après la fac de droit, les stages et les premières années de travail, elles manifestent d'autres centres d'intérêt. C'est de notoriété publique dans les grosses sociétés (bien qu'on ait du mal à le reconnaître en public, aussi bien les hommes que les femmes). Récemment, une femme professeur de l'université McGill a donné une conférence à un public d'avocates associées ou en voie de l'être, sur le manque de structures de garde d'enfants et les « définitions masculines de la réussite », qui entravaient leur progression professionnelle et les incitaient à démissionner. Je connaissais la plupart des femmes dans l'assemblée. Nous en avions longuement discuté. Elles savaient que ce n'était pas du tout cela le problème. Elles avaient des nounous, elles avaient les moyens de les payer. Elles avaient déjà délégué toutes leurs obligations domestiques. Elles comprenaient aussi très bien que c'était le marché qui définissait la réussite, et non les hommes qui travaillaient avec elles. Si en tant qu'avocat à Toronto vous gagnez 650 dollars de l'heure, et qu'un client au Japon vous appelle un dimanche à quatre heures du matin, vous répondez. Immédiatement. Même si vous venez de vous recoucher après avoir allaité votre nouveau-né. Vous répondez, parce que sinon, un autre avocat hyperambitieux à New York sera ravi de prendre l'appel. Raison pour laquelle c'est le marché qui définit le travail.

L'offre restreinte d'hommes fréquentant l'université pose un problème de plus en plus grave aux femmes qui souhaitent se marier, ou simplement fréquenter des hommes. Tout d'abord, les femmes ont fortement tendance à se marier avec des hommes au minimum du même niveau qu'elles dans leurs hiérarchies de domination respectives. Elles préfèrent un partenaire de statut équivalent ou supérieur au leur. Cela se vérifie dans la plupart des cultures[183]. Ce n'est pas le cas chez les hommes, qui sont parfaitement disposés à se marier avec une femme de statut égal ou inférieur (comme l'indiquent les données du Pew), même s'ils préfèrent avoir une partenaire plus jeune. La récente tendance au creusement de la classe moyenne s'est aussi accélérée, car les femmes aisées souhaitent de plus en plus[184] des partenaires aisés. Pour cette raison, et à cause du nombre déclinant d'emplois industriels bien rémunérés (aux États-Unis, un homme sur six en âge de travailler est actuellement sans emploi), le mariage est désormais de plus en plus réservé aux riches. Je ne peux m'empêcher de trouver cela amusant, avec une certaine ironie. L'institution patriarcale oppressive est devenue un luxe. Pourquoi les riches se tyranniseraient-ils eux-mêmes ?

Pourquoi les femmes souhaitent-elles un partenaire salarié, et de préférence avec un statut supérieur ? C'est en grande partie dû au fait qu'elles deviennent vulnérables quand elles ont des enfants. Il leur faut quelqu'un de compétent pour subvenir à leurs besoins et à ceux des enfants en cas de nécessité. Un acte compensatoire parfaitement raisonnable, bien qu'il puisse aussi avoir un fondement biologique. Pourquoi une femme qui accepte la responsabilité d'un ou de plusieurs enfants cherche-t-elle aussi un adulte pour s'en occuper ? Alors, l'ouvrier au chômage est un spécimen indésirable, et la monoparentalité une possibilité non souhaitable.

Dans les foyers sans père, les enfants ont quatre fois plus de risques d'être pauvres. Cela signifie que leurs mères sont pauvres aussi. Les enfants sans père ont aussi plus de risques de devenir toxicomanes et alcooliques. Les enfants qui vivent avec des parents biologiques mariés sont moins angoissés, déprimés et délinquants que ceux qui vivent avec un ou plusieurs parents non biologiques. Dans les familles monoparentales, les enfants ont également deux fois plus de risques de se suicider[185].

Le violent virage vers le politiquement correct opéré dans les universités a amplifié le problème. Les voix criant contre l'oppression se sont faites plus fortes, semble-t-il, en proportion exacte de l'instauration de la parité dans les établissements – voire aujourd'hui d'une hostilité ouverte envers les hommes. Des disciplines universitaires entières sont désormais opposées aux hommes. Ce sont des domaines d'étude dominés par l'idée postmoderne et néomarxiste selon laquelle la culture occidentale, en particulier, est une structure oppressive créée par des hommes blancs pour dominer les femmes et les exclure (ainsi que d'autres groupes spécifiques). C'est uniquement grâce à cette domination et à cette exclusion[186] que les hommes réussiraient.

Le patriarcat, une aide ou un obstacle ?

Bien sûr, la culture est une structure oppressive, cela a toujours été. C'est une réalité existentielle universelle fondamentale. Le roi tyrannique est une vérité symbolique, une constante exemplaire. Ce dont nous héritons du passé est volontairement aveugle et obsolète, c'est un fantôme, une machine et un monstre. Il faut le sauver, le réparer et le tenir à distance grâce à l'attention et à l'effort des vivants. C'est un leg écrasant, car il nous martèle pour nous donner une forme socialement acceptable, et il gâche un énorme potentiel. Mais il donne aussi de grands avantages. Chacune des paroles que nous prononçons est un don de nos ancêtres. Chacune de nos pensées a déjà été émise par quelqu'un de plus intelligent. L'infrastructure hautement fonctionnelle dans laquelle nous vivons, particulièrement en Occident, est un don de nos ancêtres : les systèmes économiques et politiques relativement peu corrompus, la technologie, l'opulence, l'espérance de vie, la liberté, le luxe et les potentialités. La culture prend d'une main mais, en certains lieux favorisés, elle rend davantage de l'autre. Considérer que la culture est uniquement oppressive est une marque dangereuse d'ignorance et d'ingratitude. Je ne dis pas pour autant, comme j'espère l'avoir montré de manière suffisamment claire dans ce livre, qu'il est interdit de critiquer la culture.

Réfléchissez à ceci, en ce qui concerne l'oppression : « Toute hiérarchie produit des gagnants et des perdants. » Il est naturellement plus probable que les gagnants justifient l'existence de la hiérarchie, et que les perdants la critiquent. Mais (1) la poursuite collective de n'importe quel objectif prisé produit une hiérarchie (car certains se révéleront meilleurs que d'autres, quelle que soit la nature de l'objectif) ; et (2) c'est la poursuite d'objectifs qui, en grande partie, donne du sens à la vie. Nous considérons que presque toutes les émotions qui donnent du sel à l'existence sont les conséquences d'un progrès vers quelque chose de profondément désiré et de prisé. Le prix à payer pour cette implication est la création inévitable de hiérarchies de la réussite, dont la conséquence directe est une différence de résultat. Pour obtenir l'égalité absolue, il faudrait par conséquent sacrifier la valeur elle-même. Il n'y aurait alors plus rien qui vaille la peine d'être vécu. Constatons plutôt avec gratitude qu'une culture complexe et raffinée permet de nombreux jeux et à de nombreux joueurs de réussir. Cette culture bien organisée autorise les individus à la manipuler d'un grand nombre de façons différentes pour pouvoir jouer et l'emporter.

Il est également pervers de considérer que la culture est une création de l'homme – d'un point de vue symbolique, archétypal et mythique, la culture masculine. C'est en partie la raison pour laquelle l'idée de « patriarcat » est si aisément acceptée. Mais il s'agit d'une création de l'humanité, et non seulement des hommes (sans parler des hommes blancs, même s'ils y ont contribué de façon équitable). La culture européenne ne s'est révélée dominante, si tant est que cela ait été réellement le cas, qu'au long d'une période d'environ quatre cents ans. Sur l'échelle temporelle de l'évolution culturelle, qui se mesure au minimum sur plusieurs milliers d'années, c'est négligeable. De plus, même si les femmes n'avaient contribué à aucune œuvre artistique, littéraire et scientifique majeure avant les années 1960 et la révolution féministe (ce que je ne crois pas), alors le rôle qu'elles ont joué en élevant leurs enfants et en travaillant à la ferme n'en a pas été moins déterminant pour l'éducation des garçons et la libération des hommes – de très peu d'entre eux – pour que l'humanité puisse se propager et prospérer.

Voici une autre théorie : tout au long de l'histoire, les hommes et les femmes se sont battus pour la liberté et contre les horreurs de la privation. Durant cette lutte, les femmes étaient souvent désavantagées : elles avaient les mêmes faiblesses que les hommes, plus le fardeau de la reproduction et une moins grande force physique. En plus de la saleté, de la misère, de la maladie, de la famine, de la cruauté et de l'ignorance qui caractérisaient l'existence des deux sexes avant le XXᵉ siècle (à l'époque où même les Occidentaux vivaient avec moins d'un dollar par jour en monnaie constante), les femmes devaient également endurer le problème pratique des règles, la forte probabilité de devoir gérer une grossesse non désirée, le risque de mourir ou de subir de graves lésions durant l'accouchement, et le fardeau que constituait un grand nombre d'enfants en bas âge. C'est sans doute une raison suffisante pour justifier la différence de traitement légal et pratique entre les hommes et les femmes qui caractérisait la plupart des sociétés avant les révolutions technologiques récentes, y compris l'invention de la pilule. Avant d'accuser les hommes d'avoir tyrannisé les femmes, il faut au moins prendre en compte ce genre d'argument.

J'ai plutôt le sentiment que cette prétendue oppression du patriarcat était en fait une tentative collective imparfaite, sur plusieurs millénaires, de s'arracher mutuellement aux privations, à la maladie et au dur labeur. Le cas récent d'Arunachalam Muruganantham en est l'illustration parfaite. Cet homme, le « roi du tampon » en Inde, était peiné de voir sa femme devoir utiliser des chiffons sales durant ses règles. Elle lui rétorquait que c'étaient soit des serviettes hygiéniques hors de prix, soit du lait pour la famille. Il passa quatorze ans dans un état de démence, tentant, malgré le regard critique de ses voisins, de remédier à ce problème. Même sa femme et sa mère s'éloignèrent brièvement de lui, terrifiées à l'idée qu'elles puissent faire partie de son obsession. Lorsqu'il vint à manquer de femmes volontaires pour essayer son produit, il se mit à porter une vessie remplie de sang de porc. Ce genre d'attitude ne pouvait améliorer sa popularité et son statut. Aujourd'hui, ses serviettes à bas coût, fabriquées sur place par des groupes d'entraide destinés aux femmes, sont distribuées dans toute l'Inde. Leurs utilisatrices jouissent désormais d'une liberté qu'elles n'avaient jamais connue. En 2014, cet homme qui avait abandonné ses études au lycée fut nommé par le magazine *Time* parmi les cent personnes les plus influentes du monde. Je refuse de croire que la première motivation de Muruganantham ait été l'appât du gain. Fait-il partie du patriarcat ?

En 1847, James Young Simpson se servait d'éther pour aider à l'accouchement d'une femme au bassin déformé. Il passa ensuite au chloroforme, plus efficace. Le premier nourrisson né à l'aide de sa méthode fut nommé « Anaesthesia ». En 1853, le chloroforme avait suffisamment fait ses preuves pour que la reine Victoria accepte de l'utiliser. Grâce à lui, elle mit au monde sept enfants. Aussitôt, l'accouchement sans douleur fut disponible un peu partout. Certains alertèrent du danger de s'opposer à la parole de Dieu (Genèse 3:16) : « Je rendrai tes grossesses très pénibles et c'est dans la souffrance que tu mettras au monde tes enfants*. » D'autres s'opposèrent même à son usage chez les hommes : de jeunes mâles robustes et courageux n'avaient pas besoin d'anesthésie. Cette opposition fut vaine. L'usage de l'anesthésie se propagea avec une rapidité exceptionnelle, et beaucoup plus vite qu'il le serait possible aujourd'hui. D'éminents hommes d'Église en encouragèrent même l'utilisation.

Le premier tampon pratique, le Tampax, n'arriva sur le marché que dans les années 1930. Il fut inventé par le docteur Earle Cleveland Haas. Il le conçut en coton compressé, et imagina un applicateur à partir de tubes de papier. Cela permit d'atténuer une résistance au produit de ceux qui auraient pu invoquer un contact manuel malvenu. Au début des années 1940, 25 % des femmes en utilisaient. Trente ans plus tard, elles étaient 70 %. Aujourd'hui, elles sont quatre sur cinq à leur faire confiance, les autres préférant employer des serviettes hygiéniques à présent hyperabsorbantes et maintenues en place par des adhésifs efficaces (contrairement aux serviettes des années 1970, mal conçues, encombrantes, maintenues par une ceinture et ressemblant davantage à des couches). Muruganantham, Simpson et Haas ont-ils opprimé les femmes ou les ont-ils libérées ? Et Gregory Goodwin Pincus, qui a inventé la pilule contraceptive ? En quoi ces

* Traduction La Bible du Semeur (N.d.T.)

hommes pragmatiques, éclairés et persévérants faisaient-ils partie d'un patriarcat constricteur ?

Pour quelle raison enseigne-t-on à nos jeunes que notre incroyable culture est le résultat de l'oppression masculine ? Aveuglées par ce postulat, des disciplines aussi variées que l'éducation, le travail social, l'histoire de l'art, les études de genre, la littérature, la sociologie, et de plus en plus le droit traitent activement les hommes comme des oppresseurs et considèrent leur activité comme intrinsèquement destructrice. Elles promeuvent aussi souvent une action politique radicale, par rapport aux normes des sociétés au sein desquelles elles se situent, qu'elles confondent avec l'éducation. Par exemple, le Pauline Jewett Institute of Women's and Gender Studies de l'université Carleton d'Ottawa encourage le militantisme dans le cadre du cursus proposé. Le département des Études de genre de l'université Queen's de Kingston, dans l'Ontario, « enseigne les théories féministes, antiracistes et queer, et les méthodes du militantisme fondé sur le progrès social », laissant supposer que l'enseignement dispensé par l'université devrait avant tout favoriser un engagement politique d'un genre spécifique.

Le postmodernisme et l'influence de Marx

Ces disciplines tirent leur philosophie de sources multiples. Toutes sont fortement influencées par les humanistes marxistes. Dont Max Horkheimer, qui a énoncé une théorie déterminante, dans les années 1930. Pour résumer ses idées, on est obligé de les simplifier à outrance, mais Horkheimer se considérait comme un marxiste. Il pensait que les principes de liberté individuelle et de marché libre ne servaient qu'à masquer les véritables problèmes de l'Occident : les inégalités, la domination et l'exploitation. Il était convaincu qu'il fallait consacrer toute activité intellectuelle au progrès social, plutôt qu'à la simple compréhension, et espérait pouvoir libérer l'humanité de son asservissement. Horkheimer et les penseurs de l'école de Francfort – d'abord en Allemagne, puis, plus tard, aux États-Unis – visaient une critique et une transformation à grande échelle de la civilisation occidentale.

C'est surtout, plus récemment, à la fin des années 1970, le travail du philosophe français Jacques Derrida, chef de file des postmodernistes, qui est devenu à la mode. Derrida qualifiait ses idées de « forme radicalisée du marxisme ». Estimant que la culture symbolisait l'oppression des pauvres par les riches, Marx tenta de réduire l'histoire et la société à l'économie. Quand le marxisme fut mis en œuvre en Union soviétique, en Chine, au Vietnam, au Cambodge et ailleurs, les ressources économiques furent brutalement redistribuées. On abolit la propriété privée, et les populations rurales furent collectivisées de force. Résultat ? Dix millions de morts. Des centaines de millions de personnes furent soumises à une oppression rivalisant avec celle encore en vigueur en Corée du Nord, dernier bastion du communisme classique. Les systèmes économiques mis en place étaient corrompus et absolument pas viables. Le monde entra alors dans une longue guerre froide extrêmement périlleuse. Les citoyens de ces sociétés menaient une vie de mensonge, trahissant leurs familles, dénonçant leurs voisins... tout en vivant dans la misère sans se plaindre (sinon...).

Les intellectuels utopistes trouvaient les idées de Marx très séduisantes. Khieu Samphân, l'un des principaux architectes des horreurs perpétrées par les Khmers rouges, a obtenu un doctorat à la Sorbonne avant de devenir, au milieu des années 1970, le chef d'État symbolique du Cambodge. Dans sa thèse de doctorat, rédigée en 1959, il soutenait que le travail réalisé par les citadins cambodgiens était improductif, que les banquiers, les bureaucrates et les hommes d'affaires n'apportaient rien à la société. Au contraire, ils se comportaient en parasites vis-à-vis de la valeur produite par l'agriculture, la petite industrie et l'artisanat. Les intellectuels français, qui lui avaient décerné son diplôme, voyaient ses thèses d'un œil favorable. De retour au Cambodge, il eut l'occasion de les mettre en application. Les Khmers rouges vidèrent les villes de leurs habitants, conduisirent ces derniers dans les campagnes, fermèrent les banques, interdirent l'utilisation de la monnaie et détruisirent tous les marchés. Un quart de la population cambodgienne fut contrainte de se tuer à la tâche dans les champs de la mort.

Ne l'oublions pas, les idées ont des conséquences

On peut pardonner à la population qui espérait, quand les communistes constituèrent l'Union soviétique après la Première Guerre mondiale, que les rêves utopiques de collectivisme de leurs nouveaux dirigeants soient possibles. L'ordre social en ruine de la fin du XIXᵉ siècle fut à l'origine des tranchées et des massacres de masse de la Grande Guerre. Le fossé entre les riches et les pauvres était excessif, et la plupart des gens travaillaient comme des esclaves, dans des conditions pires que celles décrites plus tard par Orwell. Bien que l'Occident ait eu vent des exactions perpétrées par Lénine après la révolution russe, il lui demeurait difficile, de loin, d'évaluer son action. La Russie pataugeait dans un chaos postmonarchique, et les promesses d'un développement industriel généralisé et d'une redistribution de la propriété à ceux qui avaient récemment été des serfs donnaient toutes les raisons d'espérer. Pour compliquer les choses, l'URSS (et le Mexique) soutint le camp démocratique des Républicains, lorsque la guerre civile éclata en Espagne, en 1936. Ils s'opposaient aux nationalistes, fascistes pour l'essentiel, qui avaient renversé la démocratie encore fragile instaurée cinq ans auparavant, et qui étaient soutenus par les nazis et les fascistes italiens.

L'intelligentsia américaine, britannique et d'ailleurs s'agaça profondément de la neutralité de leurs pays. Des milliers d'étrangers affluèrent en Espagne pour se battre au sein des Brigades internationales aux côtés des Républicains. George Orwell était l'un d'eux. Ernest Hemingway, partisan des Républicains, fit office de journaliste. De jeunes Américains, Canadiens et Britanniques qui s'intéressaient à la politique se sentirent moralement obligés de passer à l'action.

Cela permit de détourner l'attention de ce qui se passait concomitamment en Union soviétique. Dans les années 1930, juste après la crise de 1929, les Soviétiques de Staline déportèrent en Sibérie deux millions de *koulaks*, leurs paysans les plus riches (ceux qui possédaient des vaches, deux ou trois employés, ou quelques arpents de terre de plus que les autres). Du point de vue communiste, ces *koulaks* avaient accumulé leurs richesses en pillant les autres et méritaient leur sort. La fortune était synonyme d'oppression, et la propriété privée de vol. Il était temps de retrouver un peu d'équité. Plus de trente mille *koulaks* furent fusillés sur place. Un plus grand nombre encore mourut des mains de leurs voisins jaloux, aigris et improductifs, qui se servirent des grands idéaux de la collectivisation communiste pour dissimuler leurs intentions meurtrières.

Les *koulaks* étaient les « ennemis du peuple », des singes, des raclures, de la vermine, des porcs. « Nous en ferons du savon ! » proclama un cadre citadin particulièrement brutal que le parti et les comités exécutifs soviétiques avaient mobilisé et envoyé dans les campagnes. On poussait les *koulaks* nus dans les rues, on les battait et on les forçait à creuser leurs propres tombes. Les femmes étaient violées. Leurs biens étaient « confisqués », ce qui, en pratique, signifiait qu'on vidait leurs maisons de fond en comble. Tout était volé. Dans de nombreux endroits, les paysans non *koulaks* résistèrent, particulièrement les femmes, qui protégèrent de leur corps les familles persécutées. Toute résistance se révéla vaine. Les *koulaks* encore en vie furent exilés en Sibérie, souvent en pleine nuit. Les premiers trains partirent en février, dans un froid mordant. À leur arrivée, dans la taïga désertique, ils découvrirent des logements insalubres. Un grand nombre d'entre eux périrent, notamment des enfants, de la typhoïde, de la rougeole et de la scarlatine.

Ces « parasites » de *koulaks* étaient, en général, des fermiers accomplis et travailleurs. Dans chaque champ, une petite minorité de personnes était encore responsable de la majeure partie de la production, et rien ne changea vraiment. Mais la production agricole s'effondra. Les faibles récoltes étaient saisies de force et transportées dans les villes. Les habitants des campagnes qui, après les récoltes, allaient glaner quelques grains de blé dans les champs pour leurs proches affamés risquaient l'exécution. Dans les années 1930, six millions de personnes moururent de faim en Ukraine, le grenier de l'Union soviétique. « Manger vos enfants est un acte barbare », lisait-on sur les affiches du régime soviétique !

Malgré bien plus que de simples rumeurs à propos de ces atrocités, les intellectuels occidentaux gardèrent une image plutôt positive du communisme. Ils avaient d'autres sujets de préoccupation, et, durant la Seconde Guerre mondiale, l'Union soviétique s'allia aux Occidentaux contre Hitler, Mussolini et Hirohito. Certains demeurèrent vigilants, néanmoins. Dès 1933, Malcolm Muggeridge publia dans le *Manchester Guardian* une série d'articles dans lesquels il décrivait l'anéantissement de la paysannerie par les Soviétiques. Comprenant ce qui se passait sous Staline, George Orwell s'en fit largement l'écho. En 1945, malgré une résistance acharnée contre la sortie du livre, il publia *La Ferme des animaux*, une fable faisant la satire de l'Union soviétique. Un grand nombre de ceux qui auraient dû se montrer plus avisés continuèrent à fermer les yeux un long moment. Ce fut surtout le cas en France, et surtout celui des intellectuels.

Jean-Paul Sartre, le plus célèbre philosophe français du milieu du XXe siècle, était, même s'il n'avait pas sa carte du parti, un communiste notoire, jusqu'à ce qu'il condamne l'incursion soviétique en Hongrie en 1956. Il continua néanmoins à défendre le marxisme, et ne rompit définitivement avec l'URSS qu'en 1968, lorsque les Soviétiques réprimèrent violemment les Tchécoslovaques durant le Printemps de Prague.

Peu après, Alexandre Soljenitsyne publia *L'Archipel du goulag*, dont nous avons beaucoup parlé dans les chapitres précédents. Comme nous le disions (et cela vaut la peine de le répéter), ce livre a réduit à néant la crédibilité de la morale du communisme, d'abord en Occident, puis au cœur même du système soviétique. Il circulait sous le manteau, sous forme de *samizdat*. Les Russes avaient vingt-quatre heures pour lire leur exemplaire rare avant de le remettre à une autre personne impatiente de le lire. Radio Liberty en diffusa une lecture en russe dans toute l'Union soviétique.

Soljenitsyne soutenait que le système soviétique n'aurait jamais pu perdurer sans la tyrannie et le travail forcé. Que les graines de ses pires excès avaient été semées à l'époque de Lénine (que les communistes occidentaux défendaient encore). Et qu'il avait été soutenu par des mensonges sans limites, aussi bien individuels que publics. On ne pouvait pas réduire l'ensemble de ses péchés à un simple culte de la personnalité, comme les partisans de ce système continuaient à le prétendre. Soljenitsyne a écrit sur les divers mauvais traitements infligés aux prisonniers politiques par l'Union soviétique, son système judiciaire corrompu et ses tueurs de masse, et a démontré avec minutie qu'il ne s'agissait pas d'aberrations, mais de l'expression directe de la philosophie communiste. Plus personne ne pouvait soutenir le communisme, après *L'Archipel du goulag*. Pas même les communistes eux-mêmes.

Cela ne signifiait pas que la fascination des intellectuels, notamment français, pour les idées marxistes avait totalement disparu. Elle se transforma légèrement. Certains refusèrent purement et simplement d'en tirer les leçons. Sartre qualifia Soljenitsyne d'« élément dangereux ». Plus subtil, Derrida remplaça l'idée d'argent par l'idée de pouvoir, et poursuivit son petit bonhomme de chemin. Ce tour de passe-passe linguistique permit aux marxistes tout juste repentis, mais qui avaient encore de l'influence auprès des intellectuels occidentaux, de conserver leur vision du monde. La société n'était plus une oppression du pauvre par le riche, mais une oppression générale par les puissants.

D'après Derrida, les structures hiérarchiques se formaient uniquement pour inclure ceux qui en bénéficiaient, excluant tous les autres, qui étaient par conséquent opprimés. Mais cette théorie n'était pas suffisamment radicale. Derrida prétendit alors que la division et l'oppression naissaient directement du langage, dans les catégories mêmes qui nous servent à simplifier et négocier la réalité de manière pragmatique. Il y a des « femmes » uniquement parce que les hommes gagnent à les exclure. Il y a des « hommes et des femmes » uniquement parce que les membres de ces groupes plus hétérogènes bénéficient de l'exclusion de l'infime minorité d'individus dont la sexualité biologique est amorphe. La science n'est utile qu'aux scientifiques. La politique aux politiciens. D'après le point de vue de Derrida, les hiérarchies existent parce qu'elles bénéficient de l'oppression de ceux que l'on a oubliés. C'est cet avantage mal acquis qui leur permet de prospérer.

Derrida est connu pour avoir déclaré (bien qu'il l'ait démenti plus tard) : « Il n'y a pas de hors-texte* », ce qui a été traduit en anglais par « Il n'y a rien en dehors du texte ». Ses partisans prétendent qu'il s'agit d'une mauvaise

---

* En français dans le texte (N.d.T.)

traduction, et qu'il faudrait comprendre : « Il n'y a pas de texte en dehors. » Quoi qu'il en soit, il demeure difficile de lire cette déclaration sans dire autre chose que « tout est interprétation », et que c'est ainsi que l'œuvre de Derrida est communément interprétée.

Impossible d'exagérer la nature nihiliste et destructrice de cette philosophie. Elle remet en question l'acte même de catégorisation. Elle invalide l'idée que l'on puisse établir des distinctions entre des choses pour d'autres raisons que celle du pouvoir. Les différences biologiques entre les hommes et les femmes ? Malgré l'existence d'une importante littérature scientifique multidisciplinaire qui stipule que les différences sexuelles sont fortement influencées par des facteurs biologiques, la science n'est, pour Derrida et ses acolytes marxistes postmodernes, qu'un autre jeu de pouvoir bénéficiant à ceux qui sont à la tête du monde scientifique. Les faits n'existent pas. La position hiérarchique et la réputation dues à ses compétences ? Toutes les définitions de la compétence ont simplement été inventées par ceux qui en profitent pour exclure les autres et en profiter de manière égoïste.

Il y a suffisamment de vérité dans les déclarations de Derrida pour expliquer, en partie, leur nature insidieuse. Le pouvoir est une force motivationnelle fondamentale (« une », pas « la »). Les gens s'affrontent pour s'élever vers le sommet, et ils sont attentifs à leur position dans les hiérarchies de domination. Mais – et c'est là que philosophiquement on sépare les garçons des hommes d'un point de vue métaphorique –, le fait que le pouvoir joue un rôle dans la motivation humaine ne signifie pas pour autant qu'il joue le seul rôle, ni même le rôle principal. De même, le fait qu'il nous est impossible de tout savoir rend toutes nos observations et nos déclarations tributaires de notre considération pour certaines choses et pas d'autres (comme nous en avons longuement parlé dans la Règle 10). Cela ne justifie pas l'argument selon lequel tout n'est qu'interprétation, ni que la catégorisation n'est qu'exclusion. Méfiez-vous des interprétations de causes isolées. Et de ceux qui les donnent.

Bien que les faits ne parlent pas d'eux-mêmes (une étendue de terre devant un voyageur ne lui dit pas comment la traverser), et bien qu'il existe une multitude de façons d'interagir avec eux et de les percevoir, même s'il ne s'agit que d'un petit nombre, cela ne signifie pas pour autant que toutes les interprétations sont pertinentes. Certaines vous font souffrir et font souffrir les autres. D'autres sont incompatibles avec le restant de la société. D'autres encore ne sont pas viables à long terme. Enfin, vous en trouverez qui ne vous permettront pas d'atteindre vos objectifs. Après des milliards d'années d'évolution, un grand nombre de ces restrictions sont ancrées en nous. D'autres apparaissent au fur et à mesure de notre coopération et de notre compétition pacifique et productive. De nouvelles surgissent encore lorsque, grâce à l'apprentissage, nous écartons des stratégies contre-productives. Un nombre infini d'interprétations, sans doute. Autant dire un nombre infini de problèmes. Mais le nombre de solutions acceptables est sérieusement limité. Sinon, la vie serait facile. Mais ce n'est pas le cas.

Maintenant, certaines de mes opinions pourraient être considérées comme de gauche. Je crois, par exemple, que l'inégalité notable avec laquelle les biens précieux sont répartis constitue une menace omniprésente pour la stabilité de la société. Cela a été prouvé. Ce qui ne signifie pas que la solution au problème soit évidente. Nous ignorons de quelle manière redistribuer la richesse sans créer un tas d'autres problèmes. Les sociétés occidentales ont tenté différentes approches. La Suède, par exemple, a poussé l'égalité dans ses derniers retranchements, partant du principe que la création de richesses nette d'un capitalisme plus dérégulé provoquerait un effet de marée qui emporterait avec lui toutes les embarcations. Les États-Unis ont pris le chemin inverse. Les résultats de ces expérimentations ne sont pas catégoriques, et les pays sont tous distincts les uns des autres. Les différences d'histoire, de géographie, de population et de diversité ethnique rendent les comparaisons très difficiles. Mais si une chose est sûre, c'est que la redistribution forcée au nom d'une égalité utopique est un remède pire que le mal.

Je crois aussi (en ce qui concerne mes idées plutôt de gauche) que la transformation progressive des universités sur le modèle des sociétés privées est une erreur. Je considère la science du management comme une pseudo-discipline. Je pense que, parfois, l'État peut se révéler une force au service du bien, et l'arbitre nécessaire d'un petit ensemble de règles indispensables. Néanmoins, je ne comprends pas pourquoi notre société finance des institutions et des enseignants qui ont pour objectif déclaré de réduire à néant la culture dont ils dépendent. Ces individus ont parfaitement le droit de penser ce qu'ils veulent et d'agir comme ils l'entendent, s'ils sont légitimes. Mais ils n'ont aucune raison de prétendre à des fonds publics. Si l'extrême droite se faisait financer par l'État pour des opérations politiques maquillées en cours d'université, comme c'est incontestablement le cas de l'extrême gauche, on entendrait le raffut des progressistes dans tout le pays.

À part la fausseté de leurs théories et de leurs méthodes et leur insistance pour que le militantisme politique collectif soit considéré comme moralement obligatoire, les disciplines « radicales » ont bien d'autres problèmes, tout aussi graves. Aucun soupçon de preuve ne vient étayer la moindre de leurs affirmations selon lesquelles l'Occident serait pathologiquement patriarcal ; que la première leçon à tirer de l'histoire serait que c'est l'homme, et non la nature, qui est la source principale de l'oppression des femmes (plutôt que, comme cela se vérifie dans la plupart des cas, leurs partenaires et ceux qui les soutiennent) ; toutes les hiérarchies seraient fondées sur le pouvoir et viseraient à l'exclusion. Les hiérarchies existent pour de nombreuses raisons – certaines vraisemblablement légitimes, d'autres non – et sont incroyablement anciennes d'un point de vue évolutionnaire. Les crustacés mâles oppriment-ils les crustacés femelles ? Faudrait-il inverser leurs hiérarchies ?

Dans les sociétés qui fonctionnent bien, non pas en fonction d'une utopie hypothétique, mais par rapport à d'autres cultures existantes ou historiques, c'est la compétence et non le pouvoir qui détermine principalement le statut. La compétence, l'aptitude, le savoir-faire. Pas le pouvoir. Aussi bien d'un point de vue empirique que factuel, c'est évident. Quelqu'un qui souffre d'un cancer du cerveau ne sera jamais suffisamment obsédé par l'égalité pour refuser les services d'un chirurgien qui a reçu la meilleure formation, qui a la meilleure réputation... et sans doute les meilleurs revenus. De plus, en Occident, les facteurs prédictifs les plus fiables de la réussite à long terme sont l'intelligence, mesurée à l'aide de tests de capacités cognitives ou de QI, et la rigueur, une qualité qui se caractérise par l'ardeur au travail et l'ordre[187]. Il existe des exceptions. Les entrepreneurs et les artistes sont plus ouverts à l'expérience[188], une autre qualité essentielle, qu'à la rigueur. Mais l'ouverture à l'expérience est associée à l'intelligence verbale et à la créativité. Cette exception est donc parfaitement pertinente et compréhensible. Le pouvoir prédictif de ces qualités d'un point de vue mathématique et économique est exceptionnellement élevé, un des plus hauts en matière de pouvoir, de tout ce qui est véritablement mesuré aux extrémités des sciences sociales. Une bonne batterie de tests cognitifs ou de personnalité augmente la probabilité d'employer quelqu'un de plus compétent que la moyenne de 50 % à 85 %. Ce sont des faits aussi vérifiés que n'importe quoi d'autre en sciences sociales (c'est-à-dire plus que vous ne l'imaginez, car les sciences sociales sont des disciplines plus efficaces que ce que leurs critiques cyniques pourraient laisser accroire). Ainsi, non seulement l'État soutient-il un radicalisme unilatéral, mais il encourage également l'endoctrinement. Nous n'enseignons pas à nos enfants que la Terre est plate. Nous ne devrions pas non plus leur inculquer des théories idéologiques infondées sur la nature des hommes et des femmes, ni sur la nature de la hiérarchie.

On peut souligner sans risque d'exagération (en admettant que les déconstructivistes en restent là) que la science peut être biaisée par les intérêts du pouvoir. Il faut s'en prémunir et mettre l'accent sur le fait qu'elles sont trop souvent ce que les gens de pouvoir, y compris les scientifiques, décident qu'elles doivent être. Après tout, les scientifiques sont des humains, et les humains aiment le pouvoir, tout comme les homards. De la même façon que les déconstructivistes aiment à se faire connaître pour leurs idées, et aspirent légitimement à occuper la tête de leurs hiérarchies universitaires. Mais cela ne signifie pas que la science – ni même le déconstructivisme – ne soit qu'une question de pouvoir. Pourquoi insister dans le sens d'une telle croyance ? Sans doute parce que « si seul le pouvoir existe, l'usage du pouvoir se justifie pleinement ». Cet usage par la preuve, la méthode, la logique ou même la nécessité de cohérence n'a pas de bornes. Il n'existe aucune limite pour ce qui se trouve « en dehors du texte ». Dans de telles circonstances, l'opinion, la force et l'usage de la force deviennent trop séduisants, de même que son emploi au service de cette opinion devient inévitable. La croyance postmoderne, aussi déraisonnable qu'incompréhensible, selon laquelle toutes les différences de genre seraient des constructions sociales, par exemple, n'en devient que trop compréhensible lorsqu'on en saisit le fondement moral, lorsqu'on comprend une bonne fois pour toutes le prétexte qu'elle invoque pour justifier l'usage de la force : « Il faut transformer la société, en éliminer les préjugés, jusqu'à ce qu'elle devienne équitable. »

Mais le fondement du constructivisme social est un désir d'équité, non la croyance dans la justice de la transformation. Puisque toutes les inégalités de résultat doivent être éliminées (l'inégalité étant le cœur de tous les maux), il faut par conséquent considérer les différences de genres comme une construction sociale. Sinon, la recherche d'égalité serait par trop radicale, et la doctrine trop ouvertement propagandiste. Ainsi, l'ordre de la logique est inversé, de sorte qu'il devient possible de camoufler l'idéologie. Le fait que de telles affirmations produisent des incohérences au sein même de l'idéologie n'est jamais abordé. Le genre est une construction, mais un individu qui souhaite se faire opérer pour changer de sexe doit absolument être considéré comme un homme pris au piège dans un corps de femme (ou vice versa). On ferme les yeux sur le fait que ces deux propositions ne peuvent être vraies simultanément. Ou on le justifie par une autre allégation postmoderne tout aussi épouvantable : la logique en soi, comme l'ensemble des techniques scientifiques, n'est qu'un élément appartenant au système patriarcal oppressif.

Il est également vrai, bien sûr, que tout ne peut être égalisé. Tout d'abord, étudions les résultats. Il est assez simple de comparer les salaires des personnes qui occupent les mêmes postes. Même si des éléments comme la date d'embauche – compte tenu, par exemple, de la différence de la demande de main-d'œuvre à différentes époques –, viennent sérieusement compliquer les choses. Mais d'autres comparaisons, comme la titularisation, le taux d'avancement et l'influence sociale, sont tout aussi pertinentes. L'introduction de l'argument « à travail égal, salaire égal » complique toutefois la comparaison salariale au-delà du raisonnable, et ce pour une bonne raison : qui décide de l'égalité des tâches ? C'est impossible. C'est la raison pour laquelle il existe un marché du travail. Le problème s'aggrave avec les comparaisons de groupes : les femmes doivent gagner autant que les hommes. D'accord. Les femmes noires doivent gagner autant que les femmes blanches. D'accord. Faut-il alors ajuster les salaires en fonctions de tous les paramètres raciaux ? À quel niveau de résolution ? Quelles sont les catégories raciales considérées comme « avérées » ?

L'US National Institute of Health, pour prendre un seul exemple d'administration, reconnaît les Amérindiens, les natifs d'Alaska, les Asiatiques, les Noirs, les Hispaniques, les natifs d'Hawaï et des autres îles du Pacifique, et les Blancs. Mais il existe plus de cinq cents tribus d'Indiens différentes. D'après quelle logique la division « Amérindiens » peut-elle par conséquent faire office de catégorie à part entière ? Les membres de la tribu des Osages ont un revenu annuel moyen de 30 000 dollars, tandis que les Tohono O'odham ne gagnent que 11 000 dollars. Sont-ils opprimés de la même manière ? Et qu'en est-il du handicap ? Les personnes invalides devraient gagner autant que les valides. D'accord. À première vue, cette revendication semble noble et bienveillante. Mais qui est handicapé ? Quelqu'un qui s'occupe d'un parent atteint d'Alzheimer est-il handicapé ? Si ce n'est pas le cas, pourquoi ? Et quelqu'un qui a un faible QI ? Et quelqu'un qui n'est pas séduisant ? En surpoids ? Certaines personnes accumulent les problèmes tout au long de leur existence, mais rares sont celles qui ne souffrent pas d'au moins une catastrophe à un moment donné, surtout si l'on considère aussi leurs proches. Et pourquoi pas vous ? Le problème est le suivant : « L'identité de groupe peut être fractionnée jusqu'au niveau de l'individu. » Il faudrait inscrire cette phrase en lettres capitales. Chaque individu est unique. Et pas seulement de manière superficielle. Chaque individu est significativement unique. L'appartenance à un groupe ne peut pas refléter cette variabilité. Point.

Les penseurs marxistes et postmodernes n'abordent jamais cette complexité. Au contraire, leur approche idéologique a un point de vérité, telle l'étoile du Berger, et oblige tout le reste à tourner autour. L'argument selon lequel toutes les différences de genre sont une conséquence de la socialisation n'est ni démontré ni réfutable en un sens, car la culture peut être exercée sur des groupes ou des individus avec une telle force que n'importe quel résultat est possible, si nous sommes prêts à en supporter le coût. Nous savons par exemple, d'après des études sur de vrais jumeaux adoptés[189], que la culture peut produire une augmentation de quinze points (ou un écart-type) de QI (à peu près la différence entre un lycéen moyen et un étudiant moyen de premier cycle), au prix d'une augmentation de ressources de trois écarts-types[190]. Cela signifie, en gros, que deux vrais jumeaux séparés à la naissance auront une différence de quinze points de QI entre le premier, élevé dans une famille plus pauvre que 85 % des familles, et le second, élevé dans une famille plus riche que 95 % des familles. On a récemment démontré quelque chose de semblable dans le domaine de l'éducation[191]. On ignore ce que cela coûterait en termes de richesse ou d'écart d'éducation pour produire une transformation encore plus prononcée.

Ce que ce genre d'études insinue, c'est que si nous sommes prêts à exercer une pression suffisamment forte, nous pouvons probablement minimiser les différences innées entre les garçons et les filles. Cela ne signifierait en aucun cas que nous libérerions des individus d'un sexe ou de l'autre au point de leur permettre de faire leurs propres choix. Mais le choix n'a pas sa place dans le cadre d'une idéologie : si les hommes et les femmes produisent délibérément des inégalités entre les sexes, ces choix ont certainement été déterminés par des préjugés culturels. Partout où il existe des différences entre les sexes, nous sommes donc victimes d'un lavage de cerveau général, et le théoricien critique rigoureux est moralement contraint de les corriger. Cela signifie que ces hommes scandinaves soumis à l'égalité à tout prix et qui ne sont pas très doués en soins infirmiers ont besoin d'une reconversion professionnelle. Et il en va de même, en principe, pour les femmes scandinaves pas très calées en mécanique[192]. À quoi pourrait ressembler une telle reconversion ? Où sont ses limites ? Ces mesures sont souvent poussées au-delà des limites du raisonnable avant d'être finalement abandonnées. La Révolution culturelle meurtrière de Mao devrait nous servir de leçon.

Transformer les garçons en filles

C'est devenu un principe dans certaines théories sociales constructivistes : le monde serait bien meilleur si les garçons étaient socialisés comme les filles. Ceux qui prônent de telles théories partent premièrement du principe que l'agressivité est un comportement acquis, et que par conséquent elle ne s'inculque pas. Et deuxièmement, pour prendre un exemple particulier, qu'« il faudrait socialiser les garçons de la même façon que les filles, et les encourager à développer des qualités sociales positives comme la tendresse, la sensibilité, le soutien et le goût pour la coopération et l'esthétisme ». D'après ces penseurs, l'agressivité ne se réduira que lorsque les adolescents mâles et les jeunes adultes « souscriront aux mêmes normes comportementales que celles qu'on a encouragées chez les femmes[193] ».

Cette idée contient tellement d'aberrations qu'il est difficile de savoir par où commencer. Tout d'abord, il est faux de prétendre que l'agressivité est simplement acquise. Elle a toujours été présente. Ce sont certains circuits biologiques anciens, pour ainsi dire, qui sont responsables de l'agressivité défensive et prédatrice[194]. Ils sont si essentiels qu'ils sont encore opérationnels chez ce que l'on appelle des « chats décortiqués », des animaux à qui on a entièrement ôté les parties les plus évoluées du cerveau, soit la plus grande partie de l'ensemble. Cela laisse non seulement entendre que l'agressivité est innée, mais qu'il s'agit également d'une conséquence de l'activité des zones les plus rudimentaires du cerveau. Si le cerveau était un arbre, l'agressivité, au même titre que la faim, la soif et le désir sexuel, se situerait dans l'épaisseur de son tronc.

Et pour aller dans ce sens, il semblerait qu'une partie des garçons de deux ans (environ 5 %) aient un tempérament plutôt agressif. Ils prennent les jouets des autres enfants, donnent des coups de pied, mordent et frappent. La plupart sont néanmoins parfaitement socialisés à quatre ans[195]. Mais ce n'est pas parce qu'on les a encouragés à se conduire comme des petites filles. Au contraire, on leur a enseigné (ou on le leur apprendra durant la petite enfance) à intégrer leurs tendances agressives à des routines comportementales plus raffinées. L'agressivité sous-tend la volonté d'être exceptionnel et irrésistible, de rivaliser et de gagner. D'être activement vertueux, du moins dans une dimension. La détermination, son visage prosocial, est une qualité admirable. Les garçons agressifs incapables de se tempérer à la fin de la petite enfance sont condamnés à l'impopularité car, lorsqu'ils seront plus âgés, leur antagonisme primaire ne leur sera plus d'aucune utilité. Rejetés par leurs pairs, ils manquent d'occasions de se socialiser et tendent à devenir des parias. À l'adolescence et à l'âge adulte, ces individus sont beaucoup plus enclins à avoir un comportement antisocial et criminel. Mais cela ne signifie nullement que cette agressivité n'a aucune utilité, ni aucune valeur. Au minimum elle est nécessaire à l'autoprotection.

La compassion érigée en vice

Un grand nombre (peut-être même la majorité) des patientes que je reçois à mon cabinet ont des problèmes dans leur travail et dans leur vie familiale, non seulement parce qu'elles sont trop agressives, mais aussi parce qu'elles ne sont pas assez agressives. Les thérapeutes cognitivo-comportementaux qualifient le traitement de ces personnes, généralement caractérisées par des qualités féminines d'aménité (politesse et compassion) et un certain névrosisme (angoisse et souffrance émotionnelle), d'« entraînement à l'affirmation de soi[196] ». Les femmes insuffisamment agressives – et les hommes, bien que ce soit plus rare – en font trop pour les autres. Elles ont tendance à traiter les autres comme s'il s'agissait d'enfants en détresse. Elles sont souvent naïves. Elles partent du principe que la coopération devrait être à la base de toute transaction sociale, et elles fuient les conflits, ce qui signifie qu'elles évitent de faire face aux problèmes dans leurs relations comme au travail. Elles se sacrifient pour les autres en permanence. Cela pourrait paraître vertueux – et cette attitude a certainement des avantages en société –, mais cette qualité devient souvent contre-productive, car à sens unique. Les personnes trop agréables se pliant en quatre pour les autres ne s'occupent pas suffisamment d'elles-mêmes. Supposant que les autres pensent comme elles, elles attendent, plutôt que de s'en assurer, une certaine réciprocité pour leurs attentions. En l'absence de réaction, elles s'abstiennent d'élever le ton. Elles sont incapables d'exiger de la reconnaissance. En raison de leur soumission, le côté obscur de leur caractère rejaillit, et elles commencent à éprouver du ressentiment.

J'enseigne aux personnes exagérément agréables à constater l'apparition d'un tel ressentiment, une émotion très importante mais extrêmement toxique. Le ressentiment n'a que deux origines possibles : le fait qu'on ait profité de vous (ou que vous ayez permis qu'on profite de vous), ou que vous ayez refusé en pleurnichant de grandir et d'endosser vos responsabilités. Si vous éprouvez du ressentiment, cherchez-en les raisons. Abordez peut-être le problème avec quelqu'un en qui vous avez confiance. Avez-vous le sentiment immature d'avoir été lésé ? Si, après mûre réflexion, vous ne pensez pas que ce soit le cas, peut-être quelqu'un profite-t-il de vous. Cela signifie que vous avez désormais l'obligation morale de défendre vos intérêts. Il peut s'agir d'une confrontation avec votre patron, votre mari, votre femme, votre enfant ou vos parents. Il se peut que d'un point de vue stratégique vous ayez besoin de rassembler des preuves, de sorte que, lorsque vous ferez face à cette personne, vous puissiez lui donner quelques exemples de son mauvais comportement (au moins trois). Cela l'empêchera de tenter de se soustraire à vos accusations. Vous allez sans doute devoir refuser de céder lorsque cette personne vous fera part de ses contre-arguments. Les gens en ont rarement plus de quatre sous la main. Si vous demeurez impassible, ils s'énervent, fondent en larmes ou fuient. Dans ce genre de situation, il est très utile de les voir pleurer. Ils peuvent utiliser leurs larmes pour inspirer à leur accusateur un sentiment de culpabilité, pour lui montrer qu'il les a blessés et les a fait souffrir. Mais les larmes sont souvent de colère. Un visage rougi est un bon indice. Si vous parvenez à faire valoir votre point de vue au-delà des quatre premières réponses de votre interlocuteur et à tenir bon face aux émotions, vous capterez l'attention de votre cible et peut-être son respect. Il s'agit toutefois d'un véritable conflit, et l'expérience n'est ni agréable ni facile.

Il faut aussi que vous sachiez clairement ce que vous souhaitez obtenir de cette situation, et que vous soyez prêt à exprimer distinctement vos désirs. C'est une bonne idée de dire à la personne que vous affrontez ce que vous aimeriez précisément qu'elle fasse, plutôt que de continuer à lui reprocher ce qu'elle a fait ou ce qu'elle est en train de faire. Vous pourriez penser : « S'ils m'aiment, ils devraient savoir quoi faire. » C'est la voix du ressentiment. Présupposez de l'ignorance plutôt que de la malveillance. Personne n'a la ligne directe de vos désirs et de vos besoins, pas même vous. Si vous tentez de déterminer précisément ce que vous souhaitez, vous découvrirez peut-être que c'est plus difficile que vous ne l'imaginiez. La personne qui vous opprime n'est probablement pas plus avisée que vous, surtout en ce qui vous concerne. Dès que vous avez tiré les choses au clair, dites-lui directement ce que vous préférez. Faites en sorte que votre demande soit aussi petite et raisonnable que possible. Mais veillez à ce que sa réalisation vous satisfasse. De cette manière, vous entamez la discussion avec une solution, plutôt qu'avec juste un problème.

Les personnes agréables, compatissantes, empathiques qui détestent les conflits (tous ces traits de caractère s'additionnent) se laissent marcher sur les pieds et deviennent amères. Elles se sacrifient pour les autres, parfois à l'excès, et sont incapables de comprendre pourquoi ce n'est pas réciproque. Les gens agréables sont dociles, et cela les prive de leur indépendance. Le danger, c'est que cela peut être amplifié par un névrosisme. Les individus agréables vont être d'accord avec tous ceux qui proposeront quelque chose, plutôt que d'insister, au moins de temps à autre, pour que l'on fasse à leur façon. Ils s'égarent, deviennent indécis et se laissent trop facilement influencer. Si, en plus, ils sont facilement effrayés et blessés, ils ont encore moins de raisons de vouloir voler de leurs propres ailes, car ils s'exposeraient alors à la menace et au danger, du moins à court terme. D'un point de vue technique, c'est la voie qui mène au trouble de la personnalité dépendante[197]. On peut considérer qu'il s'agit de l'inverse du trouble de la personnalité antisociale qui rassemble les traits caractéristiques de la délinquance durant l'enfance et l'adolescence, et de la criminalité à l'âge adulte. Ce serait très bien si l'opposé du criminel était un saint, mais ce n'est pas le cas. C'est une mère œdipienne, une autre sorte de criminelle à part entière.

La mère œdipienne (les pères peuvent aussi tenir ce rôle, mais c'est beaucoup plus rare) dit à son enfant : « Tu es ma seule raison de vivre. » Elle fait tout pour ses enfants. Elle lace leurs chaussures, leur coupe la viande et les laisse venir bien trop souvent dans le lit parental. C'est également une bonne méthode pour éviter une attention sexuelle non désirée.

La mère œdipienne a scellé un pacte avec elle-même, ses enfants et le diable en personne. Il est le suivant : « Surtout, ne m'abandonnez jamais. En échange, je ferai tout ce que vous voulez. En grandissant sans mûrir, vous deviendrez inutiles et amers, mais vous n'aurez jamais à prendre la moindre responsabilité, et aucune de vos erreurs ne sera votre faute. » Les enfants peuvent l'accepter ou le refuser. Ils ont le choix.

La mère œdipienne est la sorcière dans *Hansel et Gretel*. Dans ce conte, les deux enfants ont une nouvelle belle-mère. En période de famine, trouvant qu'ils mangent trop, elle ordonne à son mari de les abandonner dans la forêt. Lui obéissant, il les emmène dans les bois et les abandonne à leur sort. Errant affamés et seuls, ils tombent sur un miracle : une maison. Et pas n'importe laquelle. Une maison en pain d'épices. Quelqu'un de normalement constitué pourrait se montrer sceptique et demander : « N'est-ce pas trop beau pour être vrai ? » Mais les enfants sont trop jeunes et trop désespérés.

À l'intérieur se trouve une gentille vieille dame, qui secourt les enfants apeurés, les rassure et leur mouche le nez. Bien en chair, elle est prête à tout moment à se sacrifier à leurs désirs. Elle leur donne à manger tout ce qu'ils lui demandent, à n'importe quel moment, sans rien leur demander en retour. Mais ce genre d'attention finit par lui donner faim. Elle enferme Hansel dans une cage pour l'engraisser de façon plus efficace. Lorsqu'elle tente de voir, en lui tâtant la jambe, s'il est tendre à souhait, il la dupe en lui faisant toucher un vieil os. Trop impatiente, elle finit par allumer le four, s'apprêtant à dévorer l'objet de ses soins. Gretel, qui est manifestement parvenue à résister à sa domination, attend un moment d'inattention pour pousser la gentille vieille dame dans le four. Les enfants s'enfuient, et vont rejoindre leur père, qui s'est soigneusement repenti de ses mauvaises actions.

Dans ce genre de maison, le morceau de choix chez l'enfant est l'esprit, et on le consomme toujours en premier. Une trop grande protection empêche l'âme de s'épanouir.

La sorcière du conte *Hansel et Gretel* est la Terrible Mère, la moitié sombre de la symbolique féminine. De nature profondément sociale, nous avons tendance à voir la réalité comme une histoire dont les personnages principaux sont la mère, le père et l'enfant. Le féminin, dans son ensemble, est de nature inconnue hors des limites de la culture, de la création et de la destruction : ce sont les bras protecteurs de la mère et l'élément destructeur du temps, la magnifique Vierge Marie et la vieille sorcière des marais. Au XIXᵉ siècle, l'anthropologue suisse Johann Jakob Bachofen prit cette entité archétypale pour une réalité historique objective. Il suggéra que l'humanité avait franchi tout au long de son histoire une succession d'étapes de développement.

La première, en gros (après un début quelque peu anarchique et chaotique), était *Das Mutterrecht*[198], une société où les femmes occupaient les meilleurs postes du pouvoir, du respect et de l'honneur, où le polyamour et les mœurs légères étaient la règle, et où il n'existait aucune certitude de paternité. La deuxième, la Dionysienne, était une phase de transition au cours de laquelle les hommes prenaient le pouvoir et renversaient les fondations matriarcales originelles. La troisième phase, l'Apollonienne, est encore en vigueur aujourd'hui. C'est le patriarcat qui domine, et chaque femme appartient exclusivement à un homme. En dépit de l'absence de toute preuve historique pour les étayer, les idées de Bachofen obtinrent un grand succès dans certains cercles. L'archéologue Marija Gimbutas, par exemple, prétendit dans les années 1980 et 1990 que le néolithique européen avait jadis été caractérisé par une culture centrée sur la déesse et la femme pacifique[199]. Elle soutint que cette culture fut supplantée par une autre, guerrière et hiérarchique, qui posa les bases de la société moderne. L'historienne de l'art Merlin Stone produisit le même argument dans son livre *When God Was a Woman*[200]. Ces idées pour l'essentiel archétypales et mythologiques devinrent les pierres angulaires de la théologie du mouvement des femmes et des études matriarcales du féminisme des années 1970. Cynthia Eller, qui écrivit un livre critique envers ces idées, *The Myth of Matriarchal Prehistory*, qualifia cette théologie de « mensonge ennoblissant[201] ».

Carl G. Jung avait pris connaissance des idées de Bachofen sur le matriarcat primaire des dizaines d'années auparavant. Il s'aperçut cependant rapidement que la progression développementale décrite par ce penseur suisse illustrait une réalité psychologique plutôt qu'historique. Il retrouva dans la pensée de Bachofen les mêmes processus de projection de fantasmes imaginaires du monde extérieur que ceux qui avaient conduit au peuplement du ciel par des constellations et des divinités. Dans *Origine et Histoire de la conscience*[202] et *La Grande Mère*[203], Erich Neumann, collaborateur de Jung, prolongea l'analyse de son collègue. Il remonta à l'origine de la conscience, symboliquement masculine, et la compara à ses origines symboliquement matérielles et féminines (la mère, la matrice), intégrant la théorie freudienne de la parenté œdipienne dans un modèle archétypal plus vaste. Pour Neumann, et Jung, la conscience – toujours symboliquement masculine, même chez les femmes – lutte pour s'élever vers la lumière. Son développement est douloureux et angoissant, car il sous-entend une prise de conscience de la vulnérabilité et de la mort, avec la tentation permanente de replonger dans la dépendance et l'inconscience et de se débarrasser de son fardeau existentiel. Le conscient est aidé dans ce désir pathologique par tout ce qui s'oppose à l'illumination, l'organisation, la rationalité, l'autodétermination, la force et la compétence, par tout ce qui protège trop et par conséquent étouffe et dévore. Ce genre de protection excessive est le cauchemar familial œdipien de Freud, que nous érigeons rapidement en principe social.

La Terrible Mère est un symbole ancien. Il se manifeste, par exemple, sous l'apparence de Tiamat, dans les plus anciens récits que nous avons retrouvés, l'*Enuma Elish* mésopotamien. Tiamat est la mère de toute chose, des dieux comme des hommes. C'est l'inconnu et le chaos, la nature qui donne naissance à toute forme. Mais c'est aussi la divinité-dragon femelle qui n'hésite pas à anéantir ses propres enfants lorsqu'ils tuent par négligence leur père et tentent de vivre de son cadavre. La Terrible Mère est l'esprit de l'inconscience inconsidérée, qui tente l'esprit toujours actif de la conscience et de l'illumination jusque dans l'étreinte protectrice du monde souterrain. C'est la terreur qu'éprouvent les jeunes hommes face à des femmes séduisantes qui représentent la nature, toujours prête à les repousser dans les plus profonds abîmes. Plus que tout, cela inspire la gêne, sape le courage et déclenche des sentiments de nihilisme et de haine. Presque plus, peut-être, que l'étreinte trop prolongée d'une mère trop envahissante.

On rencontre la Terrible Mère dans de nombreux contes de fées et dans beaucoup d'histoires pour adultes. Dans *La Belle au bois dormant*, le côté obscur de la nature est la méchante reine. Maléfique, dans la version de Disney. Les parents de la princesse Aurore omettent d'inviter cette force de la nuit au baptême de leur fille. Ce faisant, ils protègent trop le nouveau-né du côté destructeur et dangereux de la réalité, préférant qu'il grandisse loin de tout cela. Leur récompense ? À la puberté, elle est encore inconsciente. L'esprit masculin, son prince, est à la fois un homme capable de la sauver en l'arrachant à ses parents, et sa propre conscience prise au piège dans un cachot à cause des machinations du côté obscur de la féminité. Quand ce prince s'échappe et met un peu trop la pression sur la reine Maléfique, celle-ci se transforme en dragon du chaos. Le masculin symbolique parvient à la vaincre grâce à la vérité et à la foi, découvrant la princesse dont il ouvre les yeux à l'aide d'un baiser.

On pourrait me rétorquer (comme ce fut le cas dans le récent Disney *La Reine des neiges*) que les femmes n'ont pas besoin d'hommes pour les secourir. C'est peut-être vrai, peut-être pas. Peut-être que seule la femme qui souhaite (ou a) des enfants peut avoir besoin d'un homme pour la sauver. Ou du moins pour subvenir à ses besoins et l'aider. Quoi qu'il en soit, il est certain que pour être sauvée, une femme a besoin de sa conscience, et comme nous l'avons dit plus haut, la conscience est symboliquement masculine. Et ce depuis la nuit des temps, à la fois sous la forme de l'ordre et du Logos, le principe médiateur. Le prince peut être un amant physique, mais il peut aussi s'agir de l'éveil psychique à l'attention d'une femme, de sa clarté de vision et de son indépendance obstinée. Ce sont des traits masculins, originellement. De même que symboliquement, les hommes sont en moyenne moins tournés vers la tendresse, moins agréables que les femmes et moins sujets à l'angoisse et à la souffrance émotionnelle. Et, je le répète (1), c'est d'autant plus vrai dans ces pays scandinaves où l'on a fait le plus de progrès vers l'égalité des sexes, et (2) les différences ne sont pas minces, compte tenu des critères grâce auxquels ces choses sont mesurées.

La relation entre le masculin et la conscience est également illustrée, de manière symbolique, dans le film de Disney *La Petite Sirène*. Ariel, l'héroïne, est plutôt féminine, mais elle a aussi une forte volonté d'indépendance. Pour cette raison, elle est la chouchoute de son père, bien qu'elle lui cause par ailleurs bien du tracas. Son père, Triton, est le roi. Il représente le connu, la culture et l'ordre (avec un soupçon de tyran oppresseur). L'ordre étant toujours opposé au chaos, Triton a un adversaire, Ursula, une pieuvre à la fois serpent, gorgone et hydre. Ainsi, Ursula œuvre dans la même catégorie archétypale que la reine-dragon Maléfique dans *La Belle au bois dormant* (ainsi que la vieille reine jalouse de *Blanche-Neige*, la marâtre de *Cendrillon*, la Reine rouge d'*Alice au pays des merveilles*, Cruella d'Enfer dans *Les 101 Dalmatiens*, Mme Médusa dans *Les Aventures de Bernard et Bianca*, et Mère Gothel dans *Raiponce*).

Ariel rêve d'une histoire d'amour avec le prince Éric, qu'elle a précédemment secouru d'un naufrage. Ursula persuade Ariel de renoncer à sa voix pour pouvoir vivre trois jours sous la forme d'un être humain. Cependant, Ursula sait très bien que sans sa voix, Ariel ne pourra pas attirer l'attention du prince. Sans sa parole – sans le Logos, sans la parole divine –, elle demeurera sous l'eau, à tout jamais inconsciente.

Ariel se révélant incapable de s'unir au prince Éric, Ursula lui vole son âme et la dépose, protégée par sa grâce féminine, dans sa vaste collection d'êtres racornis et déformés. Quand le roi Triton se présente pour exiger le retour de sa fille, Ursula lui fait une offre terrible : il peut prendre la place d'Ariel. Bien sûr, depuis le début, Ursula a pour objectif diabolique d'éliminer le roi (qui représente, répétons-le, le côté bienveillant du patriarcat). Ariel est libérée, mais Triton est à présent réduit à l'ombre pathétique de ce qu'il était. Et surtout, Ursula possède désormais le trident magique de Triton, source de son pouvoir quasi divin.

Heureusement pour tous les personnages concernés (à l'exception d'Ursula), le prince Éric revient, détournant l'attention de la méchante reine du monde souterrain à l'aide d'un harpon. Cela donne l'occasion à Ariel d'attaquer Ursula qui, en réaction, se met à grossir, à prendre des proportions monstrueuses, de la même manière que Maléfique, la reine de *La Belle au bois dormant*. Ursula déclenche alors une immense tempête et fait surgir des flots une armada de navires coulés. Tandis qu'elle s'apprête à tuer Ariel, Éric prend les commandes d'une épave et l'éperonne. Triton et les autres âmes capturées sont libérées. De nouveau fringant, le roi transforme sa fille en être humain pour qu'elle puisse rester avec Éric. Pour qu'une femme puisse s'accomplir, soutient cette histoire, elle doit établir une relation avec la conscience masculine et affronter le monde (qui se manifeste parfois sous l'apparence d'une mère un peu trop présente). Un homme peut l'aider dans cette tâche, dans une certaine mesure, mais il vaut mieux pour tout le monde que personne ne soit trop dépendant.

Un jour, quand j'étais gamin, je jouais au softball dehors avec des amis. Les équipes étaient mixtes. Nous étions suffisamment âgés pour que les garçons commencent à s'intéresser aux filles, et vice versa. Notre statut commençait à devenir important. Mon ami Jake et moi étions sur le point d'en venir aux mains, nous poussant l'un et l'autre près du monticule du lanceur, lorsque ma mère approcha. Elle se trouvait à bonne distance, à une trentaine de mètres, mais je devinai aussitôt grâce au changement dans son langage corporel qu'elle savait ce qui se passait. Bien sûr, les autres l'avaient également vue. Elle poursuivit son chemin. Je savais que cela la faisait souffrir. Au fond, elle craignait que je rentre avec le nez en sang et un œil poché. Il lui aurait été facile de s'écrier : « Eh, les enfants, arrêtez ça tout de suite ! » ou encore d'approcher et d'intervenir. Mais ce ne fut pas le cas. Quelques années plus tard, alors que j'avais des problèmes d'adolescent avec mon père, ma mère me déclara : « Si c'était trop bien à la maison, tu ne voudrais plus jamais partir. »

Ma mère est une personne au cœur tendre. Elle est empathique, coopérative et agréable. Elle se laisse parfois un peu bousculer. Quand elle a repris le travail, après être restée à la maison avec ses plus jeunes enfants, elle trouva stimulant de tenir tête aux hommes. Parfois, cela lui procurait du ressentiment. Elle en éprouve aussi de temps à autre dans sa relation avec mon père, qui a fortement tendance à faire ce qu'il veut, quand il l'a décidé. Malgré tout, ce n'est pas une mère œdipienne. Elle encourage l'indépendance de ses enfants, quand bien même elle trouve cela souvent difficile. Elle faisait ce qu'il fallait, même si cela devait la faire souffrir.

Endurcis-toi, belette !

Plus jeune, j'ai passé un été dans les prairies du centre du Saskatchewan. J'ai intégré une équipe qui travaillait sur la voie de chemin de fer. Durant les deux premières semaines, tout le monde était testé. Un grand nombre des autres employés étaient des Indiens Cris du nord, des types tranquilles pour la plupart. Ils étaient faciles à vivre, sauf quand ils buvaient trop et commençaient à être aigris. Comme la plupart de leurs semblables, ils allaient et venaient en prison. Ils n'y attachaient aucune importance, car ils considéraient que cela faisait aussi partie du système de l'homme blanc. De plus, il faisait chaud l'hiver en prison, et on y mangeait copieusement à tous les repas. Un jour, je prêtai cinquante dollars à l'un des Cris. Plutôt que de me rembourser, il m'offrit une paire de serre-livres taillés dans le rail original que l'on posait dans l'ouest du Canada. Je l'ai toujours. Je préférais ça aux cinquante dollars.

Chaque fois qu'un nouveau se présentait, les autres lui trouvaient inévitablement un nouveau surnom. Dès que je fus accepté au sein de l'équipe, ils m'appelèrent Howdy-Doody*,

---

* En référence à la marionnette du même nom dans une émission de télé américaine pour les enfants diffusée sur NBC de 1947 à 1960 (N.d.T.)

ce que j'ai toujours eu un peu de mal à admettre. Lorsque je demandai au responsable pourquoi il avait choisi ce surnom, il me répondit absurdement : « Parce que tu ne lui ressembles pas du tout. » Les ouvriers sont souvent extrêmement drôles, avec un humour caustique, mordant et parfois insultant (comme nous l'avons vu dans la Règle 9). Ils sont constamment en train de se harceler, en partie par amusement, en partie pour marquer des points dans l'éternelle bataille pour la domination qui se déroule entre eux, mais aussi pour voir la réaction des autres en situation de tension sociale. Cela fait partie du processus d'évaluation du caractère et de la camaraderie. Quand cela fonctionne bien (quand tout le monde obtient, donne autant qu'il reçoit, et peut donner et recevoir), c'est ce qui permet aux hommes qui travaillent pour gagner leur vie de supporter, ou même d'éprouver du plaisir à poser des rails, à travailler sur des plates-formes pétrolières, à couper des arbres, à travailler dans les cuisines de restaurants et à exécuter des tâches salissantes, physiques, exigeantes et risquées que seuls des hommes (ou presque) sont capables d'accomplir.

Peu de temps après mes débuts dans l'équipe, mon surnom fut modifié en « Howdy ». Ce que je considérai comme un grand progrès, car je lui trouvai une connotation western, et il n'était plus lié de manière aussi évidente à cette stupide marionnette.

La recrue suivante n'eut pas cette chance. Il avait une jolie cantine, ce qui était une erreur, les sacs en papier kraft sans prétention étant la norme. Elle était un peu trop jolie et trop clinquante. On aurait dit que sa mère venait de la lui acheter (et de la lui remplir). Cela devint son surnom. Cantine n'avait pas beaucoup d'humour. Il critiquait tout et avait une mauvaise attitude. Tout était toujours la faute des autres. Il était susceptible, et pas très vif d'esprit.

Cantine fut incapable d'accepter son surnom et de s'adapter à son travail. Il prenait un air agacé et condescendant chaque fois qu'on lui adressait la parole, et réagissait de la même manière envers son travail. Ce n'était guère amusant de travailler avec lui, et il ne supportait pas la moindre plaisanterie à son sujet. C'était fatal, dans une équipe. Après avoir passé trois jours à nous montrer sa mauvaise humeur et son air condescendant, Cantine commença à subir un harcèlement qui allait bien au-delà de son surnom. L'air maussade, il travaillait sur son rail, entouré d'environ soixante-dix hommes répartis sur plus de quatre cents mètres. Soudain, un caillou surgissait de nulle part avant de s'abattre sur son casque. Le bruit sourd satisfaisait tous les ouvriers qui avaient assisté à la scène. Même cela ne parvint pas à le dérider. Les cailloux se firent alors plus gros. Dès que Cantine était concentré sur quelque chose, « tac ! » Une pierre sur la caboche, de quoi provoquer son agacement et une rage inefficace. Les rires résonnaient tout au long de la voie ferrée. Au bout de plusieurs jours du même traitement, pas plus sage, mais avec quelques ecchymoses supplémentaires, Cantine se volatilisa.

Lorsqu'ils travaillent ensemble, les hommes font respecter un certain code de conduite. Faites votre boulot. Faites des efforts. Restez éveillé et faites attention. Évitez de pleurnicher et d'être susceptible. Soutenez vos amis. Ne faites pas de lèche et évitez de jouer les balances. Ne soyez pas l'esclave de règles stupides. Comme l'a dit Arnold Schwarzenegger, ne soyez pas des femmelettes. Ne dépendez pas des autres. Pas du tout. Jamais. Point final. Le harcèlement qui fait partie du processus d'acceptation au sein de l'équipe est un test : êtes-vous quelqu'un de coriace, d'amusant, de compétent et de fiable ? Si ce n'est pas le cas, fichez le camp. C'est aussi simple que cela. Nous n'avons aucune envie de vous plaindre. De supporter votre narcissisme. Et nous ne voulons pas faire votre travail.

Il y a quelques dizaines d'années de cela, le body-builder Charles Atlas avait publié une célèbre publicité sous la forme d'une bande dessinée. Elle était titrée : « L'insulte qui a fait de Mac un homme », et on la trouvait dans presque tous les comics, dont la plupart étaient lus par des garçons. Mac, le protagoniste, est assis sur une serviette de plage à côté d'une jeune femme séduisante. Une brute passe en courant, leur projetant du sable en plein visage. Mac proteste. L'armoire à glace le saisit par les épaules et déclare : « Écoute-moi bien. Je t'écrabouillerais volontiers, mais tu es si maigre que je pourrais t'exploser. » La brute s'éloigne. Mac déclare à la fille : « Quelle brute ! Je me vengerai, un jour. » Elle prend une pose provocatrice : « Oh, ne te tracasse pas avec ça, mon garçon. » Mac rentre chez lui, étudie son physique pathétique et s'inscrit au programme Atlas. Bientôt, il a un nouveau corps. Lorsqu'il va à la plage, il donne à la brute un coup de poing dans le nez. Admirative, la fille se pend à son bras. « Oh, Mac ! se pâme-t-elle. Tu es un homme, finalement. »

Cette publicité est célèbre pour une bonne raison. Elle résume la psychologie sexuelle humaine en sept cases. Le jeune homme trop faible est gêné, comme il se doit. Il ne vaut rien. Il se fait rabaisser par les autres hommes, et pire, par les femmes séduisantes. Plutôt que ruminer son ressentiment, d'aller se réfugier dans son sous-sol et de jouer aux jeux vidéo en sous-vêtements, couvert de miettes de Cheetos, il se forge ce qu'Alfred Adler, le collègue le plus pragmatique de Freud, appelle un « fantasme compensatoire[204] ». Le but d'un tel fantasme n'est pas tant de réaliser ses rêves que d'illuminer un véritable chemin. Mac prend en compte sa carrure d'épouvantail et décide de se muscler. Surtout, il met ses projets en œuvre. Il s'identifie à sa part capable de dépasser son état actuel et devient le héros de sa propre aventure. Il retourne à la plage et frappe la brute. Mac l'emporte. Et sa copine aussi. Et tous les autres.

Il est à l'avantage certain des femmes que les hommes ne supportent pas de dépendre les uns des autres. L'une des raisons pour lesquelles tant de femmes de la classe ouvrière ne se marient pas, comme nous y avons fait allusion plus haut, est qu'elles n'ont aucune envie de s'occuper d'un homme, de se battre pour son travail et ses enfants. D'accord. Une femme doit s'occuper de ses enfants. Même si c'est loin d'être tout ce qu'elle doit faire. Et un homme doit s'occuper de sa femme et de ses enfants. Même si c'est loin d'être tout ce qu'il doit faire. Mais une femme ne doit pas s'occuper de son homme, parce qu'elle doit s'occuper de ses enfants, et les hommes ne doivent pas faire les enfants. Autrement dit, ils ne doivent pas être dépendants. C'est l'une des raisons pour lesquelles les hommes ont peu de patience envers les hommes dépendants. Et n'oublions pas : les femmes méchantes peuvent engendrer des fils dépendants, soutenir et même épouser des hommes dépendants, mais les femmes éveillées et conscientes veulent des partenaires éveillés et conscients.

C'est pour cela que Nelson Muntz, dans *Les Simpson*, est si nécessaire au petit groupe social qui entoure Bart, le fils antihéros d'Homer. Sans Nelson, le roi des brutes, l'école serait bientôt envahie par des Milhouse susceptibles et plein de ressentiment, des Martin Prince narcissistes et intellectuels, des enfants allemands qui se gavent de chocolat et des Ralph Wiggum infantiles. Muntz est un rectificateur, un gamin autonome qui se sert de son propre mépris pour décider quelle ligne il ne doit pas franchir en termes d'immaturité et de comportement pathétique. Le génie des *Simpson* vient du refus de ses auteurs de simplement décrire Nelson comme une brute irrécupérable. Abandonné par son moins que rien de père, négligé, heureusement, par sa garce de mère qui n'a rien dans la tête, Nelson s'en sort plutôt pas mal, tout bien considéré. Il s'intéresse même à la progressiste Lisa, au plus grand désarroi de celle-ci (pour à peu près les mêmes raisons que *Cinquante nuances de Grey* est devenu un phénomène mondial).

Quand la douceur et un côté inoffensif deviennent les seules vertus consciemment acceptables, alors la dureté et la domination commencent à exercer une fascination inconsciente. Ce que cela signifie en partie pour l'avenir, c'est que si les hommes sont un peu trop poussés vers la féminisation, ils vont de plus en plus s'intéresser à une idéologie politique fasciste rigoureuse. *Fight Club*, sans doute le film populaire le plus fasciste jamais réalisé ces dernières années à Hollywood, à l'exception possible de la série des *Iron Man*, est le parfait exemple du caractère inévitable d'une telle attirance. Aux États-Unis, la vague de soutien populiste à Donald Trump fait partie du même procédé, de même que, de manière plus sinistre, la récente montée des partis d'extrême droite, même dans des pays aussi libéraux que les Pays-Bas, la Suède et la Norvège.

Il faut que les hommes s'endurcissent. Les hommes l'exigent, et les femmes le demandent, même si elles n'approuvent pas forcément l'attitude dure et méprisante qui peut résulter du processus socialement exigeant qui favorise, puis renforce cette robustesse. Certaines femmes n'aimant pas perdre leurs petits bébés, elles les gardent à tout jamais. D'autres n'aimant pas les hommes trop robustes préféreraient avoir un compagnon docile, au risque de devenir inutile.

Les hommes s'endurcissent en se dépassant, et en s'incitant mutuellement à se dépasser. Quand j'étais adolescent, les garçons avaient nettement plus de risques que les filles d'avoir un accident de voiture (c'est encore le cas). C'était parce qu'ils passaient leurs nuits à faire des dérapages sur les parkings verglacés. Ils faisaient des courses et du tout-terrain dans les collines qui s'étendaient de la rivière voisine aux plaines, trente mètres plus haut. Ils étaient plus susceptibles de se battre, de sécher les cours, de houspiller les enseignants, et d'abandonner les cours parce qu'ils en avaient assez de devoir lever la main pour demander l'autorisation d'aller aux toilettes, alors qu'ils étaient suffisamment costauds pour aller travailler sur les plates-formes pétrolières. Ils avaient plus de chances d'aller faire des courses de moto sur les lacs gelés l'hiver. Comme les skateurs, ceux qui escaladaient les grues et les free-runners, ils faisaient des choses dangereuses, tentant de se rendre utiles. Lorsque ce processus va trop loin, les garçons (et les hommes) s'enfoncent dans une attitude antisociale beaucoup plus répandue chez eux que chez les filles[205]. Cela ne signifie pas que toute manifestation d'audace et de courage soit criminelle.

Quand les garçons faisaient des dérapages, ils testaient aussi les limites de leurs voitures, leurs qualités de pilote et leurs capacités à maîtriser les choses, quelle que soit la situation. Lorsqu'ils s'en prenaient aux enseignants, ils se révoltaient contre l'autorité pour voir s'il existait une autorité digne de ce nom, fiable sur le principe en temps de crise. Quand ils abandonnaient les cours, ils allaient travailler sur les plates-formes par – 40 °C. Ce n'est pas la faiblesse qui en a tant poussé dehors, où un meilleur avenir les attendait sans doute. C'était la force.

Les femmes ne veulent pas de garçons. Elles veulent des hommes. Elles veulent quelqu'un avec qui se disputer, quelqu'un à qui se confronter. Quand elles sont coriaces, elles veulent quelqu'un tout aussi coriace. Si elles sont intelligentes, elles veulent quelqu'un du même calibre. Elles désirent quelqu'un qui puisse les compléter. Cela complique souvent la tâche des femmes solides, intelligentes et séduisantes qui cherchent l'âme sœur : il n'existe pas tant d'hommes que cela susceptibles de suffisamment les égaler, voire les surclasser, pour être considérés comme désirables – qui ont un niveau « de revenu, d'éducation, d'assurance, d'intelligence, de domination et une position sociale » plus élevés que les leurs, comme j'ai pu le lire dans une publication de recherches[206]. L'esprit qui interfère quand les garçons tentent de devenir des hommes n'est par conséquent pas plus l'ami des femmes que celui des hommes.

Il s'opposera avec autant de vigueur et de complaisance (« Tu ne peux pas le faire, c'est trop dangereux »), quand des fillettes tenteront de se marcher sur les deux pieds. Il réfute la conscience, préférant l'échec, il est antihumain, jaloux, plein de ressentiment, et destructeur. Personne qui soit véritablement du côté de l'humanité n'accepterait de s'allier à lui. Ceux qui visent à s'élever, en tout cas, ne permettraient pas de se laisser posséder par cela. Et si vous croyez que les hommes robustes sont dangereux, attendez de voir de quoi sont capables les plus faibles.

Ne dérangez pas les enfants quand ils font du skate-board.

CARESSEZ LES CHATS
QUE VOUS CROISEZ DANS LA RUE

C'est bien aussi, les chiens

Je vais entamer ce chapitre en précisant tout de suite que j'ai un chien, un esquimau américain, une des nombreuses variantes du spitz. Avant, on appelait cela un spitz allemand, mais lors de la Première Guerre mondiale, il fut *verboten* de reconnaître que quelque chose pouvait provenir d'Allemagne. Les esquimaux américains font partie des chiens les plus beaux, avec un museau de loup classique, des oreilles droites, un pelage long et épais, et une queue bouclée. Ils sont aussi très intelligents. Le nôtre, qu'on a appelé Sikko (ce qui signifie « glace » en inuit, d'après ma fille, qui lui donné ce nom), apprend des tours très rapidement, et continue aujourd'hui encore malgré son grand âge. Je lui ai appris une nouvelle cascade, dernièrement, à ses treize ans. Il savait déjà donner la patte et garder une friandise en équilibre sur son museau. Je lui ai appris à faire les deux en même temps. Je n'ai cependant pas l'impression que cela lui plaît beaucoup.

Nous avons offert Sikko à notre fille, Mikhaila, quand elle avait dix ans. C'était un chiot incroyablement mignon. Un petit nez, de petites oreilles, un visage tout rond, de grands yeux, une grande maladresse... Ces caractéristiques suscitent aussitôt l'affection des humains, hommes comme femmes[207]. Ce fut sans doute le cas avec Mikhaila, qui s'occupait déjà d'agames barbus, de geckos, de pythons royaux, de caméléons, d'iguanes, et d'un lapin géant des Flandres de dix kilos et de quatre-vingts centimètres de long du nom de George, qui grignotait tout dans la maison et s'échappait régulièrement, au grand désarroi de ceux qui apercevaient son incroyable silhouette dans leur minuscule jardin citadin. Si elle avait tous ces animaux, c'est parce qu'elle était allergique aux plus classiques, à l'exception de Sikko, qui avait l'avantage supplémentaire d'être hypoallergénique.

Sikko bénéficiait de cinquante surnoms (nous les avons comptés), qui variaient du tout au tout selon l'humeur du moment, et reflétaient aussi bien l'affection que nous lui portions que notre agacement ponctuel provoqué par ses mauvaises habitudes. « Scumdog » était probablement mon préféré, mais j'aimais aussi beaucoup « Rathound », « Furball » et « Suck-dog ». Les enfants employaient beaucoup « Sneak » et « Squeak » (parfois en ajoutant un « o » final), mais aussi « Snooky », « Ugdog » et « Snorfalopogus » (j'ai honte de le reconnaître). Le surnom que Mikhaila affectionnait particulièrement était « Snorbs ». Elle l'utilisait pour l'accueillir après une longue absence. Pour que le surnom prenne toute sa dimension, il faut le prononcer avec une voix haut perchée et un ton surpris.

Sikko a également son propre hashtag sur Instagram : #JudgementalSikko.

Si je décris mon chien plutôt que d'écrire directement sur les chats, c'est parce que je ne souhaite pas aller à l'encontre d'un phénomène découvert par le psychologue social Henri Tajfel, l'« identification au groupe minimal[208] ». Tajfel faisait entrer les sujets de ses recherches dans son laboratoire et les faisait asseoir devant un écran où il faisait clignoter un certain nombre de points. Il leur demandait ensuite d'en estimer la quantité. Il classait alors ses sujets suivant qu'il s'agissait de surestimateurs ou de sous-estimateurs, ou de résultats justes et de résultats faux, et formait des groupes en fonction de leurs performances. Il leur demandait ensuite de distribuer de l'argent aux membres de tous les groupes.

Tajfel découvrit que ses sujets affichaient une nette préférence pour les membres de leur propre groupe, refusant d'adopter une stratégie de distribution égalitaire, et récompensant de manière disproportionnée ceux à qui ils s'identifiaient désormais. D'autres chercheurs ont réparti des individus dans différents groupes selon des stratégies encore plus arbitraires, comme le pile ou face. Peu importe, même quand les sujets sont informés de la façon dont les groupes sont constitués, les gens continuent à favoriser les membres du leur.

Dans ses études, Tajfel démontre deux choses : premièrement, que les humains sont sociaux, et deuxièmement qu'ils sont antisociaux. Ils sont sociaux parce qu'ils aiment les membres de leur propre groupe. Antisociaux parce qu'ils n'aiment pas ceux des autres groupes. La raison de ce phénomène fait l'objet d'un débat incessant. Je crois qu'il pourrait s'agir d'une solution à un problème d'optimisation complexe. Ce genre de problème survient par exemple lorsque deux facteurs ou plus sont importants, mais qu'aucun ne peut être optimisé sans affaiblir les autres. C'est le cas par exemple lors d'un conflit entre coopération et compétition, deux principes souhaitables aussi bien d'un point de vue social que psychologique. La coopération est synonyme de sûreté, sécurité et camaraderie. La compétition permet l'épanouissement personnel et le prestige. Toutefois, si un groupe donné est trop petit, il n'a ni pouvoir ni prestige et ne peut plus se défendre contre les autres groupes. Par conséquent, il n'est pas très utile de faire partie de ses membres. Au contraire, si le groupe est trop vaste, la probabilité de pouvoir en gravir les échelons diminue. Il devient trop difficile d'y progresser. Peut-être est-ce parce que les individus souhaitent profondément s'organiser, se protéger tout en conservant des chances raisonnables de monter dans la hiérarchie de domination qu'ils peuvent s'identifier à un groupe formé à pile ou face. Ensuite, ils privilégient leur groupe parce que cela l'aide à prospérer, et que progresser dans un ensemble qui s'écroule n'est pas une stratégie très efficace.

Quoi qu'il en soit, c'est à cause de la découverte des conditions minimales de Tajfel que j'ai entamé ce chapitre sur les chats avec une description de mon chien. Sinon, la simple mention d'un chat dans le titre pourrait se révéler suffisante pour me mettre à dos ceux qui préfèrent les chiens. Juste parce que je n'ai pas inclus ces quadrupèdes dans le groupe des animaux à caresser. Vu que j'aime aussi les chiens, je ne vois aucune raison de subir un tel sort. Alors, si vous aimez caresser les chiens quand vous en croisez un dans la rue, ne vous sentez pas obligé de me haïr. Soyez assuré qu'il s'agit également d'une activité que j'approuve. J'aimerais aussi présenter mes excuses à tous les aficionados des chats qui se sentent à présent floués, car ils espéraient une histoire de chat, mais jusqu'à présent, n'ont pu lire que des choses sur les chiens. Sans doute seraient-ils rassurés d'apprendre que ce sont les chats qui illustrent le mieux le sujet dont je souhaiterais traiter, et que je vais bien finir par en parler. Mais, tout d'abord, permettez-moi cette digression.

La souffrance et les limites de l'Être

Comme nous l'avons vu, l'idée que la vie est souffrance est l'un des principes, sous une forme ou sous une autre, de la doctrine de toutes les grandes religions. Les bouddhistes l'affirment directement. Les chrétiens l'illustrent par la croix. Les juifs commémorent la souffrance subie depuis des siècles. Si les grandes croyances se caractérisent toutes par ce genre de raisonnement, c'est parce que l'être humain est intrinsèquement fragile. On peut nous endommager, nous briser même, aussi bien d'un point de vue émotionnel que physique, et nous sommes tous sujets aux déprédations de l'âge et de la perte d'un être cher. Ces faits n'ont rien de réjouissant, et on peut même se demander comment on peut espérer s'épanouir et être heureux (ou même simplement vouloir continuer à exister, parfois) dans de telles conditions.

Je m'entretenais récemment avec une patiente dont le mari avait combattu un cancer avec succès durant cinq années insoutenables. Durant cette période, tous deux avaient été remarquablement courageux. Il avait toutefois des métastases, et on lui avait pronostiqué peu de temps à vivre. Il est sans doute plus difficile d'entendre ce genre de terrible nouvelle quand on est encore en train de se remettre des précédentes mauvaises nouvelles que l'on a su gérer avec succès. La tragédie, lorsqu'elle survient à de tels moments, semble particulièrement injuste. C'est le genre de chose qui peut vous faire perdre tout espoir. C'est généralement suffisant pour créer un véritable traumatisme. J'abordai avec ma patiente un certain nombre de problèmes, certains philosophiques et abstraits, d'autres plus concrets. Je partageai avec elle certaines de mes réflexions à propos du pourquoi de la vulnérabilité humaine.

Lorsque mon fils Julian avait trois ans, il était particulièrement mignon. Il a aujourd'hui vingt ans de plus, mais il est toujours aussi mignon (un compliment qu'il sera, j'en suis sûr, ravi de lire). Grâce à lui, j'ai pu beaucoup réfléchir quant à la fragilité des jeunes enfants. À trois ans, il aurait facilement pu se blesser. Il aurait pu se faire mordre par des chiens. Écraser par des voitures. Des enfants méchants auraient pu le faire tomber. Il aurait pu tomber malade, ce qui fut le cas à plusieurs reprises. Julian était sujet à de fortes fièvres et aux délires qu'elles provoquent parfois. Il m'est arrivé de devoir l'emmener sous la douche avec moi pour le rafraîchir quand il avait des hallucinations, ou même quand il se battait contre moi à cause de sa fièvre. Avec un enfant malade, il est difficile d'accepter les limites fondamentales de l'existence humaine.

Mikhaila, qui a un an et quelques mois de plus que Julian, a elle aussi eu ses petits problèmes de santé. Quand elle avait deux ans, je la promenais partout sur mes épaules. Les gamins adorent ça. Ensuite, cependant, lorsque je la reposais, elle s'asseyait et éclatait en sanglots. J'ai donc cessé de le faire. Cela sembla mettre fin au problème. À une petite exception près. Ma femme, Tammy, me signala que quelque chose n'allait pas dans la démarche de Mikhaila, mais je ne remarquai rien. Tammy pensait que c'était lié au fait de ne plus la porter sur mes épaules.

Mikhaila était une enfant enjouée, très facile à vivre. Un jour, tandis que nous vivions à Boston et qu'elle avait environ quatorze mois, nous l'avons amenée chez ses grands-parents, à Cape Cod. À notre arrivée, Tammy et ses parents partirent devant, me laissant avec Mikhaila dans la voiture. Nous étions sur les sièges de devant. Elle était étendue là au soleil, babillant. Je me penchai pour écouter ce qu'elle disait.

« Contente, contente, contente, contente, contente. »

Voilà comme elle était.

À ses six ans, en revanche, elle commença à devenir boudeuse. Il devenait difficile de la sortir du lit le matin. Elle s'habillait très lentement. Lorsqu'on allait quelque part, elle traînait derrière. Elle se plaignait d'avoir mal aux pieds. Elle soutenait que ses chaussures ne lui allaient pas. On lui en acheta dix paires différentes, mais en vain. Elle allait à l'école la tête haute, et se conduisait correctement. Mais dès qu'elle rentrait, elle fondait en larmes en voyant sa mère.

Comme nous venions de partir de Boston pour Toronto, j'attribuai ces changements de comportement au stress du déménagement. Mais cela n'alla pas en s'améliorant. Mikhaila se mit à monter et à descendre l'escalier une marche à la fois. Comme une personne âgée. Elle se plaignait quand on lui tenait la main. Un jour, beaucoup plus tard, elle me demanda : « Papa, quand on jouait à "this little piggy*", quand j'étais petite, c'était censé me faire mal ? » Il y a des choses qu'on apprend bien trop tard...

À la clinique près de chez nous, un médecin nous expliqua la situation : « Il arrive parfois que des enfants éprouvent des douleurs de plus en plus fortes. Ils sont normaux. Mais songez à l'amener chez un physiothérapeute. » Dont acte. Le spécialiste tenta de faire pivoter le talon de Mikhaila. Sans succès. Ce n'était pas bon signe. Il nous annonça : « Votre fille a de l'arthrite chronique juvénile. » Ce n'était pas ce que je souhaitais entendre. Ce physiothérapeute ne nous a pas plu. Nous sommes retournés à la clinique. Un autre médecin nous recommanda d'emmener Mikhaila à l'Hospital for Sick Children. Sur place, le médecin nous déclara : « Conduisez-la aux urgences. Comme ça, vous pourrez voir un rhumatologue rapidement. » Mikhaila avait de l'arthrite. D'accord. Le physiothérapeute porteur de mauvaises nouvelles avait raison. Trente-sept articulations atteintes. Une arthrite juvénile idiopathique (AJI) polyarticulaire grave. La cause ? Inconnue. Le pronostic ? Un remplacement prématuré de multiples articulations.

Quel Dieu pouvait créer un monde où ce genre de chose pouvait se produire ? À une fillette heureuse et innocente ? C'est une question d'une importance absolument fondamentale, aussi bien pour les croyants que pour les non-croyants. Ce problème est abordé, comme beaucoup d'autres sujets difficiles, dans *Les Frères Karamazov*, le grand roman de Dostoïevski dont nous avons commencé à parler

---

* Jeu où les parents apprennent à leurs enfants le nom de leurs orteils en suivant les paroles d'une chanson enfantine (N.d.T.)

dans la Règle 7. Dostoïevski exprime ses doutes à propos de la propriété de l'Être grâce au personnage d'Ivan qui, si vous vous en souvenez, est le frère raffiné, beau et organisé (et grand adversaire) du novice monastique Aliocha. « Ce n'est pas Dieu que je n'admets pas, comprends-moi bien, dit Ivan, mais le monde qu'il a créé. Je ne puis me résoudre à l'admettre*. »

Ivan raconte à Aliocha une histoire sur une fillette que ses parents ont punie en l'enfermant toute la nuit dans des toilettes extérieures glacées (un fait divers que Dostoïevski a lu dans le journal, à l'époque). « Et cette mère dormait paisiblement aux cris de sa fille ! Comprends-tu ? demande Ivan. Vois-tu ce petit être qui ne sait pas encore penser, le vois-tu frapper de ses petits poings sa poitrine haletante et en pleurant des larmes de sang crier vers le "bon Dieu", lui demander secours ? [...] Aliocha, imagine-toi que l'avenir de l'humanité dépende de ta volonté ; pour donner le bonheur aux hommes, le pain et la tranquillité, il est nécessaire de mettre à la torture un seul être, le petit enfant qui se frappait la poitrine avec son petit poing, afin de fonder sur ses larmes le bonheur futur : consentirais-tu, à ces conditions, à être l'architecte de ce bonheur-là ? Réponds sans mentir. » Aliocha n'hésite pas un instant : « Non, je n'y consentirais pas** », répond-il doucement[209]. Il ne ferait pas ce que Dieu semble autoriser librement.

Je m'étais posé le même genre de question des années auparavant, lorsque Julian (vous vous souvenez de lui ?) avait trois ans. Je me suis dit : « J'aime mon fils. Il a trois ans, il est mignon, petit et amusant. Mais j'ai aussi peur pour lui, parce qu'il pourrait être blessé. Si j'avais le pouvoir d'y remédier, que ferais-je ? Il pourrait faire six mètres de haut

---

* Fiodor Dostoïevski, *Les Frères Karamazov*, traduction d'Ely Halpérine-Kaminsky & Charles Morice, Plon, 1888 (N.d.T.)
** *Ibid.*

au lieu d'un. Personne ne pourrait le faire tomber. Il pourrait être fait de titane, plutôt que de chair et de sang. Comme ça, si un morveux lui jetait un camion sur la caboche, cela lui serait égal. Il pourrait avoir un cerveau amélioré par ordinateur. Ainsi, même s'il était endommagé d'une manière ou d'une autre, on pourrait aussitôt remplacer ses éléments. Problème résolu ! » Mais non. Le problème était loin d'être résolu. Et pas seulement parce que ce genre de chose était impossible. Renforcer artificiellement Julian aurait eu le même effet que de l'anéantir. Au lieu d'un petit garçon de trois ans, nous aurions eu un robot froid en acier. Ce n'aurait plus été Julian. Ç'aurait été un monstre. Ces interrogations m'ont permis de prendre conscience que ce que l'on aime chez quelqu'un est inséparable de ses limites. Si Julian n'avait plus été sujet à la maladie, à la douleur et à l'angoisse, il n'aurait plus été petit, mignon et adorable. Comme je l'aimais beaucoup, je décidai que, malgré sa fragilité, il était très bien comme cela.

Cela avait été plus difficile avec ma fille. Sa maladie progressant, je commençai à l'emmener partout sur mon dos, et plus sur mes épaules. Elle prenait des comprimés de naproxène et de méthotrexate, ce dernier étant un puissant agent de chimiothérapie. On lui injectait du cortisol dans les poignets, les épaules, les chevilles, les coudes, les genoux, les hanches, les doigts, les orteils et les tendons, le tout sous anesthésie générale. Cela la soulagea provisoirement, mais son état continua à se dégrader. Un jour, Tammy l'emmena au zoo. Elle la poussait dans un fauteuil roulant.

Ce ne fut pas une belle journée.

Sa rhumatologue lui prescrivit de la prednisone, un corticostéroïde longtemps utilisé pour combattre les inflammations. Mais la prednisone a de nombreux effets secondaires, notamment un sérieux gonflement du visage. Je me demandais si ce n'était pas pire que l'arthrite, surtout pour une fillette. Heureusement, si tant est que le terme soit approprié, la rhumatologue nous parla d'un nouveau traitement. Il avait déjà été utilisé, mais uniquement sur des adultes. Mikhaila devint donc la première enfant canadienne à se voir prescrire de l'étanercept, un médicament « biologique » spécifiquement conçu pour les maladies auto-immunes. Par inadvertance, lors des premières injections, Tammy lui administra dix fois la dose prescrite. Pouf ! Mikhaila était guérie. Quelques semaines après la visite au zoo, elle courait partout, jouait au foot... Tammy passa l'été à la regarder courir.

Nous souhaitions que Mikhaila puisse maîtriser sa vie autant que possible. Elle avait toujours été motivée par l'argent. Un jour, on la retrouva dehors, entourée des livres de son enfance, les vendant aux passants. Un soir, je lui demandai de s'asseoir et lui promis de lui donner cinquante dollars si elle parvenait à se faire l'injection toute seule. Elle avait huit ans. Elle lutta durant trente-cinq minutes, l'aiguille à quelques centimètres de sa cuisse. Puis elle s'exécuta. La fois suivante, je lui proposai vingt dollars, mais ne lui accordai que dix minutes. Puis dix dollars et cinq minutes. On resta à dix dollars un bon moment. C'était un marché.

Au bout de quelques semaines, Mikhaila ne montra plus le moindre symptôme. La rhumatologue suggéra que nous commencions à la sevrer. Certains enfants parviennent à se débarrasser de l'AJI à la puberté. Personne ne sait pourquoi. Elle prit alors du méthotrexate sous forme de comprimé plutôt qu'en injection. Tout se passa bien pendant quatre ans. Puis, un jour, elle commença à avoir mal au coude. On la ramena à l'hôpital. « Tu n'as de l'arthrite qu'à une seule articulation », expliqua l'assistant de la rhumatologue. Ce n'était pas « que ». « Deux », ce n'est pas beaucoup plus qu'« un », mais « un », c'est beaucoup plus que « zéro ». « Un » signifiait qu'en dépit de cette interruption, elle ne s'était pas totalement débarrassée de son arthrite. Cette nouvelle l'anéantit pendant un mois, mais elle poursuivit ses cours de danse, et continua à jouer au ballon avec ses amis dans la rue devant chez nous.

Au mois de septembre suivant, quand Mikhaila entra en première, la rhumatologue eut des nouvelles moins réjouissantes à nous annoncer. Une IRM permit de déterminer qu'une des articulations de sa hanche se détériorait. Elle annonça à Mikhaila : « Il faudra remplacer ta hanche avant tes trente ans. » Peut-être les dégâts avaient-ils été occasionnés avant que l'étanercept fasse des miracles ? Nous l'ignorions. La nouvelle était inquiétante. Un jour, quelques semaines plus tard, alors que Mikhaila jouait au hockey en cours de sport, au lycée, sa hanche se bloqua. Elle dut quitter le terrain en boitillant. Cela commença à lui faire de plus en plus mal. La rhumatologue lui dit : « Une partie de ton fémur semble inutilisable. Ce n'est pas avant trente ans qu'il te faut une nouvelle hanche, c'est tout de suite. »

Avec ma patiente – qui parlait de l'état avancé de la maladie de son mari –, on évoqua la fragilité de la vie, la catastrophe de l'existence, et le sentiment de nihilisme suscité par le spectre de la mort. Je lui fis part de mes réflexions sur mon fils. Comme tout le monde dans sa situation, elle m'avait demandé : « Pourquoi mon mari ? Pourquoi moi ? Pourquoi tout ça ? » La meilleure réponse que je pus lui apporter fut ma prise de conscience quant à l'imbrication de la vulnérabilité et de l'Être. Je lui racontai une vieille histoire juive qui, il me semble, fait partie du commentaire sur la Torah. Organisée comme un *kōan* zen, elle débute par une question. « Imaginez un Être omniscient, omniprésent et omnipotent. Que lui manque-t-il ?[210] » La réponse ? « Des limites. »

Si vous êtes déjà tout, partout, toujours, il n'y a nulle part où aller et rien à faire. Tout ce qui peut exister existe déjà, et tout ce qui pourrait se produire s'est déjà produit. C'est pour cette raison, continue l'histoire, que Dieu a créé l'homme. Pas de limites, pas d'histoire. Pas d'histoire, pas d'Être. Cette idée m'a aidé à gérer l'épouvantable fragilité de l'Être. Cela a également aidé ma patiente. Je n'ai aucune envie d'en exagérer la signification. Ni de prétendre que cela résout tous les problèmes. Son mari avait toujours son cancer, et ma fille sa terrible maladie. Mais il est important de reconnaître que l'existence et les limites sont inextricablement liées.

> « Trente rais se réunissent autour d'un moyeu.
> C'est de son vide que dépend l'usage du char.
> On pétrit de la terre glaise pour faire des vases.
> C'est de leur vide que dépend l'usage des vases.
> On perce des portes et des fenêtres pour faire une maison.
> C'est de leur vide que dépend l'usage de la maison.
> C'est pourquoi l'utilité vient de l'être, et l'usage naît du non-être[211]*. »

Le même genre de prise de conscience se produisit plus récemment, dans l'univers de la pop-culture, au cours de l'évolution de Superman, l'icône culturelle de DC Comics. Superman fut créé en 1938 par Jerry Siegel et Joe Shuster. Au départ, il pouvait soulever des voitures, des trains, voire des bateaux. Il courait plus vite qu'une locomotive. Il pouvait « sauter par-dessus de grands immeubles d'un seul bond ». Durant les quarante années qui suivirent, cependant, ses pouvoirs prirent de l'ampleur. À la fin des années 1960, il volait plus vite que la vitesse de la lumière. Il avait une superaudition et une vision à rayons X. Il pouvait aussi projeter des rayons de chaleur avec ses yeux. Grâce à son souffle, il pouvait faire geler des objets et générer des ouragans. Il était capable de déplacer des planètes. Les explosions nucléaires ne lui faisaient rien. Et, s'il était blessé,

---

* Lao Tseu, *Tao te king. Le livre de la voie et de la vertu*, traduction de Stanislas Julien, Imprimerie Royale, Paris, 1842 (N.d.T.)

par on ne sait quel miracle il guérissait aussitôt. Superman était devenu invulnérable.

Puis il se produisit quelque chose de curieux. Il commença à s'ennuyer. Plus il était capable de faire des choses, plus il avait de mal à trouver quelque chose d'intéressant à faire. DC surmonta ce problème pour la première fois dans les années 1940. Superman devint vulnérable aux radiations produites par la kryptonite, un matériau issu de sa planète anéantie. Finalement, plus d'une vingtaine de variantes virent le jour. La kryptonite verte affaiblissait Superman. En quantité suffisamment élevée, elle pouvait même le tuer. La rouge l'obligeait à se conduire curieusement. La rouge-verte lui faisait subir des mutations (un jour, un troisième œil lui poussa derrière la tête).

Il fut nécessaire de faire appel à d'autres techniques pour que les histoires de Superman demeurent toujours aussi passionnantes. En 1976, il fut prévu qu'il affronte Spider-man. C'était le premier crossover entre les superhéros Marvel Comics de Stan Lee, avec des personnages moins idéalisés, et ceux de DC, maison mère de Superman et Batman. Mais pour que le combat soit crédible, Marvel dut accroître les pouvoirs de Spider-man, au risque d'enfreindre les règles du jeu. Spider-man est Spider-man parce qu'il a les pouvoirs d'une araignée. Si on lui accorde soudain n'importe quel vieux pouvoir, ce n'est plus Spider-man. L'intrigue s'écroule.

Dans les années 1980, Superman souffrait au stade terminal de *deus ex machina*, une expression latine qui signifie « dieu issu de la machine ». L'expression décrivait le sauvetage du héros en péril dans les pièces grecques et romaines par l'apparition soudaine et miraculeuse d'un dieu tout-puissant. De nos jours, dans les histoires mal écrites, un personnage en danger peut être sauvé, et une intrigue bâclée rachetée par une invraisemblance ou tout autre stratagème qui ne correspond nullement aux attentes raisonnables des lecteurs. Il arrive parfois que Marvel Comics sauve de cette manière une histoire un peu faiblarde. Lifeguard, par exemple, est un personnage des X-Men capable de mettre en œuvre n'importe quel pouvoir nécessaire pour sauver une vie. Il est très pratique d'avoir cette héroïne auprès de soi. Les exemples abondent dans la culture populaire. À la fin du *Fléau,* de Stephen King (attention, spoiler !), c'est Dieu en personne qui détruit les méchants du roman. L'ensemble de la neuvième saison (1985-1986) du feuilleton *Dallas* est plus tard considérée comme un rêve. Les fans protestèrent, à juste titre. Ils s'étaient fait arnaquer. Les personnes qui suivent une histoire sont prêtes à mettre leur stupéfaction de côté, tant que le cadre qui rend l'histoire plausible est cohérent et uniforme. Les scénaristes, quant à eux, acceptent de se conformer à leurs décisions précédentes. Quand des auteurs trichent, les fans s'en agacent. Ils veulent jeter le livre au feu, ou une brique dans leur téléviseur.

Et cela devint le problème de Superman : ses pouvoirs étaient si étendus qu'il pouvait, à tout moment, se sortir de n'importe quelle situation. Par conséquent, dans les années 1980, la franchise faillit mourir. Le scénariste et dessinateur John Byrne la reprit à zéro avec succès. Il réécrivit Superman, conservant sa biographie, mais le privant d'un grand nombre de ses pouvoirs. Il ne pouvait plus soulever des planètes, ni supporter l'explosion d'une bombe H sans sourciller. Il devint également dépendant du Soleil pour ses pouvoirs, l'inverse d'un vampire, en quelque sorte. On l'affubla de quelques limites raisonnables. Un superhéros qui peut tout faire se révèle ne plus être un héros du tout. Il n'est rien de particulier, il n'est donc plus rien. Il n'a plus d'adversaire à sa hauteur, il ne peut donc pas se montrer admirable. Les Êtres raisonnables semblent avoir besoin de limites. Sans doute est-ce parce que l'Être requiert un devenir, en plus d'une simple existence figée. Et devenir, c'est devenir quelque chose de plus, ou du moins quelque chose de différent. Ce n'est possible que pour ce qui est limité.

Très bien.

Mais qu'en est-il des souffrances causées par de telles limites ? Sans doute les limites requises par l'Être sont-elles si extrêmes qu'il faudrait renoncer à l'ensemble de ce projet. Dostoïevski exprime très clairement cette idée par la voix du protagoniste des *Carnets du sous-sol* : « Alors, tu vois, tu peux tout dire sur l'histoire du monde. Tout ce que l'imagination la plus morbide puisse inventer. Sauf une chose, en fait. On ne peut pas dire que l'histoire du monde est raisonnable. Le mot reste en travers de la gorge[212]. » Comme nous l'avons vu, le Méphistophélès de Goethe, l'adversaire de l'Être, annonce ouvertement son opposition à la création de Dieu dans *Faust*. Des années plus tard, Goethe écrivit *Faust II*. Il fit répéter son credo au diable, sous une forme légèrement différente, dans le seul but d'enfoncer le clou[213] :

> « Ce qui est passé et le pur néant, n'est-ce pas la même chose ? Que nous veut donc cette éternelle création, si tout ce qui fut créé va s'engloutir dans le néant ! "C'est passé !" Que faut-il lire à ce texte ? C'est comme si cela n'avait jamais été ! Et pourtant cela se meut encore dans une certaine région, comme si cela existait. Pourquoi ? J'aimerais mieux simplement le vide éternel*. »

N'importe qui peut comprendre de telles paroles. Quand un rêve s'effondre, quand un couple se sépare, ou quand un membre de la famille est fauché par un mal foudroyant. Comment la réalité peut-elle être si insupportable ? Comment est-ce possible ?

Peut-être, comme l'ont suggéré les tueurs de Columbine (*cf.* Règle 6), mieux vaudrait ne pas être du tout. Sans doute serait-ce encore mieux s'il n'y avait pas d'Être du tout. Mais

---

* Johann Wolfgang von Goethe, *Faust et le Second Faust*, traduction de Gérard de Nerval, Garnier Frères, 1877 (N.d.T.)

ceux qui en arrivent à la première conclusion flirtent avec le suicide, et ceux qui choisissent la seconde optent pour quelque chose de pire, de vraiment monstrueux. Ils fricotent avec l'idée de tout détruire. Ils jouent avec le génocide, et pire. Même les coins les plus noirs ont des recoins encore plus sombres. Le plus effrayant, c'est que de telles conclusions sont compréhensibles, peut-être même inévitables, bien qu'elles ne soient pas inévitablement mises en œuvre. Que doit penser une personne raisonnable lorsqu'elle est mise face, par exemple, à un enfant qui souffre ? N'est-ce pas précisément la personne raisonnable et miséricordieuse qui a l'esprit encombré par ce genre d'idées ? Comment un dieu bienveillant peut-il permettre qu'un tel monde existe ?

Elles ont beau être logiques et compréhensibles, ces conclusions sont un terrible piège. Tout acte entrepris conformément à elles (sinon les idées elles-mêmes) finissent inévitablement par aggraver la situation, si mauvaise soit-elle déjà. Détester la vie, la mépriser – même pour les souffrances véritables qu'elle inflige –, cela ne sert à rien d'autre qu'à la rendre insupportable. Il n'y a aucune contestation là-dedans. Ni aucune bienveillance. Juste le désir de causer gratuitement de la souffrance. C'est l'essence même du mal. Ceux qui en viennent à ce genre de réflexion sont à deux doigts du chaos. Parfois, il leur manque simplement les outils de leurs ambitions. Parfois, comme Staline, ils ont le doigt sur le bouton de l'arme atomique.

Mais existe-t-il une autre possibilité cohérente, compte tenu des horreurs évidentes de l'existence ? L'Être en soi, avec ses moustiques porteurs de la malaria, ses enfants-soldats et ses maladies neurodégénératives, peut-il réellement se justifier ? Je ne suis pas certain que j'aurais été capable de trouver une réponse adéquate à ce genre de question au XIXe siècle, avant que soient perpétrées sur des millions de personnes les horreurs des totalitarismes du XXe siècle. Je ne crois pas qu'il soit possible de comprendre pourquoi de tels doutes sont moralement inadmissibles sans avoir connu la Shoah, les purges staliniennes et le Grand Bond en avant catastrophique de Mao[214]. Je ne crois pas non plus possible de répondre à cette question uniquement par le biais de la réflexion. Réfléchir mène inexorablement à l'abîme. Cela n'a pas fonctionné pour Tolstoï. Peut-être même pas pour Nietzsche, qui avait incontestablement les idées plus claires que les autres sur ce genre de sujet. Mais si nous ne pouvons pas compter sur la réflexion dans les pires situations, que nous reste-t-il ? La réflexion, après tout, est la plus grande réalisation humaine, non ?

Peut-être pas.

Malgré son pouvoir impressionnant, quelque chose d'autre supplante la pensée. Quand l'existence se révèle insupportable, la réflexion s'effondre sur elle-même. Dans ce genre de situations – dans les profondeurs –, c'est la constatation et non la réflexion qui fait l'affaire. Vous pourriez peut-être commencer par constater que quand vous aimez quelqu'un, ce n'est pas malgré ses limites. C'est grâce à ses limites. Bien sûr, ce n'est pas simple. Vous n'êtes pas obligé d'être amoureux de chacun de ses défauts et de les accepter. Vous devriez continuer à tenter d'améliorer votre existence et de vous débarrasser de vos souffrances. Mais il semblerait qu'il existe sur le chemin de l'amélioration des limites au-delà desquelles nous n'avons aucune envie d'aller, de peur de devoir y sacrifier notre humanité. Bien sûr, c'est une chose de dire : « L'Être requiert des limites », mais c'en est une autre de partir ensuite joyeusement sous un soleil éclatant, avec un père qui n'a pas la maladie d'Alzheimer, des enfants en bonne santé et un mariage heureux. Mais à quel moment les choses ont-elles mal tourné ?

Désintégration et souffrance

Lorsqu'elle souffrait, Mikhaila restait parfois plusieurs nuits sans dormir. Quand son grand-père venait nous rendre visite, il lui donnait quelques-uns de ses Tylenol 3, qui contenaient de la codéine. Cela lui permettait de trouver le sommeil. Mais guère longtemps. Notre rhumatologue, qui avait contribué à la rémission de Mikhaila, atteignit les limites de son courage face à la souffrance de notre fille. Elle avait déjà eu l'occasion de prescrire des opiacés à une jeune fille, mais celle-ci était devenue accro. Elle s'était juré de ne plus jamais commettre cette erreur. Elle demanda : « Tu as tenté l'ibuprofène ? » Mikhaila comprit alors que les médecins ne savaient pas tout. L'ibuprofène lui faisait le même effet qu'une miette de pain à un affamé.

Nous sommes allés voir un nouveau médecin. Il écouta attentivement. Puis il aida Mikhaila. Tout d'abord, il lui prescrivit du T3, le même médicament que celui que son grand-père avait brièvement partagé avec elle. C'était courageux. On demande aux médecins d'éviter de prescrire des opiacés, surtout aux enfants. Mais ce produit fonctionne. Bientôt, cependant, le Tylenol se révéla insuffisant. Elle commença à prendre de l'oxycodone, un opioïde surnommé l'« héroïne du pauvre ». Cela atténua ses douleurs, mais provoqua d'autres problèmes. Une semaine après le début de la prescription, Tammy emmena Mikhaila déjeuner. On aurait dit qu'elle était ivre. Elle ne parvenait plus à articuler et dodelinait de la tête. Ce n'était pas bon signe.

Ma belle-sœur est infirmière en soins palliatifs. Elle pensait que nous pouvions ajouter de la Ritaline, une amphétamine souvent employée pour les enfants hyperactifs, à l'oxycodone. La Ritaline permit à Mikhaila de recouvrer sa vigilance, et le médicament possédait en outre quelques qualités d'antidouleur (c'est bon à savoir lorsqu'on fait face à quelqu'un dont la douleur est incurable). Mais sa souffrance se fit de plus en plus insupportable. Elle commença à chuter. Puis sa hanche se bloqua de nouveau, cette fois dans le métro, un jour où l'Escalator était en panne. Son copain la porta jusqu'en haut de l'escalier. Elle rentra en taxi. Le métro n'était plus un moyen de transport fiable. Au mois de mars suivant, on lui offrit un scooter de 50 cm^3. C'était risqué de lui faire piloter cet engin. Mais il était encore plus périlleux de la priver de toute liberté. On préféra le premier danger. Elle passa son code, ce qui lui permettait de conduire l'engin dans la journée. Elle passerait le permis définitif plus tard.

En mai, on lui remplaça sa hanche. Le chirurgien fut même en mesure d'ajuster une différence d'un demi-centimètre dans la longueur de sa jambe. L'os n'était pas mort. Ce n'était qu'une ombre sur les radios. Sa tante et ses grands-parents vinrent la voir à l'hôpital. Nous avions connu des jours meilleurs. Immédiatement après l'opération, nous avons inscrit Mikhaila dans un centre de rééducation pour adultes. C'était la plus jeune. Les autres avaient au moins soixante ans de plus qu'elle. Sa compagne de chambre, névrosée, refusait d'éteindre même la nuit. Incapable de se rendre aux toilettes, la vieille femme utilisait un bassin hygiénique. Elle ne supportait pas d'avoir la porte de sa chambre fermée. Mais c'était juste à côté du poste des infirmières, avec ses alarmes qui retentissaient en permanence et ses conversations bruyantes. Impossible de dormir, alors que le sommeil était nécessaire. Aucune visite n'était autorisée après dix-neuf heures. Le physiothérapeute – la véritable raison de sa présence en ces lieux – était en vacances. La seule personne qui l'aidait était le concierge, qui avait accepté de la conduire dans une chambre à plusieurs lits quand elle avait fait remarquer à l'infirmière de garde qu'il lui était impossible de dormir. C'était la même infirmière qui avait éclaté de rire quand elle avait découvert dans quelle chambre on avait affecté notre fille.

Elle était censée rester six semaines. Cela ne faisait que trois jours. Au retour de vacances du physiothérapeute, Mikhaila gravit l'escalier du centre de rééducation et maîtrisa aussitôt ses nouveaux exercices. Pendant ce temps, nous équipâmes notre maison des rampes nécessaires. Puis on la ramena chez nous. Elle gérait très bien ses douleurs et l'opération. L'effroyable centre de rééducation ? Il déclencha chez elle des symptômes de stress posttraumatique...

En juin, Mikhaila s'inscrivit à un cours de moto pour avoir le droit de continuer à utiliser son scooter. Nous étions tous terrifiés à cette idée, mais c'était nécessaire. Et si elle chutait ? Et si elle avait un accident ? Le premier jour, elle s'entraîna sur une véritable moto. C'était lourd. Elle la fit tomber à plusieurs reprises. Elle vit un autre débutant chuter et glisser sur une bonne partie du parking où se déroulait le cours. Le matin du deuxième jour, elle eut peur d'y retourner. Elle refusait de se lever. On discuta un bon moment, et on décida conjointement qu'il fallait au moins qu'elle retourne avec sa mère sur le lieu des cours. Si elle ne s'en sentait pas capable, elle pourrait rester dans la voiture jusqu'à la fin du cours. Sur le chemin, elle recouvra son courage. Lorsqu'elle reçut son certificat, tous les autres élèves se levèrent pour l'applaudir.

Puis sa cheville droite se désintégra. Ses médecins préconisèrent de fusionner les gros os touchés en un seul. Mais, à cause d'une pression supplémentaire, cela aurait détérioré les plus petits os de son pied. Ce n'est peut-être pas si intolérable quand on a quatre-vingts ans (même si cela ne doit pas être une partie de plaisir non plus), mais ce n'est pas une solution quand on n'a pas encore vingt ans. Bien que la technologie soit récente, on demanda l'intégration d'une prothèse. Il y avait trois ans d'attente. Ce n'était tout simplement pas possible. La cheville endommagée la faisait beaucoup plus souffrir que sa hanche. Une nuit, elle devint incohérente. J'étais incapable de la calmer. Je savais qu'elle avait atteint le point de rupture. Dire que c'était stressant était un euphémisme.

Nous avons passé des semaines, puis des mois à chercher désespérément toutes sortes d'appareils de remplacement, tentant d'évaluer leur pertinence. Nous cherchions partout où elle pourrait se faire opérer au plus vite : en Inde, en Chine, en Espagne, au Royaume-Uni, au Costa Rica, en Floride... Nous contactâmes le ministère de la Santé de la province d'Ontario. Le contact se révéla très utile. On nous trouva un spécialiste à l'autre bout du pays, à Vancouver. Il remplaça la cheville de Mikhaila en novembre. Le retour d'opération fut un supplice. Son pied était mal positionné. Le plâtre lui comprimait la peau contre l'os. La clinique refusa de lui donner suffisamment d'oxycodone pour atténuer sa souffrance. À cause de son précédent traitement, elle avait développé un haut niveau de résistance au médicament.

De retour à la maison, souffrant un peu moins, elle commença à diminuer la quantité d'opiacés. Malgré son utilité évidente, elle détestait l'oxycodone. Elle trouvait que cela donnait une teinte grisâtre à son existence. Compte tenu des circonstances, c'était peut-être une bonne chose. Elle cessa d'en prendre dès que possible. Elle souffrit de manque pendant des mois, avec des suées et des fourmillements (l'impression que des fourmis rampent sous votre peau) toutes les nuits. Elle devint incapable d'éprouver le moindre plaisir. Encore un effet du manque d'opiacés.

Durant une bonne partie de cette période, nous étions débordés. Les exigences du quotidien ne s'interrompent pas uniquement parce que vous avez été frappé par une catastrophe. Il faut continuer à faire ce que vous faites toujours. Alors, comment s'en sort-on ? Voici quelques-unes des choses que nous avons apprises.

Prenez le temps chaque jour de parler de la maladie – ou du sujet qui vous préoccupe –, d'y réfléchir et de trouver un moyen de la gérer. Le reste du temps, n'en parlez pas et n'y pensez pas. Si vous ne limitez pas ses effets, cela vous épuisera, et un cercle vicieux redoutable se mettra en place. Cela ne vous sera d'aucune utilité. Gardez vos forces. Vous êtes en guerre, ce n'est pas une simple bataille. Et une guerre est composée de nombreuses batailles. Vous devez rester opérationnel du début à la fin. Lorsque des soucis liés à la crise surviennent à d'autres moments, rappelez-vous que vous y réfléchirez le moment venu. Généralement, cela fonctionne. Les parties de votre cerveau qui génèrent de l'angoisse sont plus intéressées par le fait qu'il y ait un plan plutôt que par le détail du plan. Ne prévoyez pas votre moment de réflexion le soir, ni la nuit. Sinon, vous ne pourrez plus dormir. Si vous perdez le sommeil, tout se dégradera très vite.

Modifiez l'unité de temps dont vous vous servez habituellement pour faire des projets. Quand le soleil brille, que tout va bien et que les récoltes sont abondantes, vous pouvez vous projeter dans un mois, un an, voire cinq ans. Vous pouvez même rêver de ce qui se passera dans dix ans. Mais c'est impossible quand on a la jambe dans la gueule du crocodile. « À chaque jour suffit sa peine* » (Matthieu 6:34). On interprète souvent cette phrase par : « Vivez dans le présent, sans vous soucier du lendemain. » Ce n'est pas ce qu'elle veut dire. Cette injonction doit être remise dans le contexte du Sermon sur la montagne, dont elle fait partie intégrante. Ce sermon reprend les dix « Tu ne dois point » des commandements de Moïse sous la forme d'une seule directive : « Tu dois. » Jésus enjoint à ses disciples d'avoir foi dans le Royaume des Cieux, et dans la vérité. Supposer la bonté de l'Être est une décision consciente. C'est un acte de courage. Visez haut, comme le Pinocchio de Geppetto. Faites un vœu, puis conduisez-vous en conséquence, conformément à cet objectif. Dès que vous

---

* Traduction La Bible du Semeur (N.d.T.)

serez aligné avec les Cieux, vous pourrez vous concentrer sur la journée. Attention. Mettez de l'ordre dans les choses dont vous n'avez aucune maîtrise. Réparez ce qui est en désordre, et améliorez ce qui est déjà bien. Il est possible que vous puissiez gérer la situation, si vous êtes prudent. Les gens sont robustes. Ils peuvent supporter de grandes souffrances. Mais pour persévérer, ils doivent voir le bien présent dans l'Être. S'ils perdent ça, ils sont fichus.

Les chiens, encore, mais finalement, les chats

Les chiens sont comme les gens. Ils sont les amis et les alliés des humains. Ils sont sociables, hiérarchisés et domestiqués. Ils sont heureux au pied de la pyramide familiale. Ils rendent l'attention qu'on leur porte en fidélité, admiration et amour. Les chiens sont géniaux.

Les chats, quant à eux, sont des êtres bien à part. Ils ne sont pas sociables, ni hiérarchisés (sauf de temps à autre). Ils ne sont qu'à demi domestiqués. Ils ne font pas de tours. Ils sont amicaux à leurs conditions. Les chiens ont été apprivoisés, mais les chats ont pris une décision. Pour une raison qu'eux seuls connaissent, ils semblent disposés à interagir avec les humains. À mes yeux, les chats sont une manifestation de la nature, de l'Être, dans une forme presque pure. De plus, ils sont une forme d'Être qui observe les humains et les approuve.

Quand vous croisez un chat dans la rue, plusieurs choses peuvent se produire. Si j'aperçois un chat dans le lointain, par exemple, mon mauvais côté a envie de le faire sursauter en poussant un « pffff ! », avec les dents du haut sur la lèvre inférieure. Un chat nerveux hérisserait aussitôt ses poils et se mettrait de profil pour paraître plus gros. Je ne devrais peut-être pas me moquer des chats, mais c'est plus fort que moi. Le fait que l'on puisse les faire sursauter est une des choses que je préfère chez eux (avec le fait qu'ils sont aussitôt contrariés et gênés par leur réaction excessive). Mais après m'être maîtrisé, je me penche et j'appelle le chat pour pouvoir le caresser. Parfois, il s'enfuit. À d'autres moments, il fait comme si je n'existais pas, parce que c'est un chat. Mais il arrive que l'animal s'approche, pousse sa tête contre ma main et s'en satisfasse. Parfois, il se roule même par terre et se cambre sur le béton poussiéreux, même si les chats positionnés de cette façon ne tardent jamais à mordre et à griffer même une main amicale.

En face de chez moi vit une chatte du nom de Ginger. C'est une siamoise magnifique, très calme et parfaitement maîtresse d'elle-même. Elle est très bas sur l'échelle du névrosisme, un index d'angoisse, de peur et de souffrance émotionnelle. Ginger se moque éperdument des chiens. Le nôtre, Sikko, est son ami. Parfois, quand on l'appelle, ou de son plein gré, elle traverse la rue, la queue dressée, un peu tordue à l'extrémité. Puis elle se roule sur le dos devant Sikko qui, en réponse, remue joyeusement la queue. Ensuite, si l'envie lui en prend, elle rentre chez nous trente secondes. C'est une pause sympathique. Un petit rayon de soleil supplémentaire les beaux jours, et un infime moment de répit les mauvais jours.

Si vous faites suffisamment attention, même les mauvais jours, vous aurez peut-être la chance d'être confronté à de petites occasions de ce genre. Vous verrez peut-être une fillette danser dans la rue parce qu'elle a enfilé sa tenue de ballet. Vous prendrez peut-être une bonne tasse de café dans un établissement qui se soucie de ses clients. Vous prendrez peut-être dix ou vingt minutes de votre temps pour faire quelque chose d'un peu ridicule qui vous distraira ou vous rappellera qu'il est possible de rire face à l'absurdité de l'existence. Personnellement, j'adore regarder des épisodes des *Simpson* en accéléré. Ce que je peux rire. Les deux tiers de l'épisode.

Peut-être que lorsque vous irez vous promener, avec la tête qui tourne, vous apercevrez un chat. Si vous lui prêtez attention, cela vous rappellera durant quinze secondes que le miracle de l'Être compense largement la souffrance tenace qui l'accompagne.

Caressez les chats que vous croisez dans la rue.

P.-S. : Peu de temps après que j'eus rédigé ce chapitre, le chirurgien de Mikhaila lui annonça qu'il lui faudrait ôter sa cheville artificielle et fusionner ses os. L'amputation n'était pas loin. Même si cela allait un peu mieux, cela faisait huit ans qu'elle souffrait depuis l'opération, et sa mobilité était significativement diminuée. Quatre jours plus tard, elle alla consulter un nouveau physiothérapeute. C'était un homme costaud, puissant et attentif. Il s'était spécialisé dans le traitement de la cheville à Londres, au Royaume-Uni. Il positionna ses mains autour de sa cheville et lui comprima l'articulation durant quarante secondes, pendant qu'elle remuait son pied d'avant en arrière. L'os mal positionné retrouva son logement. Sa douleur se dissipa. Jamais elle ne pleure devant le personnel médical, mais cette fois, elle éclata en sanglots. Son genou se redressa. À présent, elle peut parcourir de longues distances et se balader pieds nus. Son mollet atrophié, sur sa jambe endommagée, reprend de la vigueur. Elle parvient à obtenir une plus grande flexion de son articulation artificielle. Cette année, elle s'est mariée et a eu une fille qu'elle a appelée Elizabeth en souvenir de la défunte mère de ma femme.

Tout va bien.

Pour le moment.

CONCLUSION

Que dois-je faire de mon nouveau stylo lumineux ?

Fin 2016, je suis allé dans le nord de la Californie rendre visite à un ami avec qui j'ai l'occasion de travailler. Nous avons passé la soirée à discuter et à réfléchir. À un moment, il tira un stylo de sa veste et prit quelques notes. Sa pointe était équipée d'une LED permettant d'écrire dans l'obscurité. « Encore un gadget », songeai-je. Plus tard, cependant, alors que je me trouvais dans un état d'esprit plus métaphorique, je fus hanté par l'idée d'avoir un stylo lumineux. Cela avait un côté symbolique, métaphysique. Après tout, nous sommes tous dans les ténèbres la plupart du temps, cela ne nous ferait pas de mal d'être guidés par quelque chose d'écrit sous la lumière. Durant notre conversation, je prétextai l'envie d'écrire pour lui demander de me prêter son stylo. Et quand il me l'offrit, je me sentis démesurément heureux. À présent, je pouvais écrire des paroles lumineuses dans l'obscurité ! Évidemment, il était important de s'y prendre correctement. Bon, me demandai-je avec le plus grand sérieux : « Que vais-je faire de mon nouveau stylo lumineux ? » Il y a dans le Nouveau Testament deux versets qui se rapportent à ce sujet. J'y ai beaucoup réfléchi.

« Demandez, et vous recevrez ; cherchez, et vous trouverez ; frappez, et l'on vous ouvrira. Car celui qui demande reçoit ; celui qui cherche trouve ; et l'on ouvre à celui qui frappe*. » (Matthieu 7:7-8)

À première vue, cela ressemble surtout à une allégorie de la magie de la prière, dans le sens où l'on implore Dieu de nous accorder des faveurs. Mais quelle que soit la nature de Dieu, il n'est pas simplement là pour réaliser nos vœux. Lorsqu'il fut tenté par le diable en personne, dans le désert – comme nous l'avons vu dans la Règle 7 (Concentrez-vous sur l'essentiel, et non ne plus opportun) –, même le Christ refusa de s'en remettre à son père. De plus, chaque jour, des prières d'individus désespérés demeurent sans réponse. Mais c'est peut-être parce qu'elles ne sont pas formulées de la bonne façon. Peut-être n'est-il pas raisonnable de demander à Dieu d'enfreindre les règles de la physique chaque fois que nous nous écartons du droit chemin ou que nous commettons une grave erreur. Peut-être, dans ce genre de moment, ne faut-il pas mettre la charrue avant les bœufs et simplement espérer que votre problème se résoudra comme par magie. Peut-être devriez-vous plutôt vous demander ce qu'il vous faut faire pour augmenter vos chances de le régler, vous renforcer mentalement et trouver la force d'aller de l'avant. Peut-être pourriez-vous plutôt demander de voir la vérité.

En près de trente ans de vie commune, à de nombreuses occasions, ma femme et moi avons eu des désaccords. Parfois profonds. Notre unité semblait sérieusement brisée, et nous n'étions pas capables de nous réconcilier par une simple discussion. Nous étions au contraire piégés dans une querelle où régnaient les émotions, la colère et l'angoisse. Nous nous étions mis d'accord sur le fait que, dans de

---

* Traduction La Bible du Semeur (N.d.T.)

telles circonstances, nous prendrions temporairement nos distances : elle dans une chambre, moi dans une autre. Ce fut souvent difficile, car il n'est pas aisé de prendre ses distances au beau milieu d'une dispute quand c'est la colère qui génère le désir de vaincre et de l'emporter. Mais cela semble préférable aux conséquences d'une dispute qui menace de dégénérer.

Seuls, tentant de retrouver notre calme, nous nous posions tous deux la même question : « Qu'avons-nous fait pour parvenir à la situation à l'origine de notre dispute ? Si petites soient-elles, si distantes soient-elles... nous avons chacun commis des erreurs. » Ensuite, nous nous retrouvions et faisions part à l'autre du produit de notre réflexion : « Voici en quoi j'avais tort... »

Le problème, quand on se pose ce genre de question, c'est qu'il faut vraiment vouloir y répondre. Et qu'on aime rarement la réponse. Lorsque vous vous disputez avec quelqu'un, vous voulez avoir raison, vous voulez que l'autre ait tort. Si c'est à lui de faire un sacrifice et de changer, pas à vous, c'est préférable. Si c'est vous qui avez tort et qui devez changer, alors vous devez vous remettre en cause, ainsi que vos souvenirs du passé, votre façon d'être dans le présent et vos projets pour l'avenir. Il vous faut ensuite prendre la décision de vous améliorer et chercher le moyen d'y parvenir. Et puis il faut agir. C'est épuisant. Le fait d'instancier les nouvelles perceptions et de rendre habituelles les nouvelles actions exige un entraînement assidu. Il est beaucoup plus facile de fermer les yeux, de refuser d'admettre et de s'engager. De se détourner de la vérité et de rester volontairement aveugle.

Mais c'est dans ce genre de moment que vous devez décider si vous préférez avoir raison ou avoir la paix[215]. Si vous préférez insister sur le bien-fondé de votre point de vue ou écouter et négocier. Ce n'est pas en ayant raison que vous obtiendrez la paix. Vous aurez simplement raison, et votre partenaire tort. Vous l'aurez vaincu et il aura tort. Reproduisez cela dix mille fois, et c'en sera fini de votre couple (ou vous aurez hâte que cela se termine). Pour choisir l'autre possibilité, la paix, vous devez vouloir la réponse plutôt que d'avoir raison. C'est le seul moyen de vous échapper de la prison de vos préjugés et de votre obstination. C'est indispensable à toute négociation. Il vous faut respecter le principe de la Règle 2 (Prenez soin de vous comme vous le faites avec les autres).

Ma femme et moi avons appris que si vous vous posez ce genre de question et que vous souhaitez vraiment obtenir une réponse (si indigne, affreuse et scandaleuse soit-elle), alors surgira des méandres de votre esprit le souvenir d'une chose stupide que vous avez faite dans un passé généralement pas si lointain. Vous pouvez ensuite retourner auprès de votre partenaire et lui expliquer pourquoi vous êtes un imbécile et lui présenter vos excuses (sincères). Cette personne peut en faire autant, vous présenter ses excuses (sincères) et, entre idiots, vous pourrez de nouveau vous adresser la parole. Peut-être que la véritable prière est de vous demander : « Qu'ai-je fait de mal, et que puis-je faire, à présent, pour rétablir les choses ne serait-ce qu'un peu ? » Il faut que vous ayez ouvert votre cœur à la vérité la plus terrible qui soit. Que vous soyez réceptif à ce que vous n'avez aucune envie d'entendre. En décidant d'apprendre de vos erreurs pour les corriger, vous entrez en communication avec la source de toute pensée révélatrice. Peut-être cela revient-il au même que d'interroger sa conscience. Ou, d'une certaine manière, que de discuter avec Dieu.

C'est dans cet état d'esprit, une feuille de papier devant moi, que je posai ma question : « Que dois-je faire de mon nouveau stylo lumineux ? » demandai-je comme si j'attendais réellement une réponse. J'attendais une réponse. J'étais en pleine discussion entre deux parties de moi-même. En pleine réflexion. À l'écoute, au sens où je l'entends dans la Règle 9 (Partez du principe que celui que vous écoutez en sait plus que vous). Cette règle s'applique autant à vous qu'aux autres. C'est moi, bien sûr, qui ai posé la question. Et c'est moi, bien sûr, qui ai répondu. Mais ces deux « moi » n'étaient pas les mêmes. J'ignorais la réponse. J'attendais qu'elle prenne forme dans mon imagination. Que les mots jaillissent du néant. Comment quelqu'un peut-il imaginer quelque chose qui le surprenne ? Comment peut-il ne pas savoir ce à quoi il pense ? D'où viennent ses nouvelles pensées ? Qui les a pensées ?

Puisqu'on venait de me remettre, un comble, un stylo capable d'écrire des paroles lumineuses dans les ténèbres, je désirais en faire le meilleur usage possible. J'ai donc posé la question qui convenait, et presque aussitôt une réponse m'est apparue : « Écris les mots que tu souhaites inscrire sur ton âme. » Ce que j'ai fait. Cela me semblait être une bonne chose, même si cela avait un petit côté romanesque, certes, mais c'était dans l'esprit du moment. Puis, j'élevai un peu le niveau. Je décidai de me poser les questions les plus difficiles qui soient, et j'attendis les réponses. Quand on a un stylo lumineux, après tout, autant lui demander les réponses à des questions difficiles. Voici la première : « Que dois-je faire demain ? » La réponse fut : « Le plus de bien possible dans le moins de temps possible. » Il était également très satisfaisant d'associer un objectif ambitieux à des exigences d'efficacité maximale. Un grand défi. La seconde question était dans la même veine : « Que dois-je faire l'année prochaine ? » « Fais en sorte que le bien que tu feras alors ne soit surpassé que par celui que tu feras l'année suivante. » Cela semblait également raisonnable. La poursuite des ambitions de la précédente réponse. Je déclarai à mon ami que je tentais une expérience d'écriture avec le stylo qu'il m'avait offert. Je lui demandai si je pouvais lui lire à voix haute ce que j'avais rédigé jusqu'alors. Mes questions, et mes réponses, firent également vibrer une corde sensible chez lui. Parfait. C'était l'impulsion qu'il me fallait pour poursuivre.

La question suivante vint parachever l'ensemble des précédentes : « Que dois-je faire de ma vie ? » « Viser le paradis et te concentrer sur le présent. » Ha ! Je savais ce que cela signifiait. C'est ce que fait Geppetto dans le *Pinocchio* de Disney, lorsqu'il fait un vœu. Le vieux sculpteur lève les yeux vers le diamant scintillant qui surplombe le monde ordinaire des préoccupations quotidiennes des humains et exprime son désir le plus profond : que la marionnette qu'il a conçue perde les cordes qui servent aux autres à le manipuler et se transforme en véritable enfant. Comme nous l'avons vu dans la Règle 4 (Comparez-vous à la personne que vous étiez hier, et non à quelqu'un d'autre), c'est aussi le message central du Sermon sur la montagne, mais il mérite que l'on revienne dessus :

> « Quant aux vêtements, pourquoi vous inquiéter à leur sujet ? Observez les lis sauvages ! Ils poussent sans se fatiguer à tisser des vêtements. Pourtant, je vous l'assure, le roi Salomon lui-même, dans toute sa gloire, n'a jamais été aussi bien vêtu que l'un d'eux ! Si Dieu habille ainsi cette petite plante des champs qui est là aujourd'hui et qui demain sera jetée au feu, à plus forte raison, ne vous vêtira-t-il pas vous-mêmes ? Ah, votre foi est bien petite ! Ne vous inquiétez donc pas et ne dites pas : "Que mangerons-nous ?" ou "Que boirons-nous ?" ou "Avec quoi nous habillerons-nous ?" Toutes ces choses, les païens s'en préoccupent sans cesse. Mais votre Père, qui est aux cieux, sait que vous en avez besoin. Faites donc du royaume de Dieu et de ce qui est juste à ses yeux votre préoccupation première, et toutes ces choses vous seront données en plus* » (Matthieu 6:28-33)

---

* Traduction La Bible du Semeur (N.d.T.)

Quel est le sens de tout cela ? Orientez-vous dans la bonne direction. Puis, une fois que c'est fait, concentrez-vous sur l'instant présent. Visez le bien, le beau et le vrai, puis concentrez-vous de toutes vos forces sur vos préoccupations du moment. Lorsque vous travaillez avec application sur Terre, ne perdez pas de vue le paradis. De même, en faisant attention au présent, ne négligez pas l'avenir. Vous aurez alors toutes les chances d'améliorer les deux.

J'ai alors renoncé au temps que je passais avec les autres pour rédiger mes questions, mes réponses, et les lire à mon ami : « Comment dois-je me conduire avec ma femme ? » « Traite-la comme si c'était la Sainte Vierge, afin qu'elle puisse donner naissance au héros qui rachètera les péchés du monde. » « Que dois-je faire avec ma fille ? » « Soutiens-la, écoute-la, protège-la, forme son esprit, et fais-lui savoir que cela ne te pose aucun problème si elle souhaite devenir mère. » « Quelle attitude dois-je adopter avec mes parents ? » « Fais en sorte que tes actes justifient la souffrance qu'ils subissent. » « Comment dois-je me comporter avec mon fils ? » « Encourage-le à devenir un véritable fils de Dieu. »

« Honore ta femme comme si c'était la mère de Dieu » signifie qu'il faut repérer et soutenir les éléments sacrés de son rôle de mère (pas seulement de vos enfants, mais en tant que telle). Une société qui oublie ne peut pas survivre. La mère de Hitler a donné naissance à Hitler, et celle de Staline à Staline. Quelque chose clochait-il dans leur relation ? Compte tenu de l'importance du rôle maternel dans l'établissement de la confiance[216], cela semble probable. Sans doute l'importance de leur devoir maternel et de leur relation avec leurs enfants n'a-t-elle pas été suffisamment soulignée. Sans doute les maris et les pères de ces femmes et le reste de la société ne voyaient-ils pas d'un bon œil ce qu'elles faisaient sous leur habit de mère. À qui auraient-elles pu faire voir le jour si on les avait traitées correctement, de façon honorable et avec attention ? Après tout, la destinée du monde repose sur les épaules de chaque nouveau-né, si minuscule, délicat et menacé soit-il, car en temps voulu il sera capable de prononcer les paroles et de faire ce qu'il faut pour maintenir un équilibre aussi fragile qu'éternel entre l'ordre et le chaos.

« Soutenir ma fille » ? C'est l'encourager dans tous les actes qu'elle entreprend avec courage, mais c'est aussi intégrer sa féminité à ce soutien : reconnaître l'importance d'avoir une famille et des enfants et renoncer à la tentation de dénigrer ou de dévaloriser ce fait au profit de son ambition personnelle et sa carrière. Comme nous l'avons vu, ce n'est pas pour rien que l'image de la Vierge à l'Enfant est considérée comme étant divine. Les sociétés qui cessent d'honorer cette image, qui ne voient plus que cette relation est d'une importance aussi fondamentale que merveilleuse, finissent par disparaître.

« Fais en sorte que tes actes justifient la souffrance que tes parents subissent », c'est se rappeler tous les sacrifices que ceux qui ont vécu avant vous (dont vos parents) ont faits pour vous par le passé. C'est aussi se montrer reconnaissant pour tous les progrès qui ont ainsi été réalisés, et agir en fonction de ce souvenir et de cette gratitude. Des gens ont fait d'énormes sacrifices pour que l'on puisse obtenir ce que l'on a aujourd'hui. Dans de nombreux cas, ils y ont même laissé la vie. La moindre des choses serait de ne pas l'oublier.

« Encourager mon fils à devenir un véritable fils de Dieu » ? C'est vouloir avant tout qu'il fasse ce qui est juste, et s'efforcer de le soutenir. Cela fait partie, il me semble, du message sacrificiel : valorisez et soutenez l'engagement de votre fils pour le bien ultime, y compris pour ses progrès terrestres, si je puis dire, sa sécurité, et peut-être même sa vie.

Je continuai à poser des questions. J'en obtins aussitôt les réponses. « Que dois-je faire en présence d'un inconnu ? » « L'inviter chez moi, et le traiter comme un frère pour qu'il puisse en devenir un. » Cela équivaut à faire confiance et à tendre la main à quelqu'un afin de faire ressortir son meilleur côté pour qu'il puisse en faire autant. À faire preuve de l'hospitalité sacrée afin de rendre possible une relation entre deux personnes qui ne se connaissent pas encore. « Comment dois-je me conduire face à une âme déchue ? » « Tends-lui une main à la fois sincère et prudente, mais évite de la rejoindre dans la fange. » C'est un bon résumé de ce que nous avons vu avec la Règle 3 (Choisissez pour amis des gens qui souhaitent ce qu'il y a de mieux pour vous). C'est la suggestion de s'abstenir de donner de la confiture aux cochons et de faire passer votre vice pour de la vertu. « Comment dois-je me comporter avec les autres ? » « Se conduire comme un Être plutôt que comme un non-Être. » Faites ce qu'il faut pour éviter que la tragédie de l'existence vous rende amer et corrompu. C'est la substance de la Règle 1 (Tenez-vous droit, les épaules en arrière). Affrontez le doute avec détermination, foi et courage.

« Comment dois-je éduquer les miens ? » « Partage avec eux ce que tu considères comme étant vraiment important. » C'est la Règle 8 (Dites la vérité, ou, du moins ne mentez pas). C'est viser la sagesse, retranscrire cette sagesse en paroles, et l'exprimer avec des mots qui comptent, avec implication et attention. Cela concerne aussi la question (et la réponse) suivante : « Que dois-je faire d'un pays déchiré ? » « Tâche de le raccommoder avec des paroles de sagesse soigneusement choisies. » L'importance de cette recommandation est devenue évidente, ces dernières années : nous nous divisons et dérivons vers le chaos. Dans de telles circonstances, si nous souhaitons éviter la catastrophe, il est nécessaire pour chacun de nous de favoriser la vérité telle que nous la voyons : pas les arguments qui justifient notre idéologie, ni les machinations qui font progresser nos ambitions, mais les faits, rien que les faits de notre existence, pour que nous puissions trouver un terrain d'entente et avancer ensemble.

« Que dois-je faire pour Dieu mon Seigneur ? » « Sacrifier tout ce qui m'est cher afin d'atteindre une perfection encore plus grande. » Laissez brûler le bois mort pour que de nouvelles pousses puissent voir le jour. C'est l'effroyable leçon d'Abel et Caïn que nous évoquions avec la Règle 7 (« Comment dois-je réagir face à un menteur ? » « Laisse-le parler jusqu'à ce qu'il se trahisse ! »). La Règle 9 (Écoutez...) est très pertinente, ici, de même qu'une autre partie du Nouveau Testament :

> « Vous les reconnaîtrez à leurs fruits. Est-ce que l'on cueille des raisins sur des buissons d'épines ou des figues sur des ronces ? Ainsi, un bon arbre porte de bons fruits, un mauvais arbre produit de mauvais fruits. Un bon arbre ne peut pas porter de mauvais fruits, ni un mauvais arbre de bons fruits. Tout arbre qui ne donne pas de bons fruits est arraché et jeté au feu. Ainsi donc, c'est à leurs fruits que vous les reconnaîtrez*. » (Matthieu 7:16-20)

Avant de pouvoir remplacer la pourriture par autre chose, il faut la mettre au jour, comme nous l'avons vu avec la Règle 7. Tout cela nous permet de mieux comprendre la question et la réponse suivantes : « Comment dois-je me conduire face à quelqu'un d'éclairé ? » « Remplace-le par celui qui cherche véritablement la lumière. » Personne n'est éclairé. N'existent que ceux qui cherchent l'illumination. L'Être est un processus, non un état. Un voyage, non une destination. C'est la transformation perpétuelle de votre connaissance lorsqu'elle se retrouve face à l'inconnu, non le fait de se cramponner à la certitude, à jamais insuffisante.

---

* Traduction La Bible du Semeur (N.d.T.)

Cela explique l'importance de la Règle 4 (Comparez-vous...). Placez toujours votre devenir au-dessus de votre état actuel. Cela signifie qu'il est nécessaire de reconnaître et d'accepter vos lacunes afin de pouvoir sans cesse les combler. Cela ne se fait pas sans mal, certes, mais vous y gagnerez au change.

Les questions et réponses suivantes forment à leur tour un groupe cohérent focalisé cette fois sur l'ingratitude : « Que dois-je faire quand je méprise ce que j'ai ? » « Souviens-toi de ceux qui n'ont rien, et efforce-toi d'être reconnaissant. » Faites le point sur ce qui se trouve sous vos yeux. Réfléchissez à la Règle 12 (intitulée avec un peu de taquinerie : Caressez les chats que vous croisez dans la rue). Dites-vous aussi que si vous êtes bloqué dans votre progression, ce n'est peut-être pas à cause d'un manque d'occasions, mais parce que vous vous êtes montré trop arrogant pour exploiter pleinement ce qui se trouvait déjà devant vous. C'est la Règle 6 (Balayez devant votre porte avant de critiquer les autres).

Je me suis récemment entretenu avec un jeune homme à ce sujet. Il n'avait pour ainsi dire jamais quitté le domicile parental, et encore moins l'État où il avait grandi. Il s'était cependant rendu à Toronto pour assister à l'une de mes conférences et me rendre visite chez moi. Beaucoup trop isolé, il était rongé par l'angoisse. Lors de notre première rencontre, il avait du mal à s'exprimer. Il avait néanmoins décidé de réagir. Il avait commencé par prendre un petit boulot de plongeur. Alors qu'il aurait pu considérer ce métier avec mépris, il avait décidé de s'y donner à fond. Trop intelligent pour se laisser aigrir par une société incapable de reconnaître ses dons, il préféra au contraire l'accepter avec la profonde humilité nécessaire à la sagesse en toute occasion. Il est aujourd'hui totalement indépendant. C'est mieux que de rester chez ses parents. Il a un peu d'argent. Pas beaucoup, mais c'est mieux que rien. Et il l'a gagné.

Dorénavant, il doit faire face à la sphère sociale et au conflit suivant :

> « Celui qui connaît les hommes est prudent.
> Celui qui se connaît lui-même est éclairé.
> Celui qui dompte les hommes est puissant.
> Celui qui se dompte lui-même est fort.
> Celui qui sait se suffire est assez riche*[217]. »

Si mon visiteur qui, malgré son angoisse, continue à se transformer avec détermination, poursuit sur la même voie, il ne tardera pas à devenir bien plus compétent et accompli. Mais uniquement parce qu'il aura accepté son état d'infériorité et été suffisamment reconnaissant pour consentir à s'en éloigner progressivement. Cela vaut nettement mieux que d'attendre inlassablement l'arrivée magique de Godot. Que de mener avec arrogance une existence immuable, laissant prospérer les démons de la colère, du ressentiment et de la frustration.

« Que dois-je faire quand je suis rongé par l'avidité ? » « Rappelle-toi qu'il vaut vraiment mieux donner que recevoir. » Le monde est un forum d'échanges (c'est de nouveau la Règle 7), non un trésor à piller. Donner, c'est faire son maximum pour améliorer les choses. Le bien présent en chacun de nous réagit à cette action, la soutient, l'imite, la multiplie, la rend et l'encourage afin que tout s'améliore et progresse.

« Que dois-je faire quand tous les fleuves seront asséchés ? » « Cherche d'autres sources d'eaux vives, et purifie la terre. » J'ai trouvé cette question et sa réponse particulièrement inattendues. Elles semblent liées à la Règle 6 (Balayez...). Peut-être nos problèmes environnementaux sont-ils mal

---

* Lao Tseu, *Tao te king. Le livre de la voie et de la vertu*, traduction de Stanislas Julien, Imprimerie Royale, Paris, 1842 (N.d.T.)

interprétés d'un point de vue théorique. Peut-être vaudrait-il mieux les envisager d'un point de vue psychologique. Plus les gens se débrouilleront par eux-mêmes, plus ils prendront de responsabilités pour le monde qui les entoure, et plus ils résoudront de problèmes[218]. Comme on dit, mieux vaut gouverner son propre esprit plutôt qu'une ville. Il est plus aisé de vaincre un ennemi quand on n'en a pas un à l'intérieur. Il est possible que le problème environnemental soit finalement de nature spirituelle. Si on parvient à mettre de l'ordre dans nos vies, sans doute arrivera-t-on à en faire autant dans la nature. Bien sûr, comment un psychologue pourrait-il envisager de régler ce problème autrement ?

Le jeu de questions suivant apportait des réponses adéquates en cas de crise ou d'épuisement.

« Que dois-je faire quand mes ennemis l'emportent ? » « Vise un peu plus haut, et sois reconnaissant pour cette leçon. » Ce qui nous ramène à Matthieu (5:43-45) : « Vous avez appris qu'il a été dit : "Tu aimeras ton prochain et tu haïras ton ennemi." Eh bien, moi je vous dis : "Aimez vos ennemis et priez pour ceux qui vous persécutent." Ainsi vous vous comporterez vraiment comme des enfants de votre Père céleste*. » Que cela signifie-t-il ? Apprenez de la victoire de vos ennemis. Écoutez (Règle 9) leurs critiques pour tirer de leur opposition toute la sagesse dont vous pourriez avoir besoin pour vous améliorer. Ayez pour ambition la création d'un monde où ceux qui œuvrent contre vous puissent voir la lumière, s'éveiller et réussir, afin que l'amélioration que vous visez les inclue également.

« Que dois-je faire quand je suis las et impatient ? » « Accepte avec gratitude la main qui t'est tendue. » Cette réponse a deux significations. C'est premièrement une injonction à constater la réalité des limites de l'individu et, deuxièmement, à accepter le soutien des autres, aussi bien

---

* Traduction La Bible du Semeur (N.d.T.)

la famille que les amis, les connaissances et les inconnus, et à en être reconnaissant. L'épuisement et l'impatience sont inévitables. Il y a trop à faire en un laps de temps beaucoup trop court. Mais rien ne nous oblige à nous battre seuls, et il n'y a que des avantages à partager les responsabilités, à coopérer dans l'effort, à répartir le mérite du travail entrepris.

« Comment dois-je réagir face au vieillissement ? » « Remplace le potentiel de ta jeunesse par les réussites dues à ton expérience. » Cela revient à la discussion sur l'amitié que nous avons eue en élaborant la Règle 3, et à l'histoire du procès et de la mort de Socrate, que l'on pourrait résumer de cette façon : « Une existence menée rondement justifie ses propres limites. » Le jeune homme démuni a toujours la possibilité de s'opposer aux réalisations de ses aînés. Il n'est pas évident que ce soit une mauvaise affaire, ni pour l'un ni pour les autres. « L'homme qui a vieilli n'est qu'une loque, écrivit William Butler Yeats*, un manteau déchiré sur un bâton, à moins que l'âme ne batte des mains et ne chante, toujours plus fort, à chaque accroc nouveau du vêtement mortel[219]. »

« Que dois-je faire à la mort de mon dernier-né ? » « Occupe-toi des autres et de leur douleur. » Il faut être fort face à la mort, car la mort est inséparable de la vie. C'est pour cette raison que je dis à mes étudiants : « Efforcez-vous de devenir la personne sur qui tout le monde, malgré la souffrance et la peine, pourra se reposer à l'enterrement de votre père. » C'est une ambition noble et louable : être fort face à l'adversité. C'est très différent du souhait d'avoir une vie sans anicroche.

---

* William Butler Yeats, *Byzance, l'autre rive*, 1926, *Quarante-cinq poèmes (1889-1938)*, traduction de Yves Bonnefoy, Gallimard, 1993 (N.d.T.)

« Que dois-je faire dans les moments graves ? » « Focalise ton attention sur ce qu'il y a de mieux à faire. » Le déluge arrive. Le déluge finit toujours par arriver. L'Apocalypse finit toujours par s'abattre sur nous. Raison pour laquelle le récit de Noé est un modèle du genre. Tout s'effondre, nous en avons parlé en abordant la Règle 10 (Soyez précis dans votre discours), et rien ne peut l'en empêcher. Quand tout est chaotique et incertain, il se peut qu'il ne vous reste plus pour vous guider que la personnalité que vous vous êtes précédemment construite en visant haut et en vous concentrant sur le moment présent. Si vous n'y êtes pas parvenu, vous échouerez aussi en temps de crise, alors Dieu vous viendra en aide.

La dernière série de questions était composée à mon avis des questions les plus difficiles que je me posai ce soir-là. La mort d'un enfant est sans doute la pire des catastrophes. De nombreuses relations se brisent après une telle tragédie. Mais face à l'horreur, la séparation, si elle est compréhensible, n'en demeure pas moins évitable. J'ai vu des gens renforcer leurs liens familiaux à la mort d'un de leurs proches. Je les ai vus se tourner vers ceux qui restaient et redoubler d'efforts pour communiquer avec eux et les soutenir. Cela leur permettait à tous de retrouver ne serait-ce qu'une partie de ce que la mort leur avait arraché. Nous devons par conséquent compatir à notre malheur. Nous rassembler face à la tragédie de l'existence. Nos familles peuvent être le salon douillet et accueillant où il fait bon vivre au coin du feu pendant que la tempête fait rage à l'extérieur.

La conscience aiguë de la fragilité et de la mortalité causées par la mort peut terrifier, aigrir et séparer. Elle peut aussi faire ouvrir les yeux. Elle peut rappeler à ceux qui font leur deuil qu'il faut apprécier à leur juste valeur ceux qui les aiment. Un jour, j'ai fait des calculs glaçants à propos de mes parents, qui ont plus de quatre-vingts ans. C'était un exemple d'arithmétique détestable dont il est question dans la Règle 5 (Défendez à vos enfants de faire ce qui vous empêcherait de les aimer). J'ai posé les équations pour rester conscient de la réalité. Je les vois environ deux fois par an. Nous passons généralement plusieurs semaines ensemble. Entre chaque visite, nous nous parlons au téléphone. Mais l'espérance de vie des personnes de quatre-vingts ans est de moins de dix ans. Ce qui signifie qu'il est probable que, avec un peu de chance, je voie mes parents encore une vingtaine de fois. C'est horrible. Mais, une fois qu'on le sait, cela nous évite de prendre ces occasions à la légère.

Les questions et réponses suivantes sont liées au développement de la personnalité. « Que dois-je dire à un frère qui n'a pas la foi ? » « Le roi des damnés est un mauvais juge de l'Être. » Je suis convaincu que le meilleur moyen de réparer le monde, le rêve de tout bricoleur, consiste à se réparer soi-même, comme nous l'avons vu dans la Règle 6. Tout le reste n'est que fatuité. En raison de votre ignorance et de votre manque de maîtrise, n'importe quelle autre décision risquerait de nuire. Mais ce n'est pas grave. Il y a beaucoup à faire, à votre niveau. Après tout, vos propres défauts ont un impact important sur le monde. Conscients et délibérés, vos péchés (c'est le terme le plus approprié) aggravent les choses. Votre inaction, votre inertie et votre cynisme vous empêchent d'apprendre à atténuer votre souffrance et à faire la paix. Ce n'est pas une bonne chose. Nous avons toutes les raisons de désespérer du monde, de nous mettre en colère, d'éprouver du ressentiment et de chercher à nous venger.

Votre incapacité à faire les sacrifices appropriés, à vous révéler, à dire la vérité... tout cela vous affaiblit considérablement. Dans cet état de fragilité, vous ne serez pas en mesure de vous épanouir, et ne serez par conséquent d'aucune utilité, ni pour vous-même, ni pour les autres. Vous échouerez et vous souffrirez. Bêtement. Cela corrompra votre âme. Comment pourrait-il en être autrement ? L'existence est déjà suffisamment difficile quand tout se passe bien. Mais quand cela tourne mal ? J'ai appris à mes dépens que rien n'est assez grave pour que cela ne puisse être pire. C'est la raison pour laquelle l'enfer est un puits sans fond. Pour laquelle l'enfer est associé à ce péché. Dans le pire des cas, les âmes infortunées attribuent leurs atroces souffrances aux erreurs qu'elles ont commises par le passé en parfaite connaissance de cause : actes de trahison, tromperie, cruauté, négligence, lâcheté, et, de manière plus générale, aveuglement volontaire. Souffrir odieusement et savoir que c'est notre faute, c'est cela, l'enfer. Et, une fois en enfer, il est facile d'en vouloir à l'Être. Sans se poser de questions. Mais c'est injustifiable. Raison pour laquelle « le Roi des damnés est un mauvais juge de l'Être ».

Comment vous construisez-vous pour devenir quelqu'un de fiable, dans le meilleur et le pire des cas, en temps de paix et de guerre ? Comment se forger la personnalité qui refusera de s'allier, malgré la souffrance, aux occupants de l'enfer ? Les questions et les réponses s'enchaînent, toutes conformes à leur façon, aux règles que j'ai énoncées dans ce livre :

« Que dois-je faire pour renforcer mon esprit ? » « Évite de mentir et de faire ce que tu méprises. »

« Que dois-je faire pour sublimer mon corps ? » « Ne l'utilise qu'au service de ton âme. »

« Que dois-je faire des questions les plus difficiles ? » « Considère-les comme les portes qui donnent sur le chemin de la vie. »

« Que dois-je faire pour le pauvre qui se trouve dans une situation désespérée ? » « Efforce-toi de lui donner le bon exemple pour lui redonner espoir. »

« Que dois-je faire quand la grande foule m'appelle ? » « Garde la tête haute et dis la vérité, si parcellaire soit-elle. »

Et voilà. J'ai conservé mon stylo lumineux. Je n'ai rien écrit avec depuis. Peut-être retenterai-je l'expérience quand l'envie m'en prendra et que j'aurai à exprimer des choses issues du plus profond de mon être. Mais, même si ça n'arrive jamais, cela m'a aidé à trouver les mots pour achever convenablement ce livre.

J'espère que vous l'aurez trouvé utile. Qu'il vous a révélé des choses que vous saviez, mais que vous ignoriez savoir. Que la sagesse des anciens que j'ai évoquée vous donnera de la force. Qu'il aura provoqué une étincelle en vous. J'espère que vous pourrez vous redresser, vous occuper de vos proches et apporter la paix et la prospérité à votre communauté. Que, conformément à la Règle 11 (Ne dérangez pas les enfants quand ils font du skate-board), vous renforcerez et encouragerez ceux dont vous avez la charge, plutôt que de les protéger au point de les affaiblir.

Je vous adresse tous mes vœux de réussite, à vous et à ceux qui vous entourent.

Qu'allez-vous écrire avec votre stylo lumineux ?

NOTES

Les ouvrages, sites web et vidéos auxquels il est fait référence dans ces notes sont tous en anglais.

1. Soljenitsyne, A. I. (1975), *The Gulag Archipelago 1918-1956, An Experiment in Literary Investigation* (Vol. 2), (T.P. Whitney, Trans.), New York, Harper & Row, p. 626.

2. Si vous souhaitez en apprendre davantage sur les homards, vous pouvez commencer par : Corson, T. (2005), *The Secret Life of Lobsters : How Fishermen and Scientists are Unraveling the Mysteries of our Favorite Crustacean*, New York, Harper Perennial.

3. Schjelderup-Ebbe, T. (1935), *Social Behavior of Birds*, Clark University Press, disponible sur psycnet.apa.org/psycinfo/1935-19907-007.

Voir aussi Price, J. S., & Sloman, L. (1987), « Depression as yielding behavior : An animal model based on Schjelderup-Ebbe's Pecking order », *Ethology and Sociobiology*, 8, 85-98.

4. Sapolsky, R. M. (2004), « Social status and health in humans and other animals », *Annual Review of Anthropology*, 33, 393-418.

5. Rutishauser, R. L., Basu, A. C., Cromarty, S. I., & Kravitz, E. A. (2004), « Long-term consequences of agonistic interactions between socially naive juvenile american lobsters (Homarus americanus) » *in The Biological Bulletin*, 207, 183-7.

6. Kravitz, E. A. (2000), « Serotonin and aggression : insights gained from a lobster model system and speculations on the role of amine neurons in a complex behavior », *Journal of Comparative Physiology*, 186, 221-238.

7. Huber, R., & Kravitz, E. A. (1995), « A quantitative analysis of agonistic behavior in juvenile American lobsters (*Homarus americanus L.*) », *Brain, Behavior and Evolution*, 46, 72-83.

8. Yeh S.-R., Fricke R. A., Edwards D. H. (1996), « The effect of social experience on serotonergic modulation of the escape circuit of crayfish », *Science*, 271, 366-369.

9. Huber, R., Smith, K., Delago, A., Isaksson, K., & Kravitz, E. A. (1997), « Serotonin and aggressive motivation in crustaceans : Altering the decision to retreat », *Proceedings of the National Academy of Sciences of the United States of America*, 94, 5939-42.

10. Antonsen, B. L., & Paul, D. H. (1997), « Serotonin and octopamine elicit stereotypical agonistic behaviors in the squat lobster *Munida quadrispina* (*Anomura, Galatheidae*) », *Journal of Comparative Physiology A : Sensory, Neural, and Behavioral Physiology*, 181, 501-510.

11. Crédit Suisse (octobre 2015), *Global Wealth Report 2015*, p. 11. Disponible sur : publications.credit-suisse.com/tasks/render/file/? fileID = F2425415-DCA7-80B8-EAD989AF9341D47E

12. Fenner, T., Levene, M., & Loizou, G. (2010), « Predicting the long tail of book sales : Unearthing the power-law exponent », *Physica A : Statistical Mechanics and Its Applications*, 389, 2416-2421.

13. De Solla Price, D. J. (1963), *Little Science, Big Science*, New York, Columbia University Press.

14. Comme théorisé par Wolff, J. O. & Peterson, J. A. (1998), « An offspring-defense hypothesis for territoriality in female mammals », *Ethology, Ecology & Evolution*, 10, 227-239 ; Généralisé aux crustacés par Figler, M. H., Blank, G. S. & Peek, H.V.S (2001), « Maternal territoriality as an offspring defense strategy in red swamp crayfish (*Procambarus clarkii, Girard*) », *Aggressive Behavior*, 27, 391-403.

15. Waal, F. B. M. de (2007), *Chimpanzee politics : Power and Sex Among Apes*, Baltimore, M. D., Johns Hopkins University Press, Waal, F. B. M. de (1996), *Good natured : The Origins of Right and Wrong in Humans and Other Animals*, Cambridge, MA, Harvard University Press.

16. Bracken-Grissom, H. D., Ahyong, S. T., Wilkinson, R. D., Feldmann, R. M., Schweitzer, C. E., Breinholt, J. W., Crandall, K. A. (2014), « The emergence of lobsters : Phylogenetic relationships, morphological evolution and divergence time comparisons of an ancient group », *Systematic Biology*, 63, 457-479.

17. Un court résumé : Ziomkiewicz-Wichary, A. (2016), « Serotonin and dominance », *in* T. K. Shackelford & V. A. Weekes-Shackelford (Eds.), *Encyclopedia of Evolutionary Psychological Science*, DOI 10.1007/978-3-319-16999-6_1440-1

Disponible sur : www.researchgate.net/publication/310586509_ Serotonin_and_Dominance

18. Janicke, T., Häderer, I. K., Lajeunesse, M. J., & Anthes, N. (2016), « Darwinian sex roles confirmed across the animal kingdom », *Science Advances*, 2, e1500983, disponible sur http://advances.sciencemag.org/content/2/2/e1500983

19. Steenland, K., Hu, S., & Walker, J. (2004), « All-cause and cause-specific mortality by socioeconomic status among employed persons in 27 US states, 1984-1997 », *American Journal of Public Health*, 94, 1037-1042.

20. Crockett, M. J., Clark, L., Tabibnia, G., Lieberman, M. D., & Robbins, T. W. (2008), « Serotonin modulates behavioral reactions to unfairness », *Science*, 320, 1739.

21. McEwen, B. (2000), « Allostasis and allostatic load implications for neuropsychopharmacology », *Neuropsychopharmacology*, 22, 108-124.

22. Salzer, H. M. (1966), « Relative hypoglycemia as a cause of neuropsychiatric illness », *Journal of the National Medical Association*, 58, 12-17.

23. Peterson J. B., Pihl, R. O., Gianoulakis, C., Conrod, P., Finn, P. R., Stewart, S. H., LeMarquand, D. G. Bruce, K. R. (1996), « Ethanol-induced change in cardiac and endogenous opiate function and risk for alcoholism », *Alcoholism : Clinical & Experimental Research*, 20, 1542-1552.

24. Pynoos, R. S., Steinberg, A. M., & Piacentini, J. C. (1999), « A developmental psychopathology model of childhood traumatic stress and intersection with anxiety disorders », *Biological Psychiatry*, 46, 1542-1554.

25. Olweus, D. (1993), *Bullying at school : What We Know and What We Can Do*, New York, Wiley-Blackwell.

26. *Ibid.*

27. Janoff-Bulman, R. (1992), *Shattered Assumptions : Towards a New Psychology of Trauma*, New York, The Free Press.

28. Weisfeld, G. E., & Beresford, J. M. (1982), « Erectness of posture as an indicator of dominance or success in humans », *Motivation and Emotion*, 6, 113-131.

29. Kleinke, C. L., Peterson, T. R., & Rutledge, T. R. (1998), « Effects of self-generated facial expressions on mood », *Journal of Personality and Social Psychology*, 74, 272-279.

30. Tamblyn, R., Tewodros, E., Huang, A., Winslade, N. & Doran, P. (2014), « The incidence and determinants of primary nonadherence with prescribed medication in primary care : a cohort study », *Annals of Internal Medicine*, 160, 441-450.

31. Je donne plus de détails dans : Peterson, J. B. (1999), *Maps of Meaning : The Architecture of Belief*, New York, Routledge.

32. Van Strien, J. W., Franken, I. H. A. & Huijding, J. (2014), « Testing the snake-detection hypothesis : Larger early posterior negativity in humans to pictures of snakes than to pictures of other reptiles, spiders and slugs », *Frontiers in Human Neuroscience*, 8, 691-697. Pour une étude plus générale, voir : Ledoux, J. (1998), *The Emotional Brain : The Mysterious Underpinnings of Emotional Life*, New York, Simon & Schuster.

33. Pour un traité classique sur le sujet, voir Gibson, J. J. (1986), *An Ecological Approach to Visual Perception*, New York, Psychology Press. Voir aussi Flöel, A., Ellger, T., Breitenstein, C. & Knecht, S. (2003), « Language perception activates the hand motor cortex : implications for motor theories of speech perception », *European Journal of Neuroscience*, 18, 704-708, pour une explication sur la relation entre le discours et l'action. Pour une critique plus générale de la relation entre l'action et la perception, voir : Pulvermüller, F., Moseley, R. L., Egorova, N., Shebani, Z. & Boulenger, V. (2014), « Motor cognition-motor semantics : Action perception theory of cognition and communication », *Neuropsychologia*, 55, 71-84.

34. Flöel, A., Ellger, T., Breitenstein, C. & Knecht, S. (2003), « Language perception activates the hand motor cortex : Implications for motor theories of speech perception », *European Journal of Neuroscience*, 18, 704-708 ; Fadiga, L., Craighero, L. & Olivier, E (2005), « Human motor cortex excitability during the perception of others' action », *Current Opinions in Neurobiology*, 15, 213-218 ; Palmer, C. E., Bunday, K. L., Davare, M. & Kilner, J. M. (2016), « A causal role for primary motor cortex in perception of observed actions », *Journal of Cognitive Neuroscience*, 28, 2021-2029.

35. Barrett, J. L. (2004), *Why Would Anyone Believe in God ?* Lanham, MD, Altamira Press.

36. Pour une chronique convenable, voir Barrett, J. L. & Johnson, A. H. (2003), « The role of control in attributing intentional agency to inanimate objects », *Journal of Cognition and Culture*, 3, 208-217.

37. Je vous recommande aussi, à ce sujet, ce livre de l'élève-collègue le plus remarquable de C. G. Jung : Neumann, E. (1955), *The Great Mother : An Analysis of the Archetype*, Princeton, NJ, Princeton University Press.

38. www.dol.gov/wb/stats/occ_gender_share_em_1020_txt.htm

39. Muller, M. N., Kahlenberg, S. M., Thompson, M. E. & Wrangham, R. W. (2007), « Male coercion and the costs of promiscuous mating for female chimpanzees », *Proceedings of the Royal Society (B)*, 274, 1009-1014.

40. Pour des statistiques intéressantes issues de l'analyse de son site de rencontres, OkCupid, voir Rudder, C. (2015), *Dataclysm : Love, Sex, Race & Identity*, New York, Broadway Books.

Il arrive aussi sur ce genre de sites qu'une infime minorité d'individus obtiennent la vaste majorité des demandes intéressées (encore un exemple de la distribution de Pareto).

41. Wilder, J. A., Mobasher, Z. & Hammer, M. F. (2004), « Genetic evidence for unequal effective population sizes of human females and males », *Molecular Biology and Evolution*, 21, 2047-2057.

42. Miller, G. (2001), *The Mating Mind : How Sexual Choice Shaped the Evolution of Human Nature*, New York, Anchor.

43. Pettis, J. B. (2010), « Androgyny BT » *in* D. A. Leeming, K. Madden, & S. Marlan (Eds.), *Encyclopedia of Psychology and Religion* (p. 35-36), Boston, MA, Springer US.

44. Goldberg, E. (2003), *The Executive Brain : Frontal Lobes and the Civilized Mind*, New York, Oxford University Press.

45. Pour l'œuvre classique, voir : Campbell, D. T. & Fiske, D. W. (1959), « Convergent and discriminant validation by the multitrait-multimethod matrix », *Psychological Bulletin*, 56, 81-105. Wilson, E. O. (1998) a développé une idée similaire : *Consilience : The Unity of Knowledge*, New York, Knopf. C'est aussi la raison pour laquelle nous avons cinq sens, pour que nous puissions « pentaguler » notre chemin grâce à des modes de perception distincts dont nous croisons instantanément les données.

46. Headland, T. N., & Greene, H. W. (2011), « Hunter-gatherers and other primates as prey, predators, and competitors of snakes », *Proceedings of the National Academy of Sciences USA*, 108, 1470-1474.

47. Keeley, L. H. (1996), *War Before Civilization : The Myth of the Peaceful Savage*, New York, Oxford University Press.

48. « Peu à peu, il m'a été révélé que la frontière entre le bien et le mal ne passait ni entre des États, ni entre des classes, ni même entre des partis politiques, mais au travers de chaque cœur humain, à travers tous les cœurs humains. Cette frontière est mouvante. Au fil des ans, elle oscille en nous. Et même dans les cœurs envahis par le mal demeure une petite parcelle de bien. Et même dans les meilleurs des cœurs demeure... un soupçon de mal. Depuis lors, j'ai fini par comprendre la vérité de toutes les religions du monde : elles luttent contre le mal qui ronge le cœur humain (de tous les humains). Il est impossible de chasser entièrement le mal, mais il est possible de le restreindre au sein de chacun de nous. » Soljenitsyne, A. I. (1975), *The*

Gulag Archipelago 1918-1956 : An Experiment in Literary Investigation (Vol. 2), (T. P. Whitney, Trans.), New York, Harper & Row, p. 615.

49. À ma connaissance, la meilleure étude sur le sujet se trouve dans l'excellent documentaire sur le dessinateur Robert Crumb, intitulé *Crumb*, réalisé par Terry Zwigoff (1995), produit par Sony Pictures Classic. Ce documentaire vous en dira plus que vous ne le souhaitez sur le ressentiment, la tromperie, l'arrogance, la haine de l'humanité, la honte sexuelle, les mères envahissantes et les pères tyranniques.

50. Bill, V. T. (1986), *Chekhov : The Silent Voice of Freedom*, Allied Books Ltd.

51. Costa, P. T., Teracciano, A. & McCrae, R. R. (2001), « Gender differences in personality traits across cultures : robust and surprising findings », *Journal of Personality and Social Psychology*, 81, 322-331.

52. Isbell, L. (2011), *The fruit, the Tree and the Serpent : Why We See So Well*, Cambridge, MA, Harvard University Press ; voir aussi Hayakawa, S., Kawai, N., Masataka, N., Luebker, A., Tomaiuolo, F., & Caramazza, A. (2011), « The influence of color on snake detection in visual search in human children », *Scientific Reports*, 1, 1-4.

53. *La Vierge en gloire (ca. 1480)* de Gérard de Saint-Jean *(ca. 1465-ca. 1495)* en est l'exemple parfait, avec Marie, l'Enfant Jésus et le serpent sur fond d'instruments de musique médiévaux (et l'Enfant Jésus jouant le rôle de chef d'orchestre).

54. Osorio, D., Smith, A. C., Vorobyev, M. & Buchanan-Smith, H. M. (2004), « Detection of fruit and the selection of primate visual pigments for color vision », *The American Naturalist*, 164, 696-708.

55. Macrae, N. (1992), *John von Neumann : The Scientific Genius who Pioneered the Modern Computer, Game Theory, Nuclear Deterrence, and Much More*, New York, Pantheon Books.

56. Wittman, A. B., & Wall, L. L. (2007), « The evolutionary origins of obstructed labor : bipedalism, encephalization, and the human obstetric dilemma », *Obstetrical & Gynecological Survey*, 62, 739-748.

57. Il existe d'autres explications : Dunsworth, H. M., Warrener, A. G., Deacon, T., Ellison, P. T., & Pontzer, H. (2012), « Metabolic hypothesis for human altriciality », *Proceedings of the National Academy of Sciences of the United States of America*, 109, 15212-15216.

58. Heidel, A. (1963), *The Babylonian Genesis : The Story of the Creation*, Chicago, University of Chicago Press.

59. Salisbury, J. E. (1997), *Perpetua's Passion : The Death and Memory of a Young Roman Woman*, New York, Routledge.

60. Pinker, S. (2011), *The Better Angels of our Nature : Why Violence Has Declined*, New York, Viking Books.

61. Nietzsche, F. W. & Kaufmann, W. A. (1982), *The Portable Nietzsche*, New York, Penguin Classics (Maxims and Arrows 12).

62. Peterson, J. B. (1999), *Maps of Meaning : The Architecture of Belief*, New York, Routledge, p. 264.

63. Miller, G. (3 novembre 2016), « Could pot help solve the U. S. opioid epidemic ? », *Science*.

Disponible sur www.sciencemag.org/news/2016/11/could-pot-help-solve-us-opioid-epidemic

64. Barrick, M. R., Stewart, G. L., Neubert, M. J. et Mount, M. K. (1998), « Relating member ability and personality to work-team processes and team effectiveness », *Journal of Applied Psychology*, 83, 377-391. Pour un effet semblable sur les enfants, voir Dishion, T. J., McCord, J., & Poulin, F. (1999), « When interventions harm : Peer groups and problem behavior », *American Psychologist*, 54, 755-764.

65. McCord, J. & McCord, W. (1959), « A follow-up report on the Cambridge Somerville youth study », *Annals of the American Academy of Political and Social Science*, 32, 89-96.

66. Voir www.youtube.com/watch?v=jQvvmT3ab80 (extrait de *MoneyBAR*, épisode 3, saison 23, *Les Simpson*).

67. Rogers recense six conditions pour qu'un changement de personnalité constructif puisse se produire. La deuxième d'entre elles est l'« état d'incongruité » du patient, c'est-à-dire, grosso modo, le fait de savoir que quelque chose ne va pas et qu'il faut que cela change. Voir Rogers, C. R. (1957), « The necessary and sufficient conditions of therapeutic personality change », *Journal of Consulting Psychology*, 21, 95-103.

68. Poffenberger, A. T. (1930), « The development of men of science », *Journal of Social Psychology*, 1, 31-47.

69. Taylor, S. E. & Brown, J. (1988), « Illusion and well-being : A social psychological perspective on mental health », *Psychological Bulletin*, 103, 193-210.

70. Le terme « péché » vient du grec ἁμαρτάνειν (« hamartánein »), qui signifie « manquer sa cible ». Sous-entendu, « erreur de jugement », « erreur fatale ». Voir biblehub.com/greek/264.htm

71. See Gibson, J. J. (1979), *The Ecological Approach to Visual Perception*, Boston, Houghton Mifflin.

72. Simons, D. J., & Chabris, C. F. (1999), « Gorillas in our midst : Sustained inattentional blindness for dynamic events », *Perception*, 28, 1059-1074.

73. www.dansimons.com/videos.html

74. Azzopardi, P. & Cowey, A. (1993), « Preferential representation of the fovea in the primary visual cortex », *Nature*, 361, 719-721.

75. Voir www.earlychristianwritings.com/thomas/gospelthomas113.html

76. Nietzsche, F. (2003), *Beyond Good and Evil*, Fairfield, IN, 1st World Library-Literary Society, p. 67.

77. www.nytimes.com/2010/02/21/nyregion/21yitta.html

78. Balaresque, P., Poulet, N., Cussat-Blanc, S., Gerard, P., Quintana-Murci, L., Heyer, E., & Jobling, M. A. (2015), « Y-chromosome descent clusters and male differential reproductive success : young lineage expansions dominate Asian pastoral nomadic populations », *European Journal of Human Genetics*, 23, 1413-1422.

79. Moore, L. T., McEvoy, B., Cape, E., Simms, K., & Bradley, D. G. (2006), « A Y-chromosome signature of hegemony in Gaelic Ireland », *American Journal of Human Genetics*, 78, 334-338.

80. Zerjal, T., Xue, Y., Bertorelle, G., Wells *et al.* (2003), « The genetic legacy of the Mongols », *American Journal of Human Genetics*, 72, 717-21.

81. Jones, E. (1953), *The Life and Work of Sigmund Freud* (Vol. I), New York, Basic Books, p. 5.

82. On peut trouver un résumé de ce genre d'idée ici : www.britannica.com/art/noble-savage

83. Parfaitement décrit par Roberts, B. W., & Mroczek, D. (2008). « Personality trait change in adulthood », *Current Directions in Psychological Science*, 17, 31-35.

84. Pour un exposé complet et fiable sur ce genre de sujets, voir Olweus, D. (1993), *Bullying at School : What We Know and What We Can Do*, Malden, MA, Blackwell Publishing.

85. Goodall, J. (1990), *Through a Window : My Thirty Years With the Chimpanzees of Gombe*, Boston, Houghton Mifflin Harcourt.

86. Finch, G. (1943), « The bodily strength of chimpanzees », *Journal of Mammalogy*, 24, 224-228.

87. Goodall, J. (1972), *In the Shadow of Man*, New York, Dell.

88. Wilson, M. L. *et al.* (2014), « Lethal aggression in Pan is better explained by adaptive strategies than human impacts », *Nature*, 513, 414-417.

89. Goodall, J. (1990), *Through a Window : My Thirty Years With the Chimpanzees of Gombe*, Boston, Houghton Mifflin Harcourt, p. 128-129.

90. Chang, I. (1990), *The Rape of Nanking*, New York, Basic Books.

91. Office des Nations unies contre la drogue et le crime (2013), *Global Study on Homicide*, disponible sur : www.unodc.org/documents/gsh/pdfs/2014_GLOBAL_HOMICIDE_BOOK_web.pdf

92. Thomas, E. M. (1959), *The Harmless People*, New York, Knopf.

93. Roser, M. (2016), *Ethnographic and Archaeological Evidence on Violent Deaths*, disponible sur ourworldindata.org/ethnographic-and-archaeological-evidence-on-violent-deaths/

94. *Ibid.* et aussi Brown, A. (2000), *The Darwin Wars : The Scientific Battle for the Soul of Man*, New York, Pocket Books.

95. Keeley, L. H. (1997), *War Before Civilization : The Myth of the Peaceful Savage*, Oxford University Press, USA.

96. Carson, S. H., Peterson, J. B. & Higgins, D. M. (2005), « Reliability, validity and factor structure of the *Creative Achievement Questionnaire* », *Creativity Research Journal*, 17, 37-50.

97. Stokes, P. D. (2005), *Creativity from Constraints : The Psychology of Breakthrough*, New York, Springer.

98. Wrangham, R. W., & Peterson, D. (1996), *Demonic Males : Apes and the Origins of Human Violence*, New York, Houghton Mifflin.

99. Peterson, J. B. & Flanders, J. (2005), « Play and the regulation of aggression », par Tremblay, R. E., Hartup, W. H. & Archer, J. (Eds.), *Developmental Origins of Aggression* (p. 133-157), New York, Guilford Press, Nagin, D., & Tremblay, R. E. (1999), « Trajectories of boys' physical aggression, opposition, and hyperactivity on the path to physically violent and non-violent juvenile delinquency », *Child Development*, 70, 1181-1196.

100. Sullivan, M. W. (2003), « Emotional expression of young infants and children », *Infants and Young Children*, 16, 120-142.

101. Voir BF Skinner Foundation : www.youtube.com/watch?v=vGazyH6fQQ4

102. Glines, C. B. (2005), « Top secret World War II bat and bird bomber program », *Aviation History*, 15, 38-44.

103. Flasher, J. (1978), « Adultism », *Adolescence*, 13, 517-523, Fletcher, A. (2013), *Ending Discrimination Against Young People*, Olympia, WA, CommonAction Publishing.

104. De Waal, F. (1998), *Chimpanzee Politics : Power and Sex Among Apes*, Baltimore, Johns Hopkins University Press.

105. Panksepp, J. (1998), *Affective Neuroscience : The Foundations of Human and Animal Emotions*, New York, Oxford University Press.

106. Tremblay, R. E., Nagin, D. S., Séguin, J. R., Zoccolillo, M., Zelazo, P. D., Boivin, M., Japel, C. (2004), « Physical aggression during early childhood : trajectories and predictors », *Pediatrics*, 114, 43-50.

107. Krein, S. F., & Beller, A. H. (1988), « Educational attainment of children from single-parent families : Differences by exposure, gender, and race », *Demography*, 25, 221 ; McLoyd, V. C. (1998), « Socioeconomic disadvantage and child development », *The American Psychologist*, 53, 185-204 ; Lin, Y.-C., & Seo, D.-C. (2017), « Cumulative family risks across income levels predict deterioration of children's general health during childhood and adolescence ».

PLOS ONE, 12(5), e0177531. doi.org/10.1371/journal.pone.0177531

Amato, P. R., & Keith, B. (1991), « Parental divorce and the well-being of children : A meta-analysis », *Psychological Bulletin*, 110, 26-46.

108. Journal d'Eric Harris : melikamp.com/features/eric.shtml

109. Goethe, J. W. (1979), *Faust, part one* (traduction en anglais : P. Wayne), Londres, Penguin Books, p. 75.

110. Goethe, J. W. (1979), *Faust, Part Two* (traduction en anglais P. Wayne), Londres, Penguin Books, p. 270.

111. Tolstoï, L. (1887-1983), *Confessions* (traduction en anglais : D. Patterson), New York, W. W. Norton, p. 57-58.

112. *The Guardian* (14 juin 2016), « 1 000 mass shootings in 1 260 days, this is what America's gun crisis looks like », disponible sur www.theguardian.com/us-news/ng-interactive/2015/oct/02/mass-shootings-america-gun-violence

113. Les propos d'Eric Harris : schoolshooters.info/sites/default/files/harris_journal_1.3.pdf

114. Cité par Kaufmann, W. (1975), *Existentialism From Dostoïevsky to Sartre*, New York, Meridian, p. 130-131.

115. Voir Soljenitsyne, A. I. (1975), *The Gulag Archipelago 1918-1956 : An Experiment in Literary Investigation* (Vol. 2), (traduction en anglais T. P. Whitney), New York, Harper & Row.

116. Piaget, J. (1932), *The Moral Judgement of the Child*, Londres, Kegan Paul, Trench, Trubner and Company. Voir aussi Piaget, J. (1962), *Play, Dreams and Imitation in Childhood*, New York, W. W. Norton and Company.

117. Franklin, B. (1916), *Autobiography of Benjamin Franklin*, Rahway, New Jersey, The Quinn & Boden Company Press. Disponible sur www.gutenberg.org/files/20203/20203-h/20203-h.htm

118. Voir l'*Apologie de Socrate* de Xénophon, section 23, disponible sur www.perseus.tufts.edu/hopper/text?doc=Perseus%3Atext%3A1999.01.0212%3Atext%3DApol.%3Asection%3D23

119. *Ibid.*, section 2.

120. *Ibid.*, section 3.

121. *Ibid.*, section 8.

122. *Ibid.*, section 4.

123. *Ibid.*, section 12.

124. *Ibid.*, section 13.

125. *Ibid.*, section 14.

126. *Ibid.*, section 7.

127. *Ibid.*

128. *Ibid.*, section 8.

129. *Ibid.*

130. *Ibid.*, section 33.

131. Goethe, J. W. (1979), *Faust, Part Two* (traduction en anglais P. Wayne), Londres, Penguin Books, p. 270.

132. Vous trouverez des commentaires intéressants sur chaque verset de la Bible sur biblehub.com/commentaries, et précisément sur ce verset sur biblehub.com/commentaries/genesis/4-7.htm

133. « Car de qui, si ce n'est de l'auteur de tout mal, pouvait sortir cet avis d'une profonde malice, de frapper la race humaine dans sa racine, de mêler et d'envelopper la Terre avec l'Enfer, tout cela en dédain du grand Créateur ? », Milton, J. (1667), *Paradise Lost*, Book 2, 381-385. Disponible sur : www.dartmouth.edu/~milton/reading_room/pl/book_2/text.shtml

134. Jung, C. G. (1969), *Aion : Researches Into the Phenomenology of the Self* (Vol. 9 : Part II, Collected Works of C. G. Jung), Princeton, N. J., Princeton University Press (chapitre 5).

135. www.acolumbinesite.com/dylan/writing.php

136. Schapiro, J. A., Glynn, S. M., Foy, D. W. & Yavorsky, M. A. (2002), « Participation in war-zone atrocities and trait dissociation among Vietnam veterans with combat-related PTSD », *Journal of Trauma and Dissociation*, 3, 107-114. Yehuda, R., Southwick, S. M. & Giller, E. L. (1992), « Exposure to atrocities and severity of chronic PTSD in Vietnam combat veterans », *American Journal of Psychiatry*, 149, 333-336.

137. Voir Harpur, T. (2004), *The Pagan Christ : Recovering the Lost Light*, Thomas Allen Publishers. J'aborde également le sujet dans : Peterson, J. B. (1999), *Maps of Meaning : The Architecture of Belief*, New York, Routledge.

138. Lao-Tseu (1984), *The Tao te king* (1984) (traduction en anglais S. Rosenthal), verset 64 : « Staying with the mystery ». Disponible sur terebess.hu/english/tao/rosenthal.html#Kap64.

139. Jung, C. G. (1969), *Aion : Researches Into the Phenomenology of the Self* (Vol. 9 : Part II, Collected Works of C. G. Jung), Princeton, N. J., Princeton University Press.

140. Dobbs, B. J. T. (2008), *The Foundations of Newton's alchemy*, New York, Cambridge University Press.

141. Il est par exemple écrit dans Éphésiens 2:8-9 (traduction : La Bible du Semeur) : « Car c'est par grâce que vous êtes sauvés, par le moyen de la foi. Cela ne vient pas de vous, c'est un don de Dieu ; ce n'est pas le fruit d'œuvres que vous auriez accomplies. Personne n'a donc de raison de se vanter. » Un sentiment que l'on retrouve dans Romains 9:15-16 (traduction : La Bible du Semeur) : « Je ferai grâce à qui je veux faire grâce, j'aurai compassion de qui je veux avoir compassion. Cela ne dépend donc ni de la volonté de l'homme, ni de ses efforts, mais de Dieu qui fait grâce. »

142. Nietzsche, F. W. & Kaufmann, W. A. (1982), *The Portable Nietzsche*, New York, Penguin Classics. Contient entre autres *Twilight of the Idols and the Anti-Christ : or How to Philosophize With a Hammer*, de Nietzsche.

143. Nietzsche, F. (1974), *The Gay Science* (traduction en anglais : Kaufmann, W.), New York, Vintage, p. 181-182.

144. Nietzsche, F. (1968), *The Will to Power* (traduction en anglais Kaufmann, W.), New York, Vintage, p. 343.

145. Dostoïevsky, F. M. (2009), *The Grand Inquisitor*, Merchant Books.

146. Nietzsche, F. (1954), « Beyond good and evil » (traduction en anglais Zimmern, H.). Dans W. H. Wright (Ed.), *The Philosophy of Nietzsche* (p. 369-616), New York, Modern Library, p. 477.

147. « Que nos hypothèses et nos théories meurent à notre place ! Apprenons à tuer nos principes plutôt que de nous entretuer […]. Peut-être n'est-ce pas qu'une utopie, peut-être un jour, plutôt que de continuer à nous faire la guerre, nous déciderons-nous, grâce à une critique rationnelle, à éliminer nos théories et nos opinions. » Extrait de Popper, K. (1977), « Natural selection and the emergence of mind », conférence donnée au Darwin College, Cambridge, Royaume-Uni. Voir : www.informationphilosopher.com/solutions/philosophers/popper/natural_selection_and_the_emergence_of_mind.html

148. Nous en parlons en détail dans l'introduction de Peterson, J. B. (1999), *Maps of Meaning : the Architecture of belief*, New York, Routledge.

149. Adler, A. (1973), « Life-lie and responsibility in neurosis and psychosis : a contribution to melancholia », *in The Practice and Theory*

of Individual Psychology, (traduction P. Radin) Totawa, N. J., Littlefield, Adams & Company.

150. Milton, J. (1667), *Paradise Lost*, Livre I, 40-48. Disponible sur www.dartmouth.edu/~milton/reading_room/pl/book_1/text.shtml

151. Milton, J. (1667), *Paradise Lost*, Livre I, 249-253. Disponible sur www.dartmouth.edu/~milton/reading_room/pl/book_1/text.shtml

152. Milton, J. (1667), *Paradise Lost*, Livre I, 254-255. Disponible sur www.dartmouth.edu/~milton/reading_room/pl/book_1/text.shtml

153. Milton, J. (1667). *Paradise Lost*, Livre I, 261-263. Disponible sur www.dartmouth.edu/~milton/reading_room/pl/book_1/text.shtml

154. Nous en parlons en détail dans l'introduction de Peterson, J. B. (1999), *Maps of Meaning : the Architecture of Belief*, New York, Routledge.

155. Hitler, A. (1925 et 2017), *Mein Kampf* (traduction en anglais M. Roberto), publication indépendante, p. 172-173.

156. Finkelhor, D., Hotaling, G., Lewis, I. A. & Smith, C. (1990), « Sexual abuse in a national survey of adult men and women : prevalence, characteristics, and risk factors », *Child Abuse & Neglect*, 14, 19-28.

157. Loftus, E. F. (1997), « Creating false memories », *Scientific American*, 277, 70-75.

158. Extrait de Rogers, C. R. (1952), « Communication : its blocking and its facilitation », *ETC, A Review of General Semantics*, 9, 83-88.

159. Voir Gibson, J. J. (1986), *An Ecological Approach to Visual Perception*, New York, Psychology Press, pour le traité classique sur le sujet. Voir aussi Flöel, A., Ellger, T., Breitenstein, C. & Knecht, S. (2003), « Language perception activates the hand motor cortex : implications for motor theories of speech perception », *European Journal of Neuroscience*, 18, 704-708 pour un exposé sur la relation entre le discours et l'action. Pour une analyse plus générale de la relation entre l'action et la perception, voir :

Pulvermüller, F., Moseley, R.L., Egorova, N., Shebani, Z. & Boulenger, V. (2014), « Motor cognition-motor semantics : Action perception theory of cognition and communication », *Neuropsychologia*, 55, 71-84.

160. Cardinali, L., Frassinetti, F., Brozzoli, C., Urquizar, C., Roy, A. C. & Farnè, A. (2009), « Tool-use induces morphological updating of the body schema », *Current Biology*, 12, 478-479.

161. Bernhardt, P. C., Dabbs, J. M. Jr., Fielden, J. A. & Lutter, C. D. (1998), « Testosterone changes during vicarious experiences of winning and losing among fans at sporting events », *Physiology & Behavior*, 65, 59-62.

162. Une partie du sujet, une partie seulement, est traitée dans Gray, J. & McNaughton, N. (2003), *The Neuropsychology of Anxiety : An Enquiry Into the Functions of the Septal-Hippocampal System*, Oxford, Oxford University Press. Voir aussi Peterson, J. B. (2013), « Three forms of meaning and the management of complexity », *in* T. Proulx, K. D. Markman & M. J. Lindberg (Eds.), *The Psychology of Meaning* (p. 17-48), Washington, D. C., American Psychological Association ; Peterson, J. B. & Flanders, J. L. (2002), « Complexity management theory : Motivation for ideological rigidity and social conflict », *Cortex*, 38, 429-458.

163. Yeats, W. B. (1933) « The Second Coming », R. J. Finneran (Ed.), *The Poems of W. B. Yeats : A New Edition*, New York, MacMillan, p. 158.

164. Comme étudié dans Vrolix, K. (2006), « Behavioral adaptation, risk compensation, risk homeostasis and moral hazard in traffic safety », *Steunpunt Verkeersveiligheid*, RA-2006-95, disponible sur doclib.uhasselt. be/dspace/bitstream/1942/4002/1/behavioraladaptation.pdf

165. Nietzsche, F. W. & Kaufmann, W. A. (1982), *The portable Nietzsche*, New York, Penguin Classics, p. 211-212.

166. Orwell, G. (1958), *The Road to Wigan Pier*, New York, Harcourt, p. 96-97.

167. Carson, R. (1962), *Silent Spring*, Boston, Houghton Mifflin.

168. Voir : reason.com/archives/2016/12/13/the-most-important-graph-in-the-world

169. www.telegraph.co.uk/news/earth/earthnews/9815862/Humans-are-plague-on-Earth-Attenborough.html

170. « La Terre a le cancer, et ce cancer, c'est l'homme », Mesarović, M. D. & Pestel, E. (1974), *Mankind at the Turning Point*, New York, Dutton, p. 1. L'idée fut d'abord émise par (et la citation tirée de) Gregg, A. (1955), « A medical aspect of the population problem », *Science*, 121, 681-682, p. 681, puis ensuite approfondie par Hern, W. M. (1993), « Has the human species become a cancer on the planet ? A theoretical view of population growth as a sign of pathology », *Current World Leaders*, 36, 1089-1124, extrait de King, A. & Schneider, B. (1991) du Club de Rome, *The First Global Revolution*, New York, Pantheon Books, p. 75 : « L'homme est l'adversaire commun à l'ensemble de l'humanité. En cherchant un nouvel ennemi contre lequel nous unir, nous avons trouvé que la pollution, la menace du dérèglement climatique, les sécheresses, la famine, etc., feraient l'affaire. Tous ces dangers sont provoqués par l'homme, et ce n'est qu'en modifiant notre comportement que nous pourrons les surmonter. Le véritable ennemi, par conséquent, est l'humanité elle-même. »

171. Costa, P. T., Terracciano, A., & McCrae, R. R. (2001), « Gender differences in personality traits across cultures : robust and surprising findings », *Journal of Personality and Social Psychology*, 81, 322-31 ; Weisberg, Y. J., Deyoung, C. G., & Hirsh, J. B. (2011), « Gender differences in personality across the ten aspects of the Big Five », *Frontiers in Psychology*, 2, 178 ; Schmitt, D. P., Realo, A., Voracek, M., & Allik, J. (2008), « Why can't a man be more like a woman ? Sex differences in Big Five personality traits across 55 cultures », *Journal of Personality and Social Psychology*, 94, 168-182.

172. De Bolle, M., De Fruyt, F., McCrae, R. R., *et al.* (2015), « The emergence of sex differences in personality traits in early adolescence : A cross-sectional, cross-cultural study », *Journal of Personality and Social Psychology*, 108, 171-85.

173. Su, R., Rounds, J., & Armstrong, P. I. (2009), « Men and things, women and people : A meta-analysis of sex differences in interests », *Psychological Bulletin*, 135, 859-884. Pour une analyse de telles différences du point de vue du neurodéveloppement, voir Beltz, A. M., Swanson, J. L., & Berenbaum, S. A. (2011), « Gendered occupational interests : prenatal androgen effects on psychological orientation to things versus people », *Hormones and Behavior*, 60, 313-7.

174. Bihagen, E. & Katz-Gerro, T. (2000), « Culture consumption in Sweden : the stability of gender differences », *Poetics*, 27, 327-349 ; Costa, P., Terracciano, A. & McCrae, R. R. (2001), « Gender differences in personality traits across cultures : robust and surprising findings », *Journal of Personality and Social Psychology*, 8, 322-331 ; Schmitt, D., Realo. A., Voracek, M. & Alli, J. (2008), « Why can't a man be more like a woman ? Sex differences in Big Five personality traits across 55 cultures », *Journal of Personality and Social Psychology*, 94, 168-182 ; Lippa, R. A. (2010), « Sex differences in personality traits and gender related occupational preferences across 53 nations : Testing evolutionary and social-environmental theories », *Archives of Sexual Behavior*, 39, 619-636.

175. Gatto, J. N. (2000), *The Underground History of American Education : A School Teacher's Intimate Investigation of the Problem of Modern Schooling*, New York, Odysseus Group.

176. Voir : *Why Are the Majority of University Students Women ?* Statistiques canadiennes disponibles sur www.statcan.gc.ca/pub/81-004-x/2008001/article/10561-eng.htm

177. Voir, par exemple, Hango. D. (2015), « Gender differences in science, technology, engineering, mathematics and computer science

(STEM) programs at university », *Statistics Canada*, 75-006-X. Disponible sur : www.statcan.gc.ca/access_acces/alternative_alternatif.action?l=eng&loc = /pub/75-006-x/2013001/article/11874-eng.pdf

178. Je ne suis pas le seul à avoir cette impression. Voir, par exemple, Hymowitz, K. S. (2012), *Manning Up : How the Rise of Women Has Turned Men Into Boys*, New York, Basic Books.

179. Voir www.pewresearch.org/fact-tank/2012/04/26/young-men-and-women-differ-on-the-importance-of-a-successful-marriage

180. Voir :
www.pewresearch.org/data-trend/society-and-demographics/marriage

181. La presse généraliste en a parlé en long et en large : voir www.thestar.com/life/2011/02/25/women_lawyers_leaving_in_droves.html ; www.cbc.ca/news/canada/women-criminal-law-1.3476637 ; www.huffingtonpost.ca/andrea-lekushoff/female-lawyers-canada_b_5000415.html

182. Jaffe, A., Chediak, G., Douglas, E., Tudor, M., Gordon, R. W., Ricca, L. & Robinson, S. (2016), « Retaining and advancing women in national law firms », *Stanford Law and Policy Lab, White Paper*. Disponible sur :
www-cdn.law.stanford.edu/wp-content/uploads/2016/05/Women-in-Law-White-Paper-FINAL-May-31-2016.pdf

183. Conroy-Beam, D., Buss, D. M., Pham, M. N., & Shackelford, T. K. (2015). « How sexually dimorphic are human mate preferences ? » *Personality and Social Psychology Bulletin*, 41, 1082-1093. Pour un exposé sur la façon dont la préférence du partenaire féminin évolue grâce à des facteurs purement biologiques (ovulatoires), voir Gildersleeve, K., Haselton, M. G., & Fales, M. R. (2014), « Do women's mate preferences change across the ovulatory cycle ? A meta-analytic review », *Psychological Bulletin*, 140, 1205-1259.

184. Voir Greenwood, J., Nezih, G., Kocharov, G & Santos, C. (2014). « Marry your like : Assortative mating and income inequality », *IZA discussion paper*, 7895.
Disponible sur hdl.handle.net/10419/93282

185. On peut trouver une bonne analyse de ce sujet sinistre par Suh, G. W., Fabricius, W. V., Parke, R. D., Cookston, J. T., Braver, S. L. & Saenz, D. S., « Effects of the interparental relationship on adolescents' emotional security and adjustment : The important role of fathers », *Developmental Psychology*, 52, 1666-1678.

186. Hicks, S. R. C. (2011), *Explaining Postmodernism : Skepticism and Socialism From Rousseau to Foucault*, Santa Barbara, CA, Ockham' Razor

Multimedia Publishing. Le PDF est disponible sur www.stephenhicks.org/
wp-content/uploads/2009/10/hicks-ep-full.pdf

187. Higgins, D. M., Peterson, J. B. & Pihl, R. O., « Prefrontal cognitive
ability, intelligence, Big Five personality, and the prediction of advanced
academic and workplace performance », *Journal of Personality and Social
Psychology*, 93, 298-319.

188. Carson, S. H., Peterson, J. B. & Higgins, D. M. (2005), « Reliability,
validity and factor structure of the Creative Achievement Questionnaire »,
Creativity Research Journal, 17, 37-50.

189. Bouchard, T. J. & McGue, M. (1981). « Familial studies of intelligence : a review », *Science*, 212, 1055-1059 ; Brody, N. (1992), *Intelligence*, New York, Gulf Professional Publishing. Plomin R. & Petrill S. A.
(1997), « Genetics and intelligence. What's new ? » *Intelligence*, 24, 41-65.

190. Schiff, M., Duyme, M., Dumaret, A., Stewart, J., Tomkiewicz, S. &
Feingold, J. (1978), « Intellectual status of working-class children adopted
early into upper-middle-class families », *Science*, 200, 1503-1504 ; Capron,
C. & Duyme, M. (1989), « Assessment of effects of socio-economic
status on IQ in a full cross-fostering study », *Nature*, 340, 552-554.

191. Kendler, K. S., Turkheimer, E., Ohlsson, H., Sundquist, J. & Sundquist, K. (2015), « Family environment and the malleability of cognitive
ability : a Swedish national home-reared and adopted-away cosibling
control study », *Proceedings of the National Academy of Science USA*,
112, 4612-4617.

192. Pour le point de vue de l'OCDE sur ce sujet, voir *Closing
the Gender Gap : Sweden*, qui commence par passer en revue les
statistiques qui indiquent que les filles ont, en ce qui concerne l'éducation, un avantage sur les garçons, et que les femmes sont extrêmement sur-représentées dans le secteur de la santé. Il poursuit en
dénonçant l'avantage encore d'actualité des hommes en informatique.
Disponible sur : www.oecd.org/sweden/Closing%20the%20Gender%20
Gap%20-%20Sweden%20FINAL.pdf

193. Eron, L. D. (1980), « Prescription for reduction of aggression »,
The American Psychologist, 35, 244-252 (p. 251).

194. Étudié dans Peterson, J. B. & Shane, M. (2004), « The functional
neuro-anatomy and psychopharmacology of predatory and defensive
aggression », *in* J. McCord (Ed.), *Beyond Empiricism : Institutions and
Intentions in the Study of Crime* (Advances in Criminological Theory,
Vol. 13) (p. 107-146), Piscataway, New Jersey, Transaction Books ; voir
aussi Peterson, J. B. & Flanders, J. (2005), « Play and the regulation
of aggression », *in* Tremblay, R. E., Hartup, W. H. & Archer, J. (Eds.),

Developmental Origins of Aggression (chapter 12 ; p. 133-157), New York, Guilford Press.

195. Comme étudié dans Tremblay, R. E., Nagin, D. S., Séguin, J. R., *et al.* (2004), « Physical aggression during early childhood : trajectories and predictors », *Pediatrics*, 114, 43-50.

196. Heimberg, R. G., Montgomery, D., Madsen, C. H., & Heimberg, J. S. (1977), « Assertion training : A review of the literature », *Behavior Therapy*, 8, 953-971 ; Boisvert, J.-M., Beaudry, M., & Bittar, J. (1985), « Assertiveness training and human communication processes », *Journal of Contemporary Psychotherapy*, 15, 58-73.

197. Trull, T. J., & Widiger, T. A. (2013), « Dimensional models of personality : The five-factor model and the DSM-5 », *Dialogues in Clinical Neuroscience*, 15, 135-46 ; Vickers, K. E., Peterson, J. B., Hornig, C. D., Pihl, R. O., Séguin, J. & Tremblay, R. E. (1996), « Fighting as a function of personality and neuro-psychological measures », *Annals of the New York Academy of Sciences*, 794, 411-412.

198. Bachofen, J. J. (1861), *Das Mutterrecht : Eine Untersuchung über die Gynaikokratie der alten Welt nach ihrer religiösen und rechtlichen Natur*, Stuttgart, Verlag von Krais und Hoffmann.

199. Gimbutas, M. (1991), *The Civilization of the Goddess*, San Francisco, Harper.

200. Stone, M. (1978), *When God Was a Woman*, New York, Harcourt Brace Jovanovich.

201. Eller, C. (2000), *The Myth of Matriarchal Prehistory : Why an Invented Past Won't Give Women a Future*, Beacon Press.

202. Neumann, E. (1954), *The Origins and History of Consciousness*, Princeton, NJ, Princeton University Press.

203. Neumann, E. (1955), *The Great Mother : An Analysis of the Archetype*, New York, Routledge & Kegan Paul.

204. Voir, par exemple, Adler, A. (2002), Theoretical part I-III, « The accentuated fiction as guiding idea in the neurosis », *in* H. T. Stein (Ed.), *The Collected Works of Alfred Adler Volume 1 : The Neurotic Character : Fundamentals of Individual Psychology and Psychotherapy* (p. 41-85), Bellingham, WA, Alfred Adler Institute of Northern Washington, p. 71.

205. Moffitt, T. E., Caspi, A., Rutter, M. & Silva, P. A. (2001), *Sex Differences in Antisocial Behaviour : Conduct Disorder, Delinquency, and Violence in the Dunedin Longitudinal Study*, Londres, Cambridge University Press.

206. Buunk, B. P., Dijkstra, P., Fetchenhauer, D. & Kenrick, D. T. (2002), « Age and gender differences in mate selection criteria for various involvement levels », *Personal Relationships*, 9, 271-278.

207. Lorenz, K. (1943), « Die angeborenen Formen möglicher Erfahrung », *Ethology*, 5, 235-409.

208. Tajfel, H. (1970), « Experiments in intergroup discrimination », *Nature*, 223, 96-102.

209. Extrait de Dostoïevsky, F. (1995), *The Brothers Karamazov* (mis en scène par David Fishelson), Dramatists Play Service, Inc., p. 54-55, disponible sur bit.ly/2ifSkMn

210. Et ce n'est pas la faculté de préparer au micro-ondes des burritos si brûlants que Dieu en personne ne pourrait pas les manger (comme le dit Homer dans *Weekend at Burnsie's*, épisode 16, saison 13, *Les Simpson*.

211. Lao-Tseu (1984), *The Tao te king* (1984) (traduction en anglais : S. Rosenthal), verset 11, The Utility of Non-Existence, disponible sur terebess.hu/english/tao/rosenthal.html#Kap11

212. Dostoïevsky, F. (1994), *Notes from Underground, White Night, The Dream of a Ridiculous Man, The House of the Dead* (traduction en anglais A. R. MacAndrew), New York, New American Library, p. 114.

213. Goethe, J. W. (1979), *Faust, Part Two* (traduction en anglais P. Wayne), Londres, Penguin Books, p. 270.

214. Dikötter, F., *Mao's Great Famine*, Londres, Bloomsbury.

215. Voir Peterson, J. B. (2006), « Peacemaking among higher-order primates », *in* Fitzduff, M. & Stout, C. E. (Eds.), *The Psychology of Resolving Global Conflicts : From War to Peace*, in Volume III, *Interventions* (p. 33-40), New York, Praeger, disponible sur www.researchgate.net/publication/235336060_Peacemaking_among_higher-order_primates

216. Voir Allen, L. (2011), « Trust versus mistrust (Erikson's infant stages) », *in* S. Goldstein & J. A. Naglieri (Eds.), *Encyclopedia of Child Behavior and Development* (p. 1509-1510), Boston, MA, Springer US.

217. Lao-Tseu (1984), *The Tao te king* (1984) (traduction en anglais S. Rosenthal), verset 33, Without force, without perishing, disponible sur terebess.hu/english/tao/rosenthal.html#Kap33

218. Citons, par exemple, le courageux Boyan Slat. Ce jeune Néerlandais d'à peine vingt ans a mis au point une technologie capable de nettoyer la mer, qui pourrait être utilisée de manière rentable dans tous les océans du monde. Voilà ce qu'est un véritable écologiste. Voir www.theoceancleanup.com

219. Yeats, W. B. (1933), « Sailing to Byzantium », *in* R. J. Finneran (Ed.), *The Poems of W. B. Yeats : A New Edition*, New York, MacMillan, p. 163.

REMERCIEMENTS

Le moins que l'on puisse dire, c'est que j'ai écrit ce livre durant une période fort tumultueuse. J'ai néanmoins pu compter sur un grand nombre de personnes fiables, compétentes et sérieuses, et j'en remercie Dieu. Je souhaiterais particulièrement remercier ma femme, Tammy, ma meilleure amie depuis près de cinquante ans. Durant mes nombreuses années d'écriture, qui se sont poursuivies malgré tout ce qui s'est passé d'urgent et d'important dans nos vies, elle s'est révélée formidable de sincérité, de stabilité, de soutien, d'aide pratique, d'organisation et de patience. Ma fille Mikhaila et mon fils Julian ainsi que mes parents, Walter et Beverly, se sont également tenus à mes côtés, attentifs, prêtant attention à mon travail, abordant des sujets complexes avec moi, m'aidant dans l'organisation de mes idées, de mes mots et de mes actes. C'est également le cas de mon beau-frère, Jim Keller, formidable concepteur de puces électroniques, et de ma sœur Bonnie, toujours aussi fiable qu'aventureuse. L'amitié de Wodek Szemberg et Estera Bekier s'est révélée très précieuse à mes yeux, et ce depuis de nombreuses années, de même que le soutien subtil, en coulisses, du professeur William Cunningham. Le docteur Norman Doidge a fait plus que son devoir en rédigeant et révisant la préface de ce livre, ce qui lui a demandé bien plus d'efforts que je ne l'avais tout d'abord estimé.

Mes proches sont très reconnaissants de l'amitié et de la convivialité dont sa femme Karen et lui ont toujours fait preuve. Ce fut un plaisir de collaborer avec Craig Pyrette, mon éditeur chez Random House Canada. Son attention aux détails et sa faculté à refréner mes ardeurs (et parfois mon agacement) avec beaucoup de diplomatie m'ont permis d'écrire un livre beaucoup plus mesuré et équilibré.

Mon ami Gregg Hurwitz, romancier et scénariste, s'est servi d'un certain nombre de mes règles dans son succès *Orphan X*, et ce bien avant la publication de mon livre, ce qui est un grand compliment. Cela m'a servi d'indicateur sur leur valeur potentielle et l'intérêt qu'elles pouvaient avoir auprès du public. Durant mes phases d'écriture et de correction, Gregg m'a également offert ses services de relecteur et commentateur dévoué, minutieux, cruellement incisif et doté d'un cynisme à toute épreuve. Il m'a aidé à couper le verbiage superflu (une partie, tout du moins), afin que j'évite de perdre le fil narratif.

Enfin, je souhaite remercier Sally Harding, mon agent, et l'équipe fabuleuse avec laquelle elle travaille chez CookeMcDermid. Sans elle, je n'aurais jamais écrit ce livre.

**Ce produit est issu de forêts gérées durablement
et de sources contrôlées.**

12732

Composition
NORD COMPO

*Achevé d'imprimer en Espagne
par* BLACK PRINT
le 18 août 2019

Dépôt légal : septembre 2019
EAN 9782290203132
OTP L21EPBN000507N001

ÉDITIONS J'AI LU
87, quai Panhard-et-Levassor, 75013 Paris

Diffusion France et étranger : Flammarion